Onschuldig

Scott Turow

Onschuldig

Uitgeverij Luitingh

Mixed Sources
Productgroep uit goed beheerde bossen
en andere gecontroleerde bronnen
www.fsc.org Cert no. SGS-COC-006507
© 1996 Forest Stewardship Council

Uitgeverij Luitingh en drukkerij Bariet vinden het belangrijk om op milieu-
vriendelijke en verantwoorde wijze met natuurlijke bronnen om te gaan

© 2010 Scott Turow
All rights reserved
First published in the United States by Grand Central Publishing
© 2010 Nederlandse vertaling
Uitgeverij Luitingh ~ Sijthoff B.V., Amsterdam
Alle rechten voorbehouden
Oorspronkelijke titel: *Innocent*
Vertaling: Rob Kuitenbrouwer, Olaf Brenninkmeijer, Bookmakers, J.J. de Wit
Omslagontwerp: Wouter van der Struys
Omslagfotografie: Grand Central Publishing, Hachette Book Group USA

ISBN 978 90 245 3246 9
NUR 305

www.boekenwereld.com
www.uitgeverijluitingh.nl
www.watleesjij.nu

Voor Nina

Proloog

Nat, 30 september 2008

Een man zit op een bed. Hij is mijn vader.
Onder het dek ligt het lijk van een vrouw. Zij was mijn moeder.
Dit is niet echt het begin van het verhaal. Of het eind ervan. Maar
het is het ogenblik waaraan ik altijd terugdenk, het beeld dat ik van
hen voor ogen heb.

Wat mijn vader me even later zal vertellen, is dat hij bijna drieën-
twintig uur in diezelfde kamer heeft doorgebracht en alleen naar de
wc is geweest. Een dag eerder is hij, zoals meestal op een doorde-
weekse dag, om halfzeven wakker geworden en zodra hij zijn voeten in zijn sloffen stak, is hem bij het omkijken de dodelijke verandering in mijn moeder opgevallen. Hij duwde tegen haar schouder,
raakte haar lippen aan. Hij drukte met zijn handpalm een paar maal
op haar borstbeen, maar de huid voelde zo koel als klei. Haar ledematen bewogen al zo stram als die van een paspop.

Hij zal me vertellen dat hij in een stoel bij haar is gaan zitten. Hij
heeft niet gehuild. Hij heeft nagedacht, zal hij zeggen. Hij weet niet
hoe lang, alleen dat het zonlicht door de hele kamer was geschoven
toen hij eindelijk was opgestaan en als een bezetene was gaan opruimen.

Hij zal zeggen dat hij drie of vier boeken waarin ze altijd las op de
plank heeft teruggezet. Dat hij de kleren heeft weggehangen die ze
gewoonlijk op het bankje voor haar kaptafel legde en daarna het bed
om haar heen heeft opgemaakt, het laken heeft ingestopt en het dekbed rechtgetrokken, en de sprei heeft omgevouwen voordat hij haar
handen als die van een pop op het satijnen boordsel legde. Hij heeft
twee verwelkte bloemen uit het vaasje op haar nachtkastje verwij-

derd en nette stapeltjes gemaakt van de kranten en tijdschriften op haar bureau.

Hij zal me vertellen dat hij niemand heeft ingelicht, ook geen ambulance heeft gebeld omdat hij zeker wist dat ze dood was; en dat hij alleen een eenregelig mailtje heeft verstuurd naar zijn assistente om zich af te melden. De telefoon is een paar keer gegaan, maar hij heeft niet opgenomen. Er zal bijna een volle dag verstrijken voordat hij beseft dat hij mij moet inlichten.

Maar hoe kan ze nou dood zijn? zal ik vragen. Eergisteravond is me niets aan haar opgevallen. Na een beladen seconde zal ik tegen mijn vader zeggen: ze heeft geen zelfmoord gepleegd.

Nee, bevestigt hij direct.

Daar was haar stemming niet naar.

Het komt door haar hart, zal hij dan zeggen. Het moet door haar hart zijn gekomen. En haar bloeddruk. Zo is het bij je grootvader ook gegaan.

Ga je de politie bellen?

De politie, zegt hij na een tijdje. Waarom zou ik de politie bellen?

Jezus, pa. Je bent toch rechter. Dat moet je toch doen als iemand onverwachts doodgaat? Ik huil inmiddels. Ik weet niet hoe lang al.

Ik wilde het uitvaartcentrum bellen, zal hij tegen me zeggen, maar ik dacht dat je haar misschien eerst nog wilde zien.

Shit, ja, natuurlijk wil ik haar zien.

Van het uitvaartcentrum krijgen we te horen dat we onze huisarts moeten bellen, die de gerechtelijke lijkschouwer zal inlichten, die de politie langs zal sturen. Het zal een lange ochtend worden en een nog langere middag; talloze mensen lopen het huis in en uit. De lijkschouwer laat zes uur op zich wachten. Hij is nog maar net bij mijn dode moeder als hij mijn vader toestemming vraagt om een lijst op te stellen van alle medicijnen die ze gebruikte. Een uur later zie ik in het voorbijgaan in de badkamer van mijn ouders een politieman die met een pen en een blocnote beduusd voor het openstaande medicijnkastje staat.

Jezus, laat hij zich ontvallen.

Bipolaire stoornis, zal ik hem uitleggen als hij me eindelijk opmerkt. Daar moest ze veel pillen voor slikken. Uiteindelijk zal hij simpelweg de hele inhoud van het medicijnkastje in een vuilniszak schuiven en die meenemen.

Intussen zal op gezette tijden iemand van de recherche mijn vader komen vragen wat er is gebeurd. Hij vertelt keer op keer hetzelfde verhaal.

Waar dacht u dan al die tijd aan? zal een van de rechercheurs vragen.

Met zijn blauwe ogen kan mijn vader onverbiddelijk kijken. Dat heeft hij waarschijnlijk van zijn eigen vader geleerd, een man die hij verachtte.

Bent u getrouwd? zal hij de rechercheur vragen.

Ja, meneer.

Dan weet u toch waaraan ik moest denken, zal hij zeggen. Aan het leven. Het huwelijk. Aan haar.

De politie zal hem nog drie, vier keer vragen zijn verhaal te vertellen, uit te leggen hoe hij daar heeft gezeten en waarom. Hij zal elke keer precies hetzelfde zeggen. Hij geeft op elke vraag beheerst als altijd antwoord, de onverstoorbare jurist die het leven beziet als een eindeloze zee.

Hij zal vertellen welke voorwerpen hij heeft verplaatst.

Hij zal vertellen waar hij elk uur heeft doorgebracht.

Maar hij zal niemand vertellen over die vrouw.

DEEL I

I

I

Rusty, 19 maart 2007, anderhalf jaar eerder

Zetelend in de notenhouten rechtersbank, twee meter boven het podium van de advocaten, open ik met de hamer de laatste zaak van de ochtend voor mondelinge behandeling.

'De staat tegen John Harnason,' zeg ik. 'Een kwartier spreektijd voor elk van beide partijen.'

In de voorname rechtszaal van het hof van beroep, met de twee etages hoge donkerrode zuilen die verrijzen tot aan het rococoplafond met verguld sierwerk, zijn niet veel toeschouwers verschenen, eigenlijk alleen Molly Singh, de rechtbankverslaggever van de *Tribune*, en een handjevol mensen van het openbaar ministerie die zijn afgekomen op een lastige zaak waarin hun baas Tommy Molto, de waarnemend hoofdaanklager, zal optreden, terwijl Molto maar zelden in eigen persoon in de rechtszaal verschijnt. Molto, een doorleefd ogende veteraan, zit met twee van zijn collega's aan een van de glanzende notenhouten tafels voor de verhoging van de rechter. Aan de andere kant zit John Harnason, de verdachte, veroordeeld wegens gifmoord op zijn huisgenoot en minnaar, te wachten op het overleg over zijn toekomst, terwijl Mel Tooley, zijn advocaat, naar voren loopt. Tegen de achterwand zitten enkele juridisch assistenten en stagiaires, onder wie Anna Vostic, mijn eigen assistent in opleiding, die over enkele dagen afscheid van ons zal nemen. Op mijn knikje zal Anna de spreektijdlampjes bedienen, groen, geel en rood, met dezelfde betekenis als in het verkeer.

'Met uw welnemen, meneer,' zegt Mel om de aandacht van het hof te vragen. Hoewel Mel tegenwoordig zeker dertig kilo te zwaar is, volhardt hij in zijn gewoonte opvallende krijtstreeppakken te dragen die hem het aanzien geven van een gestopte worst, waardoor je het plaatsvervangend benauwd krijgt, en in de gewoonte die foeilelijke toupet op te hebben, waarmee hij oogt alsof hij er een poedel voor heeft gevild. Hij begint met een amicale grijns alsof we allemaal dikke vrienden zijn: hij en ik, en Marvina Hamlin en George Mason, de rechters die me flankeren in de drievoudige kamer die zal beslissen over het beroep. Ik heb Mel nooit gemogen: een doortrapter serpent dan de meesten in de slangenkuil van strafpleiters.

'Ten eerste,' zegt Mel, 'kan ik niet beginnen zonder president Sabich bij deze mijlpaal in zijn leven een prettige verjaardag te wensen.'

Ik ben vandaag zestig geworden, een gebeurtenis die me vooraf met somberheid heeft vervuld. Mel ontleent zijn wetenschap ongetwijfeld aan de roddelrubriek op pagina twee van de *Trib* van vandaag, de dagoogst aan roddels en achterklap, waarin vandaag ook mijn naam voorkomt: '**Rusty Sabich, president van het hof van beroep in het derde district en kandidaat voor het hooggerechtshof van onze staat, wordt vandaag 60.**' Nogal confronterend om het zo vet in de krant te zien staan.

'Ik had gehoopt dat het niemand was opgevallen, meneer Tooley,' zeg ik. De zaal lacht. Zoals ik lang geleden al heb gemerkt wordt om elk grapje dat je als rechter maakt gretig gelachen, al is het nog zo flauw. Ik gebaar dat Tooley kan doorgaan.

Heel eenvoudig gezegd is de taak van het hof van beroep te controleren of degene die beroep heeft aangetekend een eerlijk proces heeft gekregen. Onze rol is een afspiegeling van de Amerikaanse rechtsgang, gelijkmatig verdeeld over de rijken, die meestal beroep aantekenen in civiele zaken waarbij het om veel geld gaat, en de armen, in meerderheid criminelen die tegen zware celstraffen in appel gaan. Omdat het hooggerechtshof van onze staat weinig zaken in heroverweging neemt, geeft negen van de tien keer het hof van beroep uiteindelijk de doorslag.

De vraag waarom het vandaag draait is duidelijk geformuleerd: heeft het openbaar ministerie voldoende bewijsmateriaal aangevoerd ter onderbouwing van de uitspraak van de jury die Harnason heeft veroordeeld wegens moord? Het gebeurt zelden dat een hof van beroep een zaak op die grond terugverwijst; in de regel houdt de juryuitspraak stand, tenzij die aantoonbaar irrationeel is. Maar dit is een grensgeval. Ricardo Millan, Harnasons huisgenoot en zaken-partner in een bedrijf dat geheel verzorgde reizen aanbood, is op zijn negenendertigste gestorven aan een mysterieuze levensbedrei-gende ziekte die bij de lijkschouwing is opgevat als een verwaar-loosde darminfectie of een besmetting door een parasiet. Daarmee had de zaak uit de wereld kunnen zijn als Ricardo's moeder niet meermalen uit Puerto Rico hierheen was gereisd om de kwestie uit te zoeken. Ze had al haar spaargeld gestoken in een privédetective en een toxicoloog aan de universiteit die de politie wist over te halen Ricardo op te graven. Uit haarmonsters bleek dat hij een dodelijke hoeveelheid arsenicum had binnengekregen.

Vergiftiging is een achterbakse vorm van moord. Geen mes, geen vuurwapen. Geen Nietzsche-moment van confrontatie met het slachtoffer, waarin je door het opleggen van je wil een oeropwin-ding ervaart. Deze vorm heeft meer van fraude dan van geweld. En het lijkt er akelig veel op dat Harnason door de jury is veroordeeld omdat hij eruitziet als een gifmenger. Hij komt me vaag bekend voor, maar dat moet zijn omdat zijn foto in de krant heeft gestaan, want zo'n excentrieke verschijning als hij zou me zijn bijgebleven. Hij heeft een schreeuwerig koperkleurig pak aan. Aan de hand waarmee hij aantekeningen maakt zijn de nagels zo lang dat ze om-gebogen zijn, zoals bij een Chinese keizer, en zijn hoofd is bedekt met een woud van verkleefde oranje krullen. Op zijn hele hoofd groeit rossig haar. Met zijn borstelige wenkbrauwen lijkt hij op een bever en zijn lichtrode snor hangt voor zijn mond. Mensen zoals hij stellen me voor raadselen. Wil hij de aandacht op zich vestigen of vindt hij andere mensen maar saai?

Afgezien van zijn verschijning is het bewijs dat Harnason Ricar-do heeft vermoord niet heel sterk. Buren hebben gemeld dat een dronken Harnason niet lang voor de gebeurtenis op straat met een keukenmes heeft gezwaaid en tegen Ricardo heeft lopen tieren over zijn bezoeken aan een jongere man. De aanklager heeft ook bena-drukt dat Harnason naar de rechter is gestapt om te voorkomen dat het lijk van Ricardo zou worden opgegraven; daarbij stelde hij dat Ricardo's moeder niet goed snik was en hem zou laten opdraaien voor de kosten van de herbegrafenis. Waarschijnlijk de enige con-crete aanwijzing is dat de recherche microscopische sporen van ar-seenoxide heeft aangetroffen in mierengif in het schuurtje achter het huis dat Harnason van zijn moeder heeft geërfd. Het bestrijdingsmiddel was al zeker tien jaar uit productie, wat de verdediger ertoe bracht aan te voeren dat de minieme korreltjes een gedegradeerd overblijfsel waren uit de tijd van Harnasons moeder, terwijl de werkelijke dader een veel betrouwbaardere vorm van arseenoxide bij allerlei leveranciers op internet had kunnen bestellen. Ondanks de bekendheid van arsenicum als klassiek vergif wordt het tegenwoordig zelden meer gebruikt. Bij het gebruikelijke toxicologische onderzoek wordt bij lijkschouwingen dan ook niet meer automatisch naar arsenicum gezocht, zodat de doodsoorzaak aanvankelijk niet is ontdekt.

Al met al is de zaak zo in evenwicht dat ik, als president, heb besloten Harnason tegen betaling van een borgsom voorwaardelijk vrij te laten. Dat gebeurt niet vaak na een veroordeling, maar het leek niet redelijk om Harnason in de cel te zetten voordat wij ons over deze flinterdunne zaak hebben uitgesproken.

Vandaar het optreden van waarnemend hoofdaanklager Tommy Molto. Tommy is een bekwaam jurist met veel ervaring in beroepszaken, maar nu hij leiding geeft aan het bureau van de openbare aanklager kan hij zich niet meer zo vaak vrijmaken om zelf in de rechtszaal te verschijnen. Hij behandelt de zaak persoonlijk omdat de aanklagers in de voorwaardelijke vrijlating kennelijk een aanwijzing zien dat Harnasons zaak kan worden terugverwezen. Molto's aanwezigheid is bedoeld om te benadrukken dat het openbaar ministerie vierkant achter het aangevoerde bewijs blijft staan. Ik vervul Tommy's wens, als het ware, door hem scherp te ondervragen zodra hij aan de beurt is gekomen.

'Meneer Molto,' zeg ik, 'wilt u me corrigeren als ik me vergis, maar uit het verslag blijkt niet dat meneer Harnason ervan op de hoogte was dat arsenicum bij een standaard toxicologisch onderzoek niet zou worden opgespoord zodat hij de dood van meneer Millan aan een natuurlijke oorzaak zou kunnen toeschrijven. Het is toch geen algemeen toegankelijke informatie naar welke stoffen bij een toxicologisch onderzoek al dan niet wordt gezocht?'

'Het is geen staatsgeheim, meneer, maar het is inderdaad ook niet algemeen bekend.'

'Geheim of niet geheim, er is toch niet aangetoond dat Harnason daarvan op de hoogte was?'

'Dat is juist,' zegt Molto.

Een van Tommy Molto's sterke punten in deze rol is dat hij altijd beleefd en concreet blijft, maar hij kan niet voorkomen dat een vertrouwde misnoegde blik op zijn gezicht verschijnt als reactie op mijn ondervraging. We hebben samen een gecompliceerde geschiedenis achter de rug. Molto was aanklager in de gebeurtenis van eenentwintig jaar geleden die mijn leven zo scherp in tweeën deelt als een middenstreep een weg: ik ben indertijd berecht en vrijgesproken van moord op een andere aanklager.

'En is het niet zo, meneer Molto, dat zelfs niet zonneklaar is aangetoond hoe meneer Harnason meneer Millan kon hebben vermoord? Hebben niet verschillende vrienden verklaard dat juist meneer Millan altijd het eten klaarmaakte?'

'Ja, maar meneer Harnason schonk gewoonlijk in.'

'Maar de getuige-deskundige à decharge heeft toch verklaard dat arseenoxide zo bitter is dat het niet onopgemerkt kan blijven in een martini of een glas wijn? Die verklaring is toch niet door de aanklager weerlegd?'

'Dat punt is niet omstreden, meneer. Maar deze mannen gebruikten meestal gezamenlijk de maaltijd. Daardoor moet Harnason ruimschoots de gelegenheid hebben gehad het misdrijf te plegen waarvoor de jury hem heeft veroordeeld.'

In de wandelgangen van het gerechtsgebouw wordt de laatste tijd vaak beweerd dat Tommy zo is veranderd nu hij op latere leeftijd voor het eerst is getrouwd en schijnbaar toevallig de functie heeft veroverd waarop hij zijn zinnen had gezet. Dat het Tommy heeft meegezeten, neemt niet weg dat het leven hem fysiek heeft misdeeld. Het weinige haar dat hij nog heeft is spierwit geworden en hij heeft wallen onder zijn ogen als gebruikte theezakjes. Maar een subtiele verbetering valt niet te ontkennen. Tommy is afgevallen en hij heeft pakken gekocht die er niet meer uitzien alsof hij erin heeft geslapen; hij kijkt vaak neutraal of zelfs opgewekt voor zich uit. Maar nu niet. Mij kijkt hij niet vriendelijk aan. Na al die jaren beschouwt Tommy mij nog steeds als de vijand, en aan zijn gezicht te zien, terwijl hij weer gaat zitten, vat hij mijn twijfels op als nader bewijs daarvan.

Zodra dit gesprek is afgelopen, begeven de andere twee rechters en ik ons naar de raadkamer om de zaken te bespreken die voor vanochtend op de rol staan, ons oordeel te vellen en te bepalen wie van ons drieën de uitspraak op schrift zal stellen. De raadkamer is een elegant vertrek dat lijkt op de eetzaal in een herenclub, compleet met kroonluchter. Aan een lange Chippendale-tafel staan genoeg rechte stoelen met leren zitting voor alle achttien rechters in het hof, voor het zeldzame geval dat we plenair 'en banc' tot een uitspraak over een zaak komen.

'Afwijzen,' zegt Marvina Hamlin direct, alsof er niets te bespreken valt over de zaak-Harnason. Marvina is een pittige zwarte dame met alle reden om stevig in haar schoenen te staan. Ze is opgegroeid in het getto, heeft op haar zestiende een zoon gekregen, is begonnen als juridisch secretaresse en heeft zich opgewerkt tot jurist, en een verdomd goede jurist. Jaren geleden heb ik haar als strafrechter twee keer zien pleiten. Anderzijds: nu ik Marvina een jaar of tien als collega heb meegemaakt, weet ik dat ze niet van haar standpunt is af te brengen. Ze heeft niets meer van een ander aangenomen sinds haar moeder haar op prille leeftijd voorhield dat ze voor zichzelf moest opkomen. 'Wie kan het anders hebben gedaan?' wil Marvina weten.

'Laat jij je assistent koffie voor je halen, Marvina?' vraag ik.

'Dat kan ik zelf wel, dank je,' is haar antwoord.

'Je weet wat ik bedoel. Welk bewijs is er dat het niet een collega van hem is geweest?'

'Aanklagers hoeven niet achter elk vogeltje aan te fladderen,' zegt ze. 'Wij trouwens ook niet.'

Daar heeft ze gelijk in, maar gesterkt door haar woorden zeg ik tegen mijn collega's dat ik de zaak wil terugverwijzen. Daarna kijken we allebei naar George Mason, die in feite de doorslag zal geven. George is een heer met keurige manieren, aan wiens stem af en toe nog is te horen dat hij uit Virginia komt, en hij is gezegend met zo'n witte kuif als je bij rechters in films vaak ziet. George is mijn beste vriend onder de collega's en hij zal me opvolgen in mijn functie als ik, zoals wijd en zijd wordt verwacht, komend jaar de voorverkiezing en de verkiezing win en promoveer naar het hooggerechtshof van onze staat.

'Volgens mij is de bal nog net in,' zegt hij.

'George!' protesteer ik. George Mason en ik vechten elkaar al juridisch de tent uit sinds hij dertig jaar geleden als debuterend pro-Deoverdediger werd toegevoegd aan de rechtbank waar ik hoofdaanklager was. Vroege ervaringen zijn in de wereld van het recht net zo bepalend als elders en George is vaker dan ik geneigd de kant van de verdachte te kiezen. Maar vandaag niet.

'Ik geef toe dat ik er een vrijspraak bij gebrek aan bewijs van had gemaakt als de zaak bij mij was voorgekomen,' verklaart hij, 'maar het gaat om een behandeling in beroep en ik mag niet mijn oordeel laten prevaleren boven dat van de jury.'

Die plaagstoot is tegen mij gericht. Ik zou het nooit hardop zeggen, maar ik voel aan dat Molto's verschijning, en het belang dat de aanklager aan de zaak hecht, bij mijn beide collega's net de doorslag hebben gegeven. Maar waar het om gaat is dat ik heb verloren. Ook dat hoort bij mijn werk, het aanvaarden van de wisselvalligheid van het recht. Ik vraag Marvina de uitspraak te schrijven. Nog een beetje gepikeerd verlaat ze de kamer, zodat George en ik samen achterblijven.

'Moeilijke zaak,' zegt hij. Het is een axioma van dit leven dat, zoals man en vrouw voor het slapen gaan hun geschillen bijleggen, rechters in een hof van beroep hun verschillen van mening niet buiten de bespreking uitdragen. Ik haal mijn schouders op, maar hij merkt aan me dat het me niet lekker zit. 'Waarom stel je niet een minderheidsstandpunt op?' suggereert hij. Hij bedoelt een stuk waarin ik mijn eigen mening geef en onderbouw waarom de anderen het volgens mij verkeerd zien. 'Ik beloof je dat ik er met een frisse blik naar zal kijken wanneer je het op schrift hebt gesteld.'

Ik neem zelden een afwijkend standpunt in, omdat het een van mijn voornaamste verantwoordelijkheden is om de harmonie in het hof te bewaren, maar ik besluit zijn aanbod te accepteren en ga naar mijn eigen kamer om de zaak met mijn assistenten op te nemen. Als president beschik ik over een suite ter grootte van een klein woonhuis. Naast een royaal vertrek voor mijn assistente en de staf bevindt zich mijn werkruimte, tien bij tien meter en anderhalve verdieping hoog, met een lambrisering van oud gepolitoerd eiken, waardoor het donkere interieur een beetje aan een kasteel doet denken.

Wanneer ik de brede deur van het vertrek open, zie ik wel veertig mensen staan die onmiddellijk 'gefeliciteerd!' gillen. Ik ben verbaasd, maar vind de aandacht voor mijn verjaardag voornamelijk morbide. Toch doe ik alsof ik het een leuke verrassing vind en maak de ronde om mensen te begroeten die zo'n permanente plaats hebben in mijn bestaan, zo denk ik in mijn huidige stemming, als de teksten op grafstenen.

Mijn zoon Nat is er, achtentwintig nu, broodmager maar indrukwekkend mooi te midden van zijn overvloed aan gitzwart haar, Barbara, met wie ik al zesendertig jaar getrouwd ben, en vijftien van de in totaal zeventien rechters van het hof. George Mason komt binnen en omhelst me, een moderne begroetingsvorm waarbij we ons geen van beiden echt op ons gemak voelen. Daarna biedt hij me uit naam van al mijn collega's een doos aan.

Er zijn een aantal belangrijke ambtelijke functionarissen gekomen en vrienden die als advocaat zijn blijven werken. Mijn voormalige raadsman Sandy Stern, rond en stevig maar gehinderd door een zomerhoestje, is er met zijn dochter en kantoorgenoot Marta, net als de man die me vijfentwintig jaar terug als eerste vervanger heeft aangesteld, ex-aanklager Raymond Horgan. Ray is in de loop van een jaar van een vriend een vijand geworden en weer een vriend, toen hij bij mijn proces tegen me getuigde en, nadat ik was vrijgesproken, de weg opende voor mijn benoeming. Raymond vervult een belangrijke rol in mijn leven als leider van de campagne voor mijn benoeming bij het hooggerechtshof van onze staat. Hij werkt strategieën uit en schudt bij grote bedrijven aan het geldboompje; praktische zaken laat hij over aan twee haaibaaien van eenendertig en drieëndertig, die net zo emotioneel betrokken zijn bij mijn benoeming als een huurmoordenaar bij zijn doelwit.

De meeste gasten zijn of waren advocaten die elkaar uit de rechtszaal kennen en er wordt veel gelachen en op schouders geslagen. Nat rondt in juni zijn rechtenstudie af en daarna wordt hij assistent in opleiding bij het hooggerechtshof van de staat, waar ik zelf ook eens als juridisch assistent ben begonnen. Nat blijft zichzelf, niet echt een drukke prater, en ouder gewoonte komen Barbara en ik van tijd tot tijd beschermend bij hem staan. Mijn eigen assistenten, die dezelfde taken vervullen als Nat zal krijgen: juridisch onderzoek doen en helpen bij het op schrift stellen van vonnissen, maken zich nu verdienstelijk in de bediening. Omdat Barbara zich buitenshuis altijd slecht op haar gemak voelt, vooral in grote gezelschappen, treedt mijn assistente Anna Vostic min of meer als gastvrouw op; ze giet scheutjes champagne in plastic glazen, die al spoedig worden geheven bij een uitbundig gezongen 'Happy Birthday'. Iedereen juicht als blijkt dat ik voldoende bluf heb om de bosbrand aan kaarsjes die Anna op haar zelfgebakken vierlaags worteltaart heeft gezet in één keer uit te blazen.

Op de uitnodiging heeft 'geen cadeaus' gestaan, maar er zijn wat geintjes. George heeft een kaart gevonden waarop staat: 'Gefeliciteerd, man, je bent 60 en je weet wat dat betekent!' En binnenin: 'Geen witte broeken meer!' Daaronder heeft George geschreven: 'PS Nu weet je waarom rechters een toga dragen.' In de doos die hij me aanbiedt, zit een nieuwe diepzwarte toga met epauletten van gevlochten gouddraad op de schouders genaaid, als voor een tamboermajoor. De verzamelde gasten schateren als ik dit quasi-eerbewijs voor de president van het hof laat zien.

Een minuut of tien later vertrekken de eersten.

'Nieuws,' zegt Ray Horgan met een elfenstemmetje in mijn oor terwijl hij langs me heen schuift richting de deur. Een grijns plooit zijn brede roze gezicht, maar in deze ruimte mag niet over partijpolitieke zaken worden gesproken en als president ben ik me er altijd van bewust dat ik het goede voorbeeld dien te geven. Ik zeg toe dat ik over een halfuur naar zijn kamer kom.

Wanneer alle anderen zijn weggegaan, ruimen Nat en Barbara en de mensen van de griffie de glazen en papieren bordjes op. Ik bedank iedereen.

'Anna heeft het geweldig gedaan,' zegt Barbara en ze voegt eraan toe, in een openhartige opwelling waarvan mijn wereldvreemde Barbara nooit zal begrijpen hoe overbodig die is: 'Dit feestje was helemaal haar idee.' Mijn echtgenote is erg gesteld op mijn assistente en ze betreurt vaak dat Anna iets te oud is voor Nat, die onlangs afscheid heeft genomen van de vriendin die hij jarenlang heeft gehad. Ik val Barbara bij in haar lof voor Anna's bakkunst, die in kringen van het hof een zekere faam geniet. Nu mijn vrouw en mijn zoon erbij zijn, die haar optreden alleen als onschuldig kunnen opvatten, komt Anna naar me toe om me te omhelzen, terwijl ik haar een vaderlijk klopje op haar rug geef.

'Hartelijk gefeliciteerd, rechter,' zegt ze. 'Kanjer.' En weg is ze, terwijl ik mijn best moet doen om het effect te negeren van het contact met Anna's lichaam tegen het mijne, en in elk geval mijn gezicht in de plooi moet houden.

Ik bevestig de eetafspraak met mijn vrouw en mijn zoon. Barbara wil natuurlijk liever thuis eten dan in een restaurant. Ze vertrekken terwijl de melancholiek stemmende geuren van taart en champagne nog in de verlaten kamer hangen. Na zestig jaar ben ik, zoals altijd, alleen om te bepalen wat me te doen staat.

Ik ben nooit een vrolijke Frans geweest. Ik weet heel goed dat het mij vaker mee heeft gezeten dan de meeste mensen. Ik houd van mijn zoon. Ik geniet van mijn werk. Hoewel ik het middelpunt van een schandaal heb gevormd, is het me gelukt mijn goede naam en aanzien terug te veroveren. Ik heb een huwelijk dat, ondanks een onvoorstelbare crisis, een respectabel aantal jaren heeft geduurd en dat meestal vreedzaam is, al is het contact niet optimaal. Maar ik ben opgegroeid in moeizame huiselijke omstandigheden, als kind van een schuchtere, terughoudende moeder en een vader die zich zonder enige schaamte gedroeg als een smeerlap. Als kind was ik niet gelukkig en het leek dus voor de hand te liggen dat ik een ontevreden volwassene zou worden.

Al ben ik iemand wiens emotionele temperatuur gewoonlijk schommelt tussen neutraal en neerslachtig, tegen vandaag heb ik als tegen een berg opgekeken. Elke seconde is er het besef van de opmars naar de dood, maar er zijn bepaalde mijlpalen die niemand kan negeren. Veertig worden trof me diep: het begin van de middelbare leeftijd. En op mijn zestigste besef ik heel goed dat het laatste bedrijf is begonnen. De symptomen laten zich niet negeren: statines om mijn cholesterol te verlagen. Flomax om mijn prostaat in bedwang te houden. En elke avond vier Advils omdat rechter zijn een zittend beroep is dat me lage rugpijn bezorgt.

Het vooruitzicht van verval werpt een angstaanjagende schaduw over de toekomst, met name over mijn campagne voor het hooggerechtshof, want als ik over twintig maanden de eed afleg, zal ik mijn ambitie ten volle hebben verwezenlijkt. En ik weet dat ik dan een hinderlijk fluisterstemmetje uit mijn hart zal horen. Het is niet genoeg, zal dat stemmetje zeggen. Nog niet genoeg. Alle verworvenheden ten spijt, zal ik in het diepst van mijn hart nog niet dat onbenoembare stukje geluk hebben verworven dat me zestig jaar lang is ontglipt.

2

Tommy Molto, 30 september 2008

Tomassino Molto III, waarnemend openbaar aanklager in Kindle County, vroeg zich af, zittend achter een dienstbureau zo groot en zo zwaar als een Cadillac uit de jaren zestig, hoezeer hij was veranderd, toen zijn hoofdassistent Jim Brand één keer tegen de deurpost klopte.

'Diepe gedachten?' vroeg Brand.

Tommy lachte hem toe in de oprechte poging van een botterik om onpeilbaar te lijken. De vraag hoezeer hij de afgelopen twee jaar was veranderd kwam elk uur wel een of twee keer in Tommy's hoofd op. De mensen beweerden dat hij een dramatische verandering had ondergaan en maakten grapjes over de geest uit Aladdins lamp die hij ergens moest hebben verstopt. Maar Tommy was met zijn tweede termijn als openbare aanklager bezig en hij herkende inmiddels de strijkages waarmee mensen in machtsposities werden gevleid. Hoezeer kan iemand eigenlijk veranderen? vroeg hij zich af. Was hij echt anders geworden? Of was hij gewoon in de kern wie hij altijd had geweten dat hij was?

'De politie uit Nearing heeft net gebeld,' zei Brand nadat hij was binnengekomen. 'Barbara Sabich is dood in haar bed gevonden. De vrouw van rechter Sabich, je weet wel.'

Tommy had veel op met Jim Brand. Hij was een uitstekend jurist en zo loyaal als tegenwoordig nog maar weinig mensen waren. Toch stak het Tommy dat Brand suggereerde dat Rusty Sabich hem bijzonder zou interesseren. Al was dat natuurlijk wel zo. Tweeëntwintig jaar na Tommy's mislukte poging Sabich veroordeeld te krijgen wegens moord op een van hun vrouwelijke collega's was alleen de naam Sabich al voldoende om een schok door Tommy's lichaam te jagen. Wat hem niet zinde was de insinuatie dat hij al jarenlang een wrok tegen Sabich had. Een wrok koesteren was een blijk van onoprechtheid, van het onvermogen je bij de waarheid neer te leggen omdat die waarheid niet vleiend voor je was. Tommy had zich al lang neergelegd bij de afloop van die zaak. Een moordproces was een hondengevecht en de hond van Rusty Sabich had gewonnen.

'En dus?' vroeg Tommy. 'Gaan we een krans sturen?'

Brand, lang en stevig in zijn witte overhemd waarvan de boord zo stijf was als die van een priester, lachte zijn witte tanden bloot. Tommy reageerde niet, omdat zijn vraag serieus was geweest. Het overkwam Tommy al zijn hele leven dat zijn eigen innerlijke logica, helder en rechtlijnig, leidde tot een opmerking die door iedereen die hem hoorde als hilarisch werd opgevat.

'Nee, het is vreemd,' zei Brand. 'Daarom belde die rechercheur ons op. Hij had iets van: "Wat krijgen we nou?" Mevrouw legt het loodje en meneer belt niet eens het alarmnummer. Mag Rusty Sabich soms zelf de lijkschouwing doen?'

Tommy gebaarde dat hij meer wilde horen. De rechter, zei Brand, had bijna vierentwintig uur lang niets gezegd tegen wie dan ook, zelfs niet tegen zijn zoon. In plaats daarvan had hij haar zo gelegd alsof ze opgebaard lag voor de dodenwake. Sabich had zijn handelwijze verklaard uit overweldigend verdriet. Hij had alles netjes willen hebben voordat hij met het nieuws naar buiten kwam. Daar had Tommy wel begrip voor. Het was nu tweeëntwintig maanden geleden dat Tommy op zijn zevenenvijftigste, na een leven waarin smartelijk hunkeren even vanzelfsprekend had geleken als ademhalen, verliefd was geworden op Dominga Cortina, een verlegen maar beeldschone secretaresse op de griffie. Verliefd worden was niets nieuws voor Tommy. Zijn hele leven al kwam hij om de paar jaar een vrouw tegen, op zijn werk, in de kerkbanken, in zijn torenflat, voor wie hij een fascinatie en een begeerte opvatte die als een trein over hem heen denderde. Natuurlijk werden zijn gevoelens nooit beantwoord, dus dat Dominga altijd haar blik afwendde als Tommy in haar nabijheid kwam, leek een vertrouwde reactie, heel begrijpelijk omdat ze pas eenendertig was. Maar een van haar vriendinnen had Tommy's smachtende blikken opgemerkt en gefluisterd dat hij haar eens mee uit moest vragen. Negen weken later waren ze getrouwd. Elf maanden later werd Tomaso geboren. Als Dominga nu zou sterven, zou zijn wereld imploderen als een dode ster, alle materie teruggebracht tot een enkel atoom. Want Tommy was inmiddels veranderd, had hij altijd gedacht, en wel in één fundamenteel opzicht. Hij had vreugde gevoeld. Eindelijk dan. En dat op een leeftijd waarop de meeste mensen, ook degenen die er rijk mee waren bedeeld, de hoop hadden opgegeven ooit nog vreugde te zullen voelen.

'Vijfendertig jaar getrouwd of iets in die richting,' zei Tommy nu.

'Jezus. Geen wonder als je dan raar reageert. Hij is ook een rare.'

'Dat zeggen ze,' zei Brand. Jim kende Sabich nauwelijks. De president van het hof was voor hem een figuur in de verte. Brand had geen herinneringen aan de tijd waarin Rusty hier de gangen onveilig maakte met een norse frons op zijn gezicht die voornamelijk tegen hemzelf was gericht. Brand was tweeënveertig. Tweeënveertig was volwassen. Oud genoeg om president van de Verenigde Staten te zijn of hoofdaanklager. Maar Tommy had een andere weg bewandeld. Wat Tommy's bestaan had bepaald, was voor Brand geschiedenis.

'De rechercheur vertrouwt het niet,' zei Brand.

Allicht. Voor de politie was iedereen een verdachte op vrije voeten.

'Wat denkt hij dan dat er is gebeurd?' vroeg Molto. 'Zijn er sporen van geweld?'

'De schouwing komt nog, maar er was geen bloed of zo. Geen verwondingen.'

'En dus?'

'Tja, ik weet het niet, chef, maar zoiets vierentwintig uur stilhouden? In die tijd kan er heel wat verdwijnen. Iets in de bloedsomloop kan na zo'n verloop van tijd al weg zijn.'

'Noem eens wat?'

'Tjee, Tom, ik roep maar wat. Maar de politie vindt dat er iets moet gebeuren. Daarom ben ik hier.'

Als Tommy terugdacht aan het proces tegen Sabich, nu tweeëntwintig jaar geleden, kwamen de heftige emoties van destijds ook weer boven. Openbare aanklager Carolyn Polhemus, een vriendin van Tommy, en een van de vrouwen naar wie hij had gehunkerd, was in haar flat gewurgd. Omdat het misdrijf had plaatsgevonden tijdens een snoeiharde verkiezingscampagne om de positie van hoofdaanklager, waarin de zittende kandidaat Ray Horban het had opgenomen tegen Tommy's jeugdvriend en trouwe kameraad Nico Della Guardia, was het onderzoek van meet af aan beladen geweest. Ray had de zaak gedelegeerd aan zijn tweede man Rusty, die wijselijk had verzwegen dat hij een paar maanden voor de moord een heftige verhouding met Carolyn had gehad die pijnlijk was geëindigd. Rusty had de zaak getraineerd en allerlei bewijsmateriaal onder tafel laten liggen, zoals telefoongegevens en analyses van vingerafdrukken, dat voor hemzelf belastend zou zijn geweest.

Sabich werd aangeklaagd nadat Nico de verkiezing had gewonnen, en het had zonneklaar geleken dat hij de schuldige moest zijn. Maar bij de behandeling was de zaak in elkaar gestort. Bewijsstukken waren verdwenen en de patholoog-anatoom van de politie, die Rusty's bloedgroep had ontdekt in het spermamonster dat van Carolyn was afgenomen, was vergeten dat het slachtoffer gesteriliseerd was en had geen bevredigende verklaring kunnen geven voor het zaaddodende middel dat ook in haar was gevonden. Rusty's advocaat, Sandy Stern, had geen spaan heel gelaten van het betoog van het OM en alle tekortkomingen – het ontbrekende bewijsmateriaal, de mogelijke contaminatie van het spermamonster – aan Tommy geweten, aan een bewuste poging van Tommy om Sabich in het pak te naaien. En het was gelukt. Rusty was vrijgesproken, Nico was gedwongen tot aftreden en erger nog, Sabich was tot waarnemend hoofdaanklager benoemd.

In de tussenliggende jaren had Tommy geprobeerd tot een objectief oordeel te komen over de mogelijkheid dat Rusty onschuldig was. Rationeel gesproken kon het waar zijn. En naar buiten toe was dat zijn houding geweest. Tommy sprak er nooit met iemand over zonder erbij te zeggen: wie weet? Het systeem heeft gefunctioneerd. De rechter is vrijgesproken. Het leven gaat door. Tommy wist ook niet hoe de wereld was ontstaan, of wat er met Jimmy Hoffa was gebeurd, of waarom de Trappers jaar in, jaar uit verloren. En hij had geen idee wie Carolyn Polhemus had vermoord.

Maar in zijn hart was hij niet rationeel. Daarin stond in pikzwarte letters, zoals mensen in een grot met een fakkel hun initialen schrijven, dat Sabich het had gedaan. Er was een onderzoek gevolgd dat een jaar had geduurd en waarin uiteindelijk was komen vast te staan dat Tommy vrijwel geen blaam trof voor de fouten die hem tijdens de zaak waren aangewreven. Niet dat Tommy geen fouten had gemaakt. Hij had in de loop van de campagne vertrouwelijke informatie gelekt naar Nico, maar alle aanklagers praatten wel eens hun mond voorbij. Maar Tommy had geen bewijs verdonkeremaand of meineed uitgelokt. Tommy was onschuldig en omdat hij wist dat hij onschuldig was, leek het een logische gevolgtrekking dat Sabich schuldig was. Maar die waarheid deelde hij zelfs niet met Dominga, die hem trouwens vrijwel nooit naar zijn werk vroeg.

'Ik moet me hiervan afzijdig houden,' zei hij tegen Brand. 'Te veel voorgeschiedenis.'

Brand trok zijn ene schouder op. Hij had in zijn studietijd op hoog niveau aan football gedaan, als verdediger. Die tijd lag nu twintig jaar achter hem. Nu had hij een groot hoofd zonder veel haar. En dat hoofd schudde hij langzaam.

'Je kunt je niet aan een zaak onttrekken omdat een verdachte opnieuw op de draaimolen langskomt. Zal ik de dossiers doornemen om te turven hoe vaak je mensen veroordeeld hebt gekregen die in eerdere zaken waren vrijgesproken?'

'Waren daar kandidaten voor het hooggerechtshof bij? Rusty is niet zomaar iemand, Jimmy.'

'Het is maar bij wijze van spreken,' zei Brand.

'Laten we het sectierapport afwachten. Voor die tijd doen we niets. Geen snuffelende dienders achter Rusty aan. En geen activiteit van onze kant. Geen dwangbevelen, helemaal niets, alleen als en nadat uit het sectierapport is gebleken dat er iets aan de hand is. Wat niet zal gebeuren. We kunnen allemaal van Rusty Sabich denken wat we willen. Maar hij is slim. Echt slim. De recherche in Nearing kan beter in de zandbak blijven spelen tot we het sectierapport in handen hebben. Punt uit.'

Tommy zag dat het Brand niet beviel. Maar hij was marinier geweest en begreep de bevelstructuur. Hij sloot af met een onvermijdelijke lichte veroordeling: 'Je zegt het maar, chef.'

Na Brands vertrek dacht Tommy aan Barbara Sabich. Als jonge vrouw was ze een stuk geweest, met donkere krulletjes en een schitterend lijf en een strenge blik die suggereerde dat ze zich nooit echt aan een man zou geven. Tommy had haar de afgelopen twintig jaar nauwelijks meer gezien. Ze had niet dezelfde verplichtingen als haar man en was Molto waarschijnlijk uit de weg gegaan. Tijdens het proces tegen Sabich, al die jaren geleden, had ze Tommy dag in, dag uit met een woedende blik aan zitten kijken als hij ook maar even naar haar keek. Hij had haar soms willen vragen waar zij haar overtuiging vandaan haalde. Op die vraag zou hij nu nooit meer antwoord kunnen krijgen. Zoals hij sinds zijn dagen als misdienaar al had gedaan, gedacht Tommy de overledene met een kort gebed. Lieve Heer, ontferm u over de ziel van Barbara Sabich, tot in alle eeuwigheid, amen. Ze was Joods, meende Molto zich te herinneren, en zijn gebed zou haar niets zeggen, en ze had trouwens al voor het proces tegen Rusty weinig met Tommy opgehad. Tommy voelde dezelfde pijn opkomen die hij al zijn leven lang voelde bij een afwijzing en hij verzette zich ertegen, een vaste gewoonte van hem. Hij zou toch voor haar bidden. Het waren reacties als deze die Dominga had opgemerkt en waardoor hij haar uiteindelijk voor zich had gewonnen. Ze wist dat Tommy een goed hart had; dat wist ze beter dan wie ook, afgezien van Tommy's moeder, die vijf jaar geleden was gestorven.

Met het beeld van zijn jonge vrouw voor ogen, die mollig was en rijk bedeeld op de juiste plekken, werd Tommy een ogenblik overweldigd door verlangen. Hij voelde zijn lichamelijke reactie. Het was geen zonde, had hij bepaald, om je eigen vrouw te begeren. Rusty had waarschijnlijk ooit op dezelfde manier naar Barbara gehunkerd. Nu was ze dood. Aanvaard haar, God, dacht hij weer. Toen keek hij om zich heen in zijn kamer om nog eens te bedenken hoe hij was veranderd.

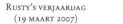

3

Rusty, 19 maart 2007

Het hof van beroep in het derde district is gevestigd in het zeventig jaar oude centrale gerechtsgebouw, een bouwwerk van rode baksteen met witte zuilen ervoor dat in de jaren tachtig met federale gelden voor de misdaadbestrijding was gerenoveerd. Het grootste gedeelte van het bedrag is gespendeerd aan de rechtszalen op de laagste verdiepingen, waar strafzaken worden behandeld, maar een flink deel is naar het nieuwe onderkomen voor het hof van beroep op de bovenste verdieping gegaan. De miljoenen zijn geïnvesteerd in de hoop dat deze wijk, achter Center City en aan de overkant van de kloof van snelweg US 843, erop vooruit zou gaan, maar de strafpleiters stappen direct na de zitting in hun luxe auto's en weinig middenstanders hebben brood gezien in een buurt waar de meeste dagelijkse bezoekers van criminaliteit worden beschuldigd. Het betonnen plein tussen het gerechtsgebouw en het County Building waarin het districtsbestuur is gevestigd, een neutraal uitgevoerd overheidskantoor, heeft voornamelijk dienstgedaan als locatie voor demonstraties.

Hoogstens zo'n vijftig meter voorbij de entree, op weg naar een bespreking met Raymond over mijn campagne, hoor ik mijn naam en als ik me omdraai, zie ik John Harnason achter me staan. Zijn rossige haar dat onder zijn strohoed uit piekt, doet denken aan dat van een chimpansee. Ik voel direct aan dat hij verdekt opgesteld heeft staan wachten tot ik naar buiten zou komen.

'Mag ik vragen hoe ik ervoor sta?'

'Meneer Harnason, wij worden geacht elkaar niet te spreken zolang uw zaak in behandeling is.' Contacten met een partij waarbij de tegenpartij niet aanwezig is, zijn taboe.

Harnason brengt een dikke vinger naar zijn lippen. 'Daarover geen woord. Ik wilde me alleen aansluiten bij de felicitaties met uw verjaardag en u persoonlijk bedanken voor mijn vrijlating tegen borgsom. Van Mel hoorde ik dat er een rechter uit duizenden voor nodig zou zijn om mij tegen borg vrij te laten. Niet dat ik er geen recht op had. Maar u kunt zich natuurlijk een beetje in mijn situatie verplaatsen.'

Ik heb geleerd mijn gezicht in de plooi te houden. In dit stadium van mijn leven gaan er maanden voorbij zonder dat mensen iets tegen me zeggen over de beschuldiging of mijn berechting. Ik wil me afwenden, maar Harnason steekt zijn hand op, met die merkwaardig lange nagels.

'Ik moet zeggen dat ik benieuwd was of u me nog kende. Ik ben meermalen in uw leven opgedoken.'

'O ja?'

'Vroeger was ik advocaat. Lang geleden. Tot u die vervolging tegen me instelde.'

Al met al ben ik vijftien jaar als aanklager werkzaam geweest, ruim twaalf jaar uitvoerend en twee jaar in de functie van Tommy Molto, waarnemend hoofdaanklager, tot mijn benoeming als rechter. Toen al kon ik onmogelijk alle zaken onthouden die ik had behandeld en tegenwoordig is het hopeloos. Maar we stelden indertijd zelden een vervolging in tegen een advocaat. Tegen priesters of artsen evenmin. In die tijd werden voornamelijk arme mensen gestraft.

'Ik heette toen geen John,' zegt hij. 'Dat was mijn vader. Vroeger was ik J. Robert.'

'J. Robert Harnason,' zeg ik. De naam roept een associatie op en er ontsnapt me een zacht kreetje. Geen wonder dat Harnason me bekend voorkwam.

'Daar schiet u wat te binnen.' Hij lijkt verheugd dat de zaak me zo snel te binnen is geschoten, hoewel ik betwijfel of hij iets anders voelt dan rancune. Harnason was een sjofele buurtadvocaat met weinig inkomsten die uiteindelijk een vertrouwde strategie koos om aan meer armslag te komen. Hij trad op voor letselschadeslachtoffers en keerde het volledige schadebedrag dat de verzekering had toegekend niet uit aan de cliënt maar hield het zelf, en als de cliënt te aanhoudend bleef klagen, betaalde hij die uit de schadevergoeding die aan iemand anders was toegekend. Honderden andere advoca-

ten in de Tri-Cities treden elk jaar op dezelfde manier de beroeps-
code met voeten, door bedragen die voor hun cliënten zijn bestemd
te gebruiken voor de huur, de belasting of het schoolgeld voor de
kinderen. De ergste boosdoeners worden geroyeerd, en daar zou
het voor Harnason waarschijnlijk bij zijn gebleven als hij niet nog
iets anders op zijn kerfstok had gehad: hij was een groot aantal keren
aangehouden wegens openbare schennis van de eerbaarheid, als be-
woner van de schimmige homowereld uit die jaren, waarin bars
beurtelings door politiemensen werden binnengevallen en afge-
perst.

Zijn advocaat, Thorsen Skoglund, een inmiddels al lang overleden Fin van weinig woorden, had mijn beslissing Harnason te veroordelen wegens malversaties onmiddellijk aangevochten.

'U veroordeelt hem omdat hij een flikker is.'

'Nou en?' zei ik toen. Ik moet nog geregeld terugdenken aan dat
gesprek, ook al wist ik niet meer over wie het ging, omdat het, op het
moment dat ik dat zei, voelde alsof er een handje aan mijn hart begon te trekken om aandacht. Een van de moeilijkst te verdragen rea-
liteiten van het werk dat ik als aanklager en rechter heb gedaan, is dat
ik in naam van het recht veel heb gedaan dat de geschiedenis sindsdien is gaan veroordelen, en ik ook.

'U hebt mijn leven een andere wending gegeven.' Het klinkt niet
onvriendelijk, maar de gevangenis was destijds een vijandige omgeving voor iemand zoals hij. Meedogenloos. In mijn herinnering was
hij een knappe jongeman, een beetje soft, met naar achteren geplakt
roodbruin haar, nerveus, maar veel zelfbewuster dan de querulant
die me nu had aangesproken.

'Ik geloof niet dat ik daar een bedankje in hoor, meneer Harnason.'

'Nee. Nee, ik zou u destijds niet hebben bedankt. Maar eerlijk gezegd ben ik een realist. Echt waar. Vijfentwintig jaar geleden had ik
zelfs in uw schoenen kunnen staan. Ik heb twee keer gesolliciteerd
bij het openbaar ministerie en was bijna aangenomen als assistent-
aanklager. Ik had degene kunnen zijn die u achter de tralies had gezet vanwege die scharrel van u. Daar draaide dat proces tegen u toch
om? Als ik me goed herinner, was er weinig bewijs tegen u, behalve
dat u het met haar had gedaan?'

Dat wijkt niet veel af van de feiten. Ik begrijp wat Harnason bedoelt: hij is gezonken, ik ben blijven drijven. En hij heeft moeite in te zien waarom het zo is gegaan.

'Dit gesprek leidt nergens toe, meneer Harnason. En het is niet gepast.' Ik draai me om, maar hij houdt me opnieuw tegen. 'Het was niet kwaad bedoeld. Ik wou u alleen even gedag zeggen. En u bedanken. U hebt mijn leven nu twee keer in handen gehad. En de tweede keer hebt u me beter behandeld dan de eerste keer, althans tot nu toe.' Hij lacht een beetje bij zijn voorbehoud, maar trekt dan een ernstig gezicht. 'Maak ik nog een kans, meneer?' Terwijl hij de vraag hardop stelt, lijkt hij opeens zo meelijwekkend als een kind dat wees is geworden.

'John,' zeg ik en hou me in. Waarom noem ik hem bij zijn voornaam? Maar ik denk dat het komt omdat Harnason en ik elkaar tientallen jaren geleden hebben leren kennen en omdat ik hem leed heb aangedaan; daarom wil ik niet hooghartig tegen hem doen. En ik kan zijn voornaam niet terugtrekken nu ik hem heb gebruikt. 'Zoals je uit de behandeling hebt kunnen opmaken, zijn je argumenten niet aan dovemansoren gericht, John. De zaak is nog in overweging.'

'Dus er is nog hoop?'

Ik schud mijn hoofd om aan te geven dat ik niet verder wil praten, maar hij bedankt me toch, met een nederige buiging.

'Gefeliciteerd,' roept hij nogmaals wanneer ik hem eindelijk de rug heb toegekeerd. Ik loop door met een hoofd vol spoken.

Als ik na een licht teleurstellende campagnebespreking het gebouw weer betreed is het na vijven, het magische tijdstip waarop degenen die de publieke zaak dienen verdwijnen alsof ze door een stofzuiger worden opgeslokt. Anna, veruit de vlijtigste assistent in opleiding die ik ooit heb gehad, is als zo vaak nog in haar eentje aan het werk. Zonder schoenen aan komt ze achter me aan naar mijn kamer, waar de in leer gebonden juridische folianten die in het computertijdperk voornamelijk een decoratieve functie hebben in de kasten staan, achter foto's en memorabilia van thuis en mijn carrière.

'Je gaat naar huis?' vraag ik. Vrijdag bied ik Anna ter gelegenheid van haar afscheid een etentje met de collega's aan, zoals ik voor alle vertrekkende assistenten doe. Vanaf maandag gaat Anna werken op de afdeling procesvoering van het advocatenkantoor van Ray Horgan. Ze zal er meer verdienen dan ik en na lang uitstel in het echte leven stappen. In de afgelopen twaalf jaar heeft ze als ambulanceverpleegkundige en copywriter gewerkt, bedrijfseconomie gestudeerd en in de marketing gewerkt, en nu is ze jurist. Net als Nat behoort Anna tot een generatie die verstard lijkt in haar onophoudelijke ironie. In vrijwel alles waar mensen in geloven kunnen lachwekkende tegenstrijdigheden worden blootgelegd. En dus lachen ze. En ze staan stil.

'Eigenlijk,' zegt ze, 'heb ik een verjaarskaart.'

'Ook nog?' zeg ik, maar ik pak de envelop aan.

'Je bent ZESTIG,' staat erop. Met een plaatje van een blonde stoot in een strak truitje. 'Oud genoeg om beter te weten.' Binnenin: 'Te oud om je daar iets van aan te trekken. Geniet ervan!' Daaronder heeft ze geschreven: 'Liefs, Anna.'

'Te oud om je daar iets van aan te trekken.' Was het maar waar. Verbeeld ik het me, of lijkt dat welgevormde blondje een beetje op haar?

'Leuk,' zeg ik.

'Het kwam zo goed uit,' zegt ze. 'Ik moest hem hebben.'

Ik zeg niets terwijl we elkaar een ogenblik aanstaren.

'Wegwezen,' zeg ik ten slotte tegen haar. Ze is, helaas, om op te eten, met groene ogen en lichtblond haar, blozend en stevig gebouwd. Ze is knap en misschien geen klassieke schoonheid, maar ze heeft een grote aardse aantrekkingskracht. Ze heupwiegt naar de deur in haar strakke rok en laat haar ruime, maar mooi gevormde billen nog even dansen, waarbij ze omkijkt om te zien wat voor effect het heeft. Ik gebaar quasi boos dat ze moet doorlopen.

Anna heeft nu bijna tweeënhalf jaar voor me gewerkt, langer dan welke assistente ook die ik ooit heb gehad. Ze is niet alleen een scherpzinnig jurist, maar ook zonnig en gretig van aard. Ze is open tegenover vrijwel iedereen en vaak ontzettend geestig, wat ze zelf nog het leukst vindt. Bovendien is geen moeite haar te veel. Omdat ze meer van computers weet dan de meesten van onze IT'ers, gebruikt ze haar lunchpauze vaak om het probleem van een collega op te lossen. Ze bakt thuis lekkere dingetjes voor de mensen op kantoor, weet alle verjaardagen en is op de hoogte van ieders familieomstandigheden. Ze is, met andere woorden, een mensenmens, geliefd bij iedereen in het gebouw.

Maar ze beleeft meer genoegen aan het leven van anderen dan aan haar eigen leven. Vooral de liefde houdt haar bezig. Ze is vol verlangen – en wanhoop. Ze heeft in de loop van de tijd een reeks zelfhulpboeken meegenomen, die ze vaak ruilt met mijn griffier Joyce. *De liefde ontvangen die jij wilt. Hoe weet ik of ik genoeg liefde krijg?* Als je haar tussen de middag ziet lezen, is er niets van haar opgewekte uitstraling over.

Anna's lange dienstverband bij mij, dat is verlengd toen Kumari Bata, haar opvolgster, opeens zwanger bleek en absolute bedrust moest houden, heeft onvermijdelijk tot vertrouwelijkheid geleid. Een paar avonden per week zijn we samen bezig met achterstallige zaken en daarbij permitteert ze zich allerlei losse confidenties, vooral over haar liefdesleven.

'Ik ga zo af en toe met iemand uit en probeer er dan niet te veel van te hopen om teleurstelling te voorkomen,' heeft ze me eens verteld. 'Eigenlijk is dat wel effectief. Ik hoop nu nergens meer op.' Ze lacht erbij, als altijd liever puntig dan verbitterd. 'Ik ben een nanoseconde getrouwd geweest toen ik tweeëntwintig was, daarna was ik nooit bang dat ik geen bijzonder iemand zou vinden. Ik dacht dat ik nog te jong was. Maar de mannen zijn dat nog steeds! Ik ben vierendertig. De laatste man met wie ik uitging was veertig. En hij was een jongetje. Een kleuter! Hij liet zijn vuile kleren slingeren. Ik heb een man nodig, iemand die echt volwassen is.'

Dat leek allemaal heel onschuldig, tot een paar maanden geleden, toen ik het idee kreeg dat ik de volwassen man was die ze zocht.

'Waarom is het zo moeilijk om geneukt te worden?' vroeg ze me op een avond in december, toen ze me over het zoveelste onbevredigende uitje vertelde.

'Dat kan ik niet geloven, zei ik uiteindelijk, toen ik weer adem kon halen.

'Wel door iemand waar ik echt om geef,' zei ze en schudde haar halflange, in verschillende tinten geblondeerde haar. 'Weet u, ik heb het wel zo'n beetje gehad. Ik ben voor alles in. Niet helemáál alles. Geen dwergen, geen paarden. Maar misschien moet ik het zoeken in een hoek waar ik het nooit heb gezocht. Of wel overwogen, maar weggelachen. Want "normaal doen" heeft me niet veel opgeleverd. Dus misschien moest ik me maar eens gaan misdragen. Hebt u dat ooit gedaan?'

'We hebben ons allemaal wel eens misdragen,' zei ik zacht.

Dat was een keerpunt. Tegenwoordig is ze bij al onze contacten onder vier ogen schaamteloos direct: vulgaire dubbelzinnigheden, knipoogjes, nog net geen bordje 'te koop'. Laatst op een avond stond ze opeens op en legde haar hand op haar middenrif om haar bloes strak te trekken terwijl ze en profil stond.

'Vindt u me topzwaar?' vroeg ze.

Ik bleef te lang van haar aanblik genieten voordat ik, zo neutraal als ik kon opbrengen, zei dat ik haar precies goed vond.

Ik kan twee redenen aanvoeren waarom ik dit toléreer. Ten eerste is Anna op haar vierendertigste aan de oude kant voor haar functie en ruimschoots het stadium gepasseerd waarin haar gedrag als kinderlijk kan worden bestempeld. Ten tweede gaat ze binnenkort weg. Kumari, nu een gezonde moeder, is alweer een week aan het werk en Anna blijft haar nog een paar dagen inwerken. Voor mij zal Anna's vertrek zowel een grote tragedie als een reden tot opluchting zijn.

Maar omdat mijn problemen mettertijd vanzelf over zullen gaan, heb ik verzuimd te doen wat verstandig zou zijn: met Anna praten en nee tegen haar zeggen. Tactvol. Zachtzinnig. Met ruimhartig uitgesproken erkentelijkheid voor haar vleierij. Maar nee, geen denken aan. Ik heb diverse keren voorbereid wat ik moet zeggen, maar ik kan het niet over mijn hart verkrijgen. Zo zou ik in ernstige verlegenheid kunnen worden gebracht. Anna's gevoel voor humor, dat in deze tijd van Mars en Venus 'mannelijk' kan worden genoemd, neigt vaak naar het scabreuze. Ik ben nog bang dat ze zal zeggen dat het allemaal een grapje was, dat we allemaal nu en dan geintjes maken die niet te serieus moeten worden opgevat. Een pijnlijkere waarheid is dat ik mezelf liever niet het levenselixir ontzeg dat opwelt uit de openlijke seksuele bereidheid, zelfs al is die gespeeld, van een knappe vrouw die ruim vijfentwintig jaar jonger is dan ik.

Maar ik heb steeds geweten dat ik me zal afkeren. Ik weet niet hoe vaak verleidingen beperkt blijven tot geflirt zonder dat ooit de zwaarbewaakte grens tussen fantasie en realiteit wordt overschreden, maar dat moet in de meeste gevallen zijn. In zesendertig jaar huwelijk heb ik één keer een verhouding gehad (als ik die keer niet meereken dat ik, als rekruut bij de Nationale Garde, in dronken toestand heb gerollebold in een stationcar), en die ene krankzinnige, dwangmatige overgave aan de toppen van genot heeft er rechtstreeks toe geleid dat ik wegens moord voor de rechter belandde. Als iemand dus leergeld heeft betaald, ben ik het wel.

Ik ben hoogstens een halfuur in mijn kamer aan het werk als Anna weer haar hoofd om de hoek steekt.

'U had al weg moeten zijn.' Ze heeft gelijk. Ik dreig te laat te komen voor mijn verjaarsdiner.

'Verdorie,' zeg ik. 'Hoe kan ik zo stom zijn.'

Ze heeft de USB-stick in haar hand waarop ze elke avond de conceptuitspraken zet die ik thuis zal doornemen en ze helpt me in mijn jasje, waarna ze even over de schouders strijkt.

'Nog een fijne verjaardag, edelachtbare,' zegt ze en legt haar vinger op de middelste knoop. 'Ik hoop dat uw wens wordt vervuld.' Ze kijkt me aan met een volstrekt naakte blik en gaat op haar kousenvoeten op haar tenen staan. Het is zo'n clichéogenblik, het zal toch niet, maar het gebeurt wel: heel even drukt ze haar lippen op de mijne. Zoals steeds verzet ik me niet. Ik sta onmiddellijk in brand, maar ik zeg niets, zelfs geen 'tot morgen' als ik naar de deur loop.

RUSTY'S VERJAARDAG
(19 MAART 2007)

BARBARA'S DOOD
(29 SEPTEMBER 2008)

VERKIEZINGEN
(4 NOVEMBER 2008)

4

Tommy Molto, 3 oktober 2008

Jim Brand klopte op Tommy's deur maar bleef op de drempel wachten tot hij de wenk kreeg dat hij binnen kon komen. Tijdens Tommy's korte eerste termijn als openbare aanklager had hij te weinig respect ervaren. Na ruim dertig jaar bij het openbaar ministerie had hij zo'n afgetekende reputatie als onverzettelijke strijder, elke dag op zijn post van acht uur 's morgens tot 's avonds tien, dat het zijn collega's die een trapje lager op de ladder stonden moeite kostte hem de eer te blijven bewijzen die hem als superieur toekwam. Als één na hoogste man had Brand daar verandering in gebracht. Zijn respect en waardering voor Molto bleken uit alles en het was voor hem vanzelfsprekend daar met kleine beleefdheidsgebaren, zoals aankloppen, uiting aan te geven. De meeste assistent-aanklagers noemden Tommy inmiddels 'chef'.

'Een kleine aanvulling op de stand van zaken met Rusty Sabich,' zegt Brand. 'Een voorlopig sectierapport over de echtgenote.'

'En?'

'En het is interessant. Ben je er klaar voor?'

Die vraag was ter zake. Was Tommy er klaar voor? Een hernieuwde strijd met Rusty Sabich kon hem de kop kosten. De huidige communis opinio bij het openbaar ministerie, een zo vloeibaar element als het fluor in het rivierwater van de Kindle, was dat Nico overhaast te werk was gegaan in de zaak-Sabich. Tommy was er wel bij betrokken geweest, had meegewerkt, maar zonder verantwoordelijkheid te dragen voor de uiteindelijke besluiten, die klunzig waren uitgevallen maar niet uit boze opzet. Met die interpretatie kon iedereen vrede hebben. Nadat Nico had moeten vertrekken was hij naar Florida verhuisd, waar hij onvoorstelbaar rijk was geworden met rechtszaken tegen de tabaksproducenten. Nu had hij zijn eigen eiland in de Keys, waar hij Tommy, inmiddels samen met Dominga, minstens twee keer per jaar uitnodigde.

Wat Tommy en Sabich betrof, die waren allebei na een tragedie in hun privéleven moeizaam overeind gekrabbeld en hadden hun leven weer opgepakt. Het was Rusty geweest, toen waarnemend aanklager, die Tommy zijn baan had terugbezorgd, een stilzwijgende erkenning dat die hele rechtszaak van beide kanten een misgreep was geweest. Wanneer de twee elkaar nu tegenkwamen, wat geregeld gebeurde, slaagden ze erin een zekere mate van jovialiteit op te brengen, niet alleen uit collegiale noodzaak, maar misschien ook omdat ze een zelfde ramp te boven hadden moeten komen. Ze waren als broers die niet echt met elkaar konden opschieten, maar door dezelfde opvoeding waren getekend.

'Doodsoorzaak hartfalen als gevolg van hartritmestoornis en mogelijk een hypertensieve reactie,' zei Brand.

'Dat zei Sabich ook al. Dat ze een onregelmatige rikketik had en hoge bloeddruk. Dat heeft hij tegen de politie gezegd. Hoe kan iemand dat nou raden?'

'Dat kan toch, Jim. Waarschijnlijk zat het in de familie.'

'Dat heeft hij ook gezegd. Dat haar vader aan hetzelfde is overleden. Maar misschien is haar aorta geknapt. Het kan ook een hersenbloeding zijn geweest. Maar nee, hij zegt plompverloren: hartfalen.'

'Geef eens,' zei Molto. Hij stak zijn hand uit naar het rapport en besloot tegelijkertijd dat het beter zou zijn de deur te sluiten. Op de drempel keek hij naar het zijvertrek waar zijn twee secretaresses werkten en naar de donkere gangen. Zoals elke dag bedacht Tommy dat hij iets aan het kantoor zou moeten doen. Gedurende de dertig jaar van Tommy's carrière en zeker al vijfentwintig jaar daarvoor was de openbare aanklager gehuisvest in het sombere districtsgebouw, waar het licht de kleur van sepiafoto's had. Het gebouw was brandgevaarlijk; snoeren lagen als worsten aan elkaar geplakt tegen de plinten en alleen door de rammelende ramen kon frisse lucht binnenkomen.

Hij ging weer zitten en las het sectierapport door. Daar stond het: hartfalen en mogelijk een hypertensieve reactie. Ze had hoge bloeddruk, kwam uit een familie met harten zo broos als suikerwerk, en was in haar slaap gestorven, waarschijnlijk met koorts als gevolg van een plotseling opgekomen griep. De lijkschouwer had geadviseerd een overlijden door natuurlijke oorzaken vast te stellen, in overeenstemming met haar bekende medische gegevens. Tommy bleef zijn hoofd schudden.

'Deze vrouw,' zei Brand, 'woog krap vijftig kilo bij een lengte van een meter achtenvijftig. Ze deed dagelijks aan fitness. Ze zag er niet half zo oud uit als ze was.'

'Ik wed dat ze dat deed omdat niemand in haar familie ouder dan vijfenzestig is geworden. Tegen de genen kan je niet op. En wat is er in haar bloed gevonden?'

'Ze hebben naar afweerstoffen gekeken. En naar het bekende rijtje schadelijke stoffen.'

'Is daar nog iets uit gekomen?'

'Van alles. De dame in kwestie had een medicijnkastje zo groot als een klerenkast. Maar geen positieve uitslag op een stof waarvoor ze geen recept had. Elke avond een slaappil, een zooi pillen tegen manische depressiviteit.'

Molto keek scherp naar zijn assistent. 'En met die zooi kan toch een hartaanval worden opgewekt?'

'Met de voorgeschreven dosis niet. Meestal niet, bedoel ik. Na overlijden valt de hoeveelheid moeilijk vast te stellen.'

'Je hebt een consistente medische voorgeschiedenis. En als ze niet aan een natuurlijke oorzaak is bezweken, wat misschien een kans van een op vijftig is, dan is het omdat ze per ongeluk een overdosis van haar medicijnen heeft genomen.'

Brand tuitte zijn lippen. Hij had niets te zeggen, maar hij nam er geen genoegen mee.

'Maar waarom is die kerel daar vierentwintig uur blijven zitten?' vroeg Brand. Net als een goede rechercheur kon een goede aanklager soms uit één gegeven een zaak opbouwen. Misschien had Brand gelijk. Maar hij kon het niet aantonen.

'Er is geen aanknopingspunt voor een onderzoek,' hield Tommy hem voor. 'Met een man die over krap drie maanden lid is van ons hooggerechtshof en ja of nee kan zeggen op elke veroordeling die het openbaar ministerie weet te scoren. Als Rusty Sabich ons het leven zuur wil maken, heeft hij dan tien jaar om dat te doen.'

Terwijl hij met zijn rechterhand discussieerde, drong het langzaam tot Tommy door wat hier aan de hand was. Rusty Sabich zei Brand niets. De motor was wat Sabich voor Tommy betekende. Twintig jaar geleden, toen Rusty alsnog hoofdaanklager was geworden en Tommy zijn functie van aanklager wilde heroveren, had hij moeten toegeven dat hij in de zaak-Sabich had gehandeld in strijd met het protocol voor de omgang met bewijsmateriaal. Molto was er met een lichte straf afgekomen: het opgeven van elke aanspraak op achterstallig salaris in het jaar dat hij geschorst was geweest hangende het onderzoek dat na het proces was ingesteld.

Maar na verloop van tijd was Tommy's erkende wangedrag een non-kwestie geworden. Meer dan de helft van de rechters in Kindle County waren voormalige aanklagers die met Tommy als collega hadden gewerkt. Ze kenden hem door en door: betrouwbaar, ervaren en voorspelbaar, zij het saai, en ze hadden niet geaarzeld hem als waarnemend hoofd aan te wijzen, als plaatsvervanger van Moses Appleby, de gekozen hoofdaanklager bij wie tien dagen na zijn eedaflegging een inoperabele hersentumor was vastgesteld. Maar het centraal comité van de Democratische Boeren- en Arbeiderspartij, dat altijd op de hoogte was van alle louche geheimen, was niet bereid Tommy verkiesbaar te stellen voor Appleby's functie, of zelfs een rechterspost, de positie waar Tommy echt op uit was omdat die aan de vader van een jong gezin op de lange termijn meer zekerheid bood. Kiezers hadden geen benul van nuances en de kandidatuur zou kansloos zijn als een tegenstander in de verkiezingen Tommy's erkenning opdiepte en het deed voorkomen alsof Tommy een misdrijf had bekend. Misschien was dat voor Tommy, als hij het ernstige charisma van iemand als Rusty had gehad, niet onoverkomelijk geweest. Maar al met al had hij het prettiger gevonden dat alleen een paar insiders die zwarte pagina in zijn biografie kenden. Brand had ongetwijfeld gelijk. Door aan te tonen dat Sabich niet deugde, kon hij die smet wegpoetsen. Zelfs als iedereen alles wist, zou niemand er dan nog een punt van maken dat Tommy een keer te ver was gegaan.

Maar zo'n kleine kans was het risico niet waard. Het veroveren van zijn huidige positie was voor Tommy jarenlang een schijnbaar onbereikbaar doel geweest en het maakte hem trots en voldaan dat hij zo goed functioneerde. Bovendien was hij erdoor in de gelegenheid zijn reputatie te ontdoen van de restschade van het proces tegen

Rusty, zodat Tommy over twee jaar, wanneer er een nieuwe hoofd-aanklager werd gekozen, met een smetteloos blazoen zou kunnen overstappen naar een topsalaris als intern onderzoeker bij een of ander groot bedrijf. Dat zou niet gebeuren als mensen vonden dat hij zijn positie had gebruikt om een persoonlijk conflict uit te vechten.

'Jimmy, ik zeg je waar het op staat, oké? Ik kan echt niet nog een keer Rusty Sabich afbranden. Mijn kind is pas een jaar oud. Andere mannen van mijn leeftijd zijn met hun pensioen bezig. Ik moet aan de toekomst denken. Ik kan het me niet permitteren om wéér de boef in het stuk te spelen.' Tommy twijfelde permanent aan zijn plaats in het grote geheel. Hij wilde niet voordringen of zijn ellebogen gebruiken om te behalen wat hem tot nu toe was ontglipt. Hij was nooit zo verwaten geworden dat hij meende geen rekening te hoeven houden met de tijd.

Maar Brands blik was veelzeggend. Dit was niet de ware Tommy Molto. Wat hij zojuist had gehoord – eigenbelang, omzichtigheid – was niet de aanklager die hij kende. Tommy was pijnlijk getroffen toen hij Brands teleurstelling zag.

'Ja, godverdomme,' zei Molto. 'Wat wil je dan?'

'Laat mij graven,' zei Brand. 'In mijn eentje. Heel voorzichtig. Maar laat me nagaan of er echt niets in zit.'

'Als het uitlekt, Jimmy, zeker voor de verkiezingen, zonder dat het iets heeft opgeleverd, dan kun je meteen mijn overlijdensbericht schrijven. Begrijp je dat wel? Je hebt mijn toekomst in je poten.'

'Het lekt niet uit.' Hij hield zijn grote, vierkante hand voor zijn gezicht en drukte zijn vinger tegen zijn lippen.

'Godverdomme,' zei Tommy weer.

RUSTY'S VERJAARDAG
(19 MAART 2007)

BARBARA'S DOOD
(29 SEPTEMBER 2008)

VERKIEZINGEN
(4 NOVEMBER 2008)

5

Rusty, 19 maart 2007

Als ik uit de bus stap in Nearing, de voormalige veerboothaven aan de rivier die niet lang voor onze verhuizing in 1977 een buitenwijk was geworden, steek ik over naar de apotheek om medicijnen voor Barbara af te halen. Een paar maanden na afloop van mijn proces, nu eenentwintig jaar geleden, zijn Barbara en ik om redenen die alleen wij tweeën helemaal doorgrondden uit elkaar gegaan. We hadden de scheiding misschien doorgezet als bij haar, na een mislukte zelf-moordpoging, niet een bipolaire stoornis was vastgesteld. Voor mij was dat uiteindelijk voldoende aanleiding om me te bedenken. Na het proces, na maandenlang tak voor tak omlaag klimmen zonder het gevoel te krijgen dat ik ergens vaste voet aan de grond kreeg, na de avonden vol heftige verwijten aan het adres van collega's en vrienden die zich tegen me hadden gekeerd of niet genoeg hadden gedaan – nadat dat allemaal was weggeëbd, wilde ik terug wat ik voor het begin van de nachtmerrie had gehad: het bestaan dat ik had gekend. Ik had niet de kracht, heel eerlijk gezegd, om opnieuw te beginnen. Of om mijn zoon, toch al niet sterk, het slachtoffer te zien worden van de hele tragedie. Nat en Barbara kwamen terug uit De-troit, waar zij aan Wayne State University wiskunde had gedoceerd; mijn enige voorwaarde was dat ze haar medicijnen stipt zou inne-men.

Haar stemmingen laten zich niet gemakkelijk beteugelen. Zolang de dingen goed gingen, zeker in de eerste jaren nadat Nat en zij thuis waren gekomen, vond ik haar veel minder chagrijnig en vaak geestig in de omgang. Maar ze miste haar manische kant. Ze had niet meer de wilskracht of de energie om vierentwintig uur achter de compu-

44

ter een ongrijpbare wiskundige theorie na te jagen zoals een hijgende jachthond een vos in het nauw drijft. Na verloop van tijd gaf ze haar carrière op, waardoor ze verder versomberde. Tegenwoordig noemt Barbara zich een proefdier, bereid alles te proberen wat de farmacologen haar aanboden om haarzelf beter in de hand te kunnen houden. Altijd wel een handjevol pillen: Tegretol. Seroquel. Lamictal. Topamax. Wanneer ze de blues heeft, op haar inktzwarte dagen, zoekt ze dieper in de medicijnkast naar de tricyclische middelen zoals Asendin of Tofranil, waardoor ze slaperig wordt en eruitziet alsof er gaatjes in haar pupillen zijn geboord, zodat ze binnenshuis een sterke zonnebril moet dragen. Op de ergste ogenblikken neemt ze haar toevlucht tot fenelzine, een antipsychoticum waarvan, zoals zij en haar dokter hebben ontdekt, mag worden verwacht dat het haar bij de afgrond wegtrekt, wat opweegt tegen de vele risico's. In dit stadium krijgt ze vijftien tot twintig middelen voorgeschreven, met inbegrip van de slaappillen die ze elke avond inneemt en de middelen tegen haar chronische hoge bloeddruk en haar soms opspelende hartritmestoornis. De herhaalrecepten komen via internet en ik haal twee of drie keer per week af wat ze heeft laten klaarzetten.

Bij het verjaardagsdiner is de stemming bepaald niet uitbundig. Mijn vrouw kookt goed en ze heeft drie haasbiefstukken ter grootte van een houthakkersvuist gebakken, maar zo vrolijk als bij het feestje op kantoor worden we niet meer. Nat, die ooit voorgoed thuis leek te zullen blijven, is tegenwoordig liever ergens anders en zegt zoals gebruikelijk geen woord onder het eten. Het is vrijwel onmiddellijk duidelijk dat we de maaltijd graag zo snel mogelijk achter de rug willen hebben, zodat we kunnen zeggen dat we op deze belangrijke dag samen hebben gegeten en dan terugkeren naar de binnenwereld van tekens en symbolen die ieder van ons afzonderlijk bezighoudt. Nat gaat naar huis om te studeren, Barbara trekt zich in haar werkkamer terug op internet en ik, jarig of niet jarig, zal mijn USB-stick in mijn computer steken om me te verdiepen in conceptvonnissen.

Intussen houd ik het gesprek op gang, zoals gebruikelijk in gezinsverband. Mijn ontmoeting met Harnason is merkwaardig genoeg om over te vertellen.

'De gifmenger?' vraagt Barbara zodra ik zijn naam heb genoemd. Ze luistert zelden als ik over mijn werk praat, maar je weet nooit waarvan Barbara Bernstein Sabich op de hoogte is. In dit stadium is ze een angstaanjagende afspiegeling, zij het veel beter verzorgd, van mijn eigen licht getikte moeder, die op latere leeftijd, toen mijn vader bij haar was weggegaan, haar gedachten manisch ordende op honderden archiefkaartjes die ze op stapeltjes op onze oude eettafel legde. Ze was met geen stok de deur uit te krijgen en vond een manier om contact met de buitenwereld te hebben door geregeld te bellen naar radioprogramma's.

Mijn vrouw blijft ook liever binnen. Als geboren computerfanaat brengt ze elke dag vier tot zes uur op het net door om haar nieuwsgierigheid te bevredigen naar van alles: recepten, onze aandelenportefeuille, de nieuwste wiskundige publicaties, kranten, consumenteninformatie en een paar games. Niets in het leven geeft haar zoveel houvast als de toegang tot een wereld van informatie.

'Blijkt dat ik die man heb berecht. Hij was advocaat en leefde van het geld van zijn cliënten. Homo.'

'En wat verwacht hij nu van je?' vraagt Barbara.

Ik haal mijn schouders op, maar bij het houden van mijn verhaal word ik me bewust van iets dat in de loop van de uren bij me is opgekomen en waar ik zelfs tegenover mijn vrouw en mijn zoon liever niet voor uit wil komen: ik ben gloeiend schuldig aan de veroordeling van een man tot celstraf als gevolg van vooroordelen waarvoor ik me nu schaam. En in dat licht bezien besef ik wat Harnason me besmuikt heeft willen aanwrijven: als ik hem niet om de verkeerde redenen had veroordeeld en naar het oord van schande had verbannen, zou zijn leven volslagen anders zijn verlopen; dan zou hij zijn zelfrespect hebben behouden en zich te goed in de hand hebben gehad om zijn partner te vermoorden. Ik heb zijn ondergang ingeluid. Mijn gedachten over de morele merites van dat standpunt maken me stil.

'Je gaat je nu zeker verschonen?' vraagt Nat. Hij bedoelt dat ik me uit de zaak terugtrek. Toen Nat na zijn college bij ons thuis woonde, ging hij zelden inhoudelijk op onze gesprekken in. Meestal vervulde hij de rol van aanvullend commentator op uitlatingen van zijn vader of zijn moeder: 'Leuk gevonden, pa,' of: 'Maar hoe voel je je nu echt, ma?' Kennelijk was hij eropuit te voorkomen dat een van ons het tere evenwicht zou verstoren. Ik heb lang de angst gehad dat het schipperen tussen zijn ouders Nats leven heeft gecompliceerd. Maar tegenwoordig neemt Nat actief deel aan discussies over juridische onderwerpen, een zeldzame gelegenheid om meer inzicht te krijgen in de geestesgesteldheid van mijn doodernstige, eenzelvige zoon. 'Nee,' zeg ik. 'Ik heb al gestemd. Het enige twijfelachtige punt in de zaak, een puntje eigenlijk, is George Mason. En Harnason wilde niet echt praten over zijn beroepszaak.' Het andere probleem, als ik me nu vrijwillig terugtrek, is dat de meeste collega's bij het hof dan zullen denken dat ik dat vanwege mijn campagne doe. Dat ik niet wil dat mijn stem de doorslag geeft bij het terugverwijzen van een veroordeling wegens moord, een uitspraak die zelden goed valt bij het publiek.

'Dus je hebt vanmiddag heel wat beleefd,' zegt Barbara.

'Er was nog meer,' zeg ik. Ik moet denken aan Anna's kus en vertel, bezorgd dat ik misschien heb gebloosd, snel verder over mijn bespreking met Raymond. 'Koll heeft aangeboden zich terug te trekken.'

Koll is N.J. Koll, briljant jurist en ijdele blaaskaak, ooit een collega van me in het hof. N.J. is de enige opponent die ik begin volgend jaar bij de voorverkiezing verwacht. Omdat de partij achter me staat, verwacht ik Koll vernietigend te kunnen verslaan. Maar er zal heel wat geld en tijd in moeten worden gestoken. Omdat de Republikeinen vooralsnog niet eens een kandidaat in de strijd hebben geworpen in deze door één partij gedomineerde stad, zou het erop neerkomen, als N.J. zich terugtrekt, dat ik in het hooggerechtshof van onze staat de 'blanke zetel' win, zoals die door de kranten wordt genoemd om hem te onderscheiden van de twee andere zetels van Kindle County, die gewoonlijk door een vrouw en een Afro-Amerikaan worden bezet.

'Geweldig!' zegt mijn vrouw. 'Wat een mooi verjaarscadeau.'

'Te mooi om waar te zijn,' zeg ik. 'Maar hij trekt zich alleen terug als ik zijn benoeming als president van het hof van beroep steun.'

'Nou en?' vraagt Barbara.

'Dat kan ik George niet aandoen. Of het hof.' Toen ik begon in het hof was het een soort rusthuis voor partijveteranen die te vaak gevoelig waren gebleken voor verkeerde suggesties. Nu, na mijn twaalf jaar als president, beschikt het hof van het derde district in onze staat over eminente rechters die op gezette tijden in juridische verhandelingen worden geciteerd en naar wie door andere hoven in het land wordt verwezen. Met zijn doldrieste excentriciteit zou Koll in korte tijd alles afbreken wat ik in al die jaren heb bereikt.

'George begrijpt de politiek,' zegt Barbara. 'En hij is je vriend.'

'Wat George begrijpt,' pareer ik, 'is dat hij het verdient om president te worden. Als ik Koll een opkontje geef, zullen alle rechters dat als een dolksteek ervaren.'

Mijn zoon heeft college gelopen bij Koll aan de rechtenfaculteit van Easton, waar N.J. een geliefde hoogleraar is, en spreekt nu het vigerende oordeel uit.

'Koll is totaal van de pot gerukt.'

'Nou, nou,' zegt Barbara, die zulke woorden aan tafel niet wil horen.

N.J., niet echt subtiel uitgevallen, heeft zijn aanbod vergezeld laten gaan van een dreigement. Als ik niet meewerk, stapt hij uit de partij om kandidaat voor de Republikeinen te worden bij de algemene verkiezingen van 2008. Zijn kans zal er niet groter op worden, maar hij zal zijn chicanes tegen mij richten en me de maximumstraf opleggen omdat ik hem heb belet president te worden.

'Dus er komt een campagne?' zegt Barbara, een beetje ongelovig nadat ik dit allemaal heb uitgelegd.

'Als het geen bluf is van Koll. Hij kan ook tot het inzicht komen dat het zonde is van zijn tijd en zijn geld.'

Ze schudt haar hoofd. 'Hij is rancuneus. Hij zal zijn kandidatuur uit rancune doorzetten.' Vanaf de ijle hoogte waarop Barbara mijn universum beziet, kijkt ze diep, zoals een ijsvogel, en ik besef onmiddellijk dat ze gelijk heeft, waardoor het gesprek in een impasse raakt.

Barbara heeft meegebracht wat er over is van Anna's worteltaart, maar we moeten allemaal nog bijkomen van de aanslag op onze suikerspiegel. Dus ruimen we af en spoelen voor. Daarna kijken mijn zoon en ik nog twintig minuten naar de Trappers, die er een potje van maken in hun wedstrijd. De enige contacten die ik met mijn vader had, behalve in onze bakkerij, waar ik vanaf mijn zesde werkte, waren als ik een of twee keer in de week naast hem mocht zitten op de sofa terwijl hij zijn bier dronk en naar honkbal keek, een spel dat op hem als immigrant een onverklaarbare aantrekkingskracht had. Het was me heel veel waard als hij, een paar keer per avond, zijn commentaar op mij richtte. Nat, op de middelbare school een sterke speler, leek niets meer om honkbal te geven zodra hij zijn basisplaats in het team had verloren. Maar misschien dragen generaties toch iets op elkaar over, want hij is haast altijd bereid een poosje samen met me naar de tv te kijken.

Afgezien van ons geklaag over de ploeg die er weer niets van bakt, of onze gesprekken over juridische zaken, praten Nat en ik weinig met elkaar. Dat is in schril contrast met wat Barbara doet; die valt onze zoon elke dag lastig met een telefoontje, dat hij meestal tot een krappe minuut beperkt houdt. Maar ik zou ernstig in gebreke blijven als ik nu niet naar zijn huidige toestand informeerde, al weet ik dat hij mijn vraag zal ontwijken.

'Wil het een beetje met je artikel?' Nat, die ambieert rechtendocent te worden, wil als student een artikel in de *Easton Law Review* geplaatst krijgen over psycholinguïstiek en het instrueren van rechtbankjury's. Ik heb twee conceptversies gelezen en kan er geen touw aan vastknopen.

'Bijna klaar. Nog deze maand inleveren.'

'Spannend.'

Hij knikt een paar keer om geen woorden te hoeven gebruiken. 'Ik wou dit weekend naar de blokhut,' zegt hij dan. De familie heeft een vakantiehuisje in Skageon. 'Ik wil er ergens in alle rust nog een keer doorheen gaan.' Het is niet aan mij om ernaar te vragen, maar het is vrijwel zeker dat Nat met zijn favoriete gezelschap zal gaan: in zijn eentje dus.

Als er in de negende inning twee af zijn gemept, heeft Nat er genoeg van. Hij roept naar zijn moeder dat hij weggaat; die is inmiddels in de ban van internet en reageert niet. Ik doe de deur achter hem dicht en ga mijn tas pakken. Barbara en ik nemen onze vertrouwde posities weer in. Geen geluid, geen tv, geen klotsende afwasmachine. De stilte is de afwezigheid van elk contact. Zij bevindt zich in haar wereld, ik in de mijne. Zelfs radiogolven uit de verre ruimte worden niet bespeurd. Maar dit is waarvoor ik heb gekozen en nog vaker meen de voorkeur aan te geven.

In mijn kleine studeerkamer laat ik mijn usb-stick uitlezen en maak aantekeningen bij concepten; dan haal ik mijn mail op, waarin ik een aantal felicitaties aantref. Tegen elven sluip ik naar de slaapkamer en constateer dat Barbara onverwachts wakker is. Ik ben immers jarig. En ik denk dat dat gevierd gaat worden.

Ik vermoed dat de seksuele gebruiken in huwelijken die lang hebben geduurd veel gevarieerder zijn, en dus op een abstracte manier interessanter, dan die van stellen die contact leggen in vrijgezellenbars. Van vrienden van onze leeftijd heb ik wel eens iets opgevangen dat suggereerde dat seks in hun relatie vrijwel geen rol meer speelt. Maar Barbara en ik hebben nog altijd een actief seksleven, waarschijnlijk ter compensatie van andere tekorten in ons huwelijk. Mijn vrouw was altijd al knap en steekt nu des te meer af bij haar leeftijdgenoten die door de jaren verlept zijn geraakt. Als meisje uit de jaren zestig heeft ze haar krulletjes grijs laten worden en ondanks de bleke gezichtskleur die bij haar leeftijd past maakt ze zich nauwelijks op. Maar ze blijft een schoonheid, met fijn gevormde trekken. Vijf keer per week traint ze twee uur op de apparaten in onze kelder, ter bestrijding van de kwalen in haar familie en ook om haar meisjesachtige figuur te behouden. Ik voel altijd een golf van mannelijke trots als begeleider van een knappe vrouw wanneer ik ergens met haar binnenkom, en ik kijk nog altijd graag naar haar in bed, waar we twee of drie keer per week de liefde bedrijven. We denken terug. We versmelten. Meestal is het prozaïsch, maar dat is het leven op zijn best grotendeels ook: in gezinsverband aan tafel, met je maten aan de bar.

Zo zal het vanavond niet gaan. Zodra ik onze slaapkamer binnenkom, besef ik dat ik me heb vergist in de reden dat Barbara wakker is gebleven. Haar gezicht wordt heel hard wanneer ze boos is – haar kaken, haar ogen – en nu is het van staal.

Ik stel de eenvoudige en toch altijd gevaarlijke vraag: 'Wat is er?'

Ze woelt onder het dekbed. 'Ik vind alleen dat je het eerst aan mij had moeten vragen,' zegt ze. De opmerking is onbegrijpelijk tot ze de naam van Koll laat vallen. 'Over Koll.'

Mijn mond valt open. 'Koll?'

'Dacht je nou echt dat het geen gevolgen voor mij zou hebben? Rusty, je hebt besloten me te betrekken bij een maandenlange campagne, zonder ook maar een woord tegen mij te zeggen? Denk je soms dat ik na de fitness boodschappen kan gaan doen met zweethaar, in een geur van gedragen sokken?'

In werkelijkheid doet Barbara de boodschappen online, maar dat punt laat ik zitten, ik vraag gewoon waarom niet.

'Omdat mijn man dat niet wil hebben. Zeker als iemand een microfoon onder mijn neus duwt. Of een foto maakt.'

'Niemand zal jou willen fotograferen, Barbara.'

'Als jouw spotjes op tv komen, zal iedereen naar mij kijken. Vrouw van een kandidaat voor het hooggerechtshof? Alsof je de vrouw van de dominee bent. Het is al moeilijk genoeg nu je president bent. Maar nu zal ik echt voortdurend mijn rol moeten spelen.'

Haar vage paranoia valt haar niet uit het hoofd te praten; dat heb ik al tientallen jaren geprobeerd. Maar ik word getroffen door haar opmerking over een rol die ze moet spelen. Het gebeurt niet vaak dat de voorwaarden in ons huwelijk openlijk ter sprake komen. Nat was voor ons allebei het belangrijkst. Afgezien van hem heb ik mijn leven mogen inrichten zonder afstemming met haar. Maar omdat ik daar vanzelfsprekend van uitga, vraag ik me niet vaak af hoe dat voor Barbara moet zijn: een eindeloze straf als een van pillen afhankelijke groene weduwe.

'Het spijt me,' zeg ik. 'Je hebt gelijk. Ik had het met je moeten bespreken.'

'Maar je zou je toch niet hebben bedacht.'

'Ik heb net sorry gezegd, Barbara.'

'Nee, wat het ook voor me betekent, je zou er echt niet over hebben gedacht om N.J. president te laten worden.'

'Barbara, bij keuzes op mijn vakgebied kan ik me niet laten leiden door de overweging of mijn vrouw...' Ik zoek merkbaar naar woorden, zodat we allebei weten welke termen ik vermijd: bipolair, getikt. '... de publiciteit schuwt. N.J. zou het hof als president grote schade toebrengen. Ik laat mijn eigenbelang niet meewegen. Het jouwe kan ik nauwelijks zwaarder laten wegen.'

'Omdat jij Rusty bent, het toppunt van deugdzaamheid. Rusty de heilige. Je moet altijd allerlei horden zien te nemen voordat je van jezelf mag doen wat je wilt doen. Ik ben het spuugzat.'

Je bent ziek, had ik bijna gezegd. Maar dat hou ik binnen. Ik hou het altijd binnen. Ze gaat nu tieren en ik zal het over me heen laten komen, terwijl ik me behelp met een mantra: ze is gek, je weet dat ze gek is, laat haar gek zijn.

En zo gebeurt het. Ze windt zich steeds meer op. Ik pak een stoel en zeg vrijwel niets, ik herhaal alleen af en toe haar naam. Ze komt uit bed en lijkt op een bokser die ijsbeert in de ring, met gebalde vuisten, maar zonder stoten te plaatsen, ze tiert alleen. Ik denk nergens aan, ik blijf koud, in mezelf gekeerd, en ik maak me geen zorgen over haar.

Na een poos ga ik naar het medicijnkastje om de Stelazine te pakken. Ik hou haar de pil voor en wacht af of ze die wil innemen voordat ze de laatste fase van vernielzucht bereikt, waarin ze iets stuk zal maken dat me min of meer dierbaar is. In het verleden heeft ze waar ik bij stond de kristallen boeksteunen aan scherven gegooid die ik van de orde had gekregen toen ik president werd, mijn smokingbroek in brand gestoken met de barbecueaansteker, en twee Cubaanse sigaren die ik van rechter Doyle had gekregen door de wc gespoeld. Vanavond vindt ze de doos die ik van George heb gekregen, haalt er mijn cadeau uit en knipt er voor mijn ogen de epauletten af.

'Barbara!' gil ik, maar ik sta niet op om haar tegen te houden. Door mijn uitbarsting, of haar daad, doet ze een stap achteruit en ze grist de pil van het nachtkastje om hem in te slikken. Over een halfuur zal de pil haar half in coma hebben gebracht, zodat ze morgen weinig anders zal doen dan slapen. Excuses zullen niet worden aangeboden. Over een paar dagen beginnen we weer van voren af aan. Afstandelijk. Behoedzaam. Ontkoppeld. Met rustige maanden voor de boeg tot de volgende uitbarsting.

Ik loop de slaapkamer uit naar de bank in mijn studeerkamer. Een kussen, een laken en een deken liggen daar voor deze gelegenheden klaar. Barbara's woede-uitbarstingen brengen me altijd van mijn stuk, omdat ik vroeg of laat door een tunnel in de tijd terugdenk aan de misdaad die eenentwintig jaar geleden is gepleegd, waardoor ik me afvraag welke waanzin me ertoe heeft gebracht te denken dat we door konden gaan.

Ik drink een glas whisky in de keuken. Toen ik advocaat werd, dronk ik geen alcohol. Op mijn leeftijd drink ik te veel, vrijwel nooit onmatig, maar ik ga zelden naar bed zonder eerst een vloeibare pijnstiller te hebben genomen. Op de wc leeg ik nog een laatste keer mijn blaas en blijf staan. In bepaalde seizoenen schijnt de maan recht door het bovenraam naar binnen. Terwijl ik in het magische schijnsel sta, keert de herinnering aan Anna's fysieke aanwezigheid terug, zo sterk als een geliefde melodie. Ik herinner me de opmerking van mijn vrouw over mijn geremdheid om mezelf te gunnen wat ik wil hebben en bijna als vergelding geef ik me over aan de sensatie, niet alleen de film van Anna en mijzelf die elkaar omhelzen, maar de zwoele, verrukkelijke ontsnapping aan de beperkingen die ik mezelf al tientallen jaren opleg.

Ik treuzel tot ik ten slotte terugkeer in de tijd, tot mijn verstand het wint van mijn sensualiteit en me juridisch begint te ondervragen. In de Onafhankelijkheidsverklaring staat dat wij het recht hebben geluk na te jagen, maar niet dat wij recht hebben op geluk. In Darfur gaan kinderen dood. In Amerika graven mannen sloten. Ik heb macht, zinvol werk, een zoon die van me houdt, elke dag drie keer te eten en een huis met airco. Waarom zou ik recht hebben op meer?

Ik ga terug naar de keuken om nog een borrel in te schenken en loop dan naar de leren bank om mijn bed op te maken. De drank heeft effect en ik zweef weg naar de wolk van de slaap. En zo eindigt de aan mijn zestigste levensjaar gewijde dag met het gevoel van Anna's lippen lichtjes op de mijne en mijn gedachten in kringetjes rond de eeuwige vragen: kan ik ooit gelukkig worden? Kan ik echt gaan liggen om te sterven zonder een poging te hebben gedaan dat te weten te komen?

De rol van rechter en assistent is min of meer uniek in de hedendaagse arbeidsverhoudingen, omdat de assistent au fond een leertijd vervult. Ze komen bij me als ongeslepen briljanten en ik werk twee jaar met ze om ze niet minder te leren dan de juiste omgang met juridische problemen. Vijfendertig jaar geleden was ik zelf assistent van de president van het hooggerechtshof van onze staat, Philip Goldenstein. Zoals de meeste assistenten heb ik nog steeds een enorme bewondering voor mijn leermeester. Phil Goldenstein was een van die mensen die zich aan de publieke zaak wijden vanuit een hartstochtelijk geloof in de mensheid, de overtuiging dat in ieder mens het goede stak en dat een functie als politicus of rechter alleen bedoeld was om te helpen het goede naar buiten te brengen. Het was het sentimentele geloof uit een ander tijdperk en zeker niet iets, als ik het zo bot mag zeggen, dat ik van hem heb overgenomen. Maar mijn assistentschap was toch een geweldige ervaring, omdat Phil de eerste was die oog had voor de hoogten die ik als jurist zou kunnen bereiken. Ik beschouwde het recht als een paleis van licht dat de bekrompenheid en de duisternis van mijn ouderlijk huis zou verdrijven. Als ik in dat domein werd aanvaard, betekende dat dat mijn ziel, ondanks mijn eeuwige vrees dat ik dat nooit zou kunnen, de benauwde grenzen was ontstegen.

Ik weet niet of ik het ruimhartige voorbeeld van mijn leermeester bij mijn assistenten heb kunnen navolgen. Mijn vader heeft me nooit een voorbeeld van zachtmoedig gezag meegegeven en waarschijnlijk is mijn optreden zo solistisch dat ik als eigenmachtige purist overkom. Maar de assistenten van een rechter zijn zijn erfgenamen in het recht en velen van hen zijn me dierbaar. De zeven voormalige assistenten die vrijdagavond het etentje voor Anna bijwonen behoren daartoe, allemaal opvallend succesvol in hun beroep. Met mijn andere medewerkers vormen ze een vrolijk gezelschap aan een donkere tafel achter in de Matchbook. We drinken allemaal te veel wijn en plagen Anna goedmoedig met haar zwak voor diëten, haar klachten over het leven zonder partner, de sigaretten die ze nu en dan stiekem rookt en de manier waarop ze een mantelpakje draagt alsof het vrijetijdskleding is. Iemand heeft haar huisslofjes cadeau gedaan om op kantoor te dragen.

Na afloop brengt Anna me terug naar het gerechtsgebouw, zoals we hebben afgesproken. Ik zal mijn tas ophalen, zij zal haar laatste spullen in een verhuisdoos doen en me afzetten bij de halte van de bus naar Nearing. Nu blijkt dat we allebei een cadeautje hebben gekocht. Ik ga op mijn oude bank zitten, waarvan het gebarsten leer me onvermijdelijk een beetje aan mijn gezicht doet denken, en maak het doosje open. Er zit een miniatuur weegschaal van Vrouwe Justitia in, waarop Anna heeft laten graveren: 'Voor de president, uit liefde en dankbaarheid voor altijd – Anna.'

'Prachtig,' zeg ik, en ze komt naast me zitten om haar eigen pakje open te maken.

Afstand. Nabijheid. De woorden zijn niet alleen abstracte begrippen. Op straat passeren we mensen dichterbij dan mensen met wie we een band hebben. En in de laatste maanden van Anna's hoofdassistentschap is de formele afstand tussen ons vrijwel weggevallen. Wanneer we in een lift stappen, gaat ze automatisch vlak voor me staan. 'Oeps,' zegt ze terwijl ze haar achterste tegen me aan duwt en kijkt dan lachend over haar schouder. En natuurlijk zit ze nu zij aan zij en schouder aan schouder naast me, zonder een tiende millimeter tussen ons in. Bij de aanblik van mijn cadeautje, een pennenset voor haar bureau en een briefje met een verwijzing naar Phil Goldenstein en de voorspelling dat ze het ver zal brengen, krijgt ze tranen in haar ogen. 'Je betekent zoveel voor me,' zegt ze.

En alsof het niets te betekenen heeft, laat ze haar hoofd tegen mijn

borst zakken en even later leg ik mijn arm om haar heen. Minuten-
lang zeggen we niets, maar we blijven zo zitten, met mijn hand nu
stevig om haar sterke schouder en haar fijne haar dat geurend naar
conditioners en shampoo recht op mijn hart ligt. Wat wordt overdacht hoeft niet te worden uitgesproken. Het verlangen en de ge-
hechtheid zijn heftig. Maar de gevaren en de zinloosheid zijn overduidelijk. Verstrengeld vragen we ons af welk verlies erger zou zijn:
doorgaan of omkeren. Ik heb nog geen idee wat er zal gebeuren.
Maar in dit ogenblik leer ik één ding: ik heb mezelf maandenlang
voorgelogen. Want ik ben maar al te graag bereid.

En dus zit ik te denken: zal het gebeuren, hoe kan het gebeuren,
hoe kan het niet gebeuren, hoe kan het wel? Het is als het ogenblik
waarop de voorzitter van de jury met het dubbelgevouwen formu-
lier met de uitspraak erop in zijn hand staat. Het leven zal anders
worden. Het leven zal een keer nemen. De woorden kunnen niet
snel genoeg worden uitgesproken.

In die ogenblikken dat ik hierover heb gefantaseerd heb ik met
mezelf afgesproken dat de beslissing geheel en al bij haar ligt. Ik zal
niets vragen en geen toenadering zoeken. En dus houd ik haar tegen
me aan zonder meer te doen. Het voelen van haar stevige lichaam
windt me natuurlijk op, maar ik wacht alleen af en de tijd verstrijkt,
misschien wel twintig minuten, tot ik ten slotte in mijn gebogen arm
voel dat ze haar hoofd optilt; haar warme adem strijkt langs mijn
hals. Nu wacht ze af. Gespannen. Ik voel haar aanwezigheid. Ik
denk niet 'nee' of zelfs 'wacht'. In plaats daarvan denk ik: nooit
meer. Zo niet nu, dan nooit meer. Nooit meer de gelegenheid om de
meest fundamentele opwinding in het leven deelachtig te worden.

En dus kijk ik op haar neer. Onze lippen raken elkaar, onze ton-
gen. Ik kreun hoorbaar en ze fluistert: 'Rusty, o Rusty.' Ik vind de
verrukkelijke zachtheid van de borst waarover ik talloze keren heb
gefantaseerd. Ze maakt zich los om me aan te kijken en ik zie haar,
mooi, ernstig en zonder enige reserve. En dan spreekt ze de woorden uit die mijn ziel verheffen. Deze roekeloze, hartveroverende
jonge vrouw zegt: 'Kus me nog eens.'

Na afloop rijdt ze me naar de bus en bij de halte slaat ze af in een
steeg voor een afscheidszoen.

Ik! juicht mijn hart. Sabich de president, die als een jongen van zeventien in de schaduw zit te vrijen, net buiten de lichtkring van de straatlantaarn.

'Wanneer zie ik je?' vraagt ze.

'O, Anna.'

'Toe,' zegt ze. 'Niet maar één keer. Anders voel ik me een slet.' Ze bedenkt zich. 'Nog sletteriger.'

Ik weet dat er nooit een zoeter ogenblik zal komen dan we zojuist hebben beleefd. Minder stuntelig, maar nooit meer zo jubelend.

'Verhoudingen lopen altijd slecht af,' zeg ik. Misschien ben ik daar wel het beste bewijs ter wereld van. Berecht wegens moord.

'We moeten er allebei over nadenken.'

'Dat hebben we allebei gedaan,' zegt ze terug. 'Ik heb je al maanden elke keer zien nadenken als je me zag. Dus kunnen we alsjeblieft in elk geval praten?'

We beseffen allebei dat er alleen tussen de daden door zal worden gepraat, maar ik knik en na nog een intense kus stap ik uit. Haar auto, een bejaarde Subaru, rijdt weg met het scheurgeluid van een kapotte knaldemper. Ik loop langzaam naar de halte. Hoe kún je, gilt mijn hart, hoe kún je dit nog een keer doen? Hoe kan een mens nogmaals dezelfde fout maken die hem eerder bijna fataal is geworden? Terwijl hij weet dat de volgende catastrofe op de loer ligt? Bij elke stap stel ik mezelf die vragen. Maar het antwoord is telkens eender: omdat wat er tussen de vorige keer en deze keer ligt niet echt leven kan worden genoemd.

6

Tommy, 13 oktober 2008

Jim Brand solliciteerde bij het openbaar ministerie als slechtste
avondstudent rechten van zijn klas en ontving een voorgedrukte afwijzing. Maar hij meldde zich toch aan de receptie om te vragen of hij
alsjeblieft mocht solliciteren en Tommy, die net langsliep, zag wel
wat in hem. Het was Tommy die Brand door de sollicitatiecommis-
sie had geloodst, die hem had geleerd een fatsoenlijke pleitnota te
schrijven, die Jim als jongste advocaat had toegevoegd aan belangrijke zaken. En na verloop van tijd had Brand zich de investering waard
betoond. Hij voelde de rechtbankomgeving op een natuurlijke manier aan, met het instinct van de sportman voor de kant waaruit de
aanval dreigde. Advocaten vonden zijn stijl te lomp, maar dat vonden ze ook van Tommy.

Maar in tegenstelling tot de meeste mensen die je een dienst bewijst, zou Jim Brand nooit vergeten bij wie hij in het krijt stond.
Tommy was zijn grote broer. Ze waren getuige geweest op elkaars
bruiloft. Minstens een keer per week gingen Tommy en Brand samen lunchen, zowel om het contact met elkaar te onderhouden als
om te kleppen over de terugkerende problemen op het werk, die anders door de dringende zaken van elke dag dreigden onder te sneeu-
wen. Meestal aten ze vlakbij een broodje, maar vandaag had Brand
bij de secretaresses het bericht achtergelaten dat Tommy om twaalf
uur beneden naar hem toe moest komen. Jim schoof net zijn Mercedes uit de betonnen garage van het gerechtsgebouw toen Tommy
naar buiten kwam.

'Waarheen?' vroeg Tommy zodra hij was ingestapt. Brand was dol
op zijn wagen, een E-klasse uit 2006 die hij voordelig had gekocht na

57

drie maanden zoeken en voortdurend praten over wat hij op internet of in advertenties had gevonden. Hij en zijn meisjes zetten hem elke zondag in de was en hij had een leerpoetsmiddel gevonden waardoor de auto vanbinnen weer als nieuw rook. De auto was zo smetteloos dat Tommy zijn benen niet over elkaar durfde te slaan uit angst dat zijn zool vuil zou achterlaten op de bekleding. Brand had zelden meer genoten dan toen hij op een avond wilde wegrijden en een slingerende dronkaard naar hem toe was gekomen om tegen hem te zeggen: 'Wrede slee, man.' Brand haalde die uitspraak nog vaak aan.

'Giaccolone, had ik gedacht,' zei Brand.

'O god.' Bij Giaccolone propten ze een hele kalfskarbonade, verzopen in de marinade, in een Italiaanse bol. Als jonge aanklager nam Tommy de rechercheurs die aan een zaak hadden gewerkt mee naar Giaccolone als de jury zich had teruggetrokken, maar tegenwoordig betekende één broodje zijn calorierantsoen voor een hele week. 'Dan voel ik me straks een boa constrictor die een paard probeert te verteren.'

'Het wordt leuk,' zei Brand, de eerste aanwijzing voor Tommy dat er iets op til was.

Giaccolone, niet ver van de universiteit, draaide vroeger op de legendarische eetlust van de studenten, in de tijd dat er lef of een gewapend escorte nodig was om je in deze buurt te wagen. Het was er een puinhoop. De speelplaats aan de overkant was overwoekerd met onkruid en paarse distels groeiden naast afval dat 's nachts was weggesmeten: afgesleten autovelgen en brokken gewapend beton waaruit roestige metalen punten staken. Nu stonden er fraaie stadsvilla's en Tony Giaccolone, de kleinzoon van de oorspronkelijke eigenaar, had een kleine revolutie veroorzaakt door salades toe te voegen aan het menu op het enorme bord boven de balie. De uitbreiding van de medische faculteit, gerealiseerd in een vrije architectuur die eruitzag alsof Tomaso zijn blokkendoos had leeggeschud, was tot enkele tientallen meters opgerukt, veranderlijk van vorm en uitdijend als de kankers waaraan de instelling zijn faam als behandelaar dankte.

Achter het restaurant stonden betonnen picknicktafels. Met hun stevig gevulde broodjes liepen Brand en Tommy daarheen. Een koperkleurige boeddha in pak stond haastig op toen hij de mannen zag.

'Hallo,' zei Brand. 'Chef, je kent Marco Cantu toch? Marco, je kent de chef.'

'Hallo Tom.' Cantu sloeg zijn hand tegen die van Tommy. Toen Marco bij de recherche werkte, stond hij bekend als No Cantu, best slim maar aartslui, het slag politieman voor wie er nooit airco in de surveillancewagens had mogen komen omdat Marco in de zomer zelfs niet uitstapte om te beletten dat er een moord werd gepleegd. Hij was ergens goed terechtgekomen, kon Tommy zich herinneren. Twintig jaar gedienderd en daarna de vrije markt afgeschuimd.

'Tweede man op security in het Gresham,' zei Cantu, toen Tommy vroeg wat hij tegenwoordig deed. Hotel Gresham was een klassiek hotel, gebouwd rond een schitterende lobby met marmeren zuilen als woudreuzen. Tommy kwam er af en toe voor ontvangsten van de orde, maar je moest fors kunnen declareren om daar een kamer te kunnen huren.

'Dat lijkt me geen sinecure,' zei Molto. 'Elke maand wel een crisis omdat je een dronken manager moet influisteren dat hij de bar beter voor gezien kan houden.'

'Daar heb ik vier mensen voor,' zei Marco.'Ik luister alleen mee op mijn oortje.' Cantu had het apparaatje in zijn zak en liet het even zien om de anderen aan het lachen te maken.

'En beroemde mensen?' vroeg Brand gretig. 'Die komen er vast ook.'

'Jazeker,' zei Marco. 'En daar heb je dan je handen vol aan.' Hij vertelde over een popster van negentien die een avond uit stappen was geweest en die, toen hij om drie uur in de ochtend starnakel terugkwam in het hotel, meende er goed aan te doen al zijn kleren uit te trekken in de lobby. 'Ik wist niet wat ik het eerst moest doen,' zei Marco, 'de fotografen afschermen of de verwarming opdraaien om te voorkomen dat die jongen kou zou vatten. Kleine uitslover.'

'Er komen ook plaatselijke beroemdheden,' zei Brand. 'Je hebt me toch verteld dat je er vorig voorjaar nog geregeld de baas van het gerechtshof hebt gespot?'

'Zeker,' zei Marco. 'En elke keer met een *chiquita* aan zijn arm, meen ik me te herinneren.'

Brands donkere ogen keken in die van Tommy. Nu wist Molto waarom ze hier waren.

'Hoe jong?' vroeg Molto.

'Oud genoeg om te stemmen. Weet ik veel. Dertig? Knap ding, met zúlke koplampen. De eerste keer dat ik hem zag, zat hij in de lobby te wachten. Gek toch? Daar heeft zo'n hoge rechter het toch te druk voor? Ik op hem af om een praatje te maken. Maar ik zag dat hij meteen wegkeek om iemand te waarschuwen. Ik bukte me om mijn broekspijp over mijn schoen te trekken en ik zag dat wijfje nog net achteruit terugschuiven naar de lift.

En een paar weken later ben ik ergens boven om bij een Aziatische zakenman met een jetlag te kijken waarom hij niet reageert, de lift gaat open en ik zie een stel haastig allebei de andere kant op gaan. De rechter en die vrouw. Ze stopte net haar bloes weer in haar rok en de rechter had die blik in zijn ogen, je weet wel, alsof hij het nauwelijks kon ophouden. Weer een paar weken later zie ik hem de lobby binnenkomen en zodra hij mij ziet, draait hij zich als een balletdanser om zijn as en gaat zo weer door de draaideur naar buiten. Maar dat wijfje stond bij de receptie.'

'Hoe laat gebeurde dat?' vroeg Tommy, terwijl hij voorzichtig keek naar de klanten om hen heen. Aan de tafel naast die van hen zat een groepje uit het ziekenhuis, met lange witte jassen aan en instrumenten in hun borstzak. Ze plaagden elkaar opgewekt, zonder acht te slaan op de aanklager drie meter verderop.

'Twee keer lunchtijd. De laatste keer was na het werk.'

'De rechter pakt zijn verzetje tussen de middag?'

'Zou ik wel denken,' zei Marco.

Tommy nam de tijd om zijn opvattingen te overdenken. Het verbaasde hem niet dat Rusty hypocriet was, dat hij zich tegelijkertijd kandidaat stelde voor het hooggerechtshof en er een vriendinnetje op na hield. Sommige mannen liepen blindelings hun lul achterna. Tommy kon zich niet indenken dat hij zijn vrouw zou bedriegen; dat ging letterlijk zijn voorstellingsvermogen te boven. Waarom? Wat kon een liefhebbende echtgenote overtreffen? De hele geschiedenis bevestigde alleen wat hij al vond: dat Rusty Sabich een klootzak was.

'Zijn er ook geen lunches van de orde in dat hotel?' vroeg Tommy.

'Zeker. Zo vaak.'

'Vergaderzaaltjes 's morgens, 's middags en 's avonds verhuurd?'

'In die tijd wel. Tegenwoordig is de animo minder.'

'Ja,' zei Tommy, 'maar er kunnen dus allerlei redenen zijn waarom die vrouw en hij daar rondhingen. Heb je soms nog in je administratie gekeken, Marco, of de rechter een kamer had gehuurd?'

'Jawel. Maar zoals ik al zei, stond zij bij de receptie.'

'Dus er staat niets in de boeken?'

'Er staat niets in de boeken.'

Tommy keek naar Brand, die vond dat het zo wel goed ging en die de aanval op zijn broodje hervatte. Zelfs op zijn leeftijd was Jimmy altijd uitgehongerd. Molto had veel te vertellen, maar niet zolang Marco erbij was. Ze spraken over het footballteam van de universiteit tot Cantu het boterhampapier dichtvouwde om de rest van zijn broodje. Klaar om weg te gaan legde Marco zijn handen op zijn dijen.

'Weet je, ik vond altijd dat Rusty je bij dat proces niet zo te grazen had mogen nemen,' zei Cantu. 'Daarom wou ik dit verhaal wel aan je mensen kwijt met een koud biertje in de hand.'

'Dat waardeer ik,' zei Tommy, hoewel het voor hem minder simpel lag. Volgens hem was het Cantu erom te doen zijn eigen grief jegens Sabich aan te scherpen.

'Maar ja, het hotel,' zei Cantu. '"De privacy van onze gasten."' Met dikke vingers tekende Cantu de aanhalingstekens in de lucht. 'Zwaar overdreven, natuurlijk. Alsof het godverdomme een Zwitserse bank is. Dus als er stront van komt, heb je het niet van mij gehoord. Als je het op papier moet hebben, stuur je maar een rus naar ons toe, dan loop ik naar mijn chef en mijn chef loopt naar zijn chef. Komt op hetzelfde neer, maar je weet hoe het gaat.'

'Begrepen,' zei Molto en keek Marco in zijn mooie pak na toen hij wegliep.

Tommy dumpte de rest van zijn broodje en wenkte Brand mee naar de auto. Jim had de Mercedes aan de overkant geparkeerd waar het niet mocht, zodat hij er oog op kon houden. Bij het instappen pakte Brand het bordje dat hij op het dasboard had gelegd – POLITIE KINDLE COUNTY – en schoof het weer achter de zonneklep.

'Als diender indertijd stelde die kerel niets voor,' zei Tommy.

'Een drol,' beaamde Brand, 'maar ik wil geen drollen beledigen.'

'En hij heeft om de een of andere reden de schurft aan Rusty?'

'Volgens mij wel. De eerste keer dat we het erover hadden, liet Marco iets doorschemeren over oud zeer uit de tijd dat Rusty de strafkamer van de rechtbank voorzat.'

'Dus Cantu weet misschien meer van hem dan de meesten.'

'Misschien, misschien ook niet. Maar als hij gelijk heeft, heeft de rechter een motief om zijn vrouw gedag te zeggen.'

'Hoe je het ook noemt, het is anderhalf jaar geleden. Niet echt een sterk motief om een moord te plegen. Wel eens van scheiden gehoord?'

'Daar hoef ik bij mijn vrouw niet mee aan te komen,' zei Brand. 'Ze zou me kielhalen.' Jody, die ook aanklager was geweest, liet niet met zich sollen. 'Misschien dacht Rusty dat een scheiding slecht zou zijn voor zijn campagne.'

'Hij kon toch wel zes weken wachten.'

'Misschien kon hij dat niet. Misschien is de dame in kwestie zo zwanger dat het gaat opvallen.'

'Allemaal speculatie, Jimmy.'

Ze waren nu op Madison Avenue, recht tegenover de ingang van het academisch ziekenhuis. Er stond een stel mensen op de hoek te wachten op groen licht, artsen en patiënten en arbeiders zo te zien, en Molto merkte op dat ze allemaal in een mobieltje stonden te praten. Waar was het hier en nu gebleven?

'Chef,' zei Brand, 'Rusty gaat hier niet de kogel voor krijgen. Maar je had gezegd dat ik iets moest leveren. En dit is iets. Het gaat om iemand die eerder heeft gemoord. Zijn vrouw gaat plotseling dood en hij laat het lijk zonder reden een hele dag liggen. En nu blijkt dat hij een vriendinnetje had. Dus misschien wilde hij op dat spoor verder. Ik weet het niet. Maar we moeten ernaar kijken. Meer wil ik niet zeggen. We moeten het verder natrekken.'

Tommy staarde naar de brede verbindingsweg en de kruinen van de dikke oude bomen aan weerskanten. Het zou stukken eenvoudiger zijn geweest als het om iemand anders was gegaan.

'Hoe kom je trouwens aan je informatie?' vroeg hij. 'Wie heeft je op Marco gewezen?'

'Een van de agenten speelt elke dinsdagavond pool met Cantu.'

Dat beviel Tommy niet. 'Ik hoop dat ze allemaal hun mond weten te houden. Ik wil niet dat het halve bureau Nearing zit te kakelen over de vraag of Rusty Sabich zijn vrouw koud heeft gemaakt.'

Brand bezwoer dat zijn informanten zouden zwijgen. Tommy probeerde zich te troosten met de gedachte dat er niet naar de pers was gelekt. Hij vroeg Brand wat hij verder wilde doen.

'Volgens mij moeten we naar zijn bankgegevens en telefoongegevens kijken,' zei Jim. 'Kijken of er inderdaad een dame in het spel is geweest en nog is. We kunnen iedereen negentig dagen zwijgplicht opleggen om te voorkomen dat er voor de verkiezingen met Rusty wordt gepraat.' In de versie van de Patriot Act die in onze staat van kracht is hadden aanklagers het recht documenten op te eisen en degene die ze verstrekte te verbieden daar gedurende een termijn van negentig dagen met iemand anders dan een advocaat over te spreken. Het was een slap aftreksel van de federale wet, die een eeuwigdurende zwijgplicht mogelijk maakte, maar de plaatselijke strafpleiters hadden dan ook zoals gewoonlijk bij de invoering veel stampij gemaakt in de hoofdstad.

Tommy kreunde en citeerde Machiavelli, een Italiaan die wist waar hij het over had. 'Als je op de koning schiet, moet je zorgen dat je hem doodt.'

Maar Brand schudde zijn grote kale hoofd.

'Ga van het slechtste geval uit, chef: laten we aannemen dat het niks voorstelt. Rusty wordt razend als hij er lucht van krijgt, hij zal ons hier of daar een loer draaien, maar hij kan nergens klagen. Bij het hooggerechtshof kan niemand hem meer wat maken en hij zal zelf niet rondbazuinen dat hij vroeger, toen zijn vrouw nog leefde, een vriendinnetje had. Hij krijgt hoogstens nog meer de schurft aan je dan hij al heeft.'

'Daar ben ik dan mooi klaar mee.'

'We hebben een klus, chef. We hebben informatie.'

'Die is boterzacht.'

'Boterzacht of niet, we moeten er wat mee doen. Je wilt toch niet dat over een halfjaar een diender van bureau Nearing bij een biertje tegen een journalist klaagt dat ze voor de verkiezingen een serieus bezwaar tegen een nieuwe opperrechter hadden, maar dat jij niet het lef had om door te zetten, uit angst dat Rusty je weer op je bek liet gaan? Dat maakt ook geen sterke indruk.'

Brand had gelijk. Ze moesten er werk van maken. Maar het was link. Je moest niet denken dat je in je leven de touwtjes in handen had. Je stak je peddel in het water om je kano te sturen, maar het was de stroming die je naar de stroomversnelling dreef. Je moest overeind proberen te blijven en maar hopen dat je niet tegen een rotsblok sloeg of in een draaikolk terechtkwam.

Tommy wachtte tot ze weer bij het gerechtsgebouw waren voordat hij Brand toestemming gaf om door te gaan.

7

Rusty, maart-april 2007

Vier dagen na onze eerste keer zien Anna en ik elkaar opnieuw in Hotel Gresham. Bij haar thuis kan het niet. Haar kamergenoot Stiles komt op onvoorspelbare tijden thuis. Bovendien woont ze in een nieuwbouwappartement aan de East Bank, twee straten bij het hooggerechtshof van onze staat vandaan, waar Nat inmiddels al elke week een paar uur doorbrengt.

Omdat het zo belangrijk is geen argwaan uit te lokken, hebben we door middel van enkele cryptische e-mails afgesproken dat zij haar creditcard voor de hotelkamer zal gebruiken. Ik zit in de lobby te doen of ik op iemand anders wacht. Wanneer de receptionist zijn blik afwendt, kijkt Anna me in de ogen. Ik schuif mijn hand onder mijn jasje om mijn hart aan te raken.

Als je maandenlang naar een vrouw hebt gekeken met de wellustige blik van de fantasie, kun je niet onmiddellijk aanvaarden dat ze nu werkelijk naakt in je armen ligt. En tot op zekere hoogte is dat ook niet zo. Haar middel is smaller dan ik dacht, haar heupen zijn iets zwaarder. Maar de kern van de opwinding is dat ik de sprong in mijn fantasiewereld heb gewaagd, een zo ongekende ervaring als tussen de tralies door kruipen om de grote roofdieren in de dierentuin te knuffelen. Eindelijk, denk ik wanneer ik haar aanraak. Eindelijk.

Na afloop zeg ik, terwijl ze haar bloes in haar rok stopt: 'Dus het is werkelijk gebeurd.'

Haar glimlach is verrukt en onschuldig. Wanneer Anna ergens van geniet, kent ze geen verlegenheid.

'Je wilde niet, hè? Elke keer als ik de kamer binnenkwam, voelde ik dat je het afwoog. En dat het dan nee was.'

'Ik wou niet,' zeg ik. 'Maar ik ben hier.'

'Ik denk maar één keer over iets na,' zegt ze. 'En dan hak ik de knoop door. Dat is een talent. Een maand of drie geleden besefte ik dat ik met je naar bed wou.'

'En dan is er zeker geen redden meer aan?'

Ze glimlacht de hele wereld toe. 'Geen redden meer aan,' zegt ze.

In mijn kamer, tijdens de campagne, op straat of in de bus gedraag ik me normaal, maar innerlijk bevind ik me in een nieuwe omgeving. Ik denk voortdurend aan Anna, ga gedreven de stapjes na die we in de loop van de maanden hebben gezet om tot onze verhouding te komen, nog verbijsterd dat ik ben ontsnapt aan de strenge grenzen die ik me in mijn bestaan heb gesteld. Thuis heb ik er geen behoefte aan naar bed te gaan, niet alleen omdat ik niet naast Barbara wil gaan liggen, maar omdat er in de afgelopen week meer levenskracht in mijn lichaam is gevaren dan ik in tientallen jaren heb gekend. En zonder de glazen vitrine waarin iedere vrouw met uitzondering van mijn vrouw een generatie lang veilig is geweest, raak ik opgewonden door de nabijheid van vrijwel iedere vrouw.

Toch besef ik elk ogenblik dat wat ik doe knettergek is, populair uitgedrukt. Machtige man van middelbare leeftijd, knappe jongere vrouw. Het plot ontbeert elke originaliteit en wordt overal weggehoond, ook door mijzelf. Mijn eerste verhouding, ruim tweeëntwintig jaar geleden, bracht me zo in conflict met mezelf dat ik naar een psychiater ging. Maar nu denk ik er niet over om weer een therapeut te zoeken, een idee waar ik jarenlang mee heb gespeeld, want ik heb niemand nodig om me te vertellen dat dit krankzinnig is, hedonistisch, nihilistisch en bovenal onrealistisch. Er moet een eind aan komen.

Voor Anna zou ontdekking lang niet zo rampzalig zijn als voor mij. Voor haar zou het alleen een gênant begin van haar carrière zijn. Maar haar zou het niet ernstig worden verweten. Zij heeft geen vrouw aan wie ze trouw heeft beloofd, geen permanente verantwoordelijkheid met betrekking tot de publieke zaak. Aan het hof zou mijn reputatie misschien te redden zijn door het feit dat we ons hebben beheerst tot het einde van haar dienstverband, maar N.J. Koll zou wel direct de favoriete kandidaat worden.

En dat zou nog het minst erge zijn. Barbara's razernij is levensgevaarlijk en in dit stadium is het gevaar voor haarzelf waarschijnlijk het grootst. Maar het allerergst zou de confrontatie met Nat zijn, zijn nieuwe blik zonder enig respect.

Een onthulling van mijn eerste verhouding was dat ik veel bagage met me meedraag uit het schemerdonkere, ongelukkige huis waarin ik ben opgegroeid. Voordien zag ik mezelf als de gemiddelde student of jongeman met ambitie, iemand die erin was geslaagd, als zoon van een sadistische overlevende van de oorlog en een excentrieke eenzelvige vrouw, de stap te maken naar een bestaan als normale gemiddelde Amerikaan. Ik hunker er eigenlijk nog altijd naar om een toonbeeld van deugd te zijn, een zeldzaam rechtschapen mens. Maar ik kom niet los van de schaduw die weet dat ik dat niet ben. Zo is niemand. Dat weet ik ook. Maar mijn eigen tekortkomingen grijpen me veel meer aan dan die van anderen. Dat is de aantrekkingskracht van de zonde. Die is de bevestiging van wat ik ben.

Anna is zoals veel rechtenstudenten die ik als student heb gekend niet intellectueel maar briljant, zo bedreven in de juristenkunst van het verenigen van feit en wet dat haar bezig zien net zo spannend is als kijken naar de prestaties van een groot atleet op de baan. Nu we opeens op gelijk niveau functioneren, vind ik haar slimheid charmant op een elementair niveau. Maar onze gesprekken zijn bepaald niet zoetsappig. We praten van jurist tot jurist, bijna altijd in debat, half geamuseerd, maar op het scherp van de snede. En wat we bespreken is een waarheid die ons beiden van meet af aan voor ogen moest staan: dit kan nooit goed aflopen. Ze zal iemand tegenkomen die beter bij haar past. Of we worden betrapt en dan zal mijn leven opnieuw verwoest worden. Hoe dan ook, een toekomst is er niet.

'Waarom niet?' vraagt ze, wanneer ik dat de tweede middag terloops zeg.

'Ik kan niet bij Barbara weg. Dat zou mijn zoon me nooit vergeven. Bovendien zou het onfatsoenlijk zijn.' Ik leg de voorgeschiedenis uit en som de medicijnen in Barbara's kastje op om mijn argument kracht bij te zetten: mijn vrouw is hulpbehoevend. Toen ik haar terug liet komen, wist ik dat.

Anna's blik verschiet tussen boosheid en gekwetstheid, en ze bloost.

'Anna, dat begreep je toch. Dat moet je hebben begrepen.'

'Ik weet niet wat ik moet begrijpen. Ik moest gewoon bij jou zijn.'
Tranen kruipen over haar gloeiende wangen.

'Het probleem,' houd ik haar voor, 'is een fundamenteel verschil tussen ons.'

'Qua leeftijd, bedoel je? Jij bent een man. En ik ben een vrouw. Leeftijd doet me niets.'

'Je zou er wel rekening mee moeten houden. Jij begint net, ik ben bijna aan mijn eind. Is het je al opgevallen dat mannen van mijn leeftijd kaal worden en dat er dan haar uit hun oren groeit? Dat ze een pens krijgen? Hoe komt dat, denk je?'

Ze vertrok haar gezicht. 'Hormonen?'

'Nee, wat zou Darwin zeggen? Waarom is het voordelig voor oude mannen om er anders uit te zien dan jonge mannen? Zodat vruchtbare jonge vrouwen kunnen zien wie ze moeten kiezen. Zodat ouwe kroegtijgers niet kunnen beweren dat ze twintig jaar jonger zijn dan ze zijn.'

'Jij bent geen kroegtijger. En ik ben geen dom blondje.' Gepikeerd gooit ze het dek van zich af en loopt in haar naakte glorie naar het bureau om een sigaret op te steken. Ik had haar nooit eerder zien roken en was een beetje onaangenaam getroffen toen ik zag dat ze een hotelkamer voor rokers had genomen. Ik ben gestopt toen ik reservist-af was, maar voor mij ruikt een brandende sigaret nog altijd naar blind genot. 'Wat denk je wel?' vraagt ze. 'Dat dit voor mij zomaar een ervaring is?'

'Dat zal het achteraf zijn. Iets krankzinnigs dat je ooit hebt gedaan om ervan te leren.'

'Ga nou niet zeggen dat ik zo jong ben.'

'We zouden hier allebei niet zijn als je niet zo jong was. Dan zouden we elkaar niet zo fascinerend vinden.'

Terwijl ik achter haar sta, draai ik haar naar me toe en strijk met mijn handen over haar hele bovenlichaam. Anna heeft een geweldig lichaam, dat haar trots maakt en waar ze zich veel moeite voor geeft: ze laat zich manicuren en pedicuren en ze gaat vaak naar de kapper en de schoonheidsspecialiste: 'klein onderhoud' noemt ze dat. Haar borsten zijn volmaakt: groot, prachtig bol, met een brede, donkere tepelhof en lange tepels. En ik word gefascineerd door haar geslachtsdeel, waar haar jeugd geconcentreerd lijkt. Ze is gewaxt, 'de Braziliaanse behandeling' noemt ze dat. Ik heb dat nog nooit met eigen ogen gezien en de gladheid prikkelt mijn wellust onmiddellijk. Ik aanbid, drink en neem de tijd terwijl ze beurtelings kreunt en aanwijzingen fluistert.

In die staat van verbijstering gaat het leven door. Ik doe mijn werk, schrijf conceptvonnissen, verdeel taken, overleg met juridische werkgroepen en commissies, hak knopen door in de voortdurende strijd binnen het hof, maar Anna vecht steeds in verschillende zwoele poses om mijn aandacht. Door Kolls overstap naar de andere partij, nog geen week na mijn verjaardag, is mijn campagne even een minder dringende aangelegenheid geworden, hoewel Raymond bijeenkomsten blijft beleggen om fondsen te werven.

Anna en ik spreken elkaar elke dag een paar keer. Ik bel haar alleen op mijn werk omdat de rekening voor mijn mobieltje naar mijn huis gaat. In mijn eentje in mijn kamer bel ik Anna's privénummer op kantoor, of zij belt mij op mijn interne nummer. Het zijn fluistergesprekken, altijd te kort, een merkwaardige mengeling van banaliteiten en uitingen van begeerte: 'Guerner heeft me met twee meter documenten opgescheept. Ik zal het hele weekend moeten doorwerken.' 'Ik mis je.' 'Ik heb je nodig.'

Op een dag vraagt Anna me over de telefoon: 'Hoe is het met de zaak-Harnason afgelopen?' Anna's laatste officiële taak hier was het concept opstellen van mijn afwijkende oordeel, en die zaak en andere zaken waaraan ze heeft gewerkt, houden haar nog bezig. Ik ben Harnason zo goed als vergeten, zoals zoveel in mijn leven, maar zodra ik de hoorn heb neergelegd, roep ik Kumari bij me. In reactie op mijn afwijkende mening heeft George manmoedig het recht van iedere rechter in mijn hof toegepast door Marvina's uitgesproken opvatting en mijn concept te laten circuleren met de vraag of de zaak zich leent voor plenaire behandeling, waarbij alle achttien rechters hun mening geven. Diverse collega's, beducht om hun president voor het hoofd te stoten, hebben er diplomatiek voor gekozen niet te reageren. Ik stel een termijn van een week en word verpletterend verslagen; dertien tegen vijf (met inbegrip van Marvina, George en mij) spreken zich uit voor het bekrachtigen van de veroordeling. Dit is bijna de garantie dat het hooggerechtshof de zaak ook zal afwijzen, uitgaande van de theorie dat achttien rechters zich niet kunnen vergissen. Genietend van haar overwinning vraagt Marvina nogmaals om commentaar op het conceptvonnis, maar over nog geen maand zal John Harnason teruggaan naar de gevangenis.

Ik denk bijna zo vaak aan Barbara als aan Anna. Thuis ontmoet ik geen enkele argwaan. De avonden voordat Anna en ik weer bij elkaar zullen komen, bestudeer ik mijn naakte omvang in het harde licht van de badkamer. Ik ben oud, knokig, vlezig. Ik werk mijn schaamhaar bij met een nagelknippertje en verwijder de lange, wild uitgegroeide grijze haren. Ik zou me bezorgd moeten afvragen of Barbara het merkt, maar in werkelijkheid zegt ze niets over mijn bezoekjes aan de kapper of over de rode scheerplekken. Na zesendertig jaar hecht ze meer aan mijn aanwezigheid dan aan mijn verschijning.

In de periode met Carolyn, tientallen jaren geleden, was ik onmogelijk dromerig. Maar door Anna heb ik meer waardering voor Barbara en meer geduld met haar. Door de uitlaatklep van het genot is mijn bittere reservoir aan rancune leeg geraakt. Waarmee ik niet wil zeggen dat het gemakkelijk is het bedrog vol te houden. Het ondermijnt al mijn ogenblikken thuis. Een tweede ik lijkt bezigheden uit te voeren als het buiten zetten van het vuilnis of het verrichten van de geslachtsdaad, iets dat ik niet helemaal kan vermijden. Het dubbelhartige schuilt niet alleen in waar ik ben of wat mijn dag goed maakt. De leugen is wie ik ten diepste ben.

Mijn onmogelijke verlangen trouw te zijn aan twee vrouwen voert me herhaaldelijk naar toppunten van absurditeit. Ik sta er bijvoorbeeld op Anna contant de prijs van de hotelkamer te vergoeden. Dat wijst ze lachend van de hand – haar salaris is hoger dan het mijne, en nu ze vierhonderd procent meer verdient dan als juridisch assistent in opleiding voelt ze zich de koning te rijk – maar een ouderwetse galanterie, als je het zo kunt noemen, belet me te vinden dat ik kan slapen met een vrouw die zesentwintig jaar jonger is dan ik, en haar voor dat voorrecht te laten betalen.

Maar het geld vinden is veel lastiger dan ik had voorzien. Barbara regelt de geldzaken thuis en als wiskundige is haar verhouding tot getallen de belangrijkste in haar bestaan; zonder met haar ogen te knipperen kan ze het exacte bedrag van de elektriciteitsrekening voor juni van het afgelopen jaar noemen. Hoewel ik een paar extra bezoekjes aan de pinautomaat kan afdoen als pokerverliezen in het rechtersclubje, lijkt het onmogelijk elke week een paar honderd dollar extra te vinden, tot er als bij goddelijke tussenkomst opeens een extra bijdrage in de kosten van levensonderhoud van rechters, die procedureel lang is tegengehouden, wordt toegekend. Op 17 april trek ik de automatische storting van mijn salaris in en in plaats daarvan ga ik met mijn cheque naar de bank, waar ik hetzelfde bedrag als vroeger op de rekening stort en de extra bijdrage contant opneem. Aan achterstallige termijnen over tweeënhalf jaar ontvang ik bijna vierduizend dollar op de eerste cheque.

'Ik ben blij dat dit geheim is,' zeg ik tegen Anna als we vroeg op de middag in bed liggen. We ontmoeten elkaar nu twee of drie keer per week, tussen de middag of na het werk, als ik kan beweren dat ik voor de campagne in touw ben. 'Daardoor krijg je niet van talloze mensen te horen dat je gek bent.'

'Waarom ben ik gek? Vanwege het leeftijdsverschil?'

'Nee,' zeg ik, 'dat is alleen normaal gek. Of abnormaal. Ik bedoel het feit dat de laatste vrouw met wie ik een verhouding heb gehad om het leven is gebracht.'

Nu heb ik haar aandacht. De groene ogen staren en de sigaret blijft halverwege haar lippen steken.

'Moet ik bang zijn dat je me vermoordt?'

'Sommige mensen zouden er een historisch patroon in zien.' Nog steeds verroert ze zich niet. 'Ik heb het niet gedaan,' zeg ik. Waarschijnlijk heeft ze er geen idee van, maar dit is de grootste intimiteit die ik met haar heb gedeeld. Ruim twintig jaar lang heb ik principieel zelfs mijn beste vrienden niet op deze manier in vertrouwen genomen. Als zij argwaan koesteren, hoewel ze me goed kennen, kan ik die niet met een ontkenning weerleggen.

'Weet je,' zegt ze, 'ik kan me die zaak nog heel goed herinneren. Toen heb ik bedacht dat ik advocaat wilde worden. Ik las elke dag over het proces in de krant.'

'Hoe oud was je dan? Tien?'

'Dertien.'

'Dertien,' zeg ik, met bezwaard gemoed. Ik begin te beseffen dat ik nooit aan mijn monumentale stupiditeit zal wennen. 'Dus het is mijn schuld dat jij ook jurist bent geworden? Nu zullen de mensen echt zeggen dat ik je moreel te gronde heb gericht.'

Ze slaat me met het kussen. 'Wie denk jij dat het heeft gedaan?' vraagt ze.

Ik schud mijn hoofd.

'Weet je dat niet?' vraagt ze. 'Of wil je geen antwoord geven? Ik heb een theorie. Wil je die horen?'

'Ik wil er verder niet over praten.'

'Hoewel je me net hebt verteld dat ik in levensgevaar verkeer?'

'Laten we ons aankleden,' zeg ik, zonder te verhullen hoe geërgerd ik ben.

'Sorry. Ik wou niet boren.'

'Ik praat er niet over. Veteranen praten niet over de oorlog. Ze zetten zich eroverheen. Het is hetzelfde. Niet dat ik het me niet heb afgevraagd.'

'Wie het heeft gedaan?'

'Waarom je hier bent. Gezien mijn gevaarlijke voorgeschiedenis.'

Ze heeft haar ondergoed aangetrokken, maar doet nu haar beha weer uit, zwaait ermee met de allure van een stripper en mikt hem tegen de muur.

'Liefde,' zegt ze en laat zich in mijn armen vallen, 'brengt je ertoe rare dingen te doen.' We hebben allebei eigenlijk geen tijd meer, maar haar uitbundigheid wekt opnieuw mijn begeerte op en we verenigen ons nogmaals.

Na afloop zegt ze: 'Ik geloof het gewoon niet. Ik geloof er niets van.'

'Dank je,' zeg ik ingehouden. 'Ik ben blij dat je je er niet door hebt laten weerhouden.'

Ze haalt haar schouders op. 'Misschien juist het tegenovergestelde.'

Ik kijk haar nieuwsgierig aan.

'Je bent toch een soort legende,' zegt ze. 'Niet alleen in kringen van juristen. Waarom denk je dat geen verstandig mens het tegen je wil opnemen als kandidaat voor het hooggerechtshof?'

Het hooggerechtshof. Mijn hart slaat een paar keer over. Intussen kijkt ze afwezig voor zich uit.

'Weet je,' zegt Anna dan, 'soms doe je dingen die je niet helemaal begrijpt. Je moet ze gewoon doen. Zinnig of onzinnig, dat maakt weinig uit.'

Dit gesprek intensiveert een vraag die ik mezelf voortdurend stel.

Wat mankeert een jonge vrouw die, zoals ik haar ken, begaafd en verfrissend verstandig is, dat ze belangstelling heeft voor een man die bijna twee keer zo oud is als zijzelf, en nog getrouwd ook? Ik heb niet de illusie dat ze zich tot mij aangetrokken zou voelen als niet iedere advocaat, rechter of onderknuppel me als 'chef' zou begroeten zodra ik het gerechtsgebouw betreed. Maar wat betekent het voor haar om met de chef te slapen? Wel iets, besef ik. Maar waarschijnlijk zal ik nooit het geheime hoekje van haar leren kennen dat ik, hoopt ze, zou kunnen vullen. Degene die ze in het recht wil zijn? Die ze als vader had willen hebben? De man die ze in haar geheimste dromen het liefst zou zijn? Ik weet het niet, en zij waarschijnlijk evenmin. Ik heb alleen het gevoel dat zij behoefte heeft aan de grootst mogelijke nabijheid, omdat wat ze zoekt alleen door huid-aan-huidcontact kan worden geabsorbeerd.

Dit is wat ik was vergeten: de pijn. Ik had me niet meer gerealiseerd dat een verhouding een voortdurende kwelling is. Door de dubbelhartigheid thuis. Door de angst voor ontdekking. Door het lijden dat, weet ik, aan het einde zal komen. Door de smart van het wachten op de volgende keer. Door het feit dat ik alleen op die paar dagen gedurende enkele uren in een hotelkamer werkelijk mezelf kan zijn, wanneer die zoete ogenblikken, zo dicht bij de hemel als we op aarde kunnen komen, alle doorstane ellende compenseren.

Ik slaap zelden de hele nacht door en sta om drie of vier uur in de ochtend op voor een glas cognac. Ik zeg tegen Barbara dat het door het hof en de campagne komt dat ik niet kan slapen. In het donker zit ik met mezelf te onderhandelen. Ik wil nog twee ontmoetingen met Anna. Daarna zet ik er een punt achter. Maar als ik ermee wil kappen, waarom dan niet nu meteen? Omdat ik dat niet kan. Want de dag dat ik dit opgeef, zal de dag zijn waarop ik me erbij neerleg dat dit nooit meer zal gebeuren. Dat ik, met andere woorden, ben begonnen met doodgaan.

Ondanks vaste voorzorgsmaatregelen ben ik de gevaren inmiddels wat luchtiger gaan opvatten. Ze zijn altijd aanwezig, maar wanneer je twee keer onopgemerkt blijft, dan vier keer, vijf keer, wordt de spanning deels bepaald door het foppen van het lot. Op een dag dat Anna en ik in het Gresham hebben afgesproken, ziet Marco Cantu, een ex-politieman die ik van vroeger ken, me schijnbaar doelloos in de lobby zitten en komt naar me toe voor een babbeltje. Hij werkt nu in het hotel als hoofd veiligheid. Dat ik hier een lunchafspraak met een kennis heb klinkt zelfs mij raar in de oren. Daardoor schrik ik me een week later wezenloos als, terwijl we naar beneden gaan, de liftdeuren op een tussenverdieping opengaan en Marco daar opeens staat, met het postuur van een sumoworstelaar. Het is een beroerd ogenblik omdat Anna en ik onze omhelzing pas afbreken wanneer de lift stopt, een beweging die Marco zeker moet hebben gezien.

'Fijn u alweer terug te zien.'

Ik stel Anna niet aan hem voor en ik voel dat Marco recht door me heen kijkt. Een week later zie ik hem zodra ik het hotel binnen wil gaan en ga meteen weer naar buiten om te wachten tot hij niet meer in de lobby is.

'We moeten een andere plaats delict zoeken,' zeg ik zodra ik veilig en wel in de kamer ben. 'Marco heeft veel straatervaring. Hij was lui, maar hij had wel een goede neus.'

Anna heeft zich inmiddels uitgekleed. Ze heeft de zachte hotelbadjas aangetrokken die ze niet met de ceintuur heeft dichtgebonden, maar met een breed roodsatijnen cadeaulint dicht heeft gestrikt.

'Zie je het zo? Als een delict?'

'Wat zo lekker is, moet wel misdadig zijn,' is mijn reactie. Ik heb mijn jasje opgehangen en doe zittend op bed mijn schoenen uit voordat ik besef dat mijn antwoord te frivool is geweest. Ze staart naar me.

'Je kunt op zijn minst doen alsof je nadenkt over bij me zijn.'

'Anna…' Maar we weten allebei dat ze een punt heeft. Ik heb geen nachten met haar doorgebracht. Op de vrijdag van de derde week heb ik tegen Barbara gezegd dat ik naar een avond van de orde moest en heb het aangedurfd pas om halftwee thuis te komen, al had Anna me gesmeekt langer te blijven. Ze begint vaak over een weekend samen, wakker worden in elkaars armen en samen wandelen in de buitenlucht. Maar ik fantaseer er niet op los. Ik ben fanatiek aan haar gehecht, maar voor mij hoort onze relatie thuis in de besloten ruimte van een huurkamer, waar we ons van onze kleren kunnen ontdoen om ons vast te klampen aan wat we allebei zo wanhopig begeren.

'Serieus. Je zou nooit met me trouwen?'

'Ik ben al getrouwd.'

'Duh. Nee. Als Barbara niet in beeld was? Als ze dood neerviel. Of ervandoor ging?'

Waarom denk ik allereerst aan ontwijken? 'Ik ben te arm voor een luxepoes.'

'Nou zeg, wat een compliment.'

'Anna, de mensen zouden me in mijn gezicht uitlachen.'

'En dat is de reden? Dat de mensen zouden lachen?'

'Het zou ook lachwekkend zijn. Een man die trouwt met een vrouw die zijn dochter kon zijn maakt zich belachelijk.'

'Vind je dat niet eerder mijn probleem? Als ik je in een rolstoel naar diploma-uitreikingen wil duwen...'

'En mijn luiers verschonen?'

'Desnoods. Waarom mag ik daar niet zelf over beslissen?'

'Omdat mensen het moeilijk vinden hun woord gestand te doen als alle voordelen aan het begin zitten. Later krijgt rancune dan de overhand.'

Ze wendt zich af. Van dit soort gesprekken moet ze altijd huilen. We zijn vandaag in een kamer die vrijwel geheel wordt ingenomen door het grote bed. Het raam biedt uitzicht op de luchtkoker waardoor gekletter vanuit de keuken te horen is.

'Anna, er moet iemand zijn die niets liever wil dan met je trouwen.'

'Die heeft zich dan nog niet vertoond. En praat me niet over iemand anders. Ik wil geen troostprijs.'

'Ik wil niet tegen je liegen, Anna. Dat kan ik niet. Ik lieg tegen iedereen. Tegen jou moet ik de waarheid spreken. Dit hier is niet reëel. Moet ik mijn campagneslogan veranderen? "Stem op Sabich. Hij ligt goed bij zijn personeel."'

Gelukkig, ze kan erom lachen. Maar ze wil me nog niet aankijken.

'Anna, ik zou met je trouwen als ik veertig was. Maar ik ben zestig.'

'Hou toch op over mijn leeftijd.'

'Ik wil je duidelijk maken dat ik oud ben.'

'Dat is ook vervelend. Hoor eens, je bent hier niet bij toeval. Je neukt me en dan steek je zo'n verhaal tegen me af waaruit blijkt dat je het niet serieus kunt nemen.'

Ik draai haar naar me toe en breng mijn hoofd op dezelfde hoogte als het hare.

'Denk je dat echt? Dat ik dit niet serieus neem? Ik zet alles op het spel om bij jou te kunnen zijn,' zeg ik. 'Mijn carrière. Mijn huwelijk. Het respect van mijn zoon.'

Ze maakt zich los uit mijn greep en kijkt me dan weer aan, met felle groene ogen.

'Hou je van me, Rusty?'

Het is voor het eerst dat ze dat durft te vragen, maar ik heb steeds geweten dat die vraag zou komen.

'Ja,' zeg ik. Uit mijn mond voelt het als de waarheid.

Ze veegt een traan weg. En kijkt me stralend aan.

Na de laatste confrontatie met Marco Cantu worden onze ontmoetingsplaatsen bepaald door de grillen van hotelrooms.com, waaruit blijkt dat er in luxehotels in Center City altijd wel kamers te vinden zijn voor een lastminute bodemprijs. Anna verzorgt de reservering en mailt me waar het is; daar arriveert ze tien minuten eerder dan ik om zich in te schrijven, waarna ze me het kamernummer sms't. We vertrekken ook met een tussenpoos van tien minuten.

Op een schitterende lentedag met een strakblauwe hemel en geuren vol belofte kom ik uit het Renaissance als ik achter me een min of meer vertrouwde stem hoor.

'Meneer,' zegt de stem. Als ik me om mijn as draai, staat Harnason voor me. Het is een akelig ogenblik. Ik besef onmiddellijk dat hij twee uur geleden achter me aan is gelopen en op me heeft gewacht als een trouwe hond die aan een lantaarnpaal is vastgebonden. Hoeveel weet hij? Hoe vaak heeft hij me al geschaduwd? Zoals me dezer dagen zo vaak overkomt, krijg ik knikkende knieën zodra ik besef hoe oerstom ik ben geweest.

'Nee maar, dat ik u hier tref,' zegt hij zonder een spoor van oprechtheid, zodat ik weet dat mijn veronderstelling juist is. Ik smeek mijn hart om tot rust te komen terwijl ik naga wat hij kan hebben geobserveerd. Ik weet dat ik rond lunchtijd naar een hotel ga, dat ik soms te lang wegblijf voor een normale middagmaaltijd. Maar meer kan hij niet hebben gezien. Als hij mij op de hielen zat, kan hij niet hebben gezien dat Anna tien minuten voor mij is aangekomen.

'Het is wat,' zeg ik uiteindelijk. Harnason is in staat tot chantage en ik wacht zijn dreigement af. Het zal niets uithalen. Ik kan niets doen om de afloop van zijn zaak te bepalen. Maar terwijl we met een flinke tussenruimte tegenover elkaar staan, wordt Harnasons rode gezicht zo paars als een zonsondergang.

'Ik hou het niet langer, rechter,' zegt hij. 'Dat ik het niet weet. Toen ik op borg vrijkwam, was ik dolblij, maar het is niet hetzelfde als vrij zijn. Het is alsof je onder het lopen steeds weet dat er een valluik open kan gaan, recht voor mijn voeten, hier in de stoep.'

Ik kijk naar Harnason, die ik ooit om de verkeerde reden heb veroordeeld en voor wie ik me, onzichtbaar voor hem, in de strijd heb gestort.

'De uitspraak laat niet lang meer op zich wachten,' zeg ik en wend me af. Meteen voel ik zijn hand op mijn mouw.

'Toe, rechter. Wat maakt het uit? Als het besluit gevallen is, kunt u het me toch wel vast vertellen? De onzekerheid is verschrikkelijk, dat moest ik u laten weten.'

Het hoort niet. Dat is het juiste antwoord. Maar iets van Anna's parfum heeft zich aan mijn huid gehecht en ik heb nog dat voldane, heerlijk suf geneukte gevoel dat zich van mijn pik naar mijn hele lichaam uitbreidt. Waarom zou ik me vandaag krampachtig principieel opstellen? Sterker nog: waarom zou ik hem vandaag de compassie ontzeggen die ik dertig jaar geleden met hem had moeten hebben?

'Je moet je op slecht nieuws voorbereiden, John.'

'Ah.' Het geluid komt uit de diepte. 'Dus er is geen hoop meer?'

'Eigenlijk niet. Je hebt het einde van het traject bereikt. Het spijt me.'

'Ah,' herhaalt hij. 'Ik wou echt niet terug. Ik ben te oud.'

Terwijl hij hier op straat staat, tussen de winkelende mensen en kantoortypes om ons heen, van wie velen met behulp van hun mobieltje of iPod langs elektronische weg in hun eigen universum vertoeven, heb ik het te kwaad met mijn gevoelens. Ik heb ondanks alles sympathie voor Harnason, maar ik word ook kribbig van de manier waarop hij me informatie heeft ontfutseld, en ik weet dat ik een scherpe grens moet stellen om te voorkomen dat hij me nog verder onder druk zet. Wat me erg stoort is dat hij zoveel medelijden met zichzelf heeft. Als aanklager had ik altijd respect voor degenen die zich schijnbaar onaangedaan lieten afvoeren, voor degenen die zich hielden aan de leefregel: wie de straf niet aankan, moet het delict niet plegen.

'John, voor de goede orde. Je hebt het toch gedaan?'

Hij geeft direct antwoord. 'U ook, meneer. En u staat hier.'

Nee, wil ik zeggen, hoewel ik al die jaren het antwoord heb verzwegen.

'Ik ben vrijgesproken,' antwoord ik. 'En dat had ik ook verdiend.'

'Ik had het ook verdiend,' zegt hij. Hij heeft zijn zakdoek tevoorschijn gehaald en snuit zijn neus. Hij staat nu echt te janken als een kind. Een paar mensen die het hotel in willen, kijken opzij naar ons, maar het doet hem niets. Hij is wie hij is.

'Maar niet omdat je het niet hebt gedaan,' zeg ik. 'Hoe was het, John? Die maand waarin je wist dat je hem de dood in joeg?' Ik weet niet goed wat ik met die confronterende vraag wil bereiken. Ik vermoed dat ik wil weten: waar ligt de grens? Hoe zet je een stap terug? Nu ik mijn assistent heb geneukt en mijn vrouw heb bedrogen, nu ik alles wat ik ooit heb bereikt in de waagschaal heb gesteld, waar moet ik nu zien te remmen?

'Moet u dat echt vragen?'

'Ja.'

'Het was moeilijk, meneer. Ik haatte hem. Hij wou me laten zitten. Ik was oud en hij niet. Ik had hem onderhouden en eerst was hij me dankbaar, maar nu had hij genoeg van me. Ik ben te oud om iemand anders te kunnen vinden, iemand zoals hij. Dat begrijpt u toch zeker wel?'

Ik vraag me weer af hoeveel hij van Anna weet, terwijl ik knik.

'Maar ik kon eerst niet geloven wat ik deed,' zegt Harnason. 'Ik had erover nagedacht. Dat geef ik toe. Ik ben naar de bibliotheek gegaan om het uit te zoeken. Er is een beroepszaak, kent u die? In Pennsylvania. Daarin gaat het erover dat op arsenicum niet wordt getest.' Hij lacht een beetje bitter. 'De aanklagers leken wel vergeten dat ik ooit advocaat ben geweest.'

'En waar ging de arsenicum in? In wat hij dronk?'

'Ik bakte taarten.' Harnasons gegrinnik om zijn aanklagers klinkt ook bitter, en hatelijk. Aanklagers zijn historici, die bij hun reconstructie van het verleden dezelfde risico's lopen als historici. Het verhaal klopt nooit helemaal, omdat de getuigen bevooroordeeld zijn, de schuld op een ander willen schuiven of zich vergissen; of omdat, zoals in dit geval, de onderzoekers niet de juiste vragen hebben gesteld of hebben gecombineerd wat ze al wisten. 'Al die mensen die hebben getuigd dat ik nooit kookte, hadden gelijk. Wanneer Ricky thuis was, had hij het voor het zeggen in de keuken. Maar ik bakte taarten. En Ricky hield van zoet. De eerste paar keer maakte ik mezelf wijs dat het maar een geintje was, om te kijken of hij het zou merken of hoe ik eronder zou zijn, of ik kon doen waarover ik had gelezen. Ik heb het misschien vijf keer gedaan en toch had ik nog het gevoel dat het niet echt gebeurde, dat ik het niet meer zou doen. Weet u, dat heb ik vaak gedacht,' zegt Harnason opeens. 'Dat ik ermee zou ophouden.' Zijn oude ogen dwalen af. 'Maar dat is niet gebeurd,' zegt hij somber. 'Ik ben er niet mee gestopt. Na zeven of acht dagen besefte ik dat ik ermee door zou gaan. Ik haatte hem. Ik haatte mezelf. Ik wou doorzetten. En u, meneer. Hoe voelde het toen u die vrouwelijke aanklager had vermoord? Crime passionnel?'

'Ik heb het niet gedaan.'

'Juist ja.' Zijn blik is kil. Zelf heeft hij aan het kortste eind getrokken. 'U bent beter dan ik.'

'Dat zou ik nooit zeggen, John. Misschien heb ik meer geluk gehad. Niemand redt het in zijn eentje. We hebben allemaal hulp nodig. Ik heb meer hulp gekregen dan jij.'

'En wie helpt u nu?' vraagt hij. Hij wijst met zijn roze gezicht naar het hotel. Als twee zondaars staan we tegenover elkaar. Ik voel me vernederd door mijn eigen voorspelbaarheid.

Het gesprek heeft voor mij een te hoog waarheidsgehalte gehad om te liegen. Ik schud weer mijn hoofd en wend me af.

8

Tommy, 17 oktober 2008

Rory Gissling was de dochter van een politieman, Shane Gissling, die als inspecteur bij de recherche zijn lange carrière had uitgediend. Als meisje had Rory alles mee: slim, knap, de energie van een cheerleader; Shane wilde voor zijn dochter wat vaders indertijd voor dochters wilden: dat ze op eigen benen konden staan, maar zo'n goede partij zouden vinden dat ze nooit zelf de kost zouden hoeven verdienen. Hij had zijn dochter nooit in verband gebracht met de politie, die aan de zelfkant werkte. Ze deed het goed op school, haalde haar accountantsdiploma in één keer en maakte een vliegende start bij een van de grote consultancybedrijven. Prachtig allemaal, maar ze had het gevoel dat ze een straf moest uitzitten. Na vier jaar zette ze er een punt achter en deed zonder iets tegen haar ouders te zeggen toelatingsexamen voor de politieacademie. Er werd beweerd dat Shane tranen met tuiten huilde toen hij het hoorde.

Na twee jaar surveilleren kwam Rory op de afdeling financiële criminaliteit te werken en daar was ze meteen een ster. Toen ze met Jim Brand binnenkwam, stelde het Tommy een beetje teleur dat ze er niet meer zo goed uitzag als bij hun vorige ontmoeting, een paar jaar eerder. Omdat hij zelf zoveel belang aan zijn uiterlijk hechtte dat hij zijn best deed om zijn overgewicht niet verder te laten toenemen, begreep hij niet goed hoe een vrouw als Rory, indertijd echt een stuk, twintig kilo had kunnen aankomen, waardoor ze vormeloos was geworden. Ze was nog geen vijftig, nog altijd blond en heel verzorgd, wat betekende dat ze haar best had gedaan om niet te dik te worden en de strijd had verloren, waarschijnlijk een hekel had aan spiegels en zich bezorgd afvroeg wat haar man Phil, die bij de vcr-keerspolitie werkte, daar nu eigenlijk van vond.

'En wat hebben we binnengehaald?' vroeg Tommy. Tommy en Brand hadden besloten dat Rory het best het verzoek om de gegevens kon indienen. Door haar middenpositie konden ze haar dat vragen zonder haar chef te hoeven inlichten, terwijl ze gehaaid genoeg was om de opbrengst zelfstandig te kunnen beoordelen. En ze was een van de weinigen bij de politie die er een eer in stelde een geheim te bewaren.

'*No sé*,' zei Rory. 'Ik weet niet wat jullie al in handen hadden.' Ze wierp Molto's tweede man een strenge blik toe en zij en Brand gingen in de houten leunstoelen voor Tommy's bureau zitten. Tommy had Brand opgedragen niets over het onderzoek te vertellen, en zoals iedereen bij de politie had Rory er een hekel aan om te werken zonder achtergrondgegevens. Rechercheurs wilden altijd alles weten, vooral omdat weten wat anderen niet wisten nu juist zo'n aardige kant van het politiewerk was, het gevoel dat je op iedereen een informatievoorsprong had. 'Zo lijkt het wel op samenwerken met de FBI. "Nadenken doen wij wel voor je."'

Niets ten nadele van Rory, maar Tommy wist dat er maar één manier was om te voorkomen dat uitlekte dat Rusty onder de microscoop lag wegens verdenking van moord: dat was niemand in vertrouwen nemen.

'Je weet toch wie het onderwerp is?' vroeg Tommy, alsof de naam alleen al alles verklaarde.

'Als je vier verzoeken om gebruikersgegevens indient... op dezelfde naam, nou ja, dan wijst dat in een zekere richting. Ik vermoed dat de rechter er een vriendinnetje op na houdt. Bij mijn weten is dat geen misdaad. Zelfs niet als je kandidaat bent voor benoeming bij het hooggerechtshof. En jullie doen er zo geheimzinnig over dat het geen gevalletje omkoperij zal zijn, waarmee jullie hem bij de pers willen verlinken. Dus gaat het om een grote zaak. Klopt het tot zover?'

Brand keek naar Tommy, die geen antwoord gaf. Hij dacht na over wat Rory had gezegd. Uit de documenten die ze had opgediept, viel af te leiden dat Cantu gelijk had, dat Rusty buiten de pot had gepiest.

'Eén ding moet ik echt wel weten,' zei Rory. 'Gaat het om een jongetje of een meisje?'

Tommy voelde dat zijn mond openzakte. 'Een vrouw,' zei hij ten slotte.

'Shit,' zei Rory, die zich kennelijk verheugde op de zaak.

'Maar we hebben gehoord dat ze een stuk jonger is,' zei Brand.

'Kan je daar wat mee?'

'Niet hetzelfde,' zei Rory.

'Weet je waarom hij een vrouw pakt die dertig jaar jonger is dan hij?' vroeg Brand aan Rory.

'Omdat hij een bofkont is,' zei ze met een mismoedig lachje. Ze dacht dat hij haar zat te voeren, dat hij haar bejegende alsof ze een kerel was, het politie-equivalent van emancipatie. Maar Brand meende het serieus.

'Omdat iemand van zijn leeftijd wel zou uitkijken. Ik denk niet dat je bij datingsites echt scoort als je in je profiel vermeldt: "Ooit beschuldigd van moord op mijn vriendin."'

'Volgens mij vinden sommige vrouwen dat juist spannend,' zei Rory.

'Waarom,' vroeg Brand, 'kom ik zulke vrouwen nooit tegen?'

'Is er nog iemand aan het werk?' vroeg Tommy. 'Rory, waaruit zou blijken dat Rusty stoute dingen doet? Wat hebben de gegevens opgeleverd?'

'Eigenlijk niet veel,' zei Rory. 'Het nummer van zijn bankrekening konden we vinden in de salarisadministratie van het gerechtelijk apparaat. Dat bleek de beste bron, zijn bankrekening.'

Tommy vroeg of de bank het spreekverbod voor drie maanden was opgelegd. Rory keek hem bestraffend aan en sloeg haar map open. Aan de slag. Ze deelde kopieën van Rusty's rekeningafschriften uit.

Wat Rory vervolgens liet zien was dat Rusty in april de opdracht tot automatische storting van zijn salaris had ingetrokken. Dat was net voordat een verhoging van de bijdrage in het levensonderhoud voor rechters aan gerechtshoven was uitgekeerd, die ruim twee jaar was geblokkeerd door chicanes van een groep van belastingbetalers. In plaats van de automatische overmaking had Rusty elke veertien dagen zijn papieren cheque naar de bank gebracht en exact hetzelfde bedrag als vóór de verhoging op zijn rekening gestort. Het verschil nam hij contant mee, ook het achterstallige bedrag dat hij aan het begin had ontvangen, vierduizend dollar.

Tommy kon het niet direct volgen.

'Zo ken-ie dus poen achterhouwe voor z'n vrouw,' zei Rory. Soms praatte ze precies zoals haar vader, taalfouten en al, alsof het haar speet dat ze een academische uitblinker was geweest.

Brand wees naar Molto. 'Zei ik toch,' zei Jim. 'Ze kan er wat van.' 'Nee, dat heb ik tegen jou gezegd,' zei Tommy. 'Alleen zie ik niet hoe poen automatisch leidt tot juffertjes. Misschien gokt de rechter op de renbaan.'

'Of hij zit aan de crack,' zei Rory. 'Daar dacht ik het eerst aan,' zei ze, 'omdat ik hier maar moet raden.' Ze keek opnieuw bestraffend naar Tommy. Zo gemakkelijk kwam hij er niet af. 'Waar het contante geld is gebleven, weet ik natuurlijk niet. Maar ik kan er wel een gooi naar doen. Soms deed hij de storting en gebruikte het geld dat hij terugkreeg om er kascheques voor te kopen, met nog wat extra poen uit zijn oude sok.'

'Mooi werk,' zei Tommy.

'Meer geluk dan wijsheid. De bank stuurde de gegevens van de kascheques mee met de rekeningafschriften. Het is niet bij me opgekomen om ernaar te vragen. Meestal zijn de privacybepalingen zo streng dat je eindeloos moet zeuren om te krijgen waar je recht op hebt. Maar deze keer hadden ze de hele bups in nog geen dag klaarliggen. Waarschijnlijk waren ze geschrokken van die negentig dagen spreekverbod. Dat zullen ze in Nearing niet vaak meemaken.'

Ze liet de eerste kascheque zien, gedateerd 14 mei 2007, ten bedrage van tweehonderdvijftig dollar. De ontvanger was een bedrijf dat TISOA heette.

'Waar staat dat voor?' vroeg Tommy.

'Testinstituut voor seksueel overdraagbare aandoeningen.'

'Bingo.'

'Ja, bingo,' zei ze.

'Hoe komt hij aan een druiper?' vroeg Tommy.

'Tja,' zei Rory, 'daar heb ik wel een paar theorieën over. Allemaal even spannend. De eerste heb je al afgeschoten. Misschien vergeten een kapotje te gebruiken. Misschien wilden hij en zijn vriendin onbeschermd en zijn ze hand in hand naar het instituut gegaan om zich te laten testen. Maar als hij thuis iets heeft overgedragen, zal mevrouw niet hebben geloofd dat het van de wc-bril kwam.'

'Kunnen we aan de uitslag komen?'

'Alleen als we de FBI inschakelen. Sinds de Patriot Act kunnen zij je gegevens opvragen zonder dat je daarover wordt ingelicht. Maar onze staat heeft daarover een afwijkend besluit genomen.'

De FBI zou niets liever willen dan de zaak naar zich toe trekken. Een rechter van het gerechtshof. Kandidaat voor het hooggerechtshof van de staat. Die FBI-jongens kickten op sensatie in de media. Maar Tommy had de FBI niet echt nodig. Het feit dat Rusty zich had laten testen, betekende dat hij buiten de pot had gepiest.

Tommy keek naar Brand. 'Zou Rusty's vriendin in het vak kunnen zitten?'

Brand bewoog peinzend zijn hoofd. Het was denkbaar.

'Misschien heeft hij een paar namen opgekregen van Eliot Spitzer,' zei Jim. Ze lachten alle drie, maar Rory wilde er niet aan, want hoerenlopen was meestal een vaste gewoonte en met ingang van 15 juni vorig jaar was Rusty zijn hele salaris gaan storten, met toeslag en al.

'Hoe heeft hij dat aan zijn vrouw uitgelegd?' vroeg Brand aan Rory.

'Gezegd dat de toeslag eindelijk was overgemaakt.'

Brand knikte. Tommy ook.

'Als hij het geld gebruikte om een meisje mee te onderhouden, moet daar een eind aan zijn gekomen,' zei Rory. 'Althans voor een tijdje.'

'Hoe dat zo?' vroeg Brand.

'Dit is de tweede kascheque.'

De cheque, uitgeschreven op 12 september, dus ruim een maand geleden, was op naam gesteld van Dana Mann ten bedrage van achthonderd dollar. Op de toelichting stond: 'Consult 4 september 08'. Prima Dana, zoals hij werd genoemd, was een dure echtscheidingsadvocaat met rijke en nog rijkere klanten. Hij stond bekend als een ijdeltuit, eerder sluw dan slim, sterk in het troosten van pas gescheiden vrouwen, maar er waren ook mensen die hem tactvol en scherpzinnig vonden, en daar was Rusty er kennelijk één van.

'Wat maak je hieruit op?' vroeg Tommy.

'Je bedoelt: waarom heeft hij voor een consult betaald?'

'Nee,' zei Tommy. Dat kon hij wel verklaren. Prima Dana liep het gerechtsgebouw in en uit. Als Rusty van plan was bij Barbara te blijven en geen cliënt van Dana wilde worden, dan hoefde Rusty, nu de rekening was betaald, zich niet terug te trekken uit Dana's zaken, een manoeuvre die anders zou neerkomen op luidkeels verklaren dat hij erover dacht om te scheiden.

'Een scheiding midden in een campagne, dat zou niet goed vallen,' zei Brand.

'Zeker niet als er een andere vrouw in het spel is,' zei Tommy.

'Kunnen we de gegevens van Prima Dana lichten?' vroeg Rory.

Tommy en Brand schudden allebei het hoofd.

'Alleen de rekening en de betaling,' zei Tommy. 'Hij zou ons nooit vertellen wat er is besproken. Dat is beroepsgeheim. En we hoeven er eigenlijk niet eens naar te vragen. Hoe vaak is Dana in de afgelopen tien jaar opgetreden in een andere zaak dan een scheiding?'

Brand liep naar Tommy's computer. Voor Jim hadden computers geen geheimen; het leek of hij maar een paar toetsen hoefde aan te slaan om er de informatie aan te ontfutselen die hij nodig had, in de tijd die Tommy nodig had om te bedenken hoe hij zijn mailprogramma moest openen.

'"Alleen huwelijksrecht en scheidingsrecht,"' las Brand voor van Dana's website.

Rory had nog een kascheque, die in juli 2007 op naam van Dana was gesteld met een soortgelijke toelichting. Dus het leek erop dat Rusty een tijdje met de gedachte aan scheiden had gespeeld. De eerste keer viel in de periode waarin hij met zijn liefje was gezien.

'Wat is hier volgens jou aan de hand?' vroeg Tommy aan Rory.

Rory haalde haar schouders op. 'Mijn glazen bol is aan barrels. Het kan van alles zijn, maar het lijkt me heel plausibel dat hij een vriendin had. De rest is speculeren. We weten hoe het meestal gaat. Zij zegt dat hij van zijn vrouw af moet gaan, anders doet ze niet meer mee; hij wil niet, ze gaan uit elkaar; en in september bedenkt hij zich. Dan wil hij wel scheiden. Maar...' zei Rory met een dramatische uithaal, '... dan bespaart mevrouw hem de moeite door opeens om te keilen.' Ze keek van Tommy naar Brand. Natuurlijk wist ze hoe het zat. Allicht. Ze was niet dom. De datum op Rusty's tweede cheque voor Dana was nog geen drie weken voor de dood van Barbara.

'Geen woord,' zei Tommy en wees naar haar. 'Zelfs niet tegen Phil.'

Razendsnel tekende ze een slot op haar mond en gooide het sleuteltje weg.

Tommy dacht na. Er waren andere verklaringen mogelijk, maar deze leek hem plausibel.

'Weten we wie het vriendinnetje is?' vroeg hij.

Rory wachtte een ogenblik. 'Ik dacht dat dat misschien op een hoger niveau bekend zou zijn,' zei ze.

'Daar krijgen we geen vinger achter,' zei Tommy.

Dan wist Rory het ook niet meer. De gegevens van de vaste telefoons op het werk waren al weg en uit de mobiele gegevens bleek dat er elke dag een paar keer was gebeld, een paar keer naar huis of naar zijn zoon of naar de apotheek in de stad.

Ze grijnsde. 'We kunnen de telefoongegevens van het gerechtshof opvragen. Maar het lijkt erop dat het spreekverbod voor drie maanden dan via de hoogste rechter moet lopen. En anderhalf jaar na dato zijn de gegevens wel weg, net als die van de andere telefoons.'

'E-mail?' vroeg Brand.

'Tegenwoordig schoont elke provider na een maand de server op. Dat wil niet zeggen dat hij geen berichten op zijn eigen opslagmedia kan hebben. Het lijkt me bijzonder interessant om naar zijn computer thuis te kijken. Of op zijn werk.'

'Daar beginnen we nog niet aan,' zei Tommy. 'In elk geval niet voor de verkiezingen. En zeker niet zonder betere gronden dan we nu hebben.'

Tommy roemde Rory's prestaties in zijn bedankje.

'Dus ik doe mee?' vroeg ze in de deuropening. Of zij de rechercheur zou zijn die de arrestatie verrichtte, als het zover kwam.

'Je doet mee,' zei Tommy. 'Liever jij dan wie ook. Je hoort nog van ons.'

Brand en Tommy bleven achter. Op de achtergrond waren rinkelende telefoons hoorbaar en geschreeuw van aanklagers op de gang.

'We hebben iets in handen, chef. Dat soa-onderzoek, dat is niet iets voor mensen die gelukkig zijn in een monogaam huwelijk. En we weten dat hij een paar weken voor haar dood over scheiden heeft gepraat.'

Tommy dacht hardop. 'Misschien had Barbara een ander,' zei hij. 'Misschien heeft hij een privédetective betaald van zijn toeslag en de privédetective die hij in het hotel ontmoet is een jonge vrouw, wat een verdomd sterk voordeel is voor een privédetective. Misschien laat hij dat onderzoek doen om te controleren of zijn vrouw niet met iets vervelends thuis is gekomen. Na een tijdje wil hij toch niet verder en daarom gaat hij overleggen met Prima Dana.'

Brand lachte onbeheerst. 'Je bent je roeping misgelopen, chef. Je zou het geweldig doen als advocaat. Ze zouden aan je lippen hangen.'

'Maar dat zou niets voor mij zijn geweest,' zei Tommy. 'Luister, Jimmy. De lijkschouwer houdt staande dat Barbara een natuurlijke dood is gestorven.'

'Omdat de stoute rechter vierentwintig uur heeft gewacht tot het door hem gebruikte middel uit haar lichaam was verdwenen.' Brand liep om Tommy's bureau heen. 'We moeten ingrijpen, chef.' Brand had een hele lijst dingen die gedaan moesten worden. Beslag leggen op Rusty's computers. Mensen vragen hoe goed de relatie tussen Rusty en Barbara was en een tijdlijn opstellen waarin van minuut tot minuut werd aangegeven wat er was gebeurd op de avond voordat Barbara overleed. Praten met Sabich junior.

'Nog niet,' zei Tommy. 'Zodra het in de pers komt, kan Rusty zijn verkiezing vergeten. Zodra zijn kandidatuur onmogelijk is gemaakt, hebben wij de zaak verloren, al komen we met nog zoveel bewijs aanzetten. Je weet precies wat ze zullen schrijven: "Hoofd OM zint op wraak vanwege oude zaak, Sabich niet aangehouden." Als we niets overhaasten, kunnen we vermijden dat ons op die manier de pas wordt afgesneden.'

'Een benoeming bij het hooggerechtshof is hier voor tien jaar,' merkte Brand op.

'Niet voor wie wordt veroordeeld wegens moord.'

'En stel dat we het niet redden?' vroeg Brand. 'Het lukt ons bijna, maar net niet helemaal. Niet alleen gaat de man dan opnieuw vrijuit in een moordzaak, vanuit zijn hoge positie kan hij ons vermalen.'

Tommy had steeds geweten dat Brand hierop zou aansturen: laat de zaak lekken en Rusty is nergens meer. Verkies een beetje gerechtigheid boven helemaal geen gerechtigheid. In zijn fanatisme neigde Brand er soms toe de grenzen uit het oog te verliezen. Tommy was zelf eigenlijk ook zo geweest, als hij heel eerlijk was, en met een minder goede reden. Brands vader was aan zijn bureau bij de National Can Group dood omgevallen toen Brand acht jaar was. Er waren nog vijf kinderen. De moeder had gedaan wat ze kon, was onderwijsassistent geworden en ze hadden een merkwaardig leven geleid, in een keurig huisje in een buitenwijk dat van de hypotheekverzekering van pa was afbetaald, in een stad waar het leven te duur voor hen was. Als scholier had Brand gezien dat iedereen om hem heen meer had dan hij: mooie kleren, verre vakanties, dure auto's en restaurantbezoek. Tegenwoordig had Brand zich gespecialiseerd in de verfijnde keuken; elke maand kwamen Jody en hij met drie andere stellen bij elkaar om gerechten klaar te maken die ze bij *Iron Chef* hadden gezien. Een paar jaar terug had Tommy langs zijn neus weg gevraagd waar Brands belangstelling voor koken vandaan kwam.

'Honger,' had Brand gezegd. Hij had iets anders bedoeld dan trek, besefte Tommy nu. De mensen bij hen in de buurt kenden het hele begrip honger niet. Brand had het gevoel dat niemand bij hem thuis zich voor hem interesseerde. Zijn moeder concentreerde zich op de tweeling, vijf jaar jonger dan hij. Zijn oudere broers deden hun best om hun steentje bij te dragen.

Op de middelbare school gaf Brand veel problemen; hij spijbelde om rond te hangen in pokerzaaltjes, waar hij vanaf zijn vijftiende stiekem kwam. Hij zou van school zijn gestuurd als hij zich niet zo verdienstelijk had gemaakt in het footballteam. Op het veld gedroeg Brand zich als een bezetene. Maar wel hún bezetene. Per seizoen blesseerde hij vier of vijf teamgenoten in de training en het dubbele aantal tegenstanders in de wedstrijden, maar hij kwam wel in de interscolaire selectie en hij miste zelden een tackle. Hij kreeg te horen dat hij niet breed genoeg was om te verdedigen in de eerste divisie, maar als student werd hij opnieuw een sterspeler. Ook bij het openbaar ministerie had hij het door zijn ijzeren wil ver geschopt, nadat hij van Tommy zijn kans had gekregen. Dat was wat Brand zo aan Tom waardeerde: Tom was naar Jims gevoel de eerste die hem onbaatzuchtig had geholpen. Als Brand het zwaar voor zijn kiezen kreeg, zeker in de rechtszaal, werd hij weer de hongerige, rancuneuze jongen die zich net zo lief niet aan de regeltjes hield, omdat die volgens hem waren vastgesteld door mensen zonder enig respect voor iemand als hijzelf. Vroeg of laat werd hij dan weer volwassen. Brand kwam altijd bij zijn verstand, maar soms moest hij een schop hebben. Die gaf Tommy hem nu.

'Nee,' zei Tommy op de suggestie van lekken, met net genoeg irritatie om zijn punt kracht bij te zetten. Hij had jaren terug, bij de eerste zaak tegen Sabich, zijn lesje geleerd. Je bent hier aangesteld om de misdaad te bestrijden, niet om bij verkiezingen de uitslag te bepalen. Hou je bij je werk. Doe onderzoek. Bouw een zaak op. Klaag aan. Hou je niet bezig met politieke effecten. 'Absoluut niet. Voor de verkiezingen mag er niets bekend worden.'

Dat zinde Brand niet. 'Bovendien...' begon hij.

Bij Jimmy was er altijd een 'bovendien'. Hij had lang en diep nagedacht voordat hij met de baas ging praten.

'Er is een andere aanpak mogelijk,' zei Brand. 'Het wraakmotief lekschieten.'

'Hoe dan?'

'Bewijzen dat hij twintig jaar geleden ten onrechte is vrijgesproken van moord. De aanklager is niet op wraak uit, de aanklager is uit op gerechtigheid. De patholoog moet de bloed- en spermamonsters van de oude zaak toch nog in de diepvries hebben?'

Tommy wist wat hij kon verwachten, omdat hij in de afgelopen tien jaar al een paar keer aan die mogelijkheid had gedacht, sinds hij had beseft dat DNA-onderzoek definitief uitsluitsel kon geven over de vraag of Sabich schuldig was aan de moord op Carolyn Polhemus. Natuurlijk had hij nooit een fatsoenlijke reden gehad om het onderzoek te laten uitvoeren.

'Nog niet,' zei hij.

'We kunnen zeggen dat het verzoek onderdeel uitmaakt van een *grand jury*-onderzoek.'

'Als je het bewijs uit de diepvries laat circuleren op McGrath...' zei hij, doelend op het hoofdbureau van politie, waar geen geheim veilig was, '... in het kader van een grand juryonderzoek, is iedere diender in de stad binnen twee uur op de hoogte, en vijf minuten later ook iedere journalist. Als de tijd rijp is, hebben we misschien niet eens zulk zwaar juridisch geschut nodig.'

Brand staarde. Het was voor het eerst dat Tommy liet merken hoezeer hij in beslag werd genomen door Rusty en het DNA.

'Het is nog te vroeg,' zei Tommy. 'Na de verkiezingen kunnen we de hele zaak opnieuw bekijken.'

Brand fronste.

'Het is nog te vroeg,' herhaalde Tommy.

9

Rusty, mei 2007

Wat maakt seks geweldig? De tijdsduur? De vindingrijkheid? Zijn er circusnummers voor nodig? Of is alleen de intensiteit bepalend? Gemeten aan die criteria zijn mijn ontmoetingen met Anna niet de geweldigste in mijn leven; die eer zal altijd blijven toekomen aan Carolyn Polhemus, voor wie seks bij elke gelegenheid neerkwam op een schaamteloze verovering van de extreemste hoogten van lichamelijk genot en ongeremdheid.

Anna behoort tot een generatie voor wie seks allereerst een kwestie van plezier is. Als ik tien minuten na haar op de deur van de hotelkamer klop, wacht me vaak een komische verrassing: een verpleegkundige op hoerige stilettohakken. Een groene pijl in lichaamsverf die tussen haar borsten door eindigt in een v, vlak boven haar vrouwelijkheid. Een cadeaulint met een strik erin om haar badjas, waaronder ze naakt is. Maar de humor impliceert een zorgeloosheid die ik nooit voel.

Ze heeft natuurlijk meer ervaring dan ik. Anna is in de afgelopen veertig jaar de vierde vrouw met wie ik heb geslapen. Haar 'aantal', zoals ze het noemt, wordt niet onthuld, hoewel ze genoeg loslaat om me te laten merken dat ik veel voorgangers moet hebben gehad. Het baart me dan ook zorgen wanneer blijkt dat ze moeite heeft met klaarkomen. Met een verontschuldiging aan Tolstoj zou ik willen zeggen dat alle mannen op dezelfde manier klaarkomen, maar dat iedere vrouw op haar eigen wijze tot orgasme komt; en Anna's wijze ontgaat me vaak. Er zijn dagen dat ik mijn eigen problemen heb, wat me er uiteindelijk toe brengt mijn huisarts te vragen naar het blauwe pilletje dat hij vaak heeft aangeboden.

89

Hoewel Anna en ik misschien baat zouden hebben bij een leerzame video, is er ontegenzeggelijk een verrukkelijke tederheid bij elk samenzijn. Ik raak haar aan zoals je een heilige relikwie zou aanraken: adorerend, langzaam, met de zekerheid dat mijn hunkering en mijn dankbaarheid door mijn huid heen stralen. En we hebben datgene wat altijd een voorwaarde is voor geweldige seks: op onze beste ogenblikken bestaat er niets anders. Mijn schaamte of bezorgdheid, de zaken die me kwellen, mijn zorgen over het hof of de campagne ten spijt is zij het enige in het universum waar ik weet van heb. Het is een schitterende, volmaakte vergetelheid.

Hoe vaak Anna er ook op aandringt ons leeftijdverschil te negeren, het is altijd aanwezig, vooral als oorzaak van lacunes in onze communicatie. Ik heb nog nooit een iPod in handen gehad en ik weet niet of het goed of slecht is als iets of iemand 'da bomb' wordt genoemd. En zij heeft geen herinnering aan de wereld die mij heeft gevormd, geen herinneringen aan de moord op Kennedy of het leven onder Eisenhower – en dan zwijg ik nog over de jaren zestig. De grote versmelting van de liefde, het besef dat zij mij is en dat ik haar ben, is soms twijfelachtig.

Het betekent ook dat ik te vaak over Nat praat. Ik kan het niet laten Anna om raad te vragen omdat zij qua leeftijd zoveel dichter bij hem staat.

'Je maakt je te veel zorgen over hem,' zegt ze op een avond als we tussen de bedrijven door in elkaars armen liggen. Zo meteen zal de roomservice aankloppen met het avondeten. 'Ik ken veel mensen die op Easton met hem hebben gestudeerd en die zeggen allemaal dat hij briljant is; je weet wel, zo iemand die een keer per maand op college zijn mond opendoet en dan iets zegt waar geen docent ooit aan heeft gedacht.'

'Hij heeft het moeilijk gehad. Nat heeft veel aan zijn hoofd,' zeg ik.

Omdat je van je kinderen houdt en omdat hun levensgeluk je voornaamste doel in het leven is, stelt het teleur als je ziet dat ze niet veel gelukkiger zijn dan jijzelf. Op Nathaniel Sabich viel weinig aan te merken. Goed zijn best gedaan op de basisschool, als puber niet te vaak onaardig tegen zijn ouders. Maar groot worden ging bij hem niet vanzelf. Als kleine jongen was hij een handenbindertje; hij had moeite met stilzitten en hij bladerde door naar het einde om te zien hoe het verhaaltje afliep dat ik hem voorlas. Toen hij ouder werd, bleek dat zijn beweeglijkheid voortkwam uit een bron van zorg die hij steeds verder in zichzelf verborg.

Therapeuten hebben allerlei theorieën aangedragen over het waarom. Hij is het enige kind van twee enige kinderen, opgegroeid in een warme kas van ouderlijke aandacht, waarmee misschien het bewijs geleverd is dat er ook te veel van een kind kan worden gehouden. Het proces tegen mij was natuurlijk traumatisch; in die tijd bungelde ons gezin, al hielden we de schijn op, als in een spannende film aan de rand van een brug.

In de verklaring die ik meestal verkies, treft mij de minste blaam. Hij zou de depressieve stoornis van zijn moeder hebben geërfd. Toen hij in de puberteit kwam, zag ik de bekende donkere wolk over hem neerdalen, met hetzelfde gepieker en dezelfde afzondering. Hij maakte alle stadia door die je zou verwachten. Rapporten met tienen en tweeën. Drugs. Het was misschien wel de meest beschamende dag in mijn leven toen mijn vriend Dan Lipranzer, een rechercheur die aan de vooravond stond van zijn pensionering en zijn vertrek naar Arizona, tien jaar geleden opeens in mijn kamer in het hof voor me stond. 'Het drugsteam heeft gisteren een snotneus van Nearing High opgepakt die beweert dat hij zijn poppers bij de zoon van een rechter betrekt.'

Het goede nieuws was dat deze ontwikkeling ons in staat stelde Nat weer in psychotherapie te doen. Na zijn eindexamen was het alsof hij uit een donkere grot in het licht kwam. Hij koos voor een studie filosofie, ging het huis uit en stapte daarna, zonder overleg met ons, over op rechten. Mijn zoon heeft in zijn leven van Barbara en van mij zoveel hunkering en zorgelijkheid ervaren dat we er allebei op gezette tijden versteld van staan dat hij eindelijk op eigen benen kan staan, maar waarschijnlijk hangt dat samen met onze beduchtheid voor een toekomst met alleen ons tweeën.

'Was je blij toen hij rechten ging studeren?' vraagt Anna.

'Een beetje opgelucht, eigenlijk. Ik vond het best dat hij zich in filosofie ging verdiepen. Dat leek me alleszins de moeite waard. Al wist ik niet waartoe het zou moeten leiden. Niet dat het door de rechtenstudie duidelijker is geworden. Hij praat erover dat hij rechtendocent wil worden, maar dat zal lastig worden na zijn assistentschap en andere ideeën heeft hij niet.'

'Als hij eens modelwerk ging doen? Je weet toch wel dat hij een hunk is?'

Nat heeft geboft omdat hij op zijn moeder lijkt, maar in werkelijkheid, en dat lijk ik alleen op te merken, dankt hij het markante van zijn uiterlijk, die felblauwe ogen en zijn sombere mysterieuze universum, rechtstreeks aan mijn vader. Jonge vrouwen worden onweerstaanbaar aangetrokken door Nats knappe verschijning, maar hij is altijd onnatuurlijk traag geweest met het aangaan van relaties; hij is weer in een eenzelvig stadium na de rampzalige breuk met Kat, die vier jaar zijn vriendin is geweest.

'Ze hebben hem werk aangeboden. Iemand van een bureau had hem op straat gezien. Maar hij heeft het altijd verschrikkelijk gevonden als mensen iets over zijn uiterlijk zeiden. Dat is niet waarop hij beoordeeld wil worden. Bovendien is er een betere carrière als hij gemakkelijk aan zijn geld wil komen.'

'O ja, hoe dan?'

'Iedereen van jouw leeftijd. Jullie kunnen allemaal fabelachtig rijk worden.'

'Hoe dan?'

'Tatoeëringen leren verwijderen.'

Ze lacht zoals Anna lacht, alsof lachen alles in het leven is. Ze kronkelt en schatert. Maar het praten over Nat heeft een vraag bij haar opgeroepen en even later steunt ze op haar elleboog om me te kunnen aankijken.

'Heb je ooit een dochter gewild?' vraagt ze.

Ik blijf een poosje staren. 'Ik denk dat Nat dat in zijn puberteit een "opzettelijk grensoverschrijdende" uiting zou hebben gevonden.'

'Verboden terrein, bedoel je?'

'Ik geloof dat hij dat bedoelt.'

'Volgens mij is hier nergens verboden terrein,' zegt ze met een knikje naar de hotelmuur. 'Dus? Wilde je een dochter?'

'Ik had al een zoon.'

'Ja dus?'

Ik probeer terug te denken naar mijn verlangens in die periode. Ik wilde kinderen, ik wilde vader zijn om het beter te doen dan ikzelf had ervaren; het was een dominante wens.

'Ik denk het wel,' antwoord ik.

Ze staat op en laat de badjas vallen die ze voor de warmte heeft aangetrokken, laat hem over haar schouders glijden terwijl ze me dezelfde verlangende blik toewerpt die ik van haar kreeg in de laatste dagen dat ze nog voor me werkte.

'Dat dacht ik al,' zegt ze en komt naast me liggen.

Het blijft moeilijk om 's avonds afscheid te nemen van Anna. Ze smeekt me te blijven en gedraagt zich desnoods als een lellebel. Vanavond kleedt ze zich met tegenzin aan en bij het weggaan legt ze haar beide handen tegen de deur om me als een paaldanseres haar draaiende achterste te tonen.

'Je maakt het lastig om weg te gaan.'

'Dat is de bedoeling.'

Ze houdt haar obscene dansje vol en ik druk me tegen haar aan om met haar mee te doen, tot ik een stevige erectie heb. Abrupt schuif ik haar rok op, trek haar slipje omlaag en dring naar binnen. Geen condoom: een gewaagde tactiek in onze relatie. Zelfs de eerste keer had Anna al condooms in haar tasje.

'O jezus,' zegt ze. 'Rusty.'

Maar we gaan allebei door. Haar handen steunen tegen de deur. Alle wanhoop en waanzin van onze relatie zijn voor ons allebei aanwezig. En als ik ten slotte klaarkom, lijkt dat het meest authentieke ogenblik dat we hebben gekend.

Na afloop zijn we allebei een beetje ontdaan en tijdens het aankleden houden we een ietwat treurige stilte in stand.

'Dat zal me leren met mijn kont naar je te draaien,' zegt ze, als ik als eerste vertrek.

Schuldgevoel is een parachutist die heimelijk aankomt en dan alles saboteert. Na dat korte ogenblik van bandeloosheid word ik vrijwel permanent geplaagd door voorspelbare angsten. Ik moet bijna huilen als ik laat op een avond een van Anna's cryptische e-mails ontvang. 'Bezoeker aangekomen,' staat er, een victoriaans verhulde aanduiding voor menstruatie. Maar zelfs daarna nog is er een acroniem dat als een ijzige hand mijn hart omvat, telkens als ik eraan denk: soa. Stel dat Anna, de bereisde Anna, zonder het te weten iets heeft opgelopen dat ik zou kunnen doorgeven? Herhaaldelijk stel ik me Barbara's gezicht voor wanneer ze thuiskomt van een bezoek aan haar gynaecoloog.

Ik weet dat mijn angst grotendeels irrationeel is. Maar de 'steldats' zijn spijkers die in mijn hersenen worden gejaagd. En mijn hersenen worden al zo gepijnigd dat ik er gewoon niets meer bij kan hebben. Op een dag toets ik op de computer in mijn kamer in het hof de zoekterm 'soa' in en vind een site. Ik bel het 800-nummer met een betaaltelefoon op het busstation, met mijn rug naar de mensen toe zodat ze me niet kunnen horen.

De jonge vrouw van het instituut reageert geduldig en troostend. Ze legt de gang van zaken bij het onderzoek uit en zegt dat ik met mijn creditcard kan betalen. Op de rekening komt een onschuldig acroniem te staan, maar voor Barbara zal dat niet voldoende zijn; ze vraagt altijd of een niet toegelichte uitgave aftrekbaar voor de belastingen is.

Mijn stilzwijgen is veelzeggend. De beleefde jonge vrouw voegt eraan toe: 'Als u dat liever wilt, kunt u ook met een postwissel of kascheque betalen.' Ze geeft me een pincode op die mijn naam zal vervangen bij al mijn contacten met de computer.

De volgende dag koop ik bij de bank een kascheque waarvoor ik uit mijn geheime kleine kas betaal. 'Zal ik uw naam noteren bij "gestort door"?' vraagt de kassier.

'Nee,' zeg ik beschamend snel.

Vandaar ga ik meteen door naar het instituut op de negenentwintigste verdieping van een gebouw in Center City waar me is opgedragen de cheque in te leveren. Ik sta voor de deur van een imen exportbedrijf. Ik kijk om het hoekje en trek me terug om het adres tevoorschijn te halen en nogmaals te bestuderen. Wanneer ik naar binnen ga, bekijkt de receptioniste, een Russische vrouw van middelbare leeftijd, me met een hooghartige blik en vraagt met een zwaar accent: 'Komt u me geld brengen?' De maskerade is functioneel, besef ik. Zelfs als een detective me hierheen heeft gevolgd, kan hij nog niet weten waarom ik hier ben. De vrouw pakt mijn cheque aan, mikt hem achteloos in een la en gaat weer aan het werk. Wat moet deze vrouw een menagerie aan overspeligen hebben gezien. Tientallen homo's. Een moeder met twee kinderen in de wandelwagen die door de buurman is gepakt, die tegenwoordig hele dagen thuis doorbrengt omdat hij werk zoekt. En waarschijnlijk bosjes mensen zoals ik, vergrijsd en van middelbare leeftijd, doodongerust over de hoer van driehonderd dollar die ze hebben bezocht. Zwakte en frivoliteit zijn haar dagelijks werk.

Het eigenlijke onderzoek is minder spectaculair. Ik zit in een art-senpraktijk tegenover het academisch ziekenhuis, waar ik me alleen meld met mijn pincode. De vrouw die bloed afneemt doet geen moeite me vriendelijk aan te kijken. Iedere patiënt is immers een potentieel dodelijk risico voor haar. Ze waarschuwt me niet dat het prikken pijn kan doen.

Vier dagen later krijg ik de bevestiging dat ik niets heb. Ik vertel het Anna bij onze eerstvolgende ontmoeting. Ik heb overwogen of ik het beter kan verzwijgen, maar besef dat een wetenschappelijke uitslag beter is dan wat ik over mijn persoonlijke geschiedenis beweer.

'Ik maakte me geen zorgen,' zegt ze. Ze tuurt naar me van onder haar stevige wenkbrauwen. 'Jij wel?'

Ik zit op het bed. Het is een uur of twaalf en ik hoor dat er deur aan deur wordt aangeklopt voor de minibarcontrole. Prima dekmantel voor een privédetective, denk ik in mijn huidige nerveuze toestand.

'Veel vragen die ik niet wilde stellen.' Omdat ik niet kan beloven dat ik niet met Barbara zal slapen, heb ik beseft dat ik niet in een positie ben om trouw van Anna te vragen. Ik weet nog altijd niet of ze omgang heeft met andere mannen, maar ik krijg zelden reacties op de korte e-mails die ik haar in het weekend durf te sturen. Vreemd genoeg ben ik niet jaloers. Herhaaldelijk stel ik me het ogenblik voor waarop ze me zal vertellen dat ze verder wil, dat ze aan deze ervaring heeft beleefd wat ze eruit kan halen en haar zoektocht naar een normaal bestaan wil voortzetten.

'Er is momenteel niemand anders dan jij, Rusty.' Momenteel, denk ik. 'En ik heb het altijd veilig gedaan. Het spijt me dat ik uit mijn dak ben gegaan. Maar ik zou nooit abortus laten doen.'

'Ik had het niet moeten doen.'

'Ik vond het heerlijk,' zegt ze zacht en komt naast me zitten. 'We kunnen het op die manier doen. Nu we het weten. Ik heb een spiraaltje.'

'En wat gebeurt er als je iemand anders tegenkomt?'

'Dat zeg ik toch. Ik doe het altijd veilig. Ik bedoel...' zegt ze en zwijgt.

'Wat?'

'Er hoeft niemand te zijn. Als je zegt dat je erover denkt om weg te gaan bij Barbara.'

Ik zucht. 'Anna, we kunnen hier niet elke keer over doorgaan. Als we maar twee uur samen hebben, kunnen we niet de helft van de tijd verdoen met ruzie.'

Nu heb ik haar gekwetst. Het is altijd goed te zien als Anna boos is. Haar harde kant, die zich bezighoudt met de wrede werking van de wet, maakt zich van haar meester en haar gezicht verstrakt.

Getergd laat ik me op het bed vallen en leg een kussen op mijn gezicht. Over een poosje zal ze tot bedaren komen en naast me gaan liggen. Maar nu ben ik alleen en in een soort meditatie leg ik mezelf de vraag voor die ze vaak heeft gesteld. Zou ik met Anna trouwen als dat door een bizar toeval opeens mogelijk werd? Ze is ontzettend grappig, een plezier om naar te kijken, iemand van wie ik geniet, die me zo dierbaar is als ademhalen. Maar ik ben al vierendertig geweest. Ik betwijfel of ik me bij haar kan voegen aan de andere kant van een brug die ik al ben overgestoken.

Toch is iets anders opeens zo duidelijk als het antwoord op een algebravraagstuk dat ik eerder niet kon oplossen. Ik zie nu in wat ik samen met Anna ben gaan beseffen: ik heb gedwaald. Ik heb een stommiteit begaan. Misschien is ze niet het juiste alternatief. Maar dat wil niet zeggen dat er nooit een is geweest. Twintig jaar geleden meende ik dat ik uit veel slechte keuzes de best mogelijke koos, en daar heb ik me in vergist. Ik had het fout. Ik had iets anders kunnen doen en iemand anders kunnen vinden. Erger nog: dat had ik moeten doen. Ik had niet terug moeten gaan naar Barbara. Ik had niet mijn geluk moeten vergooien voor dat van Nat. Het was voor ons alle drie de verkeerde keus. Daardoor is Nat opgegroeid in een kerker van stemloos lijden. En Barbara werd dag in, dag uit opgezadeld met het bewijs van wat iedereen met gezond verstand liever zou vergeten. Mijn hart lijkt nu op een overladen oorlogsschip dat al door een zuchtje wind kan kapseizen en zinken in de wateren die het had moeten bevaren. En dat kan ik alleen mezelf verwijten.

In mijn kamer in het hof vind ik een dringende boodschap van George Mason op mijn bureau. Drie boodschappen zelfs. Het leven bij het hof van beroep voltrekt zich in slow motion. Zelfs zogenaamde spoedverzoeken worden in een dag of twee afgehandeld, niet in een uur. Als ik opkijk, zie ik George op de drempel staan. Hij is zelf gekomen in de hoop dat ik terug ben. Hij is in hemdsmouwen en strijkt over zijn gestreepte das om zich te kalmeren.

'Wat is er?' vraag ik.

Hij doet de deur achter zich dicht. 'We hebben maandag het vonnis in Harnason gewezen.'

'Dat heb ik gezien.'

'Vandaag kwam ik Grin Brieson tegen toen ik wilde gaan lunchen. Zij had Mel Tooley gebeld om Harnason te laten aanhouden en hoorde niets terug. Bij het derde telefoontje gaf Mel toe dat hij denkt dat de man ervandoor is gegaan. De politie is vanmorgen langs geweest. Harnason is zeker al twee weken weg.'

'Tegen de borgvoorwaarden in?' vraag ik. 'De benen genomen?'

Harnason is naar een drijvend casino op de rivier gegaan om met zijn gold card voor vijfentwintigduizend dollar aan chips te kopen, die hij direct weer heeft ingewisseld om zijn vlucht te financieren. Met een voorsprong van twee weken is hij waarschijnlijk het land al uit.

'De kranten weten het nog niet,' zegt George. 'Maar dat kan niet lang meer duren. Ik wilde je voorbereiden op de telefoontjes van de pers.' Het publiek heeft geen flauw idee wat rechters bij het hooggerechtshof uitvoeren. Maar de mensen zullen begrijpen dat ik een veroordeelde moordenaar heb laten ontkomen die nooit meer zal worden gepakt, het zoveelste schrikbeeld. Koll zal me om de oren slaan met Harnasons naam. Ik vraag me vaag af of ik die idioot een kans heb gegeven.

Maar dat is niet wat me verlamt als George me eindelijk alleen laat achter mijn grote bureau. In de zeven weken van mijn omgang met Anna heb ik steeds geweten dat er een ramp dreigde. Maar ik had me geen voorstelling gemaakt van de vorm waarin. Ik was bereid het risico te nemen dat ik mijn naasten zou kwetsen. Maar hoe ironisch het ook is, tot mijn verbijstering besef ik nu dat ik me medeschuldig heb gemaakt aan een zware overtreding van de wet. Harnason heeft me zo handig gebruikt. De verkeerde aanklager – en Tommy Molto is zeker de verkeerde aanklager – kan er zelfs voor zorgen dat ik in de cel kom.

Ik moet een advocaat hebben. Ik ben te gedesoriënteerd en te vol zelfverwijt om dit zelf af te kunnen. Ik weet wie ik moet hebben: Sandy Stern, de man die eenentwintig jaar geleden mijn advocaat was.

'Eh... edelachtbare,' zegt Vondra, Sandy's assistente. 'Hij is niet op kantoor, hij mankeert wat, maar ik weet zeker dat hij u zal willen spreken. Ik zal kijken of hij de telefoon kan aannemen.'

Het duurt enkele minuten voordat hij aan de lijn komt. 'Rusty.' Zijn stem klinkt onrustbarend zwak en hees. Als ik vraag wat hem scheelt, zegt hij: 'Zware keelontsteking', en brengt het gesprek weer op mij. Ik ga er niet op door.

'Sandy, ik heb hulp nodig. Tot mijn schande moet ik toegeven dat ik iets doms heb gedaan.'

Ik wacht de oceaan van verwijten af. Stern heeft er het volste recht toe. Hij heeft gezorgd dat ik nog een kans kreeg, een nieuw leven.

'Ach Rusty,' zegt hij. Ademhalen lijkt hem moeite te kosten. 'Daar leef ik van.'

Sterns arts heeft hem gelast twee weken niet te praten en dus niet naar zijn kantoor te gaan. Ik wacht liever op hem dan raad bij een ander in te winnen in wie ik ook maar een fractie minder vertrouwen zou hebben. Na achtenveertig uur heb ik mijn evenwicht weer min of meer gevonden. Het nieuws van Harnasons vlucht is bekend geworden. De politie heeft alle aanwijzingen nagetrokken en geen spoor van hem gevonden. Koll heeft gesneerd over mijn beoordelingsfouten, maar de zaak is geslonken tot een paar regels in een hoekje onder het plaatselijke nieuws, omdat de verkiezingen nog zo ver weg zijn. Ironisch genoeg zou Koll veel beter hebben gescoord als hij zich niet als kandidaat had teruggetrokken.

Ik heb geen idee hoe het fiasco met Harnason verder zal lopen, of Sandy me zal aanraden open kaart te spelen of mijn mond te houden. Maar één ding weet ik heel zeker: ik moet breken met Anna. Nu ik opnieuw de gapende afgrond heb gezien, weet ik dat ik me geen gevaar meer kan veroorloven.

Drie dagen later kom ik vroeg de lobby van Hotel Dulcimer binnen om haar te kunnen onderscheppen voordat ze naar boven, naar de kamer gaat. Door het tijdstip waarop ik er ben beseft ze dat er iets mis is, maar ik trek haar mee naar achter een van de pilaren en fluister: 'We moeten ermee ophouden, Anna.'

Ik zie de desillusie op haar gezicht. 'Laten we naar boven gaan,' zegt ze ongeduldig. Als ik nee zeg, zal ze zich er niet van kunnen weerhouden een scène te maken, besef ik.

Zodra de deur dicht is, begint ze hartverscheurend te huilen en ze laat zich in een van de fauteuils vallen, nog in de lichte regenjas waarin ze de stortregen heeft getrotseerd.

'Ik heb geprobeerd het me voor te stellen,' zegt ze. Ik heb zo vaak geprobeerd het me voor te stellen. Hoe het zou voelen wanneer je dit zei. En ik kon het gewoon niet. Ik kon het niet en nu kan ik het nog niet geloven.'

Ik heb van tevoren besloten niets over Harnason te zeggen. Ten tijde van het voorval heb ik er niets van gezegd en hoe paradoxaal het ook is, ik weet zeker dat de vrouw die mijn verboden hartstochten aanwakkert het vreselijk zou vinden als ze wist dat ik als rechter zo mijn boekje te buiten ben gegaan. In plaats daarvan zeg ik eenvoudig: 'De tijd is gekomen. Ik weet dat de tijd gekomen is. Het zal alleen nog moeilijker worden.'

'Rusty,' zegt ze.

'Ik heb gelijk, Anna. Dat weet je.'

Tot mijn verbazing knikt ze. Ze heeft zelf haar conclusies getrokken. Acht weken, denk ik. Dat zal uiteindelijk de duur zijn van mijn afscheid van het gezonde verstand.

'Je moet me nog eens vasthouden,' zegt ze.

Net voorbij de deur blijven we lange tijd staan met de armen om elkaar heen. Het is een pendant van onze eerste ogenblikken samen. Maar daaraan hoeven we niet herinnerd te worden. Onze lichamen hebben hun eigen stuwende kracht. We zijn allebei snel klaar, in het besef dat we misschien in gestolen tijd leven.

Weer aangekleed en bij de deur klampt ze zich even aan me vast.

'Kunnen we elkaar helemaal niet meer zien?'

'Nee,' zeg ik. 'Maar we moeten er wel een tijdje mee wachten.'

Als ze weg is, blijf ik lange tijd liggen. Ruim een uur. De duistere, gedoemde rest van mijn leven is begonnen.

Ik zou willen zeggen dat het verlies ondraaglijk is, maar dat is niet waar. Ik loop door het leven als een geamputeerde met fantoompijn in de verloren ledemaat, met een hart vol onstilbaar verlangen, terwijl mijn verstand me voorhoudt – misschien wel het treurigst van alles – dat ook dat zal overgaan. Nooit meer, denk ik. De vloek is waarheid geworden. Nooit meer.

Na een week gaat het beter. Ik mis haar. Ik rouw om haar. Maar er is iets van vrede teruggekomen. Ze was zo onbereikbaar, zo jong, zozeer iemand uit een andere tijd, dat het me moeilijk valt om me echt beroofd te voelen. En hoe het met Harnason ook verdergaat, dit deel van het verhaal zal niet worden verteld. Barbara zal er geen weet van hebben. Nat zal er geen weet van hebben. Het ergste heb ik weten te vermijden.

Ik vraag me voortdurend af: mis ik Anna? Of mis ik de liefde?

Twee weken na onze laatste samenkomst in het Dulcimer komt Anna in het gerechtsgebouw bij me langs. Ik herken haar stem terwijl ik aan mijn bureau zit te werken; ik hoor haar tegen mijn secretaresse zeggen dat ze in het gebouw moest zijn om documenten in te dienen en me even wilde spreken. Ze begint te stralen zodra ze me in mijn deuropening ziet staan en komt onuitgenodigd binnen, gewoon iemand die hier als assistent heeft gewerkt en een praatje komt maken, zoals zo vaak gebeurt.

Ze is vrolijk en maakt geintjes met Joyce over het feit dat ze allebei dezelfde laarzen dragen, tot ik de deur dichtdoe. Dan verslapt ze en laat haar gezicht in haar handen zakken.

Ik voel mijn hart bonzen. Ze draagt een mooi getailleerd grijs pakje waarvan ik me zo goed herinner hoe het aanvoelt als ik er nu mijn hand op zou leggen.

'Ik heb iemand ontmoet,' zegt ze zacht wanneer ze opkijkt. 'Hij woont in hetzelfde gebouw als ik. Ik heb hem wel honderd keer gezien en pas tien dagen geleden heb ik voor het eerst met hem gepraat.'

'Een advocaat?' Mijn stem is ook heel zacht.

'Nee.' Ze schudt resoluut haar hoofd, alsof ze wil aangeven dat zelfs zij niet zo onnozel is. 'Hij is in zaken. Investeringen. Gescheiden. Een beetje ouder. Ik vind hem aardig. Gisteravond ben ik met hem naar bed geweest.'

Het lukt me om mijn gezicht in de plooi te houden.

'Ik vond het vreselijk,' zegt ze. 'Ik haatte mezelf. Ik bedoel: ik houd mezelf voor dat er in het leven van iedereen mensen zijn zoals jij en ik, mensen die niet eeuwig kunnen blijven maar momenteel ontzaglijk belangrijk zijn. Ik denk dat als je open en eerlijk leeft, die mensen er zullen zijn. Denk je ook niet?'

Ik heb vrienden die de opvatting hebben dat alle relaties eigenlijk in deze categorie thuishoren: niet onbeperkt houdbaar. Maar ik knik ernstig.

'Ik probeer alles, Rusty.'

'We hebben allebei tijd nodig,' zeg ik.

Ze schudt haar prachtige haar. Het is in de afgelopen veertien dagen in model geknipt, een beetje korter.

'Ik zal er altijd op blijven wachten dat je me vraagt terug te komen.'

'Ik zal altijd willen dat je terugkomt,' zeg ik. 'Maar je zult het me nooit horen zeggen.' Ze lacht een beetje als de bedoelde absurditeit van mijn laatste opmerking tot haar doordringt.

'Waarom hou je daar zo aan vast?' vraagt ze.

'Omdat we het logische einde hebben bereikt. Er is geen happy end. Niets beters dan dit. En ik begin het juiste perspectief te ontdekken.'

'Wat is het juiste perspectief?'

'Dat ik niet het recht heb om twee keer te leven. Daar heeft niemand recht op. Ik heb mijn keuze bepaald. Ik zou het leven dat ik heb geleid afwijzen als ik er een punt achter zet. En ik moet dankbaar zijn voor de kracht die me in staat heeft gesteld de grootste risico's te omzeilen. Ik bedoel: ik heb je keer op keer verteld dat Barbara het niet mag weten. Absoluut niet.'

Anna kijkt me strak aan, een blik die ik al eens vaker heb gezien en die honderden getuigen in de komende decennia bij hun kruisverhoor te zien zullen krijgen.

'Hou je van Barbara?'

Wat een vraag. Merkwaardig genoeg heeft ze hem niet eerder gesteld.

'Hoeveel uur heb je?' vraag ik.

'Een heel leven, als je dat wilt.'

Ik glimlach zuinig. 'Ik vind dat ik het beter had kunnen treffen.'

'Waarom ga je dan niet weg?'

'Misschien doe ik dat wel.' Dit heb ik nog nooit hardop gezegd.

'Maar niet voor iemand die jonger is? Niet voor een voormalige assistent. Omdat je je zorgen maakt over wat de mensen zouden zeggen?'

Ik geef geen antwoord. Ik heb het al uitgelegd. Ze blijft met die koel observerende blik naar me kijken.

'Het is omdat je kandidaat bent,' zegt ze dan. 'Je kiest voor het hooggerechtshof, niet voor mij.'

Ik besef onmiddellijk dat ik moet liegen. 'Ja,' zeg ik.

Ze laat een minachtend gesnuif horen en kijkt dan weer op om haar ijzige beoordeling voort te zetten. Ze ziet me nu in al mijn zwakheid, al mijn ijdelheid. Ik heb gelogen en toch heeft ze een glimp van de waarheid opgevangen.

Niettemin heb ik één ding bereikt.

We zijn uitgepraat.

Mijn band met Sandy Stern is intens en uniek. Hij is de enige advocaat die voor het hof van beroep verschijnt bij wiens zaken ik me altijd terugtrek. Zelfs mijn voormalige assistenten verschijnen vijf jaar na hun vertrek voor mij. Maar Stern en ik zijn geen intimi. Na mijn proces heb ik bijna twee jaar geen woord met hem gewisseld, tot de dankbaarheid sterker werd dan alle andere emoties die ik tijdens het proces had ondergaan. Tegenwoordig waarderen we elkaar zo dat we af en toe samen lunchen. Maar zijn geheimen krijg ik niet te horen. Toch heeft hij zo'n allesbepalende rol in mijn leven gespeeld dat ik nooit zou kunnen veinzen dat hij gewoon een van de vele advocaten is. Hij heeft mij subliem verdedigd: elk woord dat hij in de rechtszaal uitsprak, was zo belangrijk als een noot bij Mozart. Ik heb mijn leven aan hem te danken.

We praten op zijn kantoor over zijn kinderen en kleinkinderen. Kate, zijn jongste, heeft drie kinderen. Ze is twee jaar geleden gescheiden, maar hertrouwd. Zijn zoon Peter is naar San Francisco verhuisd met zijn partner, die ook arts is. Veruit de tevredenste is Marta, zijn dochter en kantoorgenoot. Zij is getrouwd met een managementconsultant, Solomon, met wie ze drie kinderen heeft en een druk leven leidt.

Sandy ziet er net zo uit als anders, zij het wat ronder, de contouren geflatteerd door zijn dure maatpak. Het voordeel van er oud uitzien als je nog jong bent, is dat je later immuun lijkt voor het voortschrijden van de tijd.

'Zo te zien ben je hersteld van je keelontsteking,' zeg ik.

'Niet echt, Rusty. De dag voor je belde heb ik een bronchoscopie ondergaan. Over een paar dagen word ik geopereerd, want het is longkanker.'

Ik vind het verschrikkelijk voor hem en ook voor mezelf. Die verdomde sigaren van hem. Ze zijn er altijd, en als Stern diep nadenkt, denkt hij er zelden aan niet te inhaleren. De rook krult uit zijn neusgaten als bij een draak.

'O, Sandy.'

'Ze zeggen dat het gunstig is dat ze kunnen opereren. Er zijn ergere scenario's denkbaar. Ze halen een kwab weg en daarna wachten we af.'

Ik vraag naar zijn vrouw en hij beschrijft Helen, met wie hij als weduwnaar is getrouwd, zoals ze is: dapper en geestig. Zoals altijd is ze precies wat hij nodig heeft.

'Maar,' zegt hij met een binnenpretje, 'genoeg over mij.' Ik vraag me af of ik, als ik ten dode was opgeschreven en nog maar kort te leven zou hebben, nog op mijn rechterstoel zou willen zitten. Het siert Stern met zijn prestaties dat hij nog altijd het gevoel heeft dat dit zijn beste jaren zijn.

Ik vertel hem mijn verhaal zo kaal mogelijk, alleen wat hij moet weten: dat ik een vriendin had, dat Harnason me had geschaduwd en van mijn stuk heeft gebracht. Dat ik me nu boos, geïntimideerd, schuldbewust voel. Het verhaal wordt weerspiegeld door Sterns gecompliceerde mediterrane gezichtsuitdrukking, waarbij al zijn trekken kortstondig worden gemobiliseerd terwijl hij de vluchtige categorieën van het leven omhelst.

In de twee weken die ik heb gewacht met mijn bezoek aan Sandy ben ik niet tot een helder inzicht gekomen over mijn probleem met Harnason. Ik wil van Stern horen wat volgens de wet en de ethiek van me wordt vereist. Moet ik mijn collega-rechters of de politie de waarheid vertellen? En wat zullen voor mij dan de gevolgen zijn? Onder het luisteren wil Stern een sigaar pakken, maar hij doet het niet. Hij wrijft over zijn voorhoofd bij het denken. Hij neemt alle tijd.

'Een zaak als deze, Rusty, een man zoals die man...' Hij maakt zijn zin niet af, maar Stern suggereert dat hij heeft begrepen hoe vreemd Harnason is. 'Hij heeft zijn vlucht geraffineerd gefinancierd en ik vermoed dat hij net zo'n geraffineerd plan heeft om zich schuil te houden. Ik betwijfel of hij ooit zal worden gevonden.

Als hij wordt aangehouden, dan kan het natuurlijk...' Sandy's hand maakt een vaag gebaar. '... problematisch worden. We kunnen hopen dat de man uit dankbaarheid zijn mond over je houdt, maar het zou onverstandig zijn dat te verwachten. Als strafrechtkwestie lijkt de zaak me heel lastig voor de aanklager: een twee keer veroordeelde crimineel, die jij als eerste naar de bak hebt gestuurd? Geen sterke getuige. En dat alleen als Molto een imaginair vergrijp kan aanvoeren. Maar als Harnason de enige getuige à charge is, en ik zou niet weten waar ze er nog een zouden moeten opduikelen, wordt het een dunne zaak.

Als zaak voor de commissie van toezicht ligt het anders. Anders dan in de strafzaak zul je vroeg of laat moeten getuigen, en al ben je nu nog zo in de war, we weten allebei dat je je juridisch bezien dubieus hebt gedragen. Maar zolang een strafrechtelijke vervolging niet denkbeeldig is – en zolang Tommy Molto aanklager blijft, komt daarin geen verandering – hoef je niets tegen je collega's te zeggen. Ik maak zelden aantekeningen van mijn overleg met cliënten, maar in dit geval zal ik een memo in het dossier doen voor het geval je wilt onderbouwen dat je dit advies van mij hebt gekregen.'

Hij zegt het op nonchalante toon, maar hij doelt natuurlijk op de waarschijnlijkheid dat hij dood zal zijn voordat ik ooit zal moeten uitleggen waarom ik heb gezwegen.

In de lift naar beneden overweeg ik Sterns beoordeling van de feiten, die grotendeels overeenkomt met de mijne. De meest waarschijnlijke gang van zaken is dat ik buiten schot zal blijven. Harnason is voorgoed uit beeld. Barbara en Nat blijven in onwetendheid over Anna. Ik zal opstijgen naar het hooggerechtshof en mettertijd een korte periode van waanzin vergeten. Ik zal krijgen wat ik heb nagestreefd, zij het niet helemaal verdiend, en ik zal nadat ik alles op het spel heb gezet misschien wel meer van het leven genieten dan ik anders zou hebben gedaan. Er is geen speld tussen te krijgen, maar troost ontleen ik er niet aan. Een gevoel van misselijkheid gaat door me heen.

Voorbij de draaideur sta ik in schitterend weer, de eerste warme zomerdag. Het is druk op straat: lunchgangers en winkelende mensen met hun jasjes over de arm. Verderop in de straat repareren wegwerkers de gaten die in de winter zijn ontstaan en de scherpe geur van warme teer heeft iets bedwelmends. De bomen in het park staan eindelijk vol in het groene blad en de wind voert de metalige geur van de rivier aan. Het leven lijkt zuiver. Mijn weg ligt voor me. En dus kan ik me niet verstoppen voor de waarheid, die me bijna op mijn knieën dwingt.

Ik houd van Anna. Wat kan ik in vredesnaam doen?

10

Tommy, 23 oktober 2008

Tommy Molto had een afkeer van de gevangenis. Ondanks de twee
etages was het er schemerig als in een kerker, omdat in 1906 ont-
snappingspogingen waren tegengegaan door de ramen niet breder te
maken dan vijftien centimeter. Drieduizend ingesloten mensen
maakten een onheilspellend lawaai. En dan was er nog de stank. Hoe
streng er ook de hand werd gehouden aan hygiëne, al die dicht op-
eengepakte mannen, met per twee man een roestvrijstalen wc zonder bril, vulden het gehele gebouw met een moerasachtige geur van
verrotting. Het was geen vijfsterrenhotel. Dat was ook niet de bedoeling. Maar je zou denken dat Tommy, die er al dertig jaar kwam
om getuigen te horen of te proberen verdachten aan de praat te krijgen, eraan gewend zou zijn. Toch voelde hij elke keer zijn maag
weer samentrekken. Het kwam deels door de afstotelijke realiteit
van waar zijn werk toe leidde. Tommy neigde ertoe zijn baan te zien
als onderscheid aanbrengen tussen goed en kwaad en zorgen dat
mensen hun verdiende loon kregen. Het feit dat zijn inspanningen
culmineerden in een lugubere gevangenschap, waarvan hij zelf altijd
had betwijfeld of hij ertegen bestand zou zijn, bleef ook nu nog een
onwelkome werkelijkheid.

'Waarom willen we deze man nu spreken?' vroeg Tommy aan
Brand terwijl ze in de ontvangstkamer zaten te wachten. Het was
negen uur in de avond. Tommy was thuis toen Brand belde. Tomaso
was net naar bed en Dominga was aan het opruimen in de keuken.
Het rook naar kruiden en luiers in huis. Dit waren de kostbare uren
van Tommy's dag; dan voelde hij het gezinsritme, de gewenste orde
na de relatieve chaos in de rest van zijn leven. Maar Brand zou de

chef niet vragen met hem mee te gaan als er niet echt haast bij was, en dus had hij maar weer zijn pak aangetrokken. Hij was de hoofdaanklager. Overal waar hij kwam moest hij passend gekleed zijn, en inmiddels was gebleken dat zowel de directeur als het hoofd gedetineerdenbewaring halsoverkop was komen opdraven zodra bekend was geworden dat hij in aantocht was, zodat er handjes konden worden geschud en babbeltjes gemaakt. Ze waren net weg, zodat Tommy zich nu eindelijk op de hoogte kon laten brengen.

'Omdat Mel Tooley zei dat het de moeite waard zou zijn. Echt heel serieus de moeite waard. Hij weet iets dat de hoofdaanklager hoogstpersoonlijk moet horen. En negen uur 's avonds, zonder media in de verste verten, is daar echt het beste tijdstip voor.'

'Jimmy, ik heb een vrouw en kind.'

'Ik heb een vrouw en twee kinderen,' antwoordde Brand. Maar hij lachte erbij. Hij vond het wel grappig dat Tommy zich soms uitliet alsof hij het gezin had uitgevonden. Brand had meer vertrouwen in Mel Tooley dan anderen omdat Mel zijn kantoorruimte deelde met een van Brands oudere broers.

'Geef me de context,' zei Tommy. 'Die man, de gedetineerde, hoe heet die ook weer? Harnason?' Anderhalf jaar eerder had Grin Brieson, sectiehoofd beroepszaken, Tommy gesmeekt de zaak zelf te behandelen. Dat herinnerde hij zich nog wel en natuurlijk ook dat hij had gewonnen, ondanks de afwijkende opvatting van Sabich. Maar de bijzonderheden waren bij hem weggezakt.

'Ja. Hij is zo'n anderhalf jaar op vrije voeten geweest.'

'O ja,' zei Tommy. 'Sabich had hem op borgtocht vrijgelaten.' Een maand terug had N.J. Koll spotjes laten uitzenden waarin Rusty werd aangevallen en waarin werd getoeterd dat de aanklagers zich tegen Harnasons vrijlating hadden uitgesproken. Na de dood van Barbara had N.J. moeten inbinden en zijn spotjes moeten schrappen, tot opluchting van Molto. Tommy vond het niet prettig om tot partij in een verkiezingscampagne te worden gebombardeerd, zeker niet in deze.

'Harnason is gisteren opgepakt in Coalville, een stadje van twintigduizend inwoners, vijfhonderd kilometer verderop naar het zuiden, voorbij de grens van de staat. Daar had Harnason zijn intrek genomen. Bordje opgehangen met "advocaat" erop, noemde zich Thorsen Skoglund.'

'De lul,' zei Molto. Molto nam even de tijd om terug te denken aan Thorsen, alweer een hele tijd dood, een fatsoenlijke kerel.

'Dus hij speelt voor advocaat en als bijverdienste, het is echt waar, treedt hij op als clown op kinderfeestjes. Je verzint het niet. Hij verdiende meer als clown dan als advocaat, wat toch wel iets zegt, en het ging hem voor de wind tot hij met zijn dronken kop achter het stuur kroop en tegen de lamp liep. Zo'n twee uur nadat hij borg had gestort liet de FBI weten waar ze zijn vingerafdrukken van kenden. Harnason dacht kennelijk dat daar weken overheen zouden gaan, zoals vroeger. Hij was thuis aan het inpakken toen de plaatselijke sheriff hem met een arrestatieteam kwam halen.'

Mel Tooley had om zijn uitlevering gevraagd en de sheriff van Coalville had Harnason zelf naar de Tri-Cities gereden. Het gebeurde niet vaak in Coalville dat er een voortvluchtige verdachte van moord werd opgepakt. De sheriff zou de rest van zijn leven niet uitgepraat raken over Harnason. Harnason was nog niet voorgeleid en de pers had geen idee dat hij weer was ingesloten, maar het verhaal zou waarschijnlijk wel uitlekken. Dat zou wel goed nieuws zijn voor Rusty. Wanneer Koll zijn spotjes weer ging inzetten, kon hij niet langer tieren over de gevaarlijke gek die Sabich had laten lopen.

Tommy en Brand waren inmiddels door de zwaar gebarricadeerde deuren toegelaten, een soort luchtsluis tussen gevangenschap en vrijheid, en een bewaarder die Sullivan heette ging hun voor naar de verhoorkamers. Sullivan klopte op een witte deur en Tooley stapte de smalle gang in. Mel, gewoonlijk een corpulente modegek, was in vrijetijdskleding. Hij was kennelijk in de tuin aan het werk toen Harnason om vijf uur in de middag werd teruggebracht. Hij had aarde onder zijn gemanicuurde nagels en aan zijn spijkerbroek. Het duurde even voordat Tommy besefte dat Tooley in de haast zijn toupet was vergeten. Zonder pruik zag hij er beter uit, maar Tommy besloot Mel zijn opvatting te besparen.

Tooley ging door het stof voor de hoofdaanklager die buiten werktijd was gekomen.

'Tot je dienst, Mel,' zei Tommy. 'Waar is de brand?'

'Het is natuurlijk een hypothese,' zei Mel met gedempte stem. In de gevangenis wist je nooit wie aan welke kant stond. Sommige bewaarders werkten voor de gangs, anderen werkten samen met iemand van de media. Tooley kwam zo dichtbij staan dat het leek of hij een kus verwachtte. 'Maar als je Harnason vraagt waarom hij de benen heeft genomen, zal hij zeggen dat hij vooraf wist hoe de uitspraak in beroep zou uitvallen.'

'Hoe dan?'

'Dat is het mooie,' zei Mel. 'Dat had hij van de president van het hof gehoord.'

Tommy voelde zich alsof hij met een plank op zijn hoofd was geslagen. Hij kon het zich niet voorstellen. Rusty was erg streng in de leer als rechter.

'Sabich?' vroeg Tommy.

'Jawel.'

'Maar hoezo dan?'

'Het is een vreemd gesprek. Je moet het zelf horen. Er valt wat uit te halen. Ik bedoel,' zei Mel, 'minimaal moet het lukken zijn benoeming bij het hooggerechtshof te dwarsbomen. Minimaal. Misschien kun je er zelfs van maken dat hij zich medeplichtig heeft gemaakt aan hulp aan een crimineel bij het zich onttrekken aan zijn borgverplichtingen. En minachting van het hof. Omdat hij de reglementen van zijn eigen hof heeft overtreden.'

Mel meende net als iedereen dat Tommy niets liever wilde dan Rusty's kop op het hakblok leggen. In plaats daarvan begon de aanklager te lachen.

'Met Harnason als enige getuige? Een gesprek onder vier ogen tussen een veroordeelde moordenaar en de president van het hof? Met mij als aanklager?' Erger nog, dit verhaal zou aansluiten bij de spotjes van N.J. Koll, zodat iedereen Tommy zou uitlachen, als lichtgelovige marionet van Koll.

Mel had vlezige wangen met littekens van acne waarin schaduw viel.

'Er is nog een getuige,' zei Tooley ingehouden. 'Hij heeft indertijd iemand over het gesprek verteld.'

'Wie dan?'

Mel liet zijn scheve lachje zien. De andere kant van zijn gezicht bewoog nooit mee.

'Voorlopig moet ik me op mijn geheimhoudingsplicht beroepen.'

Echt een dreamteam, dacht Tommy. Een vuile moordenaar en een louche advocaat. Tooley had zijn handen waarschijnlijk vuilgemaakt door Harnason te helpen de staat te ontvluchten. Maar Mel was Mel. Hij zou wel zorgen dat Harnason geen licht wierp op dat aspect, en Tooley zou een vlammend verhaal houden in de rechtszaal. Hij wist heel goed hoe hij de jury zand in de ogen moest strooien. Dat deed hij al bijna veertig jaar.

'We moeten dit van de man zelf horen,' zei Tommy. 'Geen deals vooraf. Als het ons bevalt wat hij te zeggen heeft, valt erover te praten. Dat is het bod. De hypothese. Verzin maar een woord zodat we het niet tegen hem kunnen gebruiken.'

Na snel overleg met zijn cliënt gebaarde Tooley Brand en Molto naar binnen in de spreekkamer. Die was niet groter dan tweeënhalf bij drie meter, wit gesausd, met onregelmatige zwarte strepen van hakken op de muren. Molto wilde zich liever niet afvragen hoe die vegen daar waren gekomen. Wat de gevangene betrof: John Harnason zag er niet echt goed uit. Hij had zijn snor afgeschoren en zijn grijs geworden haar niet meer geverfd nadat hij was gevlucht, en hij was dikker geworden. Hij zat in zijn hel oranje jumpsuit op een stoel, met geboeide handen en enkelboeien, die met een ketting waren vastgemaakt aan een stalen oog dat in de vloer was verankerd. De bleke schaduw van het horloge dat hem na zijn aanhouding was afgenomen was nog zichtbaar tussen het rossig blonde haar op zijn onderarm en hij keek zorgelijk om zich heen, waarbij hij elke paar seconden zijn hoofd helemaal naar links en helemaal naar rechts draaide. Hij was maar een paar uur in het huis van bewaring vastgehouden, maar nu al keek hij gewoontegetrouw naar wat hem van achteren kon bedreigen. Wat nou dubieuze verhoormethoden, dacht Tommy. Je hoeft die lui van Al Qaida maar een nachtje in de gevangenis van Kindle County te stoppen. Dan weet je de volgende ochtend waar Osama zit.

Tommy besloot Harnason zelf te ondervragen. Hij begon met de vraag wanneer hij zijn plan om te vluchten had opgevat.

'Ik kon het niet aan om terug te gaan, toen ik eenmaal wist dat ik in hoger beroep zou verliezen. Daarvoor dacht ik echt dat we zouden winnen. Dat dacht Mel.'

Tooley durfde Tommy niet echt in de ogen te kijken. Het kwam zelden voor dat een verdediger in hoger beroep won. Tooley had zijn cliënt nog eens tien mille afhandig willen maken voor een gratieverzoek bij het hooggerechtshof van de staat.

'En hoe wist je dat je terug zou moeten?'

'Ik dacht dat Mel dat al had verteld,' zei Harnason.

'Vertel jij het maar,' zei Tommy.

Harnason bestudeerde zijn mollige gevouwen handen. 'Ik ken die man al ontzettend lang. Sabich. Beroepshalve. Als jullie het zo noemen.' Harnason gebaarde met zijn hand naar Molto en Mel. Tommy haalde zijn schouders op. Zo kon je het inderdaad noemen. 'Nadat hij me op borg had vrijgelaten, begon ik me dingen over hem af te vragen. Ik dacht: misschien vindt hij het beroerd. Dat hij me de eerste keer de bak in heeft gedraaid. God weet dat dat terecht zou zijn.'

Tommy en Brand wisten geen van beiden van die voorgeschiedenis en Harnason legde uit hoe hij lang geleden met Rusty in contact was gekomen. Tommy kon zich nog de homorazzia's herinneren die Ray Horgan aan de vooravond van de verkiezingen had georganiseerd, in het park en op de herentoiletten van de bibliotheek in Center City en in verschillende bars; voor de camera's waren de arrestanten afgevoerd naar schoolbussen. De tijden veranderen, dacht Tommy. Hij was er nog niet uit wat hij vond van het homohuwelijk of adoptie door homo's, maar God zette geen enkele groep op aarde neer die geen deel uitmaakte van Zijn plan. Leven en laten leven, zo dacht hij er nu over. Maar indertijd zou hij zelf, wist hij, Harnasons zaak precies zo hebben behandeld als Rusty had gedaan.

Zonder goed te weten of Sabich zich hem ook kon herinneren, had Harnason in een opwelling besloten hem na de mondelinge behandeling te benaderen voor een praatje en om hem te feliciteren en te bedanken voor de borguitspraak. Tommy vroeg zich even af of Harnasons toenadering een rol had gespeeld bij de afwijkende opvatting van Sabich over de zaak.

'Mel heeft me daarvoor al op mijn flikker gegeven,' zei Harnason. 'Ik wou juist niet dat Sabich zijn handen van mijn zaak af zou trekken. Maar toen ik hem zag, gebeurde er iets vreemds.'

'Wat dan?' vroeg Tommy.

'Een verband. Het was…' Harnason wachtte geruime tijd en zijn zachte gezicht, met roze gekleurde eilandjes, bewoog een paar keer mee met de woorden die hem invielen. 'Als twee druppels water.'

Tommy begreep wat hij bedoelde. Advocaten. Overspelplegers. En moordenaars. Tommy kon er niets aan doen. Hij begon wat te zien in Harnason.

Brand zat naast Tommy en maakte af en toe aantekeningen op een geel stenobloc, maar meestal keek hij scherp naar Harnason; kennelijk probeerde hij zich een oordeel te vormen. Harnason praatte voornamelijk met gebogen hoofd, zodat alleen zijn dunne grijze haar en zijn kale plek te zien waren, alsof de herinnering aan dit alles als een last van veertig kilo op hem drukte. Tommy begreep het probleem. Harnason had waardering voor wat Sabich voor hem had gedaan. Hij vond het niet prettig om de man te kakken te zetten.

'Sabich had iets vaags gezegd, ze hadden geluisterd naar mijn argumenten, zoiets, het klonk een beetje hoopgevend, maar het knaagde aan me,' zei Harnason, 'het niet weten, het moeten wachten op de beslissing. Soms kan je gewoon niets meer hebben. Dus ik dacht: nou ja, hij heeft al een keer met me gepraat, misschien wil hij me wel vertellen wat er gaat gebeuren. Dus ben ik een paar keer achter hem aan gelopen. Ik wachtte tot hij aan het eind van de ochtend naar buiten kwam en dan ging ik achter hem aan.'

De eerste keer was Rusty naar het Grand Atheneum gegaan. Het was interessant dat het een ander hotel was dan het Gresham, waar Marco Cantu werd betaald om niets uit te voeren. Kennelijk had Rusty telkens een ander bed uitgezocht, waarschijnlijk omdat hij Marco wilde mijden wanneer hij met zijn jonge ding in de weer was. Maar Harnason wist niets van Marco of de soa-test. Dus zijn verhaal kon tot zover kloppen.

'Was er iemand bij Sabich?'

'Het zal wel.' Harnason glimlachte. 'Maar haar heb ik niet gezien. Ik heb hem meteen naar de lift zien lopen. Hij bleef lang weg. Langer dan ik kon wachten. Het begon te stortregenen. Dus toen ging ik weg en een week later probeerde ik het opnieuw. Zelfde laken een pak, alleen een ander hotel. Als een streep naar de lift en eindeloos boven blijven.' Harnason wist niet meer hoe het hotel heette, maar door de ligging moest het het Renaissance zijn. 'Ik heb ruim drie uur gewacht. Maar toen kwam hij naar buiten. Met een energiek loopje. Zodra ik dat zag, wist ik dat hij had gevoosd.'

'Was er deze keer wel iemand bij hem?'

'Nee. Maar de uitdrukking op zijn gezicht toen hij me zag... Je weet wel, zo'n beduusde blik van o shit. In plaats van woede. Daarom was hij misschien bereid met me te praten. Hij probeerde me af te schepen. Maar ik vroeg hem, bij wijze van gunst eigenlijk, me te vertellen hoe het ervoor stond. Moet ik terug of niet? En dat deed hij. Bereid je voor op slecht nieuws. Je mogelijkheden zijn uitgeput. Ik moest janken als een kind.'

'En daarbij stonden jullie gewoon op straat? Jij en de rechter, en de rechter zegt tegen je dat het vonnis zal worden bekrachtigd?' Het was krankzinnig. Lunchtijd in Market Street, honderd mensen moesten het tweetal hebben gezien, en Rusty praat zijn mond voorbij? Een goede raadsman – Rusty zou Sandy Stern inschakelen, als die dan nog leefde – zou gehakt maken van Harnason. Maar de standaardweerlegging verdiende overweging. Als Harnason met een verzinsel was gekomen, had hij gezorgd voor een geloofwaardig verhaal, niet zoiets bizars. Dit soort verhalen was vaak te merkwaardig om niet waar te zijn. 'En dat heb je Mel verteld?'

Harnason keek naar Mel, die een aanmoedigend gebaar maakte. Harnason vertelde dat hij hem de volgende dag had gebeld.

De vier mannen bleven zwijgend zitten terwijl Tommy de mogelijkheden afwoog. Tooley had gelijk. Hiermee konden ze het scheepje van Rusty Sabich lekschieten. Het mooiste was nog dat Tommy zich zelf niet met de zaak bezig hoefde te houden. Zoals Harnason het vertelde, had Sabich geen misdaad begaan. Tommy hoefde de informatie alleen maar door te geven aan de commissie van toezicht op de rechtbanken. Die zou dan Rusty benaderen en waarschijnlijk zou hij ervoor kiezen stilletjes zijn ontslag te nemen, met pensioen te gaan en voor eigen rekening in de advocatuur te gaan, liever dan zich in het openbaar te laten verhoren, waarbij zijn hotelbezoekjes waarschijnlijk niet geheim zouden blijven.

Tommy keek naar Jim of die nog iets had. Brand vroeg Harnason of die het hele gesprek met de rechter had herhaald.

'Volgens mij was dat wel het belangrijkste,' zei Harnason met een mismoedig lachje. 'Het ging nog even door.'

'Laat maar horen.'

Harnason haastte zich niet. Het leek erop dat hij eerst zelf wilde begrijpen wat nu zou komen.

'Nou ja, ik hield nog even aan en hij zegt tegen me, het komt neer op: zeg het nou maar, voor de draad ermee, je hebt hem toch vermoord?'

'En?' vroeg Brand.

Mel kwam tussenbeide – hij wilde niet dat Harnason een bekentenis zou afleggen – maar Tommy vond dat er nu geen beperkingen meer mochten zijn. Brand vroeg opnieuw of Harnason Ricky had vermoord.

'Ja.' Harnason dacht na en knikte toen. 'Jazeker. Dat zei ik ook tegen Sabich, dat ik het heb gedaan. Maar, zei ik, jij hebt zelf straffeloos een moord gepleegd, en hij kijkt me aan en hij zegt: maar het verschil is dat ik het niet heb gedaan.'

Meteen vroeg Molto: 'Dat zei hij tegen jou? Jullie hadden het over twintig jaar geleden?'

'Absoluut. En daarbij keek hij me recht in de ogen.'

'Geloofde je hem?'

Harnason dacht erover na. 'Ik denk het wel.'

Het duizelde Tommy even bij deze dialoog. Maar de pointe ontging hem niet. Harnason was slim genoeg om te weten wat Tommy wilde horen, maar dat sprak hij niet uit. De man was een bizarre crimineel, eentje met principes. Hij sprak de waarheid, geen twijfel mogelijk.

'Verder nog iets?' vroeg Brand.

Harnason probeerde achter zijn oor te krabben, maar besefte dat zijn boeien dat niet zouden toelaten. 'Ik vroeg bij wie hij in het hotel was geweest.'

'Gaf hij daar antwoord op?'

'Hij wendde zich van me af. Daarmee was het gesprek afgelopen.'

'Hij ontkende het niet?' vroeg Brand. 'Hij wendde zich alleen af?'

'Precies.'

'Verder nog iets? Nog meer ter sprake gekomen tussen jou en de rechter?'

'Dat is het wel zo'n beetje.'

'Niet zo'n beetje,' zei Brand. 'Alles. Kun je je verder nog iets herinneren?'

Harnason keek naar het plafond. Hij vertrok zijn gezicht.

'Nou, iets anders was een beetje gek. Toen ik tegen hem zei dat ik Ricky heb vermoord, vroeg hij me hoe het was om iemand te vergiftigen.'

Tommy zag aan Tooleys reactie dat hij dat niet eerder had gehoord. Brand was zo beheerst dat hij geen spier vertrok, maar Tommy, die naast hem zat, voelde dat zijn polsslag wel omhoogging.

'Hij vroeg je hoe het was om iemand te vergiftigen?' herhaalde Brand.

'Precies. Hoe dat voelde, dag na dag. Hoe het was.'

'En waarom wilde hij dat weten?' vroeg Brand.

'Hij was er benieuwd naar, denk ik. Het gesprek was al vrij intiem geworden. Toen zei ik tegen hem: je weet toch hoe het is om iemand te vermoorden; en hij zei dat hij het niet had gedaan.'

Brand nam het nog een paar keer met Harnason door in een poging de juiste volgorde in het gesprek te reconstrueren en Harnason tot meer precisie aan te zetten. Daarna vertrokken de aanklagers, die Tooley hadden laten weten dat ze weer contact zouden opnemen. Ze spraken niet met elkaar tot de gevangenis een paar straten achter hen lag. Het was een merkwaardige buurt hier, met tags van de gangs en gangleden die bij de gevangenis rondhingen, alsof ze er iets aan hadden om dicht in de buurt van hun gedetineerde maten te zijn. Ze zouden er misschien lol in hebben om de aanklager uit te jouwen als ze hem herkenden, en Brand en Tommy liepen snel terug naar de parkeergarage naast het County Building. In het voorbijgaan zagen ze een gezette vrouw bij de bushalte die met behulp van haar kleine *boombox* jazzgymnastiek stond te doen, buitenshuis om elf uur 's avonds, alsof ze thuis naakt voor de spiegel stond.

'Goed,' zei Brand. 'Je weet wat ik denk.'

'Ik weet wat je denkt.'

'Ik denk,' zei Brand, 'dat de rechter daarom uit de school heeft geklapt over het beroep. Hij heeft een lekker vriendinnetje dat hij niet kwijt wil en hij overweegt al mevrouw S. uit te schakelen. Want een kandidaat voor het hooggerechtshof wil geen geruchtmakende scheiding midden in zijn campagne, zeker niet als blijkt dat hij zijn worstje in het verkeerde broodje heeft gestoken. Misschien dacht hij wat veldwerk te doen om bij zichzelf na te gaan of hij echt tot de daad in staat zou zijn.'

Tommy wiegde met zijn hoofd. Het klonk als *Law & Order*. Een beetje te gladjes.

'Jimmy, het zou een betere theorie zijn als we konden aantonen dat Barbara inderdaad aan een overdosis van het een of ander is bezweken, in plaats van aan hartfalen.'

'Misschien hebben we het middeltje nog niet gevonden,' zei Brand.

Tommy keek hem veelbetekenend aan. Dat was de ergste fout die een aanklager kon maken: hopen op bewijs dat niet bestond. Politie en getuigen konden dat verkeerd opvatten en je droom verwezenlijken. Tommy zag hun adem in de avondlucht. Hij was nog niet toe aan de herfst en had er niet aan gedacht een jas aan te trekken. Maar het was niet alleen de kou die hem dwarszat. Hij moest nog zien te verwerken wat Harnason had verteld: dat Rusty tegen hem had gezegd dat hij Carolyn niet had vermoord. Tommy had natuurlijk zijn eigen belang bij de zaak, maar het maakte Brands theorie wel twijfelachtig. Sabich was een moordenaar of hij was geen moordenaar. Het ging om beide vrouwen of geen van beiden; dat gaf je ervaring je in.

'Dat over de eerste moord was een dreun,' zei Tommy.

'Daar loog Sabich over,' zei Brand. 'Dat hij op het ene punt zijn mond voorbij praat tegen die kerel, wil niet zeggen dat hij ook bekent dat hij die moord heeft gepleegd. Bovendien is er een manier om daar zekerheid over te krijgen.'

Hij had het weer over het DNA.

'Nog niet,' zei Tommy. Het was nog steeds te vroeg. 'Fris mijn geheugen eens op. Hoe is die pias door de mazen geglipt?'

'Welke pias, chef? We hebben zoveel keus.'

'Harnason. Die heeft toch zijn vriend met arsenicum vergiftigd?'

'Ja. Maar dat is tegenwoordig geen courant vergif meer. Het is moeilijk te krijgen en daarom wordt er zonder aanleiding ook niet gericht naar gezocht.'

Tommy bleef staan. Brand bleef een pas verder staan.

'Denk je?' vroeg Brand.

'Sabich was toch een van de rechters bij het proces? Hij weet er alles van. Over waarop wordt getest bij een algemeen onderzoek naar gifstoffen.'

'Dat is bij de behandeling absoluut ter sprake gekomen.'

Oppassen, hield Tommy zich voor. Oppassen. Elke misstap kon hier fataal zijn. Dat wist hij en toch ging hij op goed geluk verder op het pad dat hij was ingeslagen.

'Uitgebreid spectrometeronderzoek naar Barbara's bloed?' vroeg Brand.

'Neem contact op met de toxicoloog.'

'Uitgebreid onderzoek,' zei Brand. 'Dat moeten we doen. Dat

moet gewoon. Afwijkend gedrag na het overlijden. Een buitenechtelijke relatie. Vragen over het vergiftigen van iemand. We doen gewoon ons werk, chef. Dat moeten we doen.'

Het klonk goed. Maar het zat Tommy toch niet lekker: de gevangenis, en de bizarre Harnason, en het verontrustende gevoel dat hij Sabich nu echt op het spoor was.

Hij en Jim bespraken hoe ze moesten zorgen dat het uitgebreide bloedonderzoek discreet zou worden afgehandeld; daarna namen ze afscheid. Tommy liep naar het tweede dek van de parkeergarage naar zijn auto. Op dit uur was de garage een gevaarlijke omgeving, gevaarlijker dan de straat. Een paar jaar geleden was hier nog een rechter overvallen, maar er was nog altijd geen bewaking. Er waren diepe schaduwen waar overdag auto's geparkeerd stonden en Tommy bleef midden op het dek. Maar de griezelfilmsfeer riep iets bij hem op, een idee dat kwam bovendrijven en dat hem zowel opwindend als riskant voorkwam.

Stel, dacht Tommy opeens, stel dat Rusty het echt heeft gedaan?

II

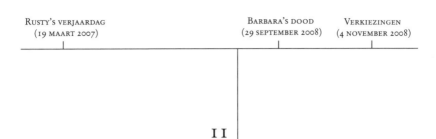

11

Rusty, 2 september 2008

De binnenlijn op mijn kamer gaat over en als ik haar stem hoor, ben ik bij het eerste woord al bijna ontwapend. Het is ruim een halfjaar geleden dat ik haar heb gezien, toen ze langskwam om te lunchen met mijn assistent, en ruim een jaar dat we uit elkaar gingen.

'O,' zegt ze, 'ik had jou niet echt verwacht. Ik dacht dat je ergens op campagne zou zijn.'

'Ben je teleurgesteld?' vraag ik. Ze lacht zoals ze altijd lacht, met volle overgave.

'Met Anna,' zegt ze.

'Dat weet ik,' zeg ik. Ik zal het altijd weten, maar het is niet nodig om de zaak te compliceren.

'Ik moet je spreken. Vandaag, als het kan.'

'Is het belangrijk?'

'Voor mij wel.'

'Gaat het goed met je?'

'Ik geloof het wel.'

'Klinkt een beetje raadselachtig.'

'Het kan beter in een persoonlijk gesprek.'

'Waar wil je afspreken?'

'Weet ik niet. Ergens waar het rustig is. De bar van Hotel Dulcimer? City View? Of hoe het ook heet.'

Terwijl ik de hoorn terugleg, blijft het gesprek door mijn hoofd spoken. Anna is voor mij nooit echt weg geweest. Een zeurende pijn. Het verlangen. Vorig jaar juli, niet lang nadat ik bij Sandy Stern was geweest, raakte ik er gedurende enkele dagen van overtuigd dat ik bereid was alles op te offeren en Anna te smeken met mij verder te gaan. Ik ben bij Dana Mann op bezoek gegaan, een oude vriend en de meest prominente echtscheidingsadvocaat in onze stad. Ik was niet van plan hem over Anna te vertellen, ik wilde alleen zeggen dat ik overwoog een punt achter mijn huwelijk te zetten en me afvroeg hoe ik dat in alle stilte zou kunnen doen, gesteld dat Barbara erin zou toestemmen. Maar Dana's kracht als advocaat is het vinden van de zwakke plek en na vijf vragen had hij het hele verhaal.

'Ik denk niet dat je voor politiek advies komt,' zei hij. 'Maar als je dit tijdens de campagne uit de media wilt houden, kun je beter geen stappen ondernemen.'

'Ik ben al heel lang niet gelukkig. Tot ik deze vrouw leerde kennen, besefte ik niet hoe wanhopig ik was. Maar ik weet niet of ik niets kan doen. Ik was beter af toen ik dat dacht.'

'"De ware aard van wanhoop is juist niet beseffen dat het wanhoop is,"' citeerde Dana.

'Wie?'

'Kierkegaard.' Dana lachte om mijn ongelovige gezicht. Ik ken Dana uit mijn studietijd en in die jaren citeerde hij geen filosofen. 'Ik heb vorig jaar een hoogleraar als cliënt gehad van wie ik dat heb geleerd. Vergelijkbare situatie.'

'Wat heeft hij gedaan?'

'Opgestapt. Ze was een studente van hem, bijna klaar.'

'Wat heeft het hem gekost?'

'Veel. De universiteit heeft hem stevig aangepakt. Hij had gezorgd dat ze beurzen kreeg. Hij moest een jaar onbetaald verlof opnemen.'

'En is hij gelukkig geworden?'

'Ik geloof het wel. Tot nu toe. Ze hebben net een kind gekregen.'

'Onze leeftijd?' Ik kon het niet geloven. Dana's verhaal was voldoende om me ervan te overtuigen dat het onmogelijk was. Het zou tegennatuurlijk zijn. Ik zou evenmin kunnen leven met de gevolgen van een scheiding voor Barbara, die haar zwaar zouden treffen. Voordat ik wegging, zei ik tegen Dana dat ik niet verwachtte bij hem terug te zullen komen.

Toch zijn er nachten dat ik, terwijl Barbara slaapt, word verteerd door verlangen en spijt. Ik heb het nooit over mijn hart kunnen verkrijgen de stoet e-mails van Anna uit die tijd te wissen op mijn computer thuis. De meeste waren eenregelige berichtjes over de locatie van onze volgende ontmoeting. In plaats daarvan heb ik ze ondergebracht in een submap die hofzaken heet en die ik elke maand wel een keer in het stille huis open, alsof het een schatkist is. Ik lees de berichten niet echt door. Dat zou te pijnlijk zijn en bovendien zijn ze te kort om veel te kunnen betekenen. In plaats daarvan bestudeer ik haar naam op de pagina, de data, de titels. De meeste heten 'Vandaag', of 'Morgen'. Ik peins over mijn herinneringen en verlang naar een ander leven.

Na Anna's telefoontje pieker ik over haar toon. Het kan van alles zijn, zelfs een probleem op het gebied van haar werk. Maar ik heb er een persoonlijk verdriet in gehoord. En wat moet ik doen als ze tegen me zegt dat ze niet verder kan zonder een hereniging? Stel dat ze voelt wat ik al zo lang voel? Het Dulcimer is een van de laatste plekken waar we bij elkaar zijn geweest. Zou ze juist dat hotel hebben gekozen als hartstocht niet haar motief was? Ik zweef boven mezelf en kijk met mijn ziel naar mijn hongerige hart. Hoe lang kan onvervuld verlangen de enige belangrijke emotie in het leven zijn? Maar het is zo. En ik besef dat ik geen nee tegen haar zal zeggen, zoals ik ook geen nee tegen haar kon zeggen toen ze in mijn werkkamer naar me opkeek. Als ze de sprong wil wagen, zal ik haar volgen. Ik zal achterlaten wat ik heb gehad. Ik staar naar de fotocollectie op mijn bureau, naar Nat op verschillende leeftijden en Barbara, altijd mooi. Het heeft geen zin te proberen te bevroeden wat de volle omvang van de gevolgen zal zijn van wat ik op het punt sta te doen. Het zijn er zoveel en van zo verschillende aard dat zelfs een Russische schaakmeester of een computer niet elke stap zou kunnen berekenen. Maar ik ga het doen. Ik ga eindelijk proberen het leven te krijgen dat ik wil. Ik zal eindelijk dapper zijn.

12

Tommy, 27 oktober 2008

Lijkschouwers, toxicologen, dat soort lui stak anders in elkaar dan andere mensen. Maar wat kun je verwachten van mensen voor wie de dood het belangrijkste in het leven is? Tommy dacht altijd dat voor zulke types de kick zat in het besef dat het lijk dood was en zij niet. Het was in elk geval een mogelijkheid.

De toxicoloog die met Brand was binnengekomen zag er anders gewoon uit. Nenny Strack. Ze was een kleine vrouw met bruine ogen en rood haar, een jaar of vijfendertig, met een figuur om een kort rokje te dragen. Ze werkte aan de medische faculteit en had een contract met het district. Brand had de lijkschouwer van de politie rechtstreeks benaderd om de opdracht snel uitgevoerd te krijgen, en die had op zijn beurt een beroep gedaan op de American Medical Service in Ohio, het gespecialiseerde laboratorium waar het halve Amerikaanse justitieel apparaat gebruik van maakte. Tommy had gevreesd dat die manoeuvre zou opvallen wanneer de bloedmonsters van de sectie op Barbara uit de koeling van de lijkschouwer werden gehaald, maar het was niemand opgevallen.

'En?' vroeg Molto aan beiden.

'Lange of korte versie?' vroeg Brand.

'Eerst maar de korte,' zei Tommy en Brand wees naar Strack. Ze had een map op schoot.

'In het monster hartbloed is een giftige hoeveelheid aanwezig van een antidepressivum dat fenelzine heet,' zei ze.

Brand keek naar zijn schoot, misschien om een lachje te verbergen. Het was ook helemaal niet grappig.

'Ze is niet door een natuurlijke oorzaak overleden?' vroeg Tommy. Hij hoorde dat zijn stem een beetje schril klonk.

'Ik wil niet dwars doen,' zei dr. Strack, 'maar het is niet mijn taak een oordeel uit te spreken over de doodsoorzaak. Ik kan u wel vertellen dat de gemelde symptomen, een fatale hartritmestoornis met een mogelijke hypertensieve reactie, passen in het klassieke model van overdosering met dat middel.'

Dr. Strack gaf een karakteristiek van fenelzine, dat werd ingezet tegen atypische depressie, vaak in combinatie met andere middelen. Het was werkzaam door het remmen van een enzym, MAO, dat verschillende stemmingsbeïnvloedende neurotransmitters afbrak. Het effect op de hersenen was vaak een verbetering van het emotionele welbevinden, maar de gedeeltelijke afbraak van het enzym kon fatale bijwerkingen op andere delen van het lichaam hebben, vooral wanneer voedsel of medicamenten die tyramine bevatten werden gebruikt.

'Er is een hele lijst van dingen die je niet moet gebruiken wanneer je met fenelzine wordt behandeld,' zei Strack. 'Rode wijn. Oude kaas. Bier. Yoghurt. Gemarineerd vlees of ingemaakte vis. Alle soorten droge worst. Allemaal dingen waardoor de giftigheid van het middel toeneemt.'

'Waar had ze het vandaan?'

'Het stond in haar medicijnkastje. Anders zou het American Medical-lab het nooit hebben aangetroffen.' Dr. Strack legde uit hoe het bloedonderzoek werd uitgevoerd. Het begon met een woud van gekleurde kolommetjes. Daarna werden alle spectografische patronen voor de plusminus honderd medicamenten weggefilterd waarop bij een algemeen onderzoek al werd getoetst, omdat dat onderzoek al was uitgevoerd. Het geringe aantal overblijvende kleuren kon voor duizenden ionen staan. Dus had het lab de inventarislijst van Barbara's medicijnkastje gebruikt om op de bekende medicamenten te toetsen. Daar was vrijwel direct fenelzine uit gerold.

'Dus de overdosis kan een ongelukje zijn geweest?' vroeg Molto.

'Als je alleen naar de gehaltes in het bloed kijkt, zou je moeten zeggen: waarschijnlijk niet. De concentratie is ongeveer het viervoudige van een normale dosis. Als dat gegeven klopt, vraag je je vervolgens af of ze door vergeetachtigheid twee keer zo'n pil kan hebben geslikt. Dat lijkt me mogelijk. Maar vier keer? Dat is niet gebruikelijk. Patiënten die het middel gebruiken, worden uit-en-te-na gewaarschuwd tegen de risico's.'

'Dus het was geen ongelukje?'

'Het lijkt me niet, maar er is een fenomeen dat "postmortale redistributie" heet, waardoor bepaalde antidepressiva na de dood naar het hart trekken, waardoor er in het hartbloed verhoogde concentraties kunnen worden aangetroffen. Dat geldt in het bijzonder voor tricyclische preparaten. Of MAO-remmers zich op dezelfde manier gedragen, is nog niet beschreven in de literatuur. Ik weet niet of fenelzine migreert; dat weet niemand met zekerheid. Als we ten tijde van de sectie hadden geweten waar we naar zochten, hadden we bloed kunnen nemen van de dijbeenslagader, omdat er vandaar geen herverspreiding naar het hart plaatsvindt, maar dijbeenbloed afnemen is bij ons geen vaste procedure, en nu kan het natuurlijk niet meer. Dus geen enkele toxicoloog kan met zekerheid stellen dat de hoge concentratie fenelzine in haar bloed werkelijk betekent dat ze een fatale dosis van het middel binnen heeft gekregen, en niet dat het een gevolg is van de postmortale redistributie.'

Brand zou nooit kraaien dat hij het al had gezegd, maar Tommy besefte wel dat ze, als hij Jim de zaak van meet af aan als moordzaak had laten behandelen, nu misschien meer zekerheid zouden hebben. In gedachten verzonken hoorde Molto zich zuchten. Als ze midden in de nacht wakker werden van Tomaso en Tommy zijn zoon in slaap wiegde, vroeg hij zich soms af van welke beslissing die hij de afgelopen dag had genomen hij nog spijt zou krijgen. Als hij dan weer naar bed ging, dacht hij altijd: je kunt alleen je best doen. Fouten maken hoorde bij leiding geven. Je kon alleen hopen dat het kleine fouten waren geweest.

Hij keek weer naar dr. Strack. 'Dus die herverdeling betekent dat ze misschien niet een overdosis toegediend heeft gekregen? Misschien heeft ze gewoon een pil genomen en gezondigd door een pizza met salami te eten?'

'Dat kan zijn gebeurd.'

'En zelfmoord? Is dit een middel dat suïcidale neigingen bij depressieve mensen kan versterken?'

'Volgens de literatuur wel.'

'Geen briefje,' zei Brand, die de mogelijkheid wilde ontkrachten dat Barbara de hand aan zichzelf had geslagen. 'De politie heeft geen briefje gevonden.'

Tommy stak zijn hand op. Hij wilde nu geen discussie. 'Dus misschien is het zelfmoord. Misschien is het moord. Misschien is het een ongeluk. Meer kunt u er niet van zeggen?' vroeg Molto aan haar.

'Aangenomen dat fenelzine haar dood heeft veroorzaakt. Daarover moet u de patholoog om uitsluitsel vragen.'

Die dr. Strack leek wel tegen een stootje te kunnen, maar Tommy had een beetje met haar te doen. Hij had het gevoel gekregen dat ze zo vaak was gemangeld in een kruisverhoor dat ze liever helemaal nooit meer naar de rechtszaal wilde. Naar zijn opvatting was de wetenschap ervoor om het onbekende te onderzoeken, maar deskundigen zoals Strack leken liever te willen dat het onbekende onbekend bleef. Hij begreep dat niet goed.

In de houten fauteuil naast Strack maakte Brand geen geheim van zijn stemming. Zijn kin rustte op zijn borst en hij beet op zijn lippen alsof hij maagzuur had. Tommy vermoedde dat dr. Strack Jim nu teleurstelde; ze moest heel wat minder stellig zijn geworden nu ze tegenover de hoofdaanklager zelf zat. Jim zou haar niet mee hierheen hebben genomen als ze tegenover hem in zijn kamer niet heel wat positiever was geweest. In het onwaarschijnlijke geval dat het tot een proces kwam, zouden ze een stalen pijp op haar rug moeten binden, of een andere getuige-deskundige moeten zien te vinden.

'En de factor tijd?' vroeg Brand. 'Als je na overlijden een dag laat verstrijken, wat zou dat dan voor invloed hebben op het aantreffen van de fenelzineoverdosis bij de sectie?'

Dr. Strack raakte haar gezicht aan terwijl ze nadacht over wat ze zou zeggen. Ze droeg een trouwring met een diamantje ter grootte van een broodkruimel, het soort ring dat liet weten: 'Ik ben met mijn schoolvriendje getrouwd toen we alleen nog maar onze grote liefde hadden en verder niks.' Dat vond Tommy dan wel weer sympathiek van haar.

'Waarschijnlijk zou het heel wat uitmaken,' zei ze. 'Hoe sneller de sectie plaatsvindt, des te gemakkelijker zou het zijn om postmortale redistributie uit te sluiten. En de analyse van de maaginhoud wordt natuurlijk moeilijker, omdat de maagsappen blijven afbreken wat zich erin bevindt. Het zou moeilijker zijn een pil te vinden, of de fenelzine, of zelfs om te bepalen wat ze had gegeten, ook producten die tyramine bevatten. Maar dat kunt u ook weer beter aan een patholoog vragen.'

Brand kwam tussenbeide. 'Ja, goed, maar als iemand haar een heleboel kaas heeft laten eten en daarna een paar pillen heeft gevoerd, en daarna het lijk een dag heeft laten liggen, dat zou het dus lastiger maken de fenelzinevergiftiging met zekerheid vast te stellen.'

'Theoretisch wel,' zei dr. Strack geheel in stijl.

Tommy probeerde het hele vraagstuk te overzien. 'En aanvankelijk hebben we dit over het hoofd gezien omdat…?'

'Omdat er bij een routineonderzoek naar vergiften niet naar MAO-remmers wordt gekeken.'

'En als we kijken naar de pillen in haar medicijnkastje waarvan de toxiciteit bekend is, waar wordt bij een routineonderzoek naar vergiften niet naar gekeken?' vroeg Brand.

Dr. Strack raadpleegde haar map. 'Alleen deze. De slaapmiddelen, de angstremmers, de antidepressiva, daar wordt altijd wel naar gekeken. Door haar medische voorgeschiedenis valt de fenelzine niet direct op. Als je verder geen toxisch gehalte aantreft, zou je daarvan ook geen toxisch gehalte verwachten.'

Molto stelde nog een paar vragen, maar de kleine medicus wilde zo snel mogelijk weg.

'Goddorie, wat een paniekkonijn,' zei Brand zodra ze de deur achter zich had dichtgetrokken.

'Het is maar goed dat we dat nu al weten,' zei Molto. 'Heb je het verslag van de zaak-Harnason bekeken?'

Brand knikte. Mel Tooley had het behalve over tientallen andere middelen over fenelzine gehad toen hij dr. Strack in de rechtszaal ondervroeg. Mel had geprobeerd aan te tonen dat zelfs een ervaren toxicoloog niet wist naar welke toxische stoffen bij een routineonderzoek werd gekeken, laat staan dat Harnason dat zou weten. Tooleys kruisverhoor, waarin hij fenelzine had genoemd, was samengevat in de feitelijke samenvatting die was toegevoegd aan Harnasons verzoek om behandeling in beroep. Dus Rusty was op de hoogte. Dat konden ze zonder moeite aantonen.

Tommy had in de loop van het gesprek zijn adrenalineniveau voelen stijgen, en nu leunde hij naar achteren in zijn aanklagersstoel om zich tot kalmte te manen en vooral rustig te blijven nadenken.

'Het is machtig interessant, Jimmy,' zei hij ten slotte, 'maar welke toxicoloog we ook laten opdraven, de doodsoorzaak zullen we nooit kunnen bewijzen.'

Brand gaf een exposé. Een buitenechtelijke relatie. Een bezoek aan Prima Dana. De vraag aan Harnason hoe het was om iemand te vermoorden. Het lichaam een dag laten liggen opdat de fenelzine en de rest zouden ontbinden in haar darmen.

'Jim, je kunt hem niet veroordeeld krijgen wegens moord zonder dat je keihard aantoont dat ze met opzet is gedood.' Dat was het probleem waarmee hij Brand van meet af aan had geconfronteerd. Als je aannam dat zo'n intelligent en ervaren iemand als Rusty Sabich zoiets als dit had gedaan, dan moest je beseffen dat hij zich tegen elke aanval zou wapenen. Het feit dat Sabich Barbara kon hebben vermoord zonder dat hij daarvoor werd gestraft, trok Tommy omlaag als een steen.

Brand gaf het nog niet op.

'Ik wil de gegevens opeisen bij de apotheek, met een zwijgplicht voor negentig dagen, om te kijken of er een link is tussen Rusty en die fenelzine.'

Tommy maakte het gebaar dat Jimmy zijn gang kon gaan.

'We zitten er zó dicht bij.' Brands wijsvinger en duim raakten elkaar bijna.

De hoofdaanklager schudde alleen zijn hoofd en lachte hem meewarig toe.

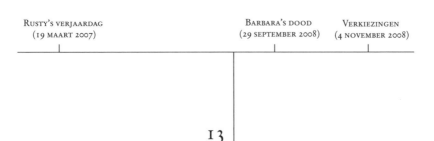
13

Anna, 2 september 2008

Mijn hele leven al lijk ik aanleg te hebben voor kapitale blunders, fouten die me op een achterstand van jaren hebben gezet. Ik heb minstens twee richtingen gekozen, de reclame en, na bedrijfskunde, marketing, waar ik niets aan vond, en ik ben altijd verliefd geworden op de verkeerde mannen. Toen ik tweeëntwintig was, ben ik getrouwd met een man die gewoon niet zo interessant was; we hebben het op de kop af tweeënzeventig dagen met elkaar uitgehouden, en ik heb wel grotere stommiteiten uitgehaald, vooral een paar verhoudingen met getrouwde mannen waarvan de tragische afloop zo voorspelbaar was alsof iemand me de boodschap had gestuurd die in Daniëls grot was verschenen.

Zoals iedereen ben ik geneigd mijn ouders de schuld te geven van mijn tekortkomingen, mijn vader die er op mijn zesde vandoor is gegaan en die sindsdien niet veel meer is dan een kerstkaart, en een moeder die wel lief was, maar leek te verwachten dat ik haar zou opvoeden. Op mijn achtste zette ik de wekker om haar wakker te maken voor haar werk. Het gevolg was dat ik later alles wat ze afkeurde de moeite van het bekijken waard vond.

Maar wat ik nu van plan ben slaat alles, al heb ik dan het een en ander meegemaakt. Na het gesprek met Rusty kijk ik naar de hoorn in mijn hand en vraag me af hoe gevaarlijk en hoe gek ik eigenlijk ben.

Een van mijn rechtendocenten mocht graag zeggen dat de meeste zorgen in de wereld beginnen bij onroerend goed, wat hier zeker het geval is. Afgelopen juni besloot ik een appartement te kopen. Het leek me heerlijk om eindelijk iets van mezelf te hebben, maar zodra ik het contract had ondertekend, leek de wereld zich in financiële paniek te storten. Binnen een week kreeg mijn huisgenoot, die had toegezegd het huurcontract van mijn huidige flatje over te nemen, ontslag, waarna hij besloot bij zijn vriendje in te trekken. Op het werk werd er opeens gefluisterd over teruglopende inkomsten en het lozen van kandidaat-partners en zelfs partners. Ik voorzag dat ik met Kerstmis, zonder baan, opeens allerlei kennis van het recht zou opdoen omdat ik te maken zou krijgen met huurschuld, uitzetting en een faillissement.

Meteen na de vierde juli verstuurde ik een e-mailbombardement aan iedereen die ik als onderhuurder kon bedenken, ook zelfs, met hulp van de echtgenote van een jonge partner, op de intranetsite van het hooggerechtshof van de staat. Mijn huisje is twee straten bij het gerechtsgebouw vandaan en zou ideaal zijn voor een beginnende juridisch assistent. Dezelfde middag al kreeg ik deze e-mail binnen:

van: NatchReally1@clearcast.net
aan: AnnaC402@gmail.com
Verzonden: woensdag 9 juli 09 12.09 p.m.
Onderwerp: Re: mijn flat

Hey Anna,
Zag je bericht. Cool dat het goed met je gaat. Ik kan me niet voorstellen dat ik ooit eigenaar van een koopflat zal worden, misschien in een ander universum.
Is het veel moeite voor je als ik dit weekend kom kijken? Ik woon nu met drie vrienden in een huis in Kehwahnee, maar daar moet ik in september weg omdat er twee gaan trouwen. Ik weet nog niet wat ik na mijn assistentschap wil – jaha, dat had ik al een maand of acht geleden moeten weten – maar ik overweeg nog een aanbod van een kantoor en als ik dat aanneem, kan ik waarschijnlijk wel een eigen flat betalen. Ik heb me er nog niet echt in verdiept, maar ik zag een bekende naam en bedacht dat ik dat eigenlijk wel moet doen. Als ik je flat mooi vind, kan ik makkelijker beslissen over een baan. Ik weet dat het helemaal verkeerd om is, maar ik kan nou eenmaal niet beslissen zoals normale mensen doen. Zelfs als ik hem niet van je over-

neem, kan ik tegen de nieuwe assistenten die nog zoeken zeggen dat je flat geweldig is.

Laat me weten of het je uitkomt.

Nat Sabich

Ik moest wel even slikken, maar wanhoop heeft een eigen logica en ik kon geen goede reden bedenken om hem af te schepen. Zondagochtend verscheen hij in spijkerbroek en T-shirt, een halve kop groter dan zijn vader, slank en onthutsend mooi, dik zwart haar en hemelsblauwe ogen, met zo'n geinig kommaatje aan zijn onderlip. Hij bleef maar zeggen dat het een fantastische flat was, al wist ik dat hij dat ook zou zeggen als het plafond vol vleermuizen had gehangen, en hij dronk een kopje koffie met me op mijn balkonnetje, waar ik hem kon laten zien hoe hij naar buiten moest leunen om het uitzicht over Center City en de rivier te zien.

'Geweldig,' zei hij en hij trok zijn schoenen uit en bewoog zijn blote tenen op de balustrade.

Ik heb Nat altijd graag gemogen, die ik heb leren kennen door zijn bezoekjes aan zijn vader. Hij is zo overrompelend mooi dat je soms haast niet naar hem durft te kijken uit angst dat je mond zal openvallen, maar hij is zo schutterig en onhandig dat je hem nooit cool kan noemen. Hij is op een aantrekkelijke manier argeloos. Je komt zo weinig mensen tegen die echt oprecht lijken, in plaats van te doen alsof.

Het was schitterend weer, met een onbewolkte hemel en pruttelende sleepboten op de rivier, en we praatten ontspannen met elkaar, wat met Nat niet altijd gemakkelijk is. Hij spreekt met vertraging, lijkt het, alsof wat hij wil zeggen eerst in hem aan een korte inspectie moet worden onderworpen voordat hij het loslaat. Dat kan een uitdaging zijn, zeker voor zo iemand als ik die gewend is in elk gesprek de meeste zendtijd te krijgen.

We waren allebei rechten gaan studeren na andere ervaringen en we wisselden verhalen uit.

'Ik wilde altijd psychiater worden,' zei hij, 'omdat ik er zoveel heb leren kennen, maar als kind al dacht ik dat iedereen in zijn eigen verhaal opgesloten zit en ik wist niet of ik ooit iemand anders echt zou kunnen navoelen. Wat eigenlijk de reden was dat ik filosofie ben gaan doen. Maar het recht is in elk geval een verhaal waar mensen het over eens kunnen worden.'

Ik lachte om zijn beschrijving. Toen ik hem vertelde hoe trots zijn vader leek te zijn op zijn studieresultaten, staarde hij me aan of ik van Mars kwam.

'Wie zal zeggen wat mijn vader denkt?' vroeg hij ten slotte. 'Hij heeft er tegen mij nooit iets over gezegd: rechten studeren, juridische essays schrijven, juridisch assistent worden, ook al heb ik stap voor stap gedaan wat hij ook heeft gedaan. Het lijkt wel of hij bang is dat ik het zal merken als hij iets zegt.'

Ik keek omlaag in mijn koffie. 'Hoe is het met je vader?' vroeg ik.

'Hij concentreert zich op de verkiezingen. Koll heeft een hoop tamtam gemaakt over die Harnason die de benen heeft genomen nadat mijn vader hem op borgtocht had vrijgelaten, en daar windt mijn vader zich weer over op.' Hij herhaalde wat campagneadviezen die zijn vader van Ray Horgan had gekregen, maar stokte en vroeg of ik Ray kende. Ik keek hem bevreemd aan omdat ik eerst dacht dat hij een grapje maakte.

'Ik werk voor Ray,' zei ik uiteindelijk.

'Ach, ik ben een idioot.' Nat sloeg zich voor zijn hoofd. 'Het verbaast me dat je mijn vader niet zelf hebt gesproken. Meestal onderhoudt hij juist contacten met zijn voormalige assistenten en hij praatte altijd over je alsof je geniaal was.'

'Echt waar?' Ik voelde mijn hart zwellen door het compliment. 'Ik werk gewoon zo hard dat ik eigenlijk een kluizenaarsleven leid.'

Dat leidde tot een lange discussie over werken op een advocatenkantoor. Ik vertelde Nat waar het op staat. Het contrast is nogal cru: óf je doet het om je studieschuld af te lossen of een aanbetaling voor een koophuis bij elkaar te sparen, óf je gaat er blind en hoopvol voor omdat je het advocatenwerk interessant vindt, als je maar eens iets interessants te doen zou krijgen. Wat mij nog niet is gelukt.

'Het grote probleem,' zei ik, 'is dat je daar nog over piekert terwijl je verslaafd raakt aan het geld.'

'En dan koop je vast een flat?' zei hij met dat leuke lachje van hem dat ik al een paar keer had gezien.

'Precies. Of je huurt een heel mooie flat om in je eentje in te wonen.'

We lachten elkaar toe en dat was het dan wel zo'n beetje. Toen we naar binnen gingen, vroeg ik naar zijn plannen.

'Ik heb tijdens mijn studie als invaller gewerkt op Nearing High en dat kan ik weer gaan doen. Wat ik eigenlijk het liefst wil is rechten doceren, maar dan moet je eerst publicaties op je naam hebben. Ik ben wel met iets bezig, maar ik heb meer nodig. Afgelopen jaar zou ik werken aan een baanbrekend artikel over neurowetenschappen en het recht, maar een paar maanden voor mijn afstuderen is het uitgegaan met mijn vriendin en daar heb ik het nog zo moeilijk mee dat ik me na een dag werken niet op dat stuk kan concentreren. Misschien kan ik het volgend jaar afmaken terwijl ik als invaller werk.'

'Het spijt me dat het uit is,' zei ik.

'Nou, ik zie echt wel in dat het zo beter is, echt wel, maar ik heb het er gewoon moeilijk mee. De ene dag sta je midden in iemands leven en de volgende dag geef je de sleutel terug en dan wil zelfs haar hond niet meer over je voet piesen.'

Daar moest ik hard om lachen, hoewel ik best begreep hoe treurig de situatie was.

'Vertel mij wat.' Ik zuchtte diep. 'Ik maak het zelf mee.' Ik had niet het lef hem daarbij aan te kijken en liep door naar de deur.

'Meestal praat ik niet zoveel,' zei hij bij de deur. 'Ik heb zeker het gevoel dat ik je beter ken dan ik je in werkelijkheid ken.' Ik had geen idee hoe ik op zo'n merkwaardige opmerking moest reageren, en we bleven een ogenblik zwijgend tegenover elkaar staan.

Toen hij weg was, voelde ik mijn hart bonken. Onwillekeurig had Nat zijn vader mee naar binnen gebracht in mijn flat. In de tijd na de breuk tussen Rusty en mij probeerde ik zo min mogelijk aan hem te denken, maar als ik dat wel deed, had ik ontzettend veel medelijden met mezelf, omdat ik net gek was geweest en zo kwetsbaar en stom omdat ik zo graag wilde hebben wat ik overduidelijk niet kon krijgen. Dennis, mijn therapeut, noemt liefde de enige geaccepteerde vorm van psychose. Maar ik denk dat liefde daarom juist zo geweldig is, en gevaarlijk, omdat je er zo'n andere kijk op de dingen door krijgt. In boeken die ik heb gelezen staat dat liefde in feite verandering is. Dat weet ik niet zo zeker.

Nat mailde nog geen twee uur later om me te laten weten wat volgens mij al vaststond: dat hij de flat niet zou overnemen.

Luisterend naar jou ben ik tot het besef gekomen dat het oerstom van me is geweest om te denken dat ik op een advocatenkantoor zou kunnen werken. Ik stuur een e-mail naar alle aankomende assistenten bij het hooggerechtshof die woonruimte zoeken om te vertellen hoe fantastisch je huis is en qua prijs zo'n weggevertje dat het verboden zou moeten worden.

Ik moet je eigenlijk mijn excuses aanbieden omdat ik, dat weet ik best, ben overgekomen als een halve gestoorde met mijn gekakel over psychiaters, maar het was echt cool om met je te praten en ik dacht dat we zelfs misschien een keer koffie kunnen drinken, over een paar weken of zo, zodat ik van je kan horen wat je van de nieuwe ontwikkelingen vindt.

Wat ik ook heb bedacht toen ik het hele gesprek in mijn hoofd nog eens naging, was dat we allebei van de ander wilden weten wat mijn vader nu echt denkt. Dat is echt precies mijn vader.

Tot binnenkort,

Nat

Dit mailtje las ik een paar keer over, vooral dat zinnetje over koffie drinken. Wil hij iets van me, vroeg ik me af. Ik stak een halfuur in een reactie die, hoopte ik, de juiste toon zou treffen.

Nat,

Ik begrijp het volkomen. En reuzebedankt voor hulp bij het hof. Ik blijf duimen.

En je bent niet overgekomen als een 'halve gestoorde'. Ik ben ongeveer een jaar geleden in therapie gegaan, na een pijnlijk afgebroken relatie, en ik heb soms echt het gevoel dat ik voor die tijd maar wat deed met mijn leven. Ik schaam me er nog een beetje voor, omdat ik die therapie echt nodig heb en omdat ik er zo van geniet. Maar eigenlijk is het ook het enige waarvoor ik momenteel tijd vrijmaak. Ik maak niet graag koffieafspraken omdat ik ze altijd moet afzeggen. Maar stuur me vooral af en toe een mailtje om me te laten weten hoe het gaat.

Zodra ik op verzenden had gedrukt, trof me een waarheid die ik zelden erken: dat ik eenzaam ben. Ik heb in de afgelopen tien jaar zoveel veranderingen doorgemaakt dat het moeilijk is vriendschappen te onderhouden, vooral omdat de meeste mensen nu wel getrouwd zijn en kinderen hebben. Ik gun het ze van harte, maar ze hebben hun keus bepaald en willen niet meer alles onder een microscoop leggen. Je kunt niet je hart uitstorten bij iemand die niet op dezelfde manier reageert. Ik heb ook vriendinnen die single zijn, maar negen van de tien keer komt het gesprek op mannen, waar ik nu voorlopig geen zin in heb. In het jaar en-nog-wat dat ik Rusty probeerde te verwerken, heb ik me achter een muur van werk teruggetrokken. In het weekend was het meestal tv-kijken met een caloriearme magnetronschotel.

Dus dat was dat wat betreft Nat tot een zekere Micah Carling tien dagen later contact met me opnam. Hij ging werken voor rechter Tompkins en had een enthousiaste e-mail van Nat over mijn flat gekregen en nadat ik een paar fotootjes had gestuurd, werd hij de huurder. Toen ik Nat schreef om hem te bedanken, kreeg ik dit mailtje terug:

van: NatchReally1@clearcast.net
aan: AnnaC402@gmail.com
Verzonden: vrijdag 25 juli 08 4.20 p.m.

Cool!!! Dus als je me dankbaar bent, zullen we dan morgen lunchen of zoiets? Het hoeft niet chic, want afgezien van mijn pakken heb ik eigenlijk geen kleren zonder gaten erin.

van: AnnaC402@gmail.com
aan: NatchReally1@clearcast.net
Verzonden: vrijdag 25 juli 08 4.34 p.m.

Sorry, Nat. Ik zei het al: werk werk werk. Ik ben de hele dag op kantoor. Ander keertje?

van: NatchReally1@clearcast.net
aan: AnnaC402@gmail.com
Verzonden: vrijdag 25 juli 08 4.40 p.m.

Ik moet toch in het gerechtsgebouw zijn. Ik zie je bij de ingang.

van: AnnaC402@gmail.com
aan: NatchReally1@clearcast.net
Verzonden: vrijdag 25 juli 08 5.06 p.m.

Ik moet een pleitnota reviseren. Ik ben beroerd gezelschap onder tijdsdruk. Ander keertje?

van: NatchReally1@clearcast.net
aan: AnnaC402@gmail.com
Verzonden: vrijdag 25 juli 08 5.18 p.m.

Kom nou, het is zaterdag! En ik heb je een onderhuurder bezorgd (min of meer).

Inmiddels voelde ik me erg ondankbaar, dus liet ik me overhalen tot een supersnelle hap bij Wally, waarbij ik besefte dat ik de gelegenheid moest gebruiken om hem te ontmoedigen. Voordat ik zaterdag wegging, vroeg ik Meetra Billings, de secretaresse die de revisietekst voor me uittikte, me over twintig minuten te bellen met de smoes dat de partner me wilde spreken.

Wally is een afhaalzaak met een paar tafeltjes. Door de week is het er loeidruk. Klanten en personeel schreeuwen tegen elkaar en de roestige sponning van het doorgeefluik rammelt mee terwijl Wally, een immigrant uit de Elzas of zo: 'Deur dikt! Deur dikt!' brult tegen de mensen die in de rij staan om binnen te komen. Maar op zaterdag kun je de mensen achter de toonbank zowaar verstaan als ze uit gewoonte: 'Volgende!' snauwen. Nat was er al. Er stonden twee koppen koffie op tafel, een met melk en twee gele zakjes op het deksel, wat is hoe ik mijn koffie wil. Aardig van hem. Zijn mobieltje lag ook op het formica en ik vroeg of hij telefoon verwachtte.

'Ik dacht dat jij zou bellen,' antwoordde hij. 'Ik dacht dat je op het laatst nog zou afzeggen.'

Betrapt vertrok ik mijn gezicht. 'Ik heb je nummer niet.'

'Handig van me,' zei hij. 'Dus... mag ik vragen wat je bezwaren zijn?'

Ik ging zitten en probeerde een sterke smoes te verzinnen.

'Ik zou het alleen een beetje bizar vinden. Omdat ik voor je vader heb gewerkt en alles?' Ik vond zelf ook dat het erg slap klonk.

'Volgens mij is er iets anders aan de hand,' zei hij. 'Misschien een jaloers vriendje dat je in de kast wil opsluiten?'

'Nee.' Ik lachte. 'Geen relatie. Ik heb zeg maar een time-out genomen wat mannen aangaat.'

'Vanwege die stukgelopen relatie? Wat is er dan gebeurd?'
Ik hapte naar adem en schudde daarna mijn hoofd. 'Daar kan ik niet over praten, Nat. Het is nog te vers. En te gênant. Ik moet eerst meer zekerheid hebben over wie ik ben en wat ik wil voordat ik weer aan een relatie wil denken. Ik heb nu al zo lang geen vriendje, dat is me sinds mijn tiende niet meer overkomen. Maar ik voel me wel braver. Behalve als de batterijen van mijn Rabbit leeg raken.'

Ik denk dat ik verdere vragen naar mijn gebroken hart wilde afkappen, maar ik kon toch niet geloven dat ik dat echt had gezegd. Toch had ik al gemerkt dat we allebei van maffe grappen hielden, en Nat schaterde het uit. Zijn lach leek bij hem uit het diep verborgene te komen.

'Het lijkt me dat een therapeut dat heeft verzonnen,' zei hij. 'Van die time-out?'

Dat was natuurlijk zo en we raakten nogal diep in gesprek over therapie. Hij was heel veel in therapie geweest, maar ermee gestopt omdat hij bang was zo iemand te worden die alleen nog leeft om zijn leven met zijn therapeut te kunnen bespreken. Ik had nooit eerder gepraat over mijn gesprekken met Dennis en ik was echt een beetje teleurgesteld toen Meetra belde. Ik vond het ook wel stom dat we nog niets te eten hadden besteld. Met duizend excuses stond ik toch op.

'Wanneer ga je verhuizen?' vroeg hij.

'Zondag drie augustus. Voor het eerst in mijn leven heb ik echte verhuizers genomen. Ik heb zo vaak een beroep op vrienden gedaan dat ik ze niet nog een keer durfde te vragen. Ik hoef alleen de spullen in te pakken waarvan ik bang ben dat de verhuizers er niet voorzichtig genoeg mee zullen zijn. Het wordt wel een gedoe, maar minder.'

'Ik kan je helpen. Beresterk,' zei hij met een accent. 'En ik reken heel weinig.'

'Ik kan het je niet vragen.'

'Waarom niet?'

Mijn mond bewoog een beetje terwijl ik naar een antwoord zocht en hij was me voor.

'Zullen we het maar eens hardop zeggen? "Bevriend, meer niet." Jij houdt een time-out en ik ben trouwens toch te jong voor je. Jij valt toch op oudere mannen?'

'Ja, vadercomplex. Staat toch buiten kijf?'

'Geeft niks,' zei hij. 'Zo heb ik tenminste niet het gevoel dat ik van het eiland weggestemd ben. Zeg maar wanneer ik er moet zijn.'

Ik kon niet liegen dat ik niemand nodig had en ik kon vooral iemand gebruiken die ik mijn nieuwe tv kon toevertrouwen, die ik liever niet in handen van de verhuizers zag. Bij mijn twee ontmoetingen met Nat had ik wel gemerkt hoeveel behoefte ik had aan mannelijk gezelschap. Ik heb altijd vrienden gehad voor bepaalde dingen: sport, schunnige grappen, film noir. Nu ik in de dertig ben, hebben ze bijna allemaal een vrouw of vaste vriendin en ik heb gemerkt dat het moeilijker wordt om vriendschappen met mannen te onderhouden. Vrouwen worden jaloers en de grenzen worden beter bewaakt. Dus waarom zou ik Nat niet accepteren als vriend, en meer niet? Bovendien had hij een huisgenoot met een suv die hij kon lenen.

Zaterdag 2 augustus stond Nat weer bij me voor de deur. Het was een verschrikkelijke dag om te verhuizen, bloedwarm. De zon scheen zo fel dat je je gejaagd ging voelen en het was stikbenauwd. Ik was de hele nacht bezig geweest met inpakken. Toen ik eenmaal was begonnen, ging ik maar door en toen ik alles naar de veranda had gedragen, bleek dat ik te veel dozen had om in één keer over te brengen.

Om twaalf uur reden we voor het eerst naar het nieuwe huis. De flat is op de vijfde verdieping van een oud gebouw aan de rivier, met veel historische details: sierlijsten langs het plafond en eiken en hardhout, ook de kozijnen, die nooit zijn geschilderd. Ik had hem overgenomen uit een faillissement en ik had me niet gerealiseerd dat de bank de elektriciteit had afgesloten. Er was geen airconditioning en we waren allebei drijfnat. Zijn mouwloze t-shirt was kletsnat en ik zag er nog erger uit, met mijn kapsel van zeventig dollar tegen mijn hoofd geplakt.

We besloten dat Nat terug zou gaan voor de resterende dozen terwijl ik inkopen ging doen voor de lunch. Het kostte me langer dan ik had verwacht om in m'n nieuwe buurt de weg te vinden en toen ik terugkwam was hij al boven, buiten op mijn achterbalkon. Naakt tot aan zijn middel stond hij zijn t-shirt uit te wringen en hij zag er zo godallemachtig mooi uit terwijl hij dat deed, mager maar gespierd, dat ik het in mijn hele onderlichaam voelde. Ik wendde me af voor hij me op staren zou betrappen.

'Honger?' Ik wees op de tas toen hij binnenkwam.

'Geen vliegtuigmaaltijd zoals laatst?'

Ik gaf hem een por. Er was geen tafel en terwijl ik probeerde te bedenken waar we konden gaan zitten, wees hij op een van de dozen die hij het laatst had binnengebracht. Die zat volgepakt met allerlei ingelijste foto's die ik al jaren bewaar omdat ze me te dierbaar zijn om weg te gooien en te gênant om op te hangen.

'Ik kon het niet laten om erin te kijken,' zei hij en pakte er een vergroting uit van een oud kiekje dat ooit, toen ik nog geen vijf was, was gemaakt van mijn moeder, mijn vader en mij. Het was Kerstmis en de sneeuw lag hoog tegen onze bungalow op gewaaid. Mijn vader droeg een vilten hoed en een overjas en zag er zwierig uit, met mij op zijn arm. Ik had een Schots pakje aan, compleet met baret, en mijn moeder lachte naar ons. En toch hing er iets ongemakkelijks tussen ons in, alsof we allemaal wisten dat de opgewekte pose maar pose was.

'Dat is een van de weinige foto's die ik van ons drieën heb,' zei ik tegen Nat. 'Eigenlijk omdat mijn tante hem verdonkeremaand heeft. Toen mijn vader ervandoor was, heeft mijn moeder alle familiefoto's onder handen genomen en hem overal uit geknipt. Letterlijk. Met een schaar. Wat ik nooit echt goed heb begrepen. Hij ging vreemd, maar uit allerlei kleine aanwijzingen die ik door de jaren heen heb gekregen, begrijp ik dat zij misschien ook niet stilzat. Het is raar.'

'Ik snap wat je bedoelt,' zei hij. 'Ik geloof dat mijn pa ook een verhouding heeft gehad toen ik nog klein was. Het had iets te maken met dat proces, maar weet je, hij wilde er nooit over praten en mijn moeder ook niet, dus ik weet er nog steeds het fijne niet van.'

We leken hier geen van beiden nog iets aan toe te voegen te hebben. Nat keek weer in de doos en haalde er een andere foto uit, mijn bruidsfoto.

'Wow!' zei hij. Ik zal het niet gauw erkennen, maar eerlijk gezegd zag ik er die dag zo geweldig uit dat ik die foto nooit heb willen weggooien.

'Die foto,' zei ik, 'is letterlijk het enige goeie wat ik aan dat huwelijk heb overgehouden. Iemand zoals ik, zou je denken, geen kinderen, niet veel geld, als je dan gaat scheiden is er nog geen man overboord. Maar het is wél zo. Met iemand trouwen is zo'n teken van hoop. En als die dan de grond in wordt geboord, ben je een hoop tijd kwijt voor je jezelf weer bij elkaar hebt geraapt.'

Toen hij de volgende foto pakte, viel hij bijna van zijn stoel.

'Ga weg,' zei hij. 'Is dat Storm?'

Op die foto draagt de beroemde rockster een leren jack met studs en heeft hij zijn armen om mij en mijn beste vriendin Dede Wirklich geslagen, we waren toen allebei veertien. Het was een prijs van een radiostation bij ons in de stad, twee concertkaartjes en een meet-and-greet met Storm backstage, en natuurlijk had ik Dede gekozen om mee te gaan. Toen ik haar in de tweede klas had ontdekt, was het alsof ik een verloren stuk van mezelf terugvond. Haar vader was er ook vandoor en kennelijk begrepen we elkaar op een manier waar praten niet voor nodig was.

Ze was nogal een dondersteen en werkte zich door de jaren heen regelmatig in de nesten. Ik deed heel vaak met haar streken mee – zoals die keer dat we de werkkamer van het hoofd van school waren binnengeslopen en er een lawaaierige krekel hadden verstopt die hij dagenlang niet kon vinden – maar de leraren gaven mij niet zo gauw de schuld omdat ik vaak de beste van de klas was. Toen we elf waren begonnen we samen te drinken, borrelglaasjes wodka en gin uit het barretje van haar moeder die we vervingen door water, tot allebei de flessen precies zo smaakten als kraanwater.

Op de highschool was Dede binnen de kortste keren van top tot teen gothic, tot en met de zwarte nagellak en de witte oogschaduw, en was het wel duidelijk dat het met haar nooit veel zou worden. Haar vriendjes waren allemaal van die eenlingen en losers, met tattoos van een motorclub en een sigaret die in hun mondhoek hing, en voor haar waren ze ook niet goed. In het examenjaar raakte ze zwanger van een van die types en kreeg ze Jessie.

Nat vroeg of ik haar nog wel eens zag en ik vertelde hem dat het tussen ons op een akelige manier geëindigd was.

'Ik ben zelfs bij haar ingetrokken toen mijn huwelijk misliep, maar dat was niet zo'n goed idee. Uiteindelijk was ik de enige die wat deed in huis, tot en met het klaarmaken van Jessies lunchtrommeltje. Dede had een wrok tegen mij want mijn leven stond er toen ook niet zo goed voor, maar het was wel duidelijk dat ik uit het dal zou klauteren en zij niet, en wat mij betreft, ik was het op een gegeven moment beu om haar geld te lenen dat ik nooit terugkreeg en om naar Jessies pijpen te dansen, die werd steeds zeurderiger en veeleisender. En op een bepaald moment kwam het er allemaal uit op een manier waar ik maar liever niet over praat.'

Nat keek weer naar de foto en veranderde van onderwerp door te vragen hoe Storm was.

'Wil je de waarheid weten?' vroeg ik. 'Ik was zo ongelooflijk zenuwachtig dat ik als die foto niet was gemaakt niet meer zou weten dat het was gebeurd.'

'Storm is goed,' zei Nat. 'Ik heb hem drie keer zien spelen. Dat was het enige wat ik deed toen ik op college zat: naar concerten gaan en blowen. Heel anders dan nu, want nu is het: naar m'n werk gaan en blowen.'

Het was gekscherend bedoeld, maar ik staarde hem aan.

'Nat, je gaat toch niet echt naar het hooggerechtshof met stuff in je zak?'

Hij keek schaapachtig en mompelde iets van dat het een zwaar jaar was.

'Nat, als je ooit gepakt wordt, ga je voor de bijl. Ze kunnen je niet laten lopen, daar is je vader veel te prominent voor. Dan word je geschorst van de balie en kom je op een highschool ook niet meer aan de bak.'

Mijn uitval bracht hem natuurlijk in verlegenheid en uiteindelijk zaten we in stilte op de grond te eten. Zo laag, met onze rug tegen het stucwerk, bleek de koelste plek in het appartement te zijn. Nat was nog in zijn eigen gedachten verzonken. Toen we waren gaan lunchen, had hij me verteld dat zijn vroegere vriendinnen hem allemaal beschreven als duister en afstandelijk. Ik begreep toen niet waar ze dat vandaan hadden, maar nu wel.

'Hé,' zei ik. 'We doen allemaal stomme dingen. Neem mij bijvoorbeeld. Ik ben wereldkampioen.'

Hij keek me een ogenblik recht aan. 'Nou, vertel me dan eens over die misgelopen relatie,' zei hij.

'O, Nat. Dat kan ik niet, denk ik.'

Zijn blik bleef nog een seconde hangen, toen haalde hij zijn schouders op en richtte zijn aandacht weer op zijn sandwich en zei niets meer. Ik zag hoe hij de verbinding ineens compleet kon verbreken, vooral als hij ontevreden was over zichzelf.

'Geen vragen,' zei ik. Ik had mijn ogen dichtgedaan terwijl ik overdacht hoe ik dit zou kunnen zeggen, toch merkte ik dat hij zijn aandacht weer op mij richtte. 'Vlak nadat ik was gestopt met werken voor je vader, leerde ik een veel oudere man kennen. Heel, heel geslaagd, heel prominent, iemand die ik al lang kende en bewonderde. Het was nogal heftig. Maar ook knettergek. Hij was getrouwd en hij zou zijn vrouw nooit in de steek laten.'

'Ray, toch? Ray Horgan. Daarom keek je me zo gek aan toen ik in je nieuwe appartement zijn naam noemde.'

Ik deed mijn ogen open en keek hem recht aan zonder met mijn ogen te knipperen. Dat kan ik als het moet.

'Oké,' zei hij. 'Geen vragen. Hoe zeg je dat in de rechtszaal? "Teruggetrokken." Sorry, sorry, sorry.'

Ik vertelde hem met weinig woorden de rest van het verhaal: een geweldige kerel die me steeds had gezegd dat het krankzinnig was en het uiteindelijk uitmaakte. Toen ik was uitgesproken, was vaag het gekwebbel op de tv bij de buren te horen.

'Dus nu weet je wat een overspelig loeder ik ben,' zei ik uiteindelijk.

'Kom kom,' antwoordde hij. 'Je zei het al, we doen allemaal stomme dingen.' Daarna nam hij rustig de tijd om me een lang verhaal te vertellen over de relatie die hij in zijn laatste jaar op de middelbare school had gehad met de moeder van een van zijn beste vrienden. Gezien de omstandigheden was het lief van hem om zoiets te delen.

'Je bent een goeie vent, Nat.'

'Ik doe m'n best,' antwoordde hij. Terwijl hij kalmpjes vertelde hoe hij bijna per ongeluk bij die vrouw in bed was beland, leunden we allebei achterover tegen de muur, met onze gezichten niet ver van elkaar. Zijn ogen waren vol op de mijne gericht en er kon geen twijfel bestaan over de betekenis van zijn blik. Ik kon alles voelen, mijn eenzaamheid en verlangen, en ik had op dat moment iets ongelooflijk, onbestaanbaar doms kunnen doen, net als eerder zo vaak. Maar je moet van het leven toch iets leren. Dus ik streek zijn natte haar nog verder in de war en kwam overeind.

Hij was zichtbaar van streek en een paar minuten later zei hij dat hij ervandoor moest, hoewel hij voor de vorm nog aanbood me naar huis te brengen, wat ik afsloeg. Toen ik uiteindelijk thuiskwam, e-mailde ik hem een overvloedig bedankje en beloofde hem uit te nodigen voor mijn eerste etentje daar.

Het duurde twee dagen voor hij antwoordde en ik wist dat ik de klos was toen er in mijn borst iets ontplofte zodra ik zijn naam in mijn inbox zag verschijnen en de onderwerpregel las.

VAN: NatchReally1@clearcast.net
AAN: Annac402@gmail.com
Verzonden: maandag 4 augustus 08 5.45 p.m.
Onderwerp: Mijn hart

Anna...

Sorry voor de radiostilte, maar ik was aan het denken. Veel. Altijd gevaarlijk.

Ik begrijp helemaal waar jij staat. Maar ik begin hier gevoelens te krijgen, zoals je waarschijnlijk hebt gemerkt. En daar moet ik een beetje mee oppassen. Ik kan heel aardig doorhobbelen en dan gebeurt er ineens iets dat me uit mijn evenwicht brengt, en zink ik. En ik kan diep zakken. Maar volgens mij hebben we wel iets bij elkaar geraakt, echt, echt geraakt en ik zit me af te vragen of ik je misschien zover kan krijgen om er nog eens over na te denken. Ik bedoel: als het met oudere mannen niet lukt, kan het ook betekenen dat je al die tijd eigenlijk een jongere man nodig had. En, ik bedoel, wat is eigenlijk het verschil, we zitten toch allebei praktisch op hetzelfde punt van de mandala? Nou ja, je begrijpt vast wel wat ik probeer te zeggen, want volgens mij voel je me goed aan.

Het klonk zo lief, ik ging bijna snotteren, maar het had geen zin. Toch stelde ik het tot de volgende avond laat uit voor ik hem terugschreef:

VAN: AnnaC402@gmail.com
AAN: NatchReally1@clearcast.net
Verzonden: dinsdag 5 augustus 08 8.38 p.m.
Onderwerp: Re: Mijn hart

Ik denk dat ik je aanvoel, Nat. En ik denk dat jij mij ook aanvoelt. En als niet was gebeurd wat er is gebeurd, hadden we gewoon lekker een tijdje met elkaar kunnen omgaan en zagen we wel wat ervan kwam. Maar het is nu eenmaal wel gebeurd, dus dat zou echt een heel slecht idee zijn, om al die redenen die ik je heb genoemd en nog een of twee meer waar ik liever niet op inga, zelfs tegen jou. Ik heb het er vanmiddag nog met Dennis over gehad, nadat ik je laatste mailtje kreeg. Ik ben echt niet zo iemand die zijn therapeut alles laat beslissen in zijn leven. En eerlijk gezegd is hij ook niet zo'n therapeut. Maar we zijn het er wel over eens dat het helemaal geen goed idee zou zijn. Ik kan niet telkens weer aan relaties beginnen die eindigen als de Titanic. Ik weet niet wat ik anders zou moeten zeggen, behalve dat het me zo zo zo spijt.

Ik wist niet eens of hij de moeite zou nemen nog te antwoorden, maar dat deed hij laat de volgende middag wel, zij het alleen om afscheid te nemen.

Anna...

Ik denk dat ik hier nu acuut mee moet stoppen. Niet meer langskomen of mailen of wat dan ook. Zoals het tussen ons klikt, kan het volgens mij eigenlijk maar één kant op. En ik loop hier werkelijk met een gebroken hart te kniezen. En dan ga ik naar huis en lees je e-mails nog eens. En dat is een gevaarlijke cyclus, op z'n minst.

Je hebt eigenlijk nog geen woord gezegd waardoor ik het echt kan begrijpen. Leeftijd? Voor mijn vader gewerkt? Je eigen liefdesverdriet? Dat zijn dingen, die zouden we in no time kunnen wegblazen. Maar dat ene woord dat ik wel begrijp is nee. Jij hebt je eigen redenen. Maar ik realiseer me dat ik mezelf alleen verder in de war breng als we hier zo mee doorgaan.

Ik vind je totaal geweldig.

Ik schreef niet terug. Ik had niets meer te zeggen. Maar die avond mailde hij opnieuw.

Anna...

Ik heb je laatste boodschap net nog eens gelezen en eindelijk snap ik het. Ik ben wel stoned, dus dit slaat morgenochtend vast nergens meer op. Maar nu moet ik je eerst iets over mijn vader vragen dat zo absurd en soap is dat je wel zult denken dat ik totaal geflipt ben.

Ik moest eraan denken dat je het raar vond om met me om te gaan vanwege mijn vader. En dat je zo stil werd toen je hoorde dat hij misschien vreemdging. En dan dat verhaal over je moeder die ook niet stilzat. Dus hier komt de vraag.

Ben je mijn zus? Of halfzus? Ik weet dat dit alleen ergens op slaat omdat ik zo stoned ben als een garnaal. Maar dan nog. Dus als je nog 1 e-mail zou willen beantwoorden, bedankt!

van: AnnaC402@gmail.com
aan: NatchReally1@clearcast.net
verzonden: donderdag 7 augustus 08 00.38 a.m.
Onderwerp: Re: Mijn hart

O, Nat. Ik moet lachen, maar ook een beetje huilen. Ik zou nog het liefste ja zeggen, want dan hoefde je niet meer te piekeren. En ik vond je vraag briljant, noemen ze dat niet lateraal denken? Maar het antwoord is nee. Nee.

Je hebt gelijk. We moet niet zo doorgaan. Ik vind jou meer dan geweldig. Ik vind jou perfect. Maar ik zal je zeggen wat ik tegen mezelf zeg. Als wij elkaar zo konden raken, kan dat met iemand anders ook. Ik ben te vaak op zoek geweest naar een brok energie, naar iemand die ik zelf zou willen zijn, in plaats van naar een vent die me zo op mijn gemak stelt dat ik zelf die iemand durf te zijn. Dus je hebt me iets prachtigs gegeven en daar kan ik je nooit genoeg voor danken.

Je liefhebbende vriendin Anna

14

Tommy, 29 oktober 2008

'Jij hebt iets voor me,' zei Tommy tegen Brand, die voor het gerechtsgebouw van de Central Branch op hem stond te wachten. Jim zat midden in een rechtszaak en was gekleed in een modieus scheerwollen kostuum met een fijn ruitje, een beter pak dan de gemiddelde officier van justitie zich kon veroorloven. Molto zei wel eens tegen Brand dat hij stiekem van Italiaanse afkomst moest zijn. De zaak die diende was een drievoudige moord en een van de slachtoffers was de nicht van de filmster Wanda Pike. En Wanda zelf, beeldschoon en in de rouw, kwam elke dag met haar gevolg naar de rechtszaal. Brand had dat zien aankomen en besloten de zaak zelf te doen en niet over te laten aan een van zijn jongere collega's van de divisie moordzaken. Jimmy had zich er nooit voor geschaamd dat hij zichzelf graag op tv zag. De zaak was geschorst voor de lunch en Brand was naar buiten gekomen om de baas te ontmoeten. Hij zou het nog koud krijgen. Het was een frisse dag, met een gure wind en rafelige, lelijke wolken.

'Hoe weet je dat?' vroeg Brand.

'Hoe weet ik wat?'

'Hoe weet je dat ik iets voor je heb?'

'Omdat je mij niet helemaal hierheen zou laten komen, of midden in een rechtszaak de tijd zou nemen voor een lunchafspraak, als je niks voor me had.'

'Misschien vond ik wel dat je beweging nodig had. Of misschien zie ik je graag over straat paraderen als een sierduif.' Brand stak zijn buik zelfs uit en deed een paar passen om Tommy na te doen. Jimmy was veel te vrolijk. Dit werd wat. Tommy gebaarde hem naar binnen te gaan, maar ze moesten wachten op Rory Gissling, die even later aankwam, ingepakt in een zware jas en een felgekleurde sjaal. Onder haar arm een beige dienstenvelop.

Ze gingen de rechtbank binnen en namen de trap naar boven op zoek naar een plek om te praten. De rechtszaal van rechter Wallach stond open en ze gingen dicht op elkaar op de hoek van een van de pluchen banken zitten, Rory tussen de twee aanklagers in.

'Laat maar zien,' zei Brand tegen haar.

'We hebben alle recepten en herhaalrecepten van Barbara's apotheek opgeëist, en alle administratieve mutaties van de laatste maand vóór haar dood,' zei Rory. Ze pakte een stapeltje papieren uit de envelop.

'Laat hem het recept voor de fenelzine zien,' zei Brand.

Rory bladerde het stapeltje door en overhandigde de hoofdaanklager toen een kopie van het bonnetje van de creditcardtransactie waarmee voor de fenelzine was betaald; het was gedateerd op 25 september, vorige maand, en droeg onmiskenbaar Rusty's handtekening. Brand zat te grijnzen als een jochie met Kerstmis.

'Mag ik even?' zei Tommy en pakte de rest van het stapeltje van Rory. Hij bladerde het door. 'Rusty haalde altijd de recepten af,' zei hij. 'Zo te zien.'

'Tachtig, negentig procent,' antwoordde Rory.

'En?' vroeg Tommy.

'Híj heeft dus die fenelzine gehaald,' zei Brand.

'En?' vroeg Tommy weer.

'Laat hem die zien van de dag voor ze stierf,' zei Brand.

Rory pakte een paar velletjes van het stapeltje in Tommy's hand. Rusty had op 28 september het creditcardbonnetje getekend om te betalen voor Barbara's herhaalrecept slaappillen.

'Ik dacht dat we op zoek waren naar een overdosis fenelzine,' zei Molto.

'Kijk naar de kopie van de kassabon,' zei Brand. 'Het laatste blaadje daar. Je moet kijken naar wat hij verder nog heeft gekocht.'

Tommy had even nodig om de afkortingen te ontcijferen, maar zo te zien stonden er op het bonnetje een fles rioja, een pot zure haring, salami *genovese*, oude cheddarkaas en een pak yoghurt. Het duurde nog even voordat het kwartje viel.

'Dat spul reageert allemaal met dat medicijn, zeker?' vroeg hij. 'Zit allemaal tiramisu in, of hoe heet het?'

'Tyramine. Allemaal.' Brand knikte enthousiast. 'Hij heeft letterlijk alles gekocht wat je er niet bij mag eten. Kan al bij een normale dosis fenelzine levensgevaarlijk zijn. En bij een vierdubbele dosis is het sowieso einde verhaal. Ik zou zeggen dat de rechter inkopen aan het doen was voor een Laatste Avondmaal nieuwe stijl.'

Tommy keek nog eens op het bonnetje. De transactie was getimed op 17.32 uur.

'Een borrel,' zei hij.

'Wat?' Brand keek met hem mee. 'Waar zie je dat aan?'

'Hij gaat tegen etenstijd naar de winkel. Hij koopt een fles wijn en borrelhapjes. Dus ze gaan borrelen voor het eten.'

'En die yoghurt?' vroeg Brand.

'Voor de dipsaus,' zei Tommy.

'Dipsaus?' vroeg Brand.

'Ja, als je gezond wil leven neem je yoghurt in plaats van mayonaise. En over dips gesproken,' zei Tommy tegen Brand, 'dat soort dingen zou je toch eigenlijk moeten weten, met je pa en zo. Ooit van cholesterol gehoord?' Tommy spelde het woord voor hem en Brand maakte een wegwerpgebaar. Rory voegde nog wat wijze woorden toe over haar vader, die pas een bypass had gehad. Brand negeerde haar en begon weer over de zaak.

'We hebben hem toch, of niet?' vroeg hij. 'Is toch precies wat we nodig hebben?'

Tommy voelde de verantwoordelijkheid drukken nu zijn rechterhand en de rechercheur hem afwachtend aankeken. Brand was er al die tijd al van overtuigd, maar dat was het punt niet. Uiteindelijk was Tommy in deze zaak degene die het voor het zeggen had. Alle risico's waren voor zijn rekening en hij was degene die zeker van zijn zaak moest zijn. En als hij alles optelde, was hij dat nog altijd niet. Dat boodschappenlijstje van Rusty zag er vrij vernietigend uit, maar ze probeerden nog steeds een heel punt te maken van wat een advocaat alleen indirecte aanwijzingen zou noemen.

'We komen dichterbij,' zei Tommy zacht.

'Maar baas!' protesteerde Brand. Hij begon alle aanwijzingen op zijn vingers af te tellen en Tommy moest hem waarschuwen dat hij niet te hard moest praten. Er zou eens een journalist langs de rechtszaal lopen en horen wat hij allemaal zei, dat was wel het laatste waar ze op zaten te wachten.

'Jimmy, jullie tweeën hebben geweldig werk verricht. Maar het is allemaal indirect. Ik hoef je niet te vertellen hoe zo iemand als Sandy Stern daar gehakt van zou maken. "Bent u nooit voor iemand anders naar de winkel gegaan om boodschappen te doen of medicijnen te halen, dames en heren?"' Tommy's imitatie van Sterns lichte accent was beter dan hij had verwacht. 'Je hebt gezien hoe Stern een jury om zijn vinger kan winden. En dan hebben we het grootste probleem nog niet gehad. Onze eigen deskundige zal in de getuigenbank gaan zitten en onder kruisverhoor toegeven dat er wel zestien andere doodsoorzaken dan moord zijn die ze absoluut niet kan uitsluiten. Het is te licht. De zaak is te licht. We hebben iets anders nodig.'

'En waar de fuck vind ik iets anders?' wilde Brand weten. Dat was het punt, natuurlijk. 'En wat doen we met het DNA?' vroeg hij even later.

Daar had Tommy de afgelopen tijd veel over nagedacht, als hij midden in de nacht opzat met Tomaso, en hij was tot de conclusie gekomen dat het DNA niet de oplossing was. Maar hij wilde er niet op ingaan waar Rory bij was, dus hij zei alleen wat hij al weken zei: 'Nog niet.'

Brand keek op zijn horloge. Hij moest terug naar zijn moordzaak. Hij stond op en liep achteruit richting de deur.

'Ik geef het niet op, baas.'

Tommy lachte hardop. 'Daar was ik ook helemaal niet bang voor.'

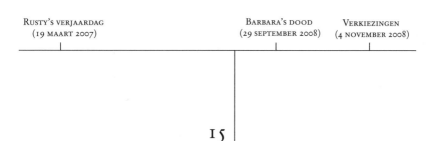

15

Anna, 2 september 2008

Nadat mijn huwelijk voorbij was en ik bij Dede was ingetrokken, bleef dezelfde vraag door mijn hoofd spoken. Dan lag ik me 's ochtends in bed een uur lang af te vragen: heb ik ooit echt van Paul gehouden? Ik dacht van wel, maar nu had ik mijn twijfels. Maar hoe kon ik, of wie dan ook, ooit zo'n fundamentele vergissing begaan? Hoe zou ik het dan ooit weten als het wél echt zo was?

Man na man, relatie na relatie, heb ik me over die vragen het hoofd gebroken en bleef ik achter met het gevoel dat er iets was wat ik niet kon vatten. Ik ben door sommige mannen gefascineerd geraakt en in andere gevallen – het meest bij Rusty – werd dat een ware obsessie, alsof ik verteerd werd door een onstilbare honger. Maar als iets zo beladen was, kon het dan volwassen, blijvende liefde zijn? Had het daartoe kunnen leiden? Ik heb uitgekeken naar De Dag Dat Ik Weet Dat Ik Werkelijk De Ware Heb Ontmoet zoals sommige mensen uitkijken naar de Wederkomst des Heren.

De eerste weken van augustus was ik somber en aanvankelijk deinsde ik terug voor het idee dat het iets met Nat te maken kon hebben. Uiteindelijk kon ik er niet omheen dat ik hem miste of, eerlijker gezegd, de kans die ik in hem had gezien, een uitzicht op iets anders, iets wat zowel nieuw als goed aanvoelde. Dit besef trof me harder dan ik had kunnen voorzien. Het maakte veel los wat met Rusty te maken had, vooral kwaadheid, en dat verraste me. 's Avonds laat waren er momenten dat ik mijn eigen gedachten niet meer kon volgen. Welk taboe schond ik, wiens gevoelens probeerde ik te sparen? Als de vader me niet wilde, waarom kon ik dan niet bij de zoon zijn? Zou dat niet betekenen dat alles voor iedereen goed uitpakte?

Als ik dat alles dan 's ochtends opnieuw overdacht, was het alsof alle terreinwinst die ik de afgelopen vijftien maanden had geboekt weer in één klap teniet werd gedaan. Maar ik dacht dat het minder werd. Ik dacht dat ik deze teleurstelling naast een heel stel eerdere in een laatje had opgeborgen. En toen was ik vanmorgen in het hooggerechtshof om Miles Kritzler te assisteren bij een futiele aanvraag van een bevelschrift voor een belangrijke klant. Hij had recht op een mondelinge behandeling, maar de rechters vonden duidelijk dat hij hun tijd zat te verspillen en trokken daarboven alle zeven een gezicht van: 'Hoepel alsjeblieft een eind op.' Zijn rode lampje kon elk moment aangaan, en net op dat moment kwam er iemand naar rechter Guinari geslopen om hem een instructie te bezorgen en toen ik zijn kant uit keek, stond Nat me al aan te kijken, zo mager en opgejaagd en onmogelijk mooi, met die zeeblauwe ogen en zo'n verbijsterend smekende blik. Ik was bang dat de arme jongen zou gaan huilen en dat ik dat dan ook zou gaan doen.

Toen ik op kantoor terugkwam, stond er een boodschap van hem op mijn voicemail:

'Als ik om een uur of zes van mijn werk wegga, kom ik rechtstreeks naar je huis. Ik bel aan en als je niet thuis bent, ga ik op het stoepje voor je deur zitten wachten tot je thuiskomt. Dus als je jezelf weer in de greep hebt en me nog altijd niet wil zien, kun je maar beter bij een vriendin gaan slapen, want ik blijf daar de hele nacht zitten. Je zult me deze keer recht in m'n gezicht nee moeten zeggen. En tenzij ik je een stuk minder goed begrijp dan ik denk, zie ik dat nog niet gebeuren.'

Toen wist ik dat ondanks alle aarzeling en twijfel, ondanks al die keren dat ik tegen mezelf had gezegd: 'Nee, het is krankzinnig,' ondanks alle alarmbellen en veel te grote risico's, ondanks al die dingen, mijn hart een eigen plan had en dat ik dat zou moeten volgen. Ik zou alles geven voor de liefde, zoals al die liedjes gaan. Dat was een grotere, diepere waarheid dan al die bezweringen en wijze lessen die ik me zo fanatiek eigen probeerde te maken. En dat heb ik altijd geweten.

De laatste paar maanden dat ik bij Dede woonde, ging ik uit met een politieman die Lance Corley heette en die ik kende van de avondcursus economie die ik deed om mijn collegeopleiding af te maken. Hij was een lieve man, groot en knap, en als hij langskwam, besteedde hij altijd veel aandacht aan Jessie. Hij had zelf een dochter die hij niet vaak zag. Ik kon wel zien dat Dede bijna vanaf het begin een oogje op hem had en dat werd in de loop van de tijd alleen maar erger. Ze was zo doorzichtig als glas. Ze vroeg me elke dag wel een paar keer wanneer ik dacht dat hij weer langs zou komen. Uiteindelijk besloot Lance te proberen het weer goed te maken met zijn ex, grotendeels omdat hij zich door Jessie was gaan realiseren hoe wanhopig hij zijn eigen dochter miste.

Toen ik dat Dede uitlegde, was ze ervan overtuigd dat het gelogen was, dat ik Lance niet meer naar het appartement liet komen omdat ik bang was dat hij voor haar zou vallen. Uiteindelijk liep het zo hoog op dat ik Lance heb gevraagd om haar te bellen om het uit te leggen, maar dat had ik beter niet kunnen doen. Ze werd alleen maar nog kwader op me omdat ik haar had vernederd door Lance te laten weten dat ze gek op hem was.

Mijn laatste ochtend bij haar werd ik om een uur of zes wakker en stond Dede over mijn bed gebogen met een keukenschaar tussen haar handen, met de punt op mij gericht. Ik kon wel zien dat ze helemaal van de wereld was, ze schudde alsof er een motor in haar borst zat, ze had een vlekkerig gezicht en een loopneus, terwijl ze daar stond te huilen en te twijfelen of ze me dood zou steken. Ik sprong op en begon tegen haar te gillen. Ik gaf haar een paar klappen en schold haar uit en pakte de schaar van haar af, waarna ze in een hoekje van de kamer in elkaar zonk zodat een toevallige voorbijganger haar gemakkelijk voor een berg vuil wasgoed had kunnen aanzien.

Nu luisterde ik de boodschap van Nat een keer of zes, zeven af en pakte toen de telefoon om Rusty te bellen. Ik zei dat ik hem moest spreken, al kon ik me geen voorstelling maken van wat ik hem zou zeggen. Maar als mensen verliefd worden, gebeuren er nou eenmaal gekke dingen. Een vriendin van mij ging scheiden en trouwde toen met de broer van haar ex. En ik weet van een advocaat in Manhattan, een van de senior partners van zijn kantoor, die op zijn vijftigste verliefd werd op een jongen die in de postkamer werkte en zich liet ombouwen om die jongen te kunnen krijgen, iets wat ook werkelijk een tijdje heeft gewerkt. Liefde is onaantastbaar. Ze heeft haar eigen kwantummechanica, haar eigen regels. Als er liefde in het spel is, blijft er maar beperkte ruimte over voor fatsoen, of zelfs maar verstand. Als je maar gek genoeg op iemand bent, weet je dat je niet anders kunt en probeer je die ander te krijgen.

Toen ik die dag bij Dede mijn spullen pakte, huilde ze maar door en zei: 'Ik had het niet echt gedaan, ik had het niet echt gedaan. Ik deed alsof of zo, maar ik zou het nooit echt gedaan hebben.'

Ze zei het wel duizend keer, tot ik er uiteindelijk schoon genoeg van had. Ik ritste mijn laatste tas dicht en slingerde die over m'n schouder. 'En dat is nou precies wat er met jou mis is,' antwoordde ik.

En dat waren de laatste woorden die ik ooit tegen haar heb gezegd.

RUSTY'S VERJAARDAG
(19 MAART 2007)

BARBARA'S DOOD
(29 SEPTEMBER 2008)

VERKIEZINGEN
(4 NOVEMBER 2008)

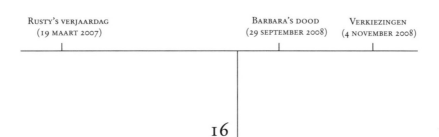

16

Rusty, 2 september 2008

Als ik bij het Dulcimer aankom is Anna er al. Ze is nerveus en zit te spelen met een longdrinkglas vol bubbels, maar ze is mooi. Het leven in de vrije advocatuur heeft haar een snellere look gegeven, een beter kapsel en betere kleren. Ik ga naast haar zitten op een bankje met kwastjes.

'Kort haar?'

'Hoef ik minder aan te doen. Hou ik meer tijd over voor m'n werk.' Ze lacht. 'Bekentenissen van een duurbetaalde slavin.'

'Het staat je goed.'

Ze valt even stil na mijn complimentje, dan mompelt ze: 'Bedankt.'

'Wat drink jij?' vraag ik.

'Water met prik. Ik moet nog iets afmaken op het werk.'

De moed zinkt me in de schoenen: ze gaat terug naar haar werk. Ik zeg niets. Ze verschuift haar handtasje naar de open plek tussen ons in.

'Rusty, ik weet niet hoe ik dit moet zeggen. Dus ik zal maar gewoon beginnen. Ik wil wel proberen het je uit te leggen. Maar het punt waar het om gaat is dat ik iets met Nat heb. Of, liever gezegd: ik heb nog niks met Nat, maar dat gaat gebeuren. Ik zie hem later vandaag. Ik weet niet waar het toe zal leiden, maar het is al vrij serieus. Het is al heel serieus.'

'Mijn Nat?' flap ik er zowaar uit. Een ogenblik voel ik helemaal niets in mezelf. En wat er dan opbruist is razernij. Een razende storm vanuit mijn hart. 'Dat is krankzinnig.'

Anna kijkt me aan en in haar groene ogen wellen tranen op.

'Rusty, ik kan je niet beschrijven hoe bezeten ik geprobeerd heb om het te voorkomen.'

'Jezus, schei uit, zeg. Wat probeer je me wijs te maken? Het lot? Het moest zo zijn? Je bent een volwassen individu. Je maakt keuzes.'

'Rusty, ik denk dat ik verliefd op hem ben. En dat hij verliefd is op mij.'

'O, mijn god!'

Nu komen de tranen; ze legt het koele glas tegen haar wang.

'Luister, ik snap best dat je wraak op me wil nemen. Ik weet dat ik je heb teleurgesteld. Ik weet dat alles geoorloofd is in liefde en in oorlog. Ik heb al die lulkoek over de liefde gehoord. Maar dit kán gewoon niet. En je moet ermee stoppen.'

'O, Rusty,' zegt ze snikkend. 'Ik deed het zo goed. Ik heb zo opgepast. Ik wou dat je dat van me aannam. Ik heb zo hard geprobeerd om te voorkomen dat het zover kwam.'

Ik wil nadenken. Maar dit is van een omvang, die kan ik me niet eens voorstellen. En ik voel mijn armen en handen trillen van razernij.

'Weet hij het? Van ons?'

'Natuurlijk niet. En dat komt hij ook nooit te weten. Nooit. Luister, ik weet dat het krankzinnig is en moeilijk, maar weet je, ik moet het proberen, ik moet het echt proberen. Ik weet niet of ik het aankan of dat jij het aankunt, maar ik moet het proberen, ik weet dat ik het moet proberen.'

Ik veer terug achterover. Ik merk dat ik nog altijd moeilijk op adem kan komen.

'Weet je hoe vaak ik naar je heb verlangd en daarmee ben opgehouden?' vraag ik haar. 'Mezelf heb gedwóngen ermee op te houden? En nu, wat nu? Moet ik toekijken terwijl jij in mijn huis rond paradeert? Dit is ziek. Hoe kun je me zoiets aandoen? Of hem? Jezus christus.'

'Rusty, jij wil me niet.'

'Zeg me niet wat ik wil.' Ik ben nog steeds kwaad genoeg om naar haar uit te halen. 'Ik zie wel wat hier achter zit, Anna, kom bij mij niet met eerlijkheid aan. Je draait me de duimschroeven aan, op de smerigst denkbare manier. Dus wat voor keuze heb ik? Weg bij Barbara, en wel direct. Is dat het? Weg bij Barbara of jij sloopt mijn huis, letterlijk?'

'Rusty, nee. Het gaat niet om jou. Het gaat om hem. Dat is het hele punt dat ik je duidelijk probeer te maken. Het gaat om hem. Luister dan –' Dan stopt ze. 'Rusty, zoiets heb ik nooit voor –' ze aarzelt – 'voor iemand gevoeld. Ik bedoel, misschien ben ik een geval voor een of ander psychiatrisch vakblad. Want ik weet niet of het zou zijn gebeurd als wij niet... als dat niet gebeurd was. Maar het is iets anders, Rusty. Echt waar. Laat ons gaan, Rusty, alsjeblieft.'

'Donder toch op. Je bent gek, Anna. Je weet niet wat je wilt. Of wie je wilt. Psychiatrisch vakblad, ja, klopt.'

Ik gooi een handvol geld op tafel en hoor haar gedempt snikken terwijl ik het hotel uit stamp en woedend de straat in begin te benen. Ik kook, op een oeroude, primitieve manier. Ik passeer kruising na kruising. Dan blijf ik plotseling staan.

Want één ding is duidelijk. Hoe kwaad ik ook ben, ik moet iets doen. Dat moet. Er is geen voor de hand liggende weg. Het wordt nadenken en nadenken en het zal nooit kloppen. Maar ik moet iets doen. En dat lijkt net zo'n mysterie als God.

Wat moet ik doen?

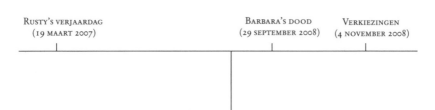

17

Nat, 2 september 2008

Zoals ik het zie, rijden we allemaal zo'n beetje dezelfde kant uit, als mensen op een snelweg. Iedereen zit in zijn eigen ruimte en is op weg naar zijn eigen bestemming, luistert naar zijn favoriete muziek of radiostation of telefoneert, en probeert verder de anderen niet in de weg te zitten. En dan komt er van tijd tot tijd een moment dat je bereid bent om stil te staan en een passagier te verwelkomen. En wie weet waarom?

Ik weet nog steeds niet goed wanneer ik zo dol op Anna werd. Ik vond haar al leuk toen ik haar ontmoette nadat ze voor mijn vader was gaan werken, maar toen had ik Kat, en toen we uit elkaar waren ging mijn moeder helemáál in de weg zitten door me een paar keer te vragen of Anna eigenlijk wel te oud voor me was, wat zo'n beetje werkte als een koude douche. En toen was ik van de zomer een keer op m'n werk en zag ik Anna's naam in een e-mail over haar appartement en dacht ik: daar ga ik maar eens kijken. En toen ik bij haar op het balkon zat, kon ik bijna niet geloven hoe volkomen supercool ze was, intelligent en mooi en grappig en van deze wereld. Niet dat het wederzijds was, eerst. Ik moest m'n nek heel ver uitsteken. En zij zei nee. Lief en aardig en alles. Maar nee.

En dan is het een maand later. Ik ben aan het werk en ik ben er nog steeds kapot van dat het met Anna niet gelukt is. Niet zo kapot als in het begin, want zo kapot als ik de eerste twee weken was kon ik gewoon niet blijven. Als de dingen misgaan, kom ik in zo'n bui dat ik de resetknop niet meer kan vinden. Dan ga ik neer en blijf ik neer. Ik spoel terug. Ik druk op play. En ik huil. Totaal niks voor een jongen. Sta ik vier keer per dag op van mijn bureau op de rechtbank om op de plee een potje te gaan zitten huilen. Dan zet ik mezelf op rantsoen. 's Ochtends één keer huilen en 's middags een keer. Dan één keer op het werk. En een keer thuis. Op de een of andere manier was het erger dan toen het misging met Paloma en Kat. En ik wist ook wel dat ik die hele toestand alleen maar had opgeblazen tot de perfecte relatie omdat het er niet van was gekomen. Het is een platonisch ideaal. Ik ben totaal verliefd, ook al weet ik dat het meer is op het idee van liefde dan op iets anders. Maar misschien ís dat ook erger. Echt of niet. Hoop is iets verbazends. Hoop is misschien wel het meest essentiële in het leven. Met hoop kun je doorgaan. En zonder lig je plat.

En in die stemming loop ik vandaag ook de gehoorzaal van het hooggerechtshof binnen om een instructie af te geven die de griffier van de zaak, Max Handley, vergeten is mee te nemen naar de rechtszaal. En daar zit ze. De afgelopen maand heb ik een paar keer per dag gedacht dat ik haar op straat zag, maar ik hoef maar met mijn ogen te knipperen en ik weet: nee, helaas, nee. Maar nu, zelfs van achteren, zelfs hoewel haar haar anders zit, hoewel haar gezicht niet te zien is, weet ik dat het Anna is. Ze zit aan de tafel van de appellant aantekeningen te maken, zo snel als ze kan, terwijl een van de oudere partners van haar kantoor een mondeling betoog houdt dat de rechters kennelijk allemaal koud laat. Die zijn zaak gaat door de plee, misschien al voordat de zitting voorbij is. Als ik haar zie, blijf ik zo abrupt staan dat een heel stel van die rechters, die wel een verzetje kunnen gebruiken, me aanstaren. Ik sta wel zo voor lul!

Dus sluip ik naar rechter Guinari en geef hem het stuk. Dan probeer ik te bedenken hoe ik weer buiten kom zonder die idiote act nog eens te doen. Ogen vooruit, schouders recht. Maar ik ben natuurlijk veel te ver heen en uitgehongerd naar haar om niet toch even te gluren. En dan, als ik omkijk, zie ik, goddank – ik dank God, er is een God, dat heb ik altijd geloofd –, zie ik dat haar ogen op mij gericht zijn. De partner staat nog te oreren. Maar Anna is opgehouden met schrijven. Ze doet niets anders dan naar mij kijken. Ze knippert niet met haar ogen. Ze kan niet wegkijken. En ik weet alles, dat zit in die blik. Ze is net zo ziek geweest als ik. En ze geeft het op. Wat het ook was waarom ze nee zei, ze kan het niet meer zeggen. Ze geeft het op. Ze geeft toe. Aan de liefde. Het is Hollywood! Hollywood, jaren veertig! De teerling. Het lot. Dharma.

Ik struikel de rechtszaal uit en ga terug naar mijn bureau om te bellen. Ik laat een voicemail achter dat ik na het werk rechtstreeks naar haar flat toe kom en dat ik daar de hele nacht blijf zitten als het moet, tot ze me recht in mijn gezicht zegt wat ze wil.

En dat doe ik ook.

Als ze thuiskomt, zit ik op het stoepje van één tree voor haar oude portiekflat. Ik zou er werkelijk de hele nacht zijn blijven zitten, maar het werd uiteindelijk maar een kwartiertje. En ze komt naast me zitten, ze legt haar arm op de mijne, ze legt haar hoofd op mijn schouder en we huilen, we huilen allebei, en dan gaan we naar binnen. Zo simpel is het gewoon. Neem het maar aan van iemand die met filosofie als bijvak is afgestudeerd. Dit is waar ieder mens naar verlangt: het gelukkigste moment van mijn leven.

18

Tommy, 31 oktober 2008

McGrath Hall was al vanaf 1921 het hoofdbureau van politie. De grote bult van rode zandsteen zou kunnen doorgaan voor een middeleeuwse burcht, met ronde bogen boven de massief eikenhouten deuren en kantelen met schietgaten op het dak.

Brand, die nog altijd met zijn moordzaak bezig was, had vanuit de rechtszaal een boodschap naar de overkant gestuurd met de vraag aan Tommy om hem om halfeen voor het gerechtsgebouw te ontmoeten en de Mercedes was bij de stoeprand opgetrokken en weer zo snel weggereden dat het een ontvoering had kunnen lijken. Brand zigzagde door de lunchdrukte alsof hij een bankoverval had gepleegd. Tommy werd onderweg gebeld door de FBI en Brand en hij waren de hefboom al voorbij en stonden al achter het bureau geparkeerd voordat hij ongestoord zijn hoogste medewerker kon spreken.

'En, wat doen we hier?' vroeg hij.

'Ik weet het niet,' zei Brand. 'Niet zeker. Maar die dag dat Rusty meldde dat Barbara dood was hebben de politiemensen uit Nearing alle medicijnpotjes uit Barbara's medicijnkastje gehaald en in een plastic zak gegooid, in plaats van ter plekke een inventarisatie op te maken. Dus toen heb ik Rory woensdag elk potje hierheen laten overbrengen om te zien of Dickerman er iets uit kon opmaken.'

'Oké. Goed idee,' zei Tommy.

'Rory's idee, eigenlijk.'

'Blijft een goed idee. En wat had Dickerman te zeggen?'

'Heb je ook een makkelijke vraag? Mo heeft een boodschap ingesproken dat hij interessante resultaten had. Als het niks voorstelde had hij nooit "interessant" gezegd, maar ik kon hem niet terugbellen omdat ik de hele dag bij de rechtbank zat. Maar ik wou ook niet dat hij het op papier zou zetten. Dat zou hier in ongeveer dertig seconden uitlekken.'

'Ook een goed idee,' zei Molto.

Brand legde uit dat Mo een week eerder een nieuwe knie had gekregen en niet goed naar buiten kon en dat zij daarom maar naar de Hall waren gekomen. Jim had gedacht dat Tommy er het beste bij kon zijn, zodat hij zijn eigen vragen kon stellen. Ook geen slecht idee.

Ze kwamen in het souterrain een van Mo's assistentes tegen, die een branddeur openhield. Ze droeg een heksenhoed van crêpe en een zwarte vogelverschrikkerpruik. 'Een snoepje of ik bijt,' zei ze.

'Kijk maar uit,' zei Brand. 'Je hebt zo een dagvaarding in je bus liggen.'

Gedrieën volgden ze de donkere gangen Mo Dickermans domein in. Mo Dickerman, alias Fingerprint God, was met zijn tweeënzeventig jaar de oudste medewerker van de Kindle County Unified Police Force en zonder twijfel de meest gerespecteerde. Hij was dé expert op het gebied van vingerafdrukken in het Middenwesten, auteur van standaardteksten over diverse technieken en graag geziene gastdocent op politiescholen over de hele wereld. Nu de forensische wetenschap een hype was op tv, kon je op een avond nauwelijks wat rondzappen zonder Mo op een of ander misdaadprogramma het zware zwarte montuur van zijn bril langs zijn neus omhoog te zien duwen. In een korps dat net als de meeste stedelijke politieorganisaties altijd omgeven was door controverses en niet zelden schandalen, was Mo waarschijnlijk het enige boegbeeld van onbetwiste integriteit.

Niettemin was hij ook vaak onuitstaanbaar. De bijnaam Fingerprint God was niet alleen een blijk van bewondering. Mo beschouwde zijn opinies als het Laatste Woord en tolereerde niet de geringste tegenspraak. Als je de fout maakte hem in de rede te vallen, liet hij je rustig uitpraten en begon dan weer van voren af aan. Als getuige kon hij erg lastig zijn als hij weigerde in te stemmen met schijnbaar vanzelfsprekende conclusies. En bij de korpsleiding was hij allesbehalve populair vanwege de manier waarop hij zijn publieke reputatie uitbuitte. Zo kon hij dreigen om ontslag te nemen als zijn lab in het souterrain van McGrath Hall niet per direct van de laatste innovaties werd voorzien, terwijl het geld dat daarvoor nodig was misschien beter kon worden besteed aan kogelvrije vesten of overuren.

Mo kwam hun strompelend op zijn stokken tegemoet.

'Klaar voor de twistwedstrijd?' vroeg Brand.

Mo, een hoekige New Yorker wiens borstelkop nu pas een enkele grijze haar begon te vertonen, boog zijn ellebogen een stukje en wiegde een paar centimeter heen en weer. Brand bedankt hem serieus voor zijn snelle reactie op hun verzoek en Dickerman hinkte voor hen uit zijn lab binnen, een slecht verlicht labyrint van overvolle werkkamertjes en opgestapelde dozen, met daartussen een paar vrije plekken voor Mo's kostbare machines.

Hij bleef staan voor zijn op dat moment favoriete dactyloscopische apparaat, waarmee vingerafdrukken konden worden genomen via de zogenaamde vacuümmetaalafzettingsmethode. De heren van hogerop hadden de aanschaf ervan jaren weten tegen te houden omdat ze vreesden dat ze de districtsraad of het publiek zouden moeten uitleggen waar ze een apparaat voor nodig hadden dat latente vingerafdrukken letterlijk in goud veranderde.

Toen Tommy nog in de lijn zat als aanklager waren vingerafdrukken niets anders dan zweetpatroontjes die je zichtbaar kon maken met ninhydrine of een ander poeder. Als de afdruk was opgedroogd, kon je er meestal niets meer mee. Als je tegenwoordig een latente vingerafdruk ontwikkelde, kon je er met een beetje geluk zelfs nog DNA uit halen.

Mo's VMA-machine was een vlakke stalen kast van zo'n negentig bij zestig centimeter. Alles wat erin zat kostte een fortuin: molybdeen verdampingsschaaltjes, een gecombineerde diffusie- en rotatiepomp die de ruimte in minder dan twee minuten vacuüm trok, een kortcyclische cryokoeling om het proces te bespoedigen door vocht te onttrekken, en een computer voor de besturing.

Een voorwerp werd in de VMA gezet, dan werd een paar milligram goud in de verdampingsschaaltjes gegoten. Dan creëerden de pompen een vacuüm en werd een sterke stroomstoot door de schaaltjes gejaagd, zodat het goud verdampte. Dat goud werd opgenomen door het residu van de vingerafdruk. Dan werd zink verdampt, dat zich om scheikundige redenen alleen hechtte aan de dalen tussen de krullen en bergketens van de vingerafdruk. De foto's met hoge resolutie die dan van de gouden vingerafdrukken werden gemaakt, werden altijd met open mond door de juryleden bekeken.

Mo, die nu eenmaal Mo was, stond erop het hele procedé nog eens uit te leggen, al hadden Tommy en Brand zijn betoog al vele malen aangehoord. Wat Mo gisteren in de VMA had geplaatst, was het plastic potje van de fenelzine dat Rusty had opgehaald. Hij had vier heldere vingerafdrukken gevonden, een bij de bovenkant en drie onderop. Het bruine plastic medicijnpotje lag, nu overdekt met goud, in een verzegelde plastic envelop op een tafel naast het apparaat.

'Van wie?' vroeg Tommy.

Mo hief zijn vinger. Dat antwoord zou hij geven als hij daaraan toe was.

'We hebben ze vergeleken met die van de overledene. Met de problemen die te voorspellen waren. Ik zeg het al twintig jaar tegen die lui van de technische recherche en toch nemen ze de doden nog steeds vingerafdrukken af alsof ze de vloer aan het boenen zijn. Ze rollen niet met die vingers over het papier, ze schuiven ermee.' Dickerman toonde de afdrukkaart die de technische recherche voor de autopsie had klaargemaakt. 'Vooral die van de middelvinger en de pink van de rechterhand lijken nergens naar.' In de vierkantjes die Mo aanwees was niets te zien dan een inktvlek. Dickerman schudde meewarig zijn lange gezicht.

'Hoe dan ook kan ik u met zekerheid zeggen dat de vier afdrukken op het flesje die u onderzocht wilde hebben niet afkomstig zijn van acht van de tien vingers van mevrouw Sabich.'

'Kunnen ze dan toch van Barbara zijn?' vroeg Brand.

'Deze in elk geval niet,' zei Mo, wijzend naar de grootste vingerafdruk in de onderste rij, 'want dat is duidelijk een duim. Maar al wist ik dat, ik kon niet uitsluiten dat de overige afdrukken van de rechtermiddelvinger of mogelijk zelfs de pink van Barbara zouden kunnen zijn.'

'En nu?' vroeg Tommy. Brand deed een stapje terug zodat hij achter Dickerman stond en sloeg zijn ogen ten hemel. Op die poeha van Mo zat hij nu echt niet te wachten.

'Dus rees de vraag hoe we konden achterhalen van wie die afdrukken waren. Ik ging ervan uit dat jullie wel een vermoeden zouden hebben, maar Jim en Rory wilden geen namen noemen. Dus toen hebben we die afdrukken door AFIS gehaald,' zei Mo. Hij bedoelde het geautomatiseerde identificatiesysteem waarin afbeeldingen werden bewaard van alle vingerafdrukken die de afgelopen decennia in het district waren afgenomen. 'En we hebben de afdrukken op twee verschillende afnamekaarten vergeleken.' Mo legde de afnamekaarten die uit zijn eigen archief waren gerold op tafel. Een ervan bevatte de vingerafdrukken die Rusty Sabich had afgestaan toen hij vijfendertig jaar geleden als assistent-officier van justitie was aangenomen. De andere waren bij hem afgenomen toen hij in voorlopige hechtenis was genomen. 'Alle vier de afdrukken op dat flesje zijn van hem.' Mo tikte elk van beide kaarten even aan alsof het een relikwie was. 'Ik mocht Rusty altijd wel,' voegde hij eraan toe, alsof hij het over een dode had.

Jim liet een klein, waardig glimlachje zien. Hij had het altijd geweten. Dat zou Tommy hem moeten nageven als ze het in de komende jaren nog eens over de zaak hadden.

'En hoe weten we dat Sabich dat potje niet alleen uit de verpakking heeft gehaald om zijn vrouw te helpen?' vroeg Tommy.

Het antwoord kwam van Brand. Hij had de papieren bij zich die Rory laatst in de rechtszaal van Wallach had laten zien.

'Het was een recept voor tien pillen. Maar toen onze mensen het potje onderzochten, zaten er nog maar zes in.' Hij pakte de plastic envelop met het potje van de tafel naast Mo's dure machine en wees Tom de zes oranje tabletten onder in het potje aan. 'Iemand heeft er dus vier uit gehaald,' zei hij, 'en zoals ik nu begrijp is de rechter de enige persoon die zijn vingerafdrukken hierop heeft achtergelaten.'

'Zou ze het potje in handen kunnen hebben gehad zonder vingerafdrukken achter te laten?' vroeg Molto.

Dickerman glimlachte. 'Daar weet je het antwoord zelf wel op, Tom. Natuurlijk. Maar de VMA is de beste methode om te bepalen welke afdrukken er ooit op zijn achtergelaten. En ik snap wat Jim net zei, dat mevrouw Sabich de fles vier keer zou moeten hebben aangeraakt zonder vingerafdrukken achter te laten. We zijn ook andere potjes uit het medicijnkastje aan het onderzoeken. Tot nu toe hebben we vingerafdrukken van haar gevonden op acht van de negen potjes die we hebben getest. Op de negende zijn de afdrukken verknoeid.'

'Maar zouden ook van haar kunnen zijn?'

'Zou kunnen. Er zijn overeenkomsten, maar zo te zien heeft er ook iemand anders aan gezeten, dus dan wordt DNA lastig, omdat het moeilijk wordt de allelen te onderscheiden en genoeg materiaal te verkrijgen om te testen.'

'Daar zou een advocaat nog een zware klus aan krijgen,' zei Brand. 'Hij zou dan moeten beweren dat ze die fenelzine zelf heeft gepakt terwijl haar vingerafdrukken op alle potjes staan behalve dat ene.'

Brand en Molto zochten hun weg terug naar de achteringang waardoor ze ook waren binnengekomen. Tommy was er nog altijd niet op gebrand de tientallen politieagenten tegen te komen die ongetwijfeld boven rondliepen en hem zouden vragen wat de hoofdaanklager hier deed, afgedaald van de Olympus. Bij de deur nam Brand even de tijd om Dickerman nog eens te bedanken en de volgende onderzoeksronde te bespreken, terwijl Tommy de snijdende wind in liep om te overdenken wat hij zojuist had gehoord. De staalgrijze lucht die het komende halfjaar in Kindle County zou hangen, alsof er een gietijzeren pannendeksel over de Tri-Cities werd geplaatst, trok om hen heen dicht.

Hij heeft het weer gedaan. De woorden, het idee, trokken door Tommy heen alsof een pianotoets was aangeslagen met de demper ingedrukt. Rusty had het weer gedaan. Die smeerlap had het weer gedaan. Dat het de eerste keer bijna was misgegaan had hem er niet van weerhouden. Er ging zoveel door Tommy heen, dat hij er maar met moeite wijs uit kon. Hij was woedend, natuurlijk. Woede ging Tommy vrij goed af, hoewel minder naarmate de jaren verstreken. Toch bleef het voor hem een vertrouwd, zelfs onmisbaar gevoel, zoals een brandweerman zich het meest zichzelf voelt als hij een brandend huis binnengaat. Maar hij bleef ook hangen op de gedachte aan gerechtigheid. Hij had afgewacht. En Rusty was door de mand gevallen. En als het allemaal werd bewezen in de rechtszaal, wat zouden ze dan tegen Tommy zeggen, al die mensen die decennialang op hem hadden neergekeken als een justitiële zwendelaar die er goed vanaf was gekomen, zoals dat met foute dienders zo vaak gebeurt?

Maar het vreemdste was dat Tommy, terwijl hij daar in de kou stond te blauwbekken, ineens iets begreep. Als hij Dominga niet had ontmoet, wat had hij dan gedaan? Was hij tot moord in staat geweest? Er was in het leven geen groter verlangen dan liefde. De wind trok aan en ging dwars door Tommy heen, als een ijzige hooivork. Maar hij begreep één ding: Rusty moest van die andere vrouw gehouden hebben.

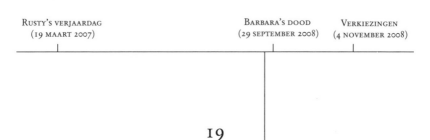

19
Anna, 24-25 september 2008

Ik hou van Nat. Ik Ben Echt Verliefd. Eindelijk. Totaal. Ik heb al zo
vaak gedacht dat ik op de drempel stond, maar nu ben ik elke ochtend als ik opsta verbluft van zo'n bovenaards wonder. Vanaf de dag
dat hij bij het hooggerechtshof kwam binnenlopen zitten we met
klittenband aan elkaar en hebben we elke nacht samen geslapen, afgezien van een tripje naar Houston waar ik niet onderuit kon. De
Nieuwe Depressie, die al verschillende advocatenkantoren de afgrond in heeft gejaagd en me in heldere momenten doet vrezen voor
mijn baan, komt nu als geroepen, want ik kan de meeste avonden
om vijf uur weg van mijn werk. We koken. We vrijen. En we praten
uren aan een stuk. Ik vind alles leuk wat Nat zegt. Of ontroerend.
Voor een uur of twee, drie vallen we niet in slaap en 's ochtends
moeten we onszelf uit bed slepen om naar het werk te gaan. Voordat
hij vertrekt, kijk ik hem streng aan en zeg: 'We kunnen zo niet doorgaan, vanavond moeten we slaap inhalen.' 'Je hebt gelijk,' zegt hij
dan. Dan zie ik er de hele dag naar uit dat ik weer bij hem kan zijn en
de hele zalige cyclus zonder slaap opnieuw begint.

Nat is de eerste week al bij me ingetrokken en het is nooit een
punt van discussie geweest waar hij aan het eind van de maand zou
wonen. Bij mij. Het is precies zoals mensen me altijd hebben gezegd: als het zover is, weet je het.

Dennis heeft me gevraagd, want dat is zijn werk, of de onmoge-
lijkheid van de situatie er ook iets mee te maken heeft, of ik me er
misschien alleen aan heb overgegeven omdat ik weet dat ik het niet
zou moeten doen en een catastrofe bijna niet kan uitblijven. Ik had er
geen antwoord op. Het maakt niet uit. Ik ben gelukkig. En Nat ook.

Mijn plan voor dat gesprek met Rusty was helemaal geen plan, behalve dat ik hem wilde waarschuwen. Toen hij daar zat, op dat bankje bij het Dulcimer, werd hij witheet. Ik stond er niet verbaasd van. Niet omdat ik had gehoopt dat hij zo zou reageren, zoals hij beweerde, maar omdat ik altijd zo'n gevoel heb gehad dat er onder dat onaangedane uiterlijk een gloeiende kern schuilgaat. Vroeg of laat zullen we allebei gewend raken aan de bizarre manier waarop dit is gelopen. We hebben één wezenlijk ding gemeen. We houden allebei van Nat.

Tot het zover is, heb ik me voorgenomen bij Rusty uit de buurt te blijven, wat minder gemakkelijk is dan ik had gehoopt. Barbara belt Nat elke dag. Hij neemt in de regel op en vertelt haar zo weinig mogelijk. De gesprekken zijn kort en vaak praktisch: supermarktaanbiedingen waarin hij geïnteresseerd zou kunnen zijn, nieuws over de familie of de campagne, vragen naar zijn banenjacht of zijn huisvestingssituatie aan het eind van de maand. Die laatste vraag bracht met zich mee dat hij haar vroeg of laat over mij moest vertellen. Hij legde uit dat hij geen keuze had omdat zijn moeder de hoop scheen te koesteren dat hij weer thuis zou komen wonen. Dan nog smeekte ik hem het zo lang mogelijk uit te stellen.

'Waarom?'

'God, Nat. Lijkt het je niet wat veel om haar dat in één adem te vertellen? Eerst dat we iets hebben en dan dat we al bij elkaar wonen? Dat klinkt alsof we gek geworden zijn. Kun je haar niet gewoon zeggen dat je iets deelt met iemand?'

'Dan ken je mijn moeder niet. "Wie is die iemand? Wat doet hij? Waar komt-ie vandaan? Waar is hij op school geweest? Van wat voor muziek houdt hij? Heeft-ie een vriendin?" Ik bedoel maar, dan blijf ik nog geen minuut overeind.'

Dus besloten we dat hij het zou zeggen. Ik wilde er per se bij zijn, zodat ik zijn kant van het gesprek kon volgen, maar ik begroef mijn hoofd in een van de kussens op mijn bank toen hij zichzelf beschreef als 'een zombie in de liefde'.

'Ze is in de wolken,' zei hij toen hij had opgehangen. 'Helemaal in de wolken. Ze wil dat we komen eten.'

'God, Nat. Alsjeblieft, nee.'

Ik kon aan de manier waarop hij zijn wenkbrauwen samentrok zien dat hij mijn halsstarrigheid tegen zijn ouders vreemd begon te vinden.

'Als je ze nou niet kende.'

'Het lijkt me zo raar, Nat. Nu. Nu het allemaal nog zo nieuw is. Denk je niet dat we eerst eens met wat normale mensen moeten omgaan? Ik ben er nog niet klaar voor.'

'Volgens mij kunnen we het maar beter achter de rug hebben. Nou gaat ze het me elke dag vragen. Let maar op.'

Dat deed ze ook. Hij probeerde de boot af te houden met de standaardsmoesjes, dat hij druk was op zijn werk, of ik. Maar ik begin elke dag meer te begrijpen van die vreemde symbiose tussen Nat en zijn moeder. Barbara zweeft boven zijn leven als een soort dreigende geest zonder eigen aards bestaan. En hij heeft een drang om haar tevreden te stellen. Zij wil ons samen ontmoeten maar ziet ertegen op om haar huis uit te gaan. Dus moeten wij naar haar toe.

'Je kunt ook gewoon nee zeggen,' zei ik vorige week.

Hij glimlachte. 'Probeer jij dat maar eens,' antwoordde hij en pardoes stak hij de volgende avond zijn mobiel naar me uit. 'Ze wil je spreken.'

Fuck, mimede ik. Het gesprek was zó voorbij. Barbara was niet te stuiten en bleef maar doorratelen over hoe opgetogen ze was, hoe blij Rusty en zij waren dat Nat en ik kennelijk zo veel voor elkaar betekenden. Konden we niet één avondje langskomen en hen laten delen in ons geluk? Net als veel briljante mensen met problemen weet Barbara precies hoe ze je in de hoek moet drijven. De eenvoudigste oplossing was afspreken voor zondag over een week.

Naderhand begroef ik mijn hoofd in mijn handen.

'Ik snap het niet,' zei hij. 'Zo'n coole chick als jij. Juffertje girlpower. Mijn moeder zeurt me al anderhalf jaar aan m'n hoofd dat ik je eens uit moet vragen. Jij bent de eerste vriendin die ik heb gehad die zij goedkeurt. Ze vond Kat raar en Paloma asociaal.'

'Maar wat vindt je vader ervan? Denk je niet dat het voor hem een rare situatie is?'

'Mijn moeder zegt dat hij het prima vindt en ook in de wolken is.'

'Maar heb je hem zelf gesproken?'

'Hij kan er best mee omgaan. Neem het maar van mij aan. Dat kan hij best.'

Maar ik kan me niet voorstellen dat Barbara's enthousiasme over Nat en mij, of het vooruitzicht ons samen te zien, voor Rusty iets anders is dan een nachtmerrie. En vandaag op het werk, als ik er even tussenuit knijp om m'n persoonlijke e-mail te checken, lijkt mijn angst bewaarheid te worden als ik zie dat er in mijn inbox twee mails zijn binnengekomen van Rusty's account, en mijn hart springt op. Maar als ik ze open, blijken het vreemd genoeg ontvangstberichten te zijn van e-mails die ik hem in mei 2007 heb gestuurd, zestien maanden geleden.

Het kost me een tijdje om te beredeneren wat er aan de hand kan zijn. Toen ik met Rusty ging, was ik degene die de hotelkamers boekte omdat hij zijn creditcard niet kon gebruiken. De bevestiging die ik online kreeg forwardde ik dan naar zijn e-mailadres met een verzoek om ontvangstbevestiging, dan wist ik dat hij op de hoogte was en hoefde hij geen moeite meer te doen om te antwoorden. Vaak verstuurde ik een serie van dat soort boodschappen: de bevestiging van de boeking, een herinnering op de ochtend zelf en een laatste e-mail met het kamernummer zodra ik had ingecheckt. Nu ik deze bevestigingen kreeg, begreep ik dat hij vaak alleen als hij al onderweg was op zijn PDA de laatste e-mail opende, zodat hij de eerdere niet hoefde openen als er andere mensen in de buurt waren.

De twee ontvangstberichten die vandaag zijn aangekomen, zijn van e-mails die hij vorig jaar niet heeft geopend. Eerst beschouw ik het als een perverse vorm van stalken, een poging mij te herinneren aan een plek waar we nog niet zo lang geleden samen waren. Maar na nog een uur nadenken realiseer ik me dat hij misschien niet eens weet dat die bevestigingen naar mij toe gaan. Als je een e-mail opent waarvan de afzender om een bevestiging heeft gevraagd, opent zich een klein pop-upmenu dat je waarschuwt dat de bevestiging wordt verzonden. Dat menu bevat een vakje met daarbij 'Toon dit bericht niet meer voor deze afzender'. Hij heeft die optie vast al lang geleden aangevinkt. Aan het eind van de middag kom ik tot de conclusie dat je er misschien zelfs een positieve draai aan zou kunnen geven: Rusty is eindelijk aan het doen wat hij zestien maanden geleden al had moeten doen: hij is bezig al mijn e-mails te wissen. Een teken dat hij het verleden achter zich laat, dat hij zich bij Nat en mij heeft neergelegd.

De volgende ochtend om tien uur verschijnen er weer drie. En wat veel erger is: ik realiseer me dat die berichten niet kunnen worden verstuurd door e-mails te wissen. De bedoeling is juist de ander te laten weten dat je ze hebt gelezen. Ik krijg een verontrustend, zelfs misselijkmakend beeld voor ogen van Rusty die op zijn kantoor zit terug te denken aan die dagen. Ik zie geen andere optie dan hem erop aan te spreken, dus ik pak de telefoon en bel hem op zijn interne nummer. Daar wordt niet direct opgenomen en in plaats van hemzelf krijg ik Pat, zijn assistente, aan de lijn.

'Anna!' roept ze uit als ik hallo zeg. 'Hoe ís het? Je moet vaker langskomen.'

Na een minuut beleefdheden te hebben uitgewisseld, vraag ik haar of ik de rechter even mag spreken omdat ik hem iets moet vragen over een zaak.

'O, maar hij zit de hele ochtend in een zitting, liefje. Vanaf dik een uur geleden. Ze doen non-stop hoorzittingen. Ik zie hem pas weer na halfeen.'

Ik heb de tegenwoordigheid van geest Pat te zeggen dat ik Wilton, mijn collega-assistent, wel zal laten bellen voor de informatie die ik nodig heb, maar als ik ophang ben ik te zeer in paniek en in verwarring om mijn hand zelfs maar van de hoorn te halen. Ik zeg tegen mezelf dat ik het verkeerd moet hebben begrepen, dat er een andere verklaring moet zijn. Ik kijk nog eens goed naar de ontvangstbevestigingen op mijn scherm, maar ze zijn alle drie minder dan een halfuur geleden vanaf Rusty's account verstuurd, toen hij volgens Pat op zijn rechterstoel zat en in elk geval niet achter zijn pc.

En dan begint het me opeens te dagen, het verschrikkelijke besef. De catastrofe die bijna niet kon uitblijven heeft net plaatsgehad: het is iemand anders. Iemand is systematisch de bewijzen van mijn ontmoetingen met Rusty aan het doornemen. De hotels. De data. Eén ademloze seconde vrees ik het allerergste en vraag ik me af of het Nat kan zijn. Maar hij was gisteravond gewoon zichzelf, lief en overlopend van adoratie, en hij is te argeloos om zo'n ontdekking voor zich te kunnen houden. Zoals hij in elkaar steekt, zou hij er gewoon vandoor zijn.

Maar ook die opluchting duurt niet langer dan een seconde. Dan weet ik het antwoord, met zo'n absolute zekerheid dat mijn hart versteent. Er is één persoon met genoeg computerkennis om in te breken in Rusty's e-mailaccount en genoeg tijd om die nauwgezet uit te vlooien.

Ze weet het.

Barbara weet het.

20

Tommy, 31 oktober 2008

Na hun ontmoeting met Mo Dickerman in McGrath Hall wisselden Tommy en Brand geen woord voordat ze in de Mercedes zaten. 'We moeten zijn thuiscomputer hebben,' zei Brand toen. 'Dat is onze enige kans om die scharrel van hem te vinden. Ik wil vandaag nog een huiszoekingsbevel laten uitgaan. En we moeten onmiddellijk die zoon horen, kijken wat hij wist van wat er tussen pappie en mammie speelde.'

'Dat is voorpaginawerk, Jimmy. Dat kost hem de verkiezing.'

'Nou en? We doen gewoon ons werk,' zei Brand.

'Nee, verdomme,' zei Tommy. Hij zweeg even om te kalmeren. Brand had geweldig werk verricht; hij had gelijk gehad en Tommy ongelijk. Geen enkele reden om het hem kwalijk te nemen als hij wilde doorstoten. 'Ik weet dat jij denkt dat we hier te maken hebben met een inslechte, verknipte psychopaat, een seriemoordenaar die op zijn troon aan de rechterhand van God zit, en dat snap ik, maar denk even na. Denk na. Als we Rusty het hof uit blazen, voeden we alleen de theorie van de verdediging.'

'Die lulkoek over de aanklager die op wraak uit is? Ik heb je al gezegd hoe je daar vanaf kunt komen.'

Hij doelde op het DNA, een test laten uitvoeren op het spermaspoor uit de eerste rechtszaak.

'Dat is onze volgende stap,' zei Tommy.

'Ik dacht dat je geen gerechtelijk bevel wou vragen.'

'We hebben geen gerechtelijk bevel nodig,' zei Tommy.

Brand keek zijn baas met toegeknepen ogen aan, startte toen de auto en stuurde de Mercedes soepel de verkeersstroom in. Op straat bij het politiebureau werden zes kinderen na de lunch door een paar moeders terug naar school gedreven. Ze waren allemaal gekleed in schooluniform. Twee van de jongetjes droegen een jasje en stropdas en hadden een masker van Barack Obama op.

Tommy had het idee dat hij aan Brand wilde uitleggen tien jaar eerder bedacht, in de tijd dat hij weer bij zijn moeder was gaan wonen om haar door haar laatste levensjaren te helpen. Op zijn bank in de eetkamer werd hij vaak wakker van de geluiden die ze maakte – meestal gehoest door het emfyseem. En als ze dan tot rust kwam, overdacht Tommy alles wat er was misgegaan in zijn leven, waarschijnlijk om zichzelf ervan te overtuigen dat hij dit verlies ook wel zou overleven. Dan kwamen de duizenden vernederingen en onverdiende beledigingen die hij had moeten doorstaan langs, en van tijd tot tijd dus ook de zaak-Sabich. Hij wist dat een DNA-test iedereen een bevredigend antwoord zou geven op de vraag of Rusty erin was geluisd of letterlijk met moord was weggekomen. Dan maakte hij zich lekker met de gedachte aan hoe het zou kunnen. Maar overdag wees hij zichzelf weer terecht. Je moet niet te veel willen weten. Adam, Eva, appels. Je komt nou eenmaal niet overal achter. Maar nu was er toch een kans. Eindelijk. Hij liet het plan nog één keer door zijn hoofd spelen alvorens hij het aan Brand uiteenzette.

Onze staat had zoals de meeste staten een wet die voorschreef dat een DNA-database moest worden samengesteld. Genetisch materiaal dat werd verzameld in elke zaak waarin bewijsmateriaal van een seksueel misdrijf aan de rechter werd voorgelegd, moest in die database worden ondergebracht en geregistreerd. Rusty was aangeklaagd wegens moord, niet wegens verkrachting, maar de theorie van het openbaar ministerie liet de mogelijkheid open dat Carolyn verkracht was als onderdeel van het misdrijf. De politie van onze staat kon zonder gerechtelijk bevel of andere toestemming de bloedmonsters en spermasporen van de eerste rechtszaak tegen Rusty uit de enorme vrieskast van de politiepatholoog halen en morgen opnieuw testen. In de praktijk hadden de politiemensen al moeite genoeg om het bewijsmateriaal dat vandaag werd verzameld bij te houden, laat staan dat ze zich nog druk konden maken om zaken die twee decennia geleden waren afgesloten. Maar het feit dat de wet bestond en niet aan een tijdslimiet was gebonden, betekende dat Rusty zich met betrekking tot die eerder genomen monsters niet op schending van het recht op privacy kon beroepen. Hij kon tijdens de rechtszaak moord en brand schreeuwen als de resultaten van nieuwe tests tegen hem pleitten, maar dat zou hem niet helpen. Om zich enige dekking te verschaffen, kon Brand de techneuten opdracht geven alle monsters van voor 1988 aan de staatspolitie over te dragen met als argument dat ze de oudste het eerst wilden laten analyseren om verdere achteruitgang van de kwaliteit te voorkomen.

Brand zag het helemaal zitten. 'We kunnen het nu doen,' zei hij. 'Morgen. Dan hebben we de resultaten met een paar dagen in huis.' Hij dacht even na. 'Dat is toch geweldig,' zei hij. 'En als hij fout blijkt, kunnen we alsnog de hele handel downloaden, toch? Bevel om zijn computer te doorzoeken? Verhoren? Ja toch? Binnen een week hebben we het spel op de wagen. We moeten wel, toch? Kan niemand wat van zeggen. Prachtig!' zei Brand. 'Prachtig!' Hij sloeg zijn zware arm om Molto heen en schudde hem even door elkaar.

'Maar je hebt het fout, Jimmy,' zei Tommy zacht. 'Dat is het slechte nieuws.'

De adjunct-hoofdaanklager trok zijn arm terug. Dit was precies waar Tommy de afgelopen nachten over had zitten nadenken.

'Jimmy, er is alleen slecht nieuws en nog slechter nieuws, ben ik bang,' zei Tommy. 'Als er geen match blijkt te zijn, zijn we de lul. De lul. Zaak gesloten. Waar of niet?'

Brand keek Molto aan zonder zichtbare uitdrukking, maar leek te begrijpen dat hij op achterstand stond.

'Het is te weinig. Als je naar het verleden kijkt. Ik wil gewoon dat je voordat je naar het lab gaat rennen begrijpt dat het erop of eronder is.'

'Shit, man,' zei Brand. Hij liep het bewijsmateriaal nog eens door, tot Tommy hem in de rede viel.

'Jimmy, je hebt volkomen gelijk, de hele tijd al. Hij is fout. Maar als we in wezen bewijzen dat hij de eerste moord niet heeft gepleegd, kunnen we hem nou niet voor die tweede voor de rechter brengen. Dan zien ze ons enkel als een stel rancuneuze eikels die de feiten niet onder ogen willen zien. Dan gaat die rechtszaak, binnen en buiten de zaal, alleen nog over mijn grote obsessie. Deze zaak is zo dun als water. En als we ook nog moeten erkennen dat Rusty al een keer ten onrechte is aangeklaagd door ons eigen bureau, en als we ook nog eens weten dat hij president is van het hof van beroep en iedereen behalve God zelf komt getuigen wat een prachtkerel hij is, krijgen we nooit een veroordeling. Dus moeten we eerst weten wat dat DNA zegt. Want als dat hem vrijpleit van de eerste zaak is het einde oefening.'

Brand staarde naar het verkeer voor zich, dat drukker werd nu ze het stadscentrum naderden. In Kindle County werd gevierd dat het een halfjaar vóór Mardi Gras was. Veel kantoormensen maakten van hun lunchpauze een verkleedpartij. Er kwamen vijf kerels voorbij lopen met hamburgers, elk gekleed als een ander lid van de Village People.

'Maar wat schiet hij op met een gunstig DNA-resultaat?' vroeg Brand. 'Als het DNA-resultaat hem vrijpleit voor twintig jaar geleden, wat dan nog? Oké, dan kunnen wij maar niet tegen ons verlies. De motieven van de aanklager zijn toch niet relevant?'

'Maar die van de beklaagde wel. Jij wil met niets dan indirect bewijs aankomen en zeggen dat die vent het risico zou nemen om zijn vrouw het hoekje om te sturen. Dan mag hij toch zeker wel aantonen dat hij al eens eerder is aangeklaagd voor een moord die hij niet heeft gepleegd? Maakt dat het niet nog veel minder waarschijnlijk dat hij dat risico nog eens zou nemen?'

'Fuck, man, met zo'n gluiperd weet je het maar nooit. Misschien maakt dat het juist waarschijnlijker. Hij kent het systeem door en door. Misschien is-ie slim genoeg om te denken dat wij hem nooit iets kunnen maken vanwege die eerste zaak. Misschien denkt hij dat dat DNA hem deze keer vrij spel geeft.'

'En dan heeft-ie misschien nog gelijk ook,' antwoordde Tommy. Stilstaand voor een stoplicht staarden ze elkaar aan tot Brand uiteindelijk zijn ogen neersloeg en op zijn horloge keek. Hij vloekte, want hij zou te laat komen. Molto dacht erover hem aan te bieden dat hij de Mercedes wel voor hem zou parkeren, maar Jim had zo de pest in dat een grapje niet goed zou vallen.

'Maar we krijgen hem voor die eerste zaak,' zei Brand. 'Daar durf ik vijftig dollar op te zetten.'

'Dat zou nog het allerslechtste nieuws zijn,' antwoordde Tommy. 'Het beste wat ons kan overkomen is dat we een excuus vinden om de hele zaak te laten zitten. En het slechtste dat het zijn kwakkie blijkt te zijn, van twintig jaar geleden. Want als hij het toen heeft gedaan, kunnen we net zo goed meteen ophouden. Maar we moeten wel. We kunnen zo'n man toch geen rechter bij het hooggerechtshof laten worden als we weten dat-ie een dubbele moordenaar is? Dat kan niet.'

'Dat is toch precies wat ik zeg? En dat zal iedereen begrijpen. Ze zullen toch zelf ook wel beseffen dat we geen spoken najagen?' 'Maar we gaan het verlíézen. Dat is het hele, hele slechte nieuws. We hebben een zaak die we móéten aanbrengen en die we gaan verliezen. Omdat de aanklager niks aan het DNA heeft. Nooit. Het is eenrichtingverkeer. Hij is vrijgesproken. We kunnen dat oude bewijsmateriaal niet meer tegen hem gebruiken. Dat zou nergens op slaan als die oude zaak niet heropend wordt, en dat gaat geen rechter toestaan. En bovendien waren er aan het eind van dat proces zoveel vragen over de monsters dat negen van de tien rechters ze nu niet eens zouden toelaten. Als het DNA positief uitpakt voor Rusty, zeilt het rustig de zaak in. En als het hem tot moordenaar bestempelt, ligt het eruit. Dus houden we dezelfde flinterdunne zaak over, met of zonder DNA, en moeten we het nog maar afkloppen dat we niet worden afgewezen op corpus delicti, want we kunnen nog niet eens bewijzen dat er een moord is gepleegd.'

'Nee.' Brand schudde heftig zijn hoofd op zijn dikke nek. 'No way. Je wilt je alleen maar indekken, baas. Doen we allemaal.'

'Nee, Jimmy. Je zei het zelf nog. Die vent is slim. Heel erg slim. Het slechte nieuws is dat hij het, áls hij haar heeft vermoord, helemaal precies doordacht heeft. Dan heeft hij precies uitgevogeld hoe hij het kon doen zonder ervoor op te draaien. En dat lukt hem ook nog.'

Ze waren bij de rechtbank. Uiteindelijk keek Brand Tommy aan en zei: 'Dat zou echt slecht nieuws zijn.'

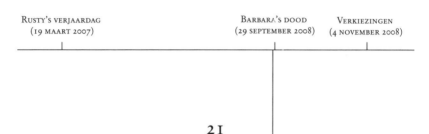

21

Nat, 28 september 2008

Je zit niet echt in een relatie tot je elkaars gekkigheden hebt meegemaakt. Dat ik bijvoorbeeld soms een heel uur geen woord kan zeggen nadat ik contact heb gehad met mijn ouders, of de manier waarop zij ontploft als ik ook maar iets zeg over Ray Horgan, die oude kerel waar ze ooit iets mee heeft gehad. Soms duurt het even voor je een inkijkje krijgt in die vreemde hoekjes die iedereen probeert te verbergen. Ik ging al bijna een jaar met Kat en maakte me soms zorgen dat ze eigenlijk te normaal voor me was, toen ze op een ochtend opstond en klaagde over pijn in haar knie. Toen ik haar vroeg hoe ze die had bezeerd, keek ze me aan, zonder een spoor van humor, en zei: 'Ik heb er een klap met een strijdknots op gekregen toen ik kruisridder was, in een vorig leven.' Op zo'n moment is het maar net de vraag hoe goed jouw rommel past bij die van haar. Kun je elkaar desondanks nog serieus nemen en op dezelfde golflengte blijven?

Mijn leven met Anna is zo'n beetje de zevende hemel, dat lieg ik niet, maar het enige dat haar al de hele maand op de kast jaagt, dat zijn mijn ouders. Ik denk dat de manier waarop mijn ma me soms op m'n nek kan zitten Anna net zo ergert als mij, maar ze lijkt ook onzeker over haar relatie met mijn pa; misschien heeft ze zich in het hoofd gezet dat hij haar nooit anders zal zien dan als een ondergeschikte. In stilte heb ik me ook wel eens afgevraagd of haar affaire met Ray er iets mee te maken heeft. Ik heb zo'n vermoeden dat zij aanneemt dat mijn vader ervan weet en dat ze liever niet met hem geconfronteerd wordt, omdat hij wel gedacht zal hebben dat ze verstandiger was.

Maar al met al kreeg ze zo'n beetje een rolberoerte toen ik haar zei dat ik mijn moeder over ons zou moeten vertellen omdat ze maar bleef vragen waar ik aan het eind van de maand zou gaan wonen. En ik heb me echt een seconde afgevraagd of ik 911 moest bellen toen ik Anna had verteld dat mijn moeder ons te eten had gevraagd. Uiteindelijk vroeg mijn moeder, die een onweerstaanbare kracht kan zijn, Anna zelf te spreken en ze dreef haar net zo in de hoek als ze het met mij doet. Maar zelfs nu Anna ja heeft gezegd, lijkt ze die afspraak ongelooflijk gespannen tegemoet te zien.

Kwam ik afgelopen donderdagavond thuis van les, maar een paar dagen voor ons etentje bij m'n ouders, was ze al thuis en zat ze in het donker te huilen, met een pakje sigaretten en een asbak met minstens acht peuken. Er mag in het hele gebouw trouwens niet gerookt worden.

'Wat is er?' vroeg ik, maar ik kreeg geen antwoord. Ze zat als bevroren aan de keukentafel. Toen ik op de stoel naast haar ging zitten, pakte ze mijn beide handen vast.

'Ik hou zoveel van je,' zei ze. Ze stikte bijna in haar woorden.

'Ik ook van jou,' antwoordde ik. 'Wat is er aan de hand?'

Ze wierp me een ongelovige blik toe en speurde een hele tijd mijn gezicht af, terwijl de tranen als juwelen opwelden in haar groene ogen. 'Ik wil zo, zo ontzettend niet dat het misgaat tussen ons,' zei ze. 'Ik zou alles doen om te voorkomen dat dat gebeurt.'

'Dat gebeurt niet,' zei ik tegen haar, maar het leek niet veel te helpen. Een paar dagen lang leek ze zich aardig in de greep te hebben, maar als we ons vandaag klaarmaken om naar mijn ouders te gaan, gaat ze weer helemaal door het lint.

Als we onderweg over de Nearing Bridge rijden, zegt Anna: 'Ik denk dat ik moet overgeven.' Het is een ophangbrug die bij harde wind tekeer kan gaan, maar het is een prachtige dag, nog altijd meer zomer dan herfst, en de late middagzon heeft een gouden net op het water geworpen. We zijn maar ternauwernood aan de overkant of Anna stuurt haar nieuwe Prius het bos in en schiet de auto uit. Ik ben net op tijd bij haar om haar van achteren vast te houden terwijl ze overgeeft in een roestend olievat dat als afvalbak dient.

Ik vraag tegen beter weten in of ze iets verkeerds gegeten heeft.

'Het is die hele toestand, Nat,' antwoordt ze.

'We kunnen het nog afzeggen,' zeg ik. 'Zeggen we dat je ziek bent.'

Ze klampt zich nog aan het olievat vast, maar schudt heftig haar hoofd. 'Het moet er toch een keer van komen. We kunnen het maar beter achter de rug hebben.'

Als ze zich goed genoeg voelt om een paar stapjes te lopen, zoeken we een wrakkige picknicktafel op met een krakend bankje, versierd met graffiti en klodders vogelpoep.

'O, getver!' zegt ze.

'Wat?'

'Ik heb kots in mijn haar.' Ze inspecteert de blonde strengen met zichtbare pijn.

Ik haal uit de auto een half leeggedronken fles water en een paar oude servetjes, bewaard van een fastfoodmaaltijd, en ze doet haar best om haar haren schoon te krijgen.

'Zeg maar tegen je ouders dat je me onder een viaduct hebt gevonden.'

Ik zeg dat ze er geweldig uitziet. Dat is niet zo. Haar gezicht heeft alle kleur verloren en haar haar ziet eruit alsof er een familie knaagdieren in heeft huisgehouden. Ik heb het opgegeven om haar te troosten of te vragen waarom.

Ze vraagt mij te rijden, wat betekent dat ze mijn taak als bewaarder van de cupcakes moet overnemen. Anna heeft aangeboden dat wij het toetje zouden meebrengen en heeft vier enorme cupcakes gebakken, voor ieder zijn favoriet met zijn naam in glazuur bovenop. Mijn vader krijgt de worteltaart waar hij zo dol op is en mijn moeder een soort bosbessenmuffin gemaakt van sojabloem. Voor zichzelf en mij heeft ze iets veel decadenters gemaakt, van die levensgevaarlijke dubbele chocolademuffins met chocoladechips. Ze klemt de schaal met beide handen in haar schoot en zet de liter ijs die ze heeft gekocht om erbij te serveren tussen haar voeten.

'Mag ik je één ding smeken?' vraagt ze als ik op het punt sta de contactsleutel om te draaien. 'Laat me niet alleen met ze, met geen van beiden, oké? Ik ben niet in de stemming voor ontboezemingen. Zeg maar dat ik boven je kamer moet gaan bekijken. Of iets anders om me uit de weg te krijgen. Oké?'

'Oké.' Overigens heeft ze me dit al een paar keer gevraagd.

Een paar minuten later komen we aan bij het huis waarin ik ben opgegroeid. Tegenwoordig ziet het er elke keer als ik er kom anders uit – kleiner, zonderlinger, een beetje als iets uit een sprookje. Het was altijd al een vreemd bouwwerk, met uitgelopen metselspecie en zo'n supersteil dak, een stijl die helemaal niet lijkt te passen bij de uitbundig bloeiende bloemen die altijd in urnen en potten in de voortuin staan. Mijn hele jeugd heeft mijn moeder gezegd dat ze zo snel mogelijk weer naar de stad wilde verhuizen, maar toen mijn vader het een paar jaar geleden voorstelde, was ze van gedachten veranderd. Het feit dat ze nog altijd hier wonen weerspiegelt de aanhoudende patstelling tussen hen. Zij wint. Hij baalt.

Mijn moeder rukt voordat we een voet op het stoepje hebben gezet de deur open. Ze heeft zich een beetje opgemaakt en draagt zo'n joggingpak van wafelstof, wat voor haar doen vrij netjes is als ze thuis is. Ze geeft me een knuffel en begint direct te jubelen over het gebak als ze de schaal van Anna aanpakt en haar in één beweging door luchtig op haar wang zoent. Zodra we de deur door zijn begint ze zich te verontschuldigen. Mijn vader en zij zijn de hele dag in de tuin aan het werk geweest en ze lopen achter op hun schema.

'Ik heb je vader naar de winkel gestuurd. Hij zal zo wel terug zijn. Kom binnen. Anna, kan ik je wat te drinken inschenken?'

Ik heb Anna verteld dat mijn ma van rode wijn houdt en ze heeft een mooie fles gekocht, maar mijn moeder besluit die voor het eten te bewaren. Anna en ik nemen voorlopig ieder een biertje uit de koelkast.

Mijn moeders stemming is zo onvoorspelbaar dat ik vaak onderweg hierheen mijn vader op zijn mobiel bel en dan bespreken we haar alsof ze een weerballon is. 'Slechte dag,' waarschuwt mijn vader me dan. 'Diepe droefenis.' Maar ze heeft zelden zo'n zichtbaar opgetogen indruk gemaakt als vanavond, zoals ze nu door de keuken fladdert. Hyper ligt normaal gesproken buiten haar emotionele bereik.

Anna is hier nog nooit geweest. Mijn moeder laat eigenlijk niemand binnen behalve familie. Ik laat Anna de woonkamer en de voorkamer zien en noem mijn nu dode grootouders en mijn neven en nichten op hun diverse foto's en geef haar de kans me te plagen met de foto's van mij als peuter. Uiteindelijk voegen we ons weer bij mijn moeder in de keuken.

'Het wordt eenvoudig,' zegt mijn moeder over het diner, 'net zoals ik heb beloofd. Steak. Maïs. Salade. Anna's cupcakes. Misschien met een schepje ijs.' Ze glimlacht, een cholesteroljunk die geniet van de gedachte aan zondigen.

Anna en ik nemen samen de salade voor onze rekening. Anna kan fenomenaal koken en is begonnen aan een dressing met olie en citroen als mijn vader binnenkomt met een stel plastic tasjes met daarop het oranje logo van MegaDrugs. Hij dropt ze op het aanrecht, reikt Anna de hand en omarmt mij vluchtig.

'Dit zag ik nou echt niet aankomen,' zegt hij, met een gebaar naar ons tweeën. 'Het ligt te veel voor de hand.'

We lachen allemaal, dan troont mijn moeder mijn vader mee naar de dingen die Anna heeft gebakken. Hij breekt een stukje glazuur van haar muffin. Anna en ma protesteren tegelijk.

'Hé, dat is de mijne,' zegt mijn moeder.

'Jij hebt de langste naam,' verdedigt hij zich.

Mijn pa trekkebeent de keuken rond en ik vraag hem hoe het met zijn rug is.

'Waardeloos op het moment. Je moeder heeft me de hele middag laten graven voor haar nieuwe rododendron.'

'Hier,' antwoordt mijn moeder. 'Neem je Advil en schei uit met klagen. Beweging is goed voor je. Met je campagne en die blessure van George Mason heb je volgens mij al een maand niet gesport.'

Mijn vader speelt normaal gesproken een paar keer per week squash met rechter Mason en hij ziet er inderdaad wat molliger uit dan gewoonlijk. Hij legt de pillen die mijn moeder hem geeft op het aanrecht, verdwijnt dan naar de woonkamer en komt terug met een glas wijn voor haar.

'Heb je aan de hapjes gedacht?' vraagt ze als hij uit de koelkast een biertje voor zichzelf pakt.

'Ja, de horrelbapjes,' antwoordt hij, het soort flauwe grapje dat hij al maakt sinds ik klein was. Hij heeft oude cheddar gekocht en salami genovese, al jarenlang favoriet, al zal ma er niet veel van nemen. Zij houdt meer van de haring in het zuur die hij heeft meegebracht, maar daar neemt ze ook maar een stukje of twee van omdat het zout slecht is voor haar bloeddruk, dus mijn vader heeft ook yoghurt meegebracht, die hij met uiensoep mengt om een dipsaus te maken, terwijl Anna en ik de wortels en selderijstengels op tafel zetten die in de koelkast klaarstonden, met de andere dingen die m'n vader heeft gekocht.

We zijn allemaal aan het werk en ma ondervraagt Anna over haar werk en begint dan zonder merkbare overgang over haar familie.

'Enig kind,' legt ze uit.

'Net als Nat. Is misschien wel heel goed als je dat gemeenschappelijk hebt.'

Anna snijdt uien voor de salade en haar ogen zijn gaan tranen, dus ze maakt er een grapje over.

'Zo erg was het niet, hoor,' zegt ze.

We lachen er alle drie uitgelaten om. Nu het eindelijk zover is, lijkt Anna best op haar gemak. Ik snap het wel. Er zijn meer jaren geweest dan ik me kan herinneren dat ik me in het voorjaar totaal niet kon voorstellen dat ik nog een honkbal zou kunnen slaan, en dan was ik stomverbaasd als ik voor de eerste keer die kick voelde dat je hem vol raakt en de knuppel hoort suizen.

Anna maakt een eind aan de ondervraging door mijn vader te vragen naar de campagne.

Hij snijdt nog een stuk salami en zegt: 'Ik kan de naam John Harnason niet meer horen.'

Ma kijkt op van het aanrecht om een kwade blik op pa af te vuren.

'Daar hadden we toch nooit mee te maken moeten krijgen,' zegt ze. 'Nóóit.'

Ik kijk Anna waarschuwend aan om het onderwerp te vermijden, dat had ik al eerder moeten doen.

Mijn vader zegt: 'Het duurt niet lang meer.'

'Het duurt al te lang. Je vader kan al een maand geen hele nacht slapen.'

Dit is een rol die haar goed ligt, rapport uitbrengen over mijn pa, en hij wendt zich af, verstandig genoeg om geen nader commentaar uit te lokken. Ik dacht dat mijn vader zijn slapeloze nachten al lang achter zich had gelaten. Toen ik klein was, waren er periodes dat hij 's nachts op was en door het huis rondzwierf. Soms hoorde ik hem en ik vond het eigenlijk wel geruststellend dat hij wakker was, zodat hij de nachtelijke spoken en demonen waar ik bang voor was kon verjagen. Wat ik nu hoor en zie geeft me het gevoel dat er haast onmerkbaar iets is verschoven in het huiselijk evenwicht. Het ziet ernaar uit dat de campagne de gebruikelijke stille conflicten tussen mijn ouders meer naar de oppervlakte heeft gedreven.

Gewend als hij is aan mijn moeders kritiek houdt mijn vader haar de schaal hapjes voor, waar hij en Anna en ik al eerder op zijn aangevallen. Dan pakt mijn vader de steaks uit de koelkast en begint ze te kruiden. Hij heeft meer knoflookpoeder nodig, zegt hij, en verdwijnt naar de kelder om het te halen.

'De jongens doen het vuur?' vraagt mijn vader als hij met het vlees klaar is.

'Ma, vind je het erg als Anna boven rondkijkt als we buiten bezig zijn? Ik wil dat ze mijn kamer ziet.'

'Als je daarboven iets ziet wat je kunt gebruiken, Anna, neem maar mee. Van Nat mag ik niks weggooien. Is een plank vol honkbalprijzen niet net iets voor je nieuwe huis?'

We lachen allemaal weer. Het is moeilijk te zeggen of deze vrolijkheid berust op zenuwen of op echt plezier, hoe dan ook is ze allesbehalve kenmerkend voor het huis waarin ik ben opgegroeid.

Vanaf de trap, waar niemand anders haar kan zien, rolt Anna met haar ogen naar me, terwijl ik mijn vader volg naar de veranda. De zon is bijna onder en ligt in een felle kleurenpracht in de rivier en in de lucht hangt al de koelte van de herfst.

Pa en ik spelen met de knoppen tot de barbecue brandt, en dan staan we daar met de ernst van een godsdienstig ritueel te kijken naar de vlammen die zich tussen de branders verspreiden. Toen ik klein was, omringde mijn ma me altijd op een manier die woorden overbodig leek te maken en misschien heb ik daardoor nooit met mijn vader leren praten. Nou praatte ik eigenlijk met niemand veel tot ik Anna leerde kennen, dus dat zal wel iets betekenen. We hebben natuurlijk gesprekken, pa en ik, maar die zijn meestal zakelijk, behalve als we het over juridische zaken hebben of over de Trappers, de enige onderwerpen waar we samen echt geanimeerd over kunnen praten. Samenzijn met mijn vader betekent voor mij meestal hoofdzakelijk samen ergens zijn, zoals nu, dezelfde lucht inademen, met van tijd tot tijd een opmerking over de vlammen of het spetteren van het vlees.

In mijn tweede jaar op de middelbare school realiseerde ik me dat ik bij nader inzien niet zo bijster dol was op honkbal als sport. Op dat moment was ik net begonnen als center fielder in het team van Nearing, hoewel ik mijn plaats ongetwijfeld zou verliezen aan Josey Higgins, een dynamische eersteklasser die anders dan ik geen moeite had met het raken van effectballen en in het veld zelfs sneller was dan ik. Hij kreeg later een beurs voor Wisconsin State, waar hij het tot All Mid-Ten bracht. Wat als het ware van het ene moment op het andere bij me opkwam, toen ik tijdens een training werd overvallen door een bal die van boven op me leek te vallen, was dat er maar één reden was waarom ik elke zomer sinds mijn zesde op het veld had rondgedard en urenlang op tv naar honkbal had gekeken, en dat was om er met mijn vader over te kunnen praten. Ik keek er ook weer niet in wrok op terug toen ik dat eenmaal begreep, alleen was ik niet van plan ermee door te gaan. Toen ik me afmeldde, deed de coach weinig moeite me op andere gedachten te brengen, hij was overduidelijk opgelucht dat hem de onvermijdelijke speech over het belang van het team bespaard bleef. Iedereen, mijn vader incluis, heeft altijd gedacht dat ik liever stopte dan dat ik de reservebank warm hield en ik heb ze met alle plezier in de waan gelaten.

Als we daar een tijdje hebben staan staren, vraagt hij wat ik ga doen als mijn stage volgende week afloopt. Ik heb besloten weer als invalkracht te beginnen en intussen door te werken aan mijn tijdschriftartikel, want ik ben daar de afgelopen tijd aardig mee opgeschoten. Hij knikt alsof hij wil zeggen dat het een redelijk plan is.

'Dus alles bij elkaar?' vraagt hij, terwijl hij naar links buigt en dan naar rechts om de rook te ontwijken.

'Ben ik echt gelukkig, pa.'

Als ik opkijk, staat hij aandachtig en met een onpeilbare uitdrukking naar me te kijken en laat hij zich door de wolken omhullen. Ik realiseer me dat het lang geleden is dat ik een van mijn ouders dat heb geantwoord. Door de jaren heen heb ik hun vragen hoe het met me ging veel vaker afgedaan met een simpel 'oké'.

Nu ontwijk ik mijn vaders aandachtige blik door een lange slok van mijn bier te nemen en kijk ik naar het tuintje waar ik als kind speelde. Ooit leek het zo groot als de prairie. Nu wordt het grasveldje onderbroken door de nieuwe rododendron met zijn glimmende bladeren, hooguit een meter hoog, en het perkje eromheen dat mijn vader vandaag heeft moeten omspitten. Alles verandert, soms ten goede. Ik ben trots dat Anna hier bij me is, tevreden over mezelf dat ik heb gezien hoe goed we bij elkaar passen en dat ik ervoor ben gegaan en haar zover heb gekregen dat ze van me houdt, en blij dat ik haar samen heb gebracht met die andere mensen van wie ik hou. Het is zo'n moment dat ik me hopelijk altijd zal herinneren. Die dag dat ik zo gelukkig was.

Rusty's verjaardag
(19 maart 2007)

Barbara's dood
(29 september 2008)

Verkiezingen
(4 november 2008)

22

Tommy, 4 november 2008

Door de jaren heen had het bureau van de openbare aanklager, zoals de meeste instellingen, zijn eigen merkwaardige protocol ontwikkeld. De baas bleef zitten waar hij zat. De hoofdaanklager liep 's ochtends met zijn koffertje onder zijn arm zijn werkkamer binnen en kwam daar dan niet meer uit, behalve voor de lunch of een zitting. Het was een symbolisch teken van respect. Iedereen die hem wilde spreken, kwam naar de berg. Maar tegelijkertijd werkte die conventie in het bureau een verslapping van de gedragsregels in de hand. Kerels stonden soms op dertig meter van elkaar in de gang een zaak te bespreken en ondertussen een softbal over te gooien. Mensen konden zo hard als ze wilden 'fuck' zeggen. Assistent-aanklagers konden kwaad spreken over rechters en agenten over wie dan ook. In zijn heilige der heiligen betrachtte de hoofdaanklager een waardigheid die afstak bij de dagelijkse omgangsvormen in de rest van zijn bureau.

Voor Tommy betekende het dat hij zich voelde alsof hij gevangen zat. Hij moest iedereen opbellen per intercom of telefoon. Hij had meer dan dertig jaar door de gangen gezworven en was kamers in en uit gelopen om te roddelen over zaken en de kinderen thuis. En op dit moment was hij het wachten beu. Die ochtend vroeg was Brand vertrokken naar een afspraak op het forensisch lab, waar ze hem de resultaten zouden vertellen van het onderzoek naar het DNA van de twintig jaar oude spermasporen die in de eerste zaak-Sabich waren gevonden. Tommy was inmiddels al zes keer zijn kantoor uit gelopen om te zien of Brand al terug was.

Het feit dat die resultaten Tommy zouden dwingen een keuze te maken tussen het slechte en het nog slechtere nieuws, leek op dat moment van minder belang. En dat gold ook voor het idee dat Brand ineens was gaan pushen, namelijk dat Tommy zich na een eventuele veroordeling van Rusty Sabich kandidaat moest stellen voor de functie van hoofdaanklager. Wat hij er niet bij vertelde was dat als er dan alsnog een rechterspost vrijkwam, Tommy het stokje hoogstwaarschijnlijk aan Brand zou doorgeven. Maar elke keer als Brand daar hardop over speculeerde, legde Tommy hem het zwijgen op. Politiek zou nooit zijn passie worden. Waar het voor Tommy werkelijk om ging, was waar het hem als aanklager al decennialang om ging: gerechtigheid. Of iets goed was of kwaad.

Dus als ze twintig jaar geleden een onschuldige hadden aangepakt, zou hij de eerste zijn om Rusty te zeggen dat het hem speet. En als het anders uitviel, als Rusty inderdaad degene bleek te zijn die Carolyn had doodgemaakt, dan – ja, wat dan? Maar hij wist het direct. Het zou net zoiets zijn als zijn huwelijk. Het zou net zo zijn als toen hij Dominga tegenkwam en verliefd op haar werd. En Tomaso met haar kreeg. Die ene blijvende smet op zijn carrière zou uitgewist zijn. Maar het belangrijkst was dat Tommy het zelf zou weten. Het schuldgevoel dat vanaf die tijd aan hem knaagde, het verwijt dat hij zo stom was geweest om tegen Nico uit de school te klappen, zou verdampen. Hij zou gelijk hebben gehad, meer nog voor zichzelf dan in de ogen van anderen. Hij zou negenenvijftig jaar oud zijn. En herboren. Alleen God kon een leven zo grondig herscheppen. Tommy wist dat. Hij gunde zich een moment om een dankgebedje bij voorbaat te versturen.

Toen hoorde hij Brand met veel lawaai zijn werkkamer naast de zijne binnengaan en hij ging er meteen op af. Jim had zijn koffertje nog in zijn hand en zijn overjas half uitgetrokken en keek verbaasd naar Tommy op zijn drempel. De meester komt de knecht opzoeken. Hij sprak de woorden waarvan Tommy altijd al had geweten dat iemand ze uiteindelijk zou zeggen.

Hij zei: 'Hij is het.'

DEEL II

III

23

Nat, 22 juni 2009

'Wilt u voor het verslag duidelijk uw naam opgeven en uw achternaam spellen?'

Sandy Stern zit aan de notenhouten tafel voor de advocaten en schraapt zijn keel. Het is tegenwoordig een soort tic, voor- en nadat hij iets zegt, een kort slijmhoestkuchje dat nooit helemaal normaal klinkt.

'Rozat K. Sabich. S, a, b, i, c, h.'

'Staat u ook bekend onder een andere naam?'

'Rusty.'

In de getuigenbank maakt mijn vader, in zijn geperste blauwe pak, in houding en gelaatsuitdrukking een beheerste, onverstoorbare indruk. In zijn plaats zou ik één bonk zenuwen zijn, maar mijn vader heeft de laatste maanden de koele distantie van de mysticus ontwikkeld. Vooral lijkt hij alle geloof in oorzaak en gevolg te zijn verloren. Dingen gebeuren. Punt.

'En vind je het goed als ik je Rusty noem?' vraagt Stern, terwijl hij hoffelijk zijn hand opsteekt alsof hij zich niet wil opdringen. Nadat mijn vader heeft ingestemd vraagt Stern hem de jury te vertellen wat voor werk hij doet.

'Afgelopen november ben ik gekozen tot rechter bij het hooggerechtshof van onze staat, maar ik ben nog niet beëdigd.'

'En wat is daar de reden van?'

'Gezien de feiten die me ten laste zijn gelegd, leek het me voor alle betrokkenen verstandiger de uitkomst van dit proces af te wachten. In de tussentijd ben ik nog gewoon rechter bij het hof van beroep in het derde district hier in Kindle County, al ben ik voorlopig met buitengewoon verlof.'

Stern legt uit dat zowel het hof van beroep als het hooggerechtshof alleen beroepszaken behandelt.

'En kun je ons vertellen wat het betekent om een rechter bij een hof van beroep te zijn?'

Mijn vader vertelt wat zijn taken zijn. Aan de overkant van de rechtszaal staat Tommy Molto op om bezwaar te maken als mijn vader begint uit te leggen dat een rechter bij een hoger beroep in een strafzaak meestal niet het recht heeft het feitelijke oordeel van de jury te overrulen.

Rechter Basil Yee weegt de kwestie zichtbaar, terwijl zijn grijze hoofd van links naar rechts wiegelt. Rechter Yee is afkomstig uit het verderop in de staat gelegen Wade en is speciaal door het hooggerechtshof aangesteld om deze zaak te presideren, nadat alle rechters van het gerechtshof van Kindle County, wier vonnissen mijn vader meer dan tien jaar lang als zijn dagelijks werk heeft herzien, unaniem hebben besloten zich te wraken. Hij is een Taiwanese immigrant die op zijn zevende naar Wade is gekomen, een stadje van niet meer dan tienduizend inwoners, toen zijn ouders daar het lokale Chinese restaurant overnamen. Rechter Yee schrijft onberispelijk Engels, maar spreekt de taal nog steeds maar matig. Hij heeft een sterk accent en gebruikt Aziatische toonhoogtevariaties, en soms negeert hij lidwoorden, voorzetsels, koppelwerkwoorden – het bindweefsel van de taal. Zijn vaste notuliste is niet vanuit Wade met hem meegekomen en de irritante wijze waarop Jenny Tilden hem steeds in de rede valt met het verzoek te spellen wat hij zojuist heeft gezegd, heeft van hem een man van nog minder woorden gemaakt.

Rechter Yee beslist ten gunste van mijn vader, die, zoals Molto al vreesde, nog even op het onderwerp doorgaat om de jury ervan te doordringen dat zij het laatste woord hebben in het bepalen van zijn schuld of onschuld.

'Goed,' zegt Stern. Hij kucht en hijst zich moeizaam aan het tafelblad omhoog. Sandy heeft van rechter Yee toestemming gekregen getuigen zittend te ondervragen als hij daar behoefte aan heeft. Sandy loopt een beetje mank als gevolg van artritis in één knie, een bekend bizar bijverschijnsel van het specifieke type niet-kleincellige longkanker waaraan hij lijdt dat misschien pas over eeuwen door de medische wetenschap zal worden begrepen. Naast hem legt Marta, zijn dochter en juridische partner, werktuiglijk haar goed gemanicuurde hand als subtiel steuntje op haar vaders elleboog. Al mijn hele leven hoor ik verhalen over Sterns magnetische kracht in de rechtszaal. Net als veel andere dingen in het leven is ook dit amper te verklaren. Hij is klein – nog geen één meter zeventig – en altijd aan de dikke kant geweest. Op straat zou je Sandy Stern duizend keer voorbij kunnen lopen zonder hem op te merken. Maar als hij in de rechtszaal opstaat, is het alsof iemand een lichtbaken aansteekt. De precisie van elk woord en elk gebaar maakt het onmogelijk de ogen van hem af te wenden, hoezeer de kanker hem ook heeft verzwakt.

'Kun je ons iets over je achtergrond vertellen, Rusty?'

Stern leidt mijn vader door diens levensloop. Zoon van een immigrant. Studie met een beurs. Twee banen naast zijn rechtenstudie.

'En na je rechtenstudie?' vraagt Stern.

'Toen werd ik aangenomen als aanklager in Kindle County.'

'Dus bij het bureau waaraan meneer Molto tegenwoordig leiding geeft?'

'Dat klopt. Meneer Molto en ik zijn daar een paar jaar na elkaar in dienst gekomen.'

'Protest,' zegt Molto zachtjes. Hij heeft niet opgekeken van het schrijfblok waarop hij aantekeningen zit te maken, maar de spanning staat op zijn kin te lezen. Hij heeft precies door waar mijn vader en Stern mee bezig zijn, namelijk de juryleden eraan herinneren dat mijn vader en Tommy een gezamenlijk verleden hebben, iets wat ze waarschijnlijk al weten uit de kranten, die dagelijks alle details van het eerste proces oprakelen. De juryleden zweren elke ochtend dat ze krantenberichten en televisiereportages uit de weg zijn gegaan, maar volgens Marta en haar vader sijpelen dit soort berichten toch bijna altijd door tot in de jurykamer.

Rechter Yee zegt: 'Genoeg hierover, lijkt mij.'

Zonder van zijn aantekeningen op te kijken reageert Tommy met een tevreden knikje. Ondanks zijn hanggezicht en zijn schijnheilige manier van doen is Tommy's optreden beter te pruimen dan ik had verwacht. Het is zijn adjunct, Jim Brand, die me pas echt op de zenuwen werkt. De meeste tijd loopt hij de harde jongen uit te hangen, maar echt erg wordt het pas als hij probeert de blits te maken.

Stern voert mijn vader langs zijn carrière bij het bureau dat hem nu aanklaagt tot aan zijn uiteindelijke benoeming bij de rechtbank. In zijn verslag wordt, zoals de rechter heeft bevolen, met geen woord gerept over de eerste aanklacht en het eerste proces. Het is de naadloze kroniek van de rechtbank, waarin alle historische verkeersdrempels zijn uitgevlakt.

'Ben je getrouwd, Rusty?'

'Dat was ik wel, ja. Barbara en ik zijn meer dan achtendertig jaar geleden getrouwd.'

'Kinderen?'

'Mijn zoon Nat zit daar op de eerste rij.' Stern kijkt met gespeelde nieuwsgierigheid achterom, alsof hij me niet precies de plek had aangewezen waar ik moest gaan zitten. Hij is zo'n geweldige rechtszaalacteur dat me zo nu en dan de hoop bevliegt dat zijn gezondheidsproblemen ook maar spel zijn, maar ik weet wel beter.

Rond het gerechtsgebouw word ik regelmatig apart genomen door mensen die me op fluistertoon vragen hoe het met Stern gaat; kennelijk gaan ze ervan uit dat iemand die mijn vader twee keer in een moordproces heeft verdedigd een intiemere vriend van de familie is dan hij in feite is. Ik zeg tegen iedereen ongeveer hetzelfde. Stern stort zich met de moed van een klifduiker op zijn werk, maar hoe het werkelijk met zijn gezondheid gaat, daar weet ik weinig van. Hij laat daarover niet veel los. Marta kijkt er filosofisch tegenaan, maar doet er ook het zwijgen toe, ook al klikte het – als collega-kinderen van plaatselijke juridische hotshots – vrijwel meteen tussen ons. Beide Sterns stellen zich onverbiddelijk professioneel op. In onze relatie gaat het nu over de problemen van mijn vader, niet over die van henzelf.

Maar je hoeft niet voor dokter te hebben gestudeerd om te zien dat Sandy's toestand zorgwekkend is. Afgelopen jaar is een stuk van zijn linkerlong weggehaald, een operatie waarbij al het door kanker aangetaste weefsel leek te zijn verwijderd. Maar in de afgelopen vier of vijf maanden heeft hij toch weer minstens twee afzonderlijke chemo- en bestralingskuren moeten ondergaan. Volgens mijn oude middelbareschoolvriend Hal Marko, die nu chirurg in opleiding is, moeten er bij Stern toch weer uitzaaiingen zijn gevonden. Op de onvoorstelbaar gevoelloze toon die mijn vrienden op de rechtenfaculteit tegenwoordig ook menen te moeten aanslaan om te laten zien dat ze zich van gewone mensen tot 'professionals' hebben ontwikkeld, voegde hij er nog aan toe dat de gemiddelde levensverwachting in Sterns geval niet langer dan een jaar zal zijn. Ik heb geen idee of dat klopt, maar zie wel dat de behandelingen Stern geen goed hebben gedaan. Hij is kortademig en heeft een naar hoestje, niet als gevolg van de longkanker maar als bijwerking van de bestraling. Hij beweert dat zijn eetlust weer begint terug te keren, maar in de aanloop naar het proces heb ik hem amper iets zien eten, en de man die ik sinds mijn kindertijd als ten minste mollig ken, is nu ronduit mager. Hij heeft geen nieuwe garderobe aangeschaft en zijn pakken hangen als kaftans om hem heen. Als hij moeizaam overeind komt, heeft hij zichtbaar pijn. En alsof dat allemaal nog niet genoeg is, hebben de medicijnen die hij tijdens zijn chemokuur moest slikken hem een rode uitslag over zijn hele lichaam bezorgd, inclusief zijn gezicht. Vanaf de plek waar de jury zit moet het eruitzien alsof hij een enorme roze fuchsia op de ene helft van zijn gezicht heeft laten tatoeëren. De ontsteking kruipt vanuit zijn nek naar boven tot over zijn wang en om zijn oog, eindigend in een eilandje bij zijn slaap dat op wrede wijze naar zijn kale schedel wijst.

Rechter Yee stelde voor de zaak aan te houden, maar mijn vader en Sandy hebben besloten daar niet op in te gaan, hoe slecht hij er ook uitziet. Zijn geest is nog sterk en als hij zijn krachten een beetje verdeelt, kan hij de fysieke belasting van een proces wel aan. Diep in zijn hart weet Sandy de eigenlijke reden van het besluit om door te gaan: het is nu of nooit.

'Rusty, je bent in deze zaak als eerste getuige à decharge opgeroepen.'

'Klopt.'

'Je begrijpt dat je op basis van de Grondwet van de Verenigde Staten niet gedwongen kunt worden tegen jezelf te getuigen?'

'Dat begrijp ik.'

'Maar je hebt toch besloten te getuigen?'

'Ja.'

'En je bent gedurende de hele tijd dat de getuigen van de openbare aanklager hun verklaringen aflegden hier aanwezig geweest?'

'Inderdaad.'

'En je hebt ze ook allemaal gehoord? Meneer Harnason? Dr. Strack, de toxicoloog? Dr. Gorvetich, de computerexpert? Alle veertien personen die hier door de openbare aanklager zijn ondervraagd?'

'Ik heb ze allemaal gehoord.'

'Dus je begrijpt dat je wordt beschuldigd van moord op je echtgenote, Barbara Bernstein Sabich?'

'Ja.'

'Heb je dat gedaan, Rusty? Heb je Barbara Sabich vermoord?'

'Nee.'

'Heb je op enigerlei wijze een rol gespeeld in het veroorzaken van haar dood?'

'Nee.'

Het naakte feit dat hier een gekozen rechter van het hooggerechtshof van onze staat voor de tweede keer in zijn leven voor moord terechtstaat, nota bene op beschuldiging door dezelfde openbare aanklager, heeft pers van over de hele wereld gelokt. Elke dag staat er een lange rij belangstellenden voor de deur voor een plekje op de publieke tribune, en de twee rijen aan de overkant puilen uit van de reporters en gerechtstekenaars. De opeengehoopte aandacht van de wereld lijkt soms de rechtszaal binnen te dringen, waar de lucht geladen is met de herberekeningen die al die mensen bij elk woord maken. Mijn vaders 'nee' blijft nu in de lucht hangen, als het ware gedragen door het belang van zijn verklaring. Met alle ogen op zich gericht, kijkt Stern de grote, in rococostijl uitgevoerde rechtszaal rond en buigt dan lichtjes achterover, alsof hij nu pas iets ontdekt waarvan beter geïnformeerden weten dat hij het altijd al zo gepland heeft.

'Geen vragen meer,' zegt hij en laat zich dodelijk vermoeid in zijn stoel vallen.

Mijn vaders proces is de eerste rechtszaak die ik van begin tot eind meemaak. Het juridische proces heeft een zo groot deel van mijn vaders leven opgeëist, als openbare aanklager en als rechter, dat ik het, ook al is de hele geschiedenis voor mij ongelooflijk zwaar, nog steeds verhelderend vind hier te zitten. Ik krijg nu eindelijk een beeld van wat hij deed in al die uren die hij van huis was en begin een idee te krijgen van wat hem zo mateloos boeide. En hoewel de rechtszaal nooit mijn plek zal worden, ben ik wel gefascineerd geraakt door alle kleine rituelen en drama's, vooral die momenten die te banaal zijn om in de film of op de televisie te laten zien. Dit moment bijvoorbeeld, waarop de partijen van beurt wisselen, de ene jurist gaat zitten en zijn opponent opstaat, is het juridische equivalent van het moment tussen twee innings, een moment van gespannen verwachting. Het geklik van de computer van de notuliste stopt, de juryleden herschikken hun papieren en krabben zich op plekjes waar het jeukt, de toeschouwers schrapen hun keel. Papieren schuiven over beide tafels nu de advocaten hun aantekeningen bij elkaar rapen.

Door een wonderlijke speling van het lot wordt mijn vaders zaak behandeld in een van de vier oudste rechtszalen in het gebouw, het Central Branch Courthouse, waar het hof van beroep op de bovenste verdieping is ondergebracht. Elke dag staat hij terecht voor moord in het gebouw waar hij in elk geval in naam de hoogste gerechtelijke ambtsdrager is, naast de zaal waar hij meer dan twintig jaar geleden werd vrijgesproken. De oude rechtszalen, waar al meer dan zeventig jaar ernstige misdrijven worden behandeld, zijn juwelen van architectuur van weleer, met veel oog voor detail. Een lint van notenhouten bollen loopt door de zaal en vormt de afzetting van het vak voor de jury. Eenzelfde soort hekwerk begrenst de getuigenbank en het podium waar rechter Yee zit en over de rechtszaal uitkijkt. De rechterstoel en de getuigenbank zijn duidelijk afgebakend met rode marmeren zuilen onder een overhangend notenhouten baldakijn, met nog meer van die oubollige houten bollen.

Onder dat baldakijn zit mijn vader onbewogen te wachten tot Tommy Molto met zijn kruisverhoor begint. Voor het eerst laat hij zijn blauwe ogen op de mijne vallen, en heel even knijpt hij ze dicht. Daar gaan we dan, lijkt hij te willen zeggen. De wilde raketreis die ons leven is geweest sinds mijn moeders dood negen maanden geleden zal ten einde komen en we dalen aan een parachute terug naar de aarde, waar we ofwel terecht zullen komen in een gekrompen versie van het leven dat we voorheen leidden, of in een nieuwe nachtmerrie, waarin mijn wekelijkse gesprekken met mijn vader tot het eind van zijn leven door een plaat kogelvrij glas zullen plaatsvinden.

Als een van je ouders doodgaat – dat hoor je van iedereen, dus ik weet dat het niet bijster origineel is –, dus als je je vader of moeder verliest, verandert je leven fundamenteel. Een van de polen, noord of zuid, is van de aardbol weggevaagd en zal nooit terugkeren.

Maar mijn leven is écht anders geworden. Ik ben veel te lang een soort kind gebleven, en toen was ik plotseling waar ik was. Ik was verliefd geworden op Anna. Mijn moeder was dood. En mijn vader werd ervan beschuldigd haar te hebben vermoord.

Omdat wat er met mijn ouders is gebeurd voor hen allebei veel erger is dan voor mij, klinkt het misschien overdreven als ik zeg dat ik door een hel ben gegaan. Maar dat is wel zo. Natuurlijk was het plotselinge verlies van mijn moeder de grootste klap. Maar de aanklacht tegen mijn vader heeft mij in een situatie gebracht waarvan weinigen zich een voorstelling zullen kunnen maken. Mijn vader is het grootste deel van mijn leven een publieke figuur geweest, wat betekent dat ik eraan gewend was in zijn schaduw te staan. Toen ik rechten ging studeren, wist ik dat dat alleen maar erger zou worden, dat ze me altijd als Rusty's kind zouden blijven beschouwen en dat ik mijn hele leven zijn naam en zijn prestaties met me mee zou slepen als een bruid die met sleep en al een draaideur probeert te passeren. Maar nu is hij opeens berucht in plaats van beroemd, het mikpunt van afschuw en spot. Elke keer als ik zijn foto tegenkom, op internet of op televisie, en zelfs een keer op de cover van een bekend nationaal tijdschrift, bekruipt me sterker het gevoel dat hij niet helemaal meer van mij is. En natuurlijk weet niemand zich tegenover mij een houding te geven. Dat de buitenwereld te weten komt dat je hiv-positief bent, moet net zoiets zijn – mensen weten wel dat je eigenlijk niets verkeerds hebt gedaan maar kunnen de neiging terug te deinzen toch niet helemaal onderdrukken.

Maar het ergst is wat er binnen in mij gebeurt, want van het ene moment op het andere heb ik geen idee hoe ik me voel, en trouwens ook niet hoe ik me zou moeten voelen. Ouders zijn altijd bewegende objecten. Terwijl we opgroeien, verandert ons perspectief voortdurend. In deze rechtszaal is er maar één vraag – heeft hij het wel of niet gedaan? Maar voor mij is de kwestie maandenlang veel ingewikkelder geweest, omdat ik binnen korte tijd moest proberen vast te stellen waar de meeste kinderen een heel leven lang de tijd voor krijgen, namelijk wie mijn vader nu eigenlijk is. Niet degene die ik dacht. Dat heb ik intussen wel door.

Dat proces begon op de dag van de verkiezingen, toen er hard op de deur van Anna's appartement werd geklopt. Een kleine vrouw hield haar politiepenning omhoog.

'KCUPF.' Kindle County Unified Police Force. 'Kunnen we even praten?'

Het was net als op de televisie en dus wist ik dat ik moest vragen: wat is er aan de hand? Maar ik vroeg niets. Ze stapte, paradeerde eigenlijk, het appartement binnen, ongevraagd, een korte plompe vrouw met haar pet onder haar arm en haar weerbarstige koperkleurige haar strak in een paardenstaart.

'Debby Diaz.' Ze stak me een kleine, ruwe hand toe en ging zitten op de ouderwetse blauwe stoffen poef die Anna een paar weken eerder vooral voor de grap had gekocht. 'Ik ken je vader al jaren. Ik werkte bij de rechtbank toen hij daar als rechter begon. En jou herinner ik me ook, bedenk ik nu.'

'Mij?'

'Ja. Ik heb je daar wel eens zien zitten als ik zaaldienst had. Je klom dan tijdens schorsingen op zijn stoel op het podium. Vanuit de rechtszaal was je niet te zien, maar dat wist jij niet. Tjongejonge, wat kon jij met die hamer slaan. Het is een wonder dat hij heel bleef.' De herinnering deed haar duidelijk plezier en kwam ook plotseling weer bij mij boven, inclusief de muzikale echo van mijn hamerslagen op het eiken blok. 'In die tijd was ik nog jong en slank,' zei ze, 'en wilde ik bij de politie.'

'Dat is dan kennelijk gelukt.' Ik zei dit omdat ik niets anders wist te verzinnen, maar zij beschouwde het als een grapje en glimlachte.

'Het was wat ik wilde. Of in elk geval wat ik dacht dat ik wilde.' Ze schudde haar hoofd om zoveel jeugdige onbezonnenheid. Toen richtte ze zich met een verontrustend plotselinge ernst tot mij. 'We proberen de dood van je moeder af te sluiten.'

'Af te sluiten?'

'Wat vragen beantwoord te krijgen. Je weet hoe dat gaat. Een maand lang gebeurt er helemaal niets en dan moet de hele zaak opeens binnen een week worden afgesloten. De jongens ter plaatse hebben destijds een lange verklaring van je vader opgenomen, maar met jou heeft nog niemand gepraat. Toen ik je naam hoorde dacht ik, ik loop er zelf wel even langs.'

Soms komen er mensen op je pad van wie je meteen aanvoelt dat ze niet het achterste van hun tong laten zien en rechercheur Diaz was beslist zo iemand. Even vroeg ik me af hoe ze me gevonden had, maar toen bedacht ik dat ik dit adres had achtergelaten toen ik bij de rechtbank was vertrokken. Alles samen genomen had ik liever dat ze me op de dag van de verkiezingen hier kwam bezoeken dan dat ze naar de universiteit was gekomen. Er zijn op de faculteit mensen genoeg die me nog van Nearing Highschool kennen en zich bijna niet kunnen voorstellen dat ik jongeren een goed voorbeeld zou kunnen geven.

'Ik snap nog steeds niet wat u precies van me wilt,' zei ik tegen haar, waarop ze een gebaar maakte alsof het allemaal te vaag, te politietechnisch, te bureaucratisch was om uit te leggen.

'Ga zitten,' zei ze, 'dan zal ik het je uitleggen.' Vanaf de poef wees ze me een stoel in mijn eigen huis. Wat ik eigenlijk zou moeten doen, bedacht ik, was mijn vader bellen, of in elk geval Anna. Maar die gedachte leek van weinig nut tegenover de realiteit van rechercheur Diaz, die daar op de poef zat. Ze had, hoe klein ze ook was, iets beslists over zich, als een echte politieagent, zo van ik ben hier de baas, dus geen kunstjes.

'Mijn moeder is overleden aan een hartstilstand,' zei ik haar.

'Klopt.'

'Dus, wat valt daar nog over te vragen?'

'Nat,' zei ze. 'Ik mag je wel "Nat" noemen, hè? Iemand zei dat die jongen nog gehoord moest worden om de zaak te kunnen afsluiten, dus ben ik hier om je wat vragen te stellen. Dat is alles.' Ze pakte een tijdschrift van het tafeltje, een nummer van *People* dat Anna daar had laten liggen, en sloeg een paar bladzijden om. 'Alsof die Brad en Angie iemand wat interesseren,' zei ze en gooide het blad weer op tafel. 'Alles cool tussen je pa en je ma in de tijd voor ze doodging?'

Ik kon een glimlach niet onderdrukken. Dat was precies de goede term voor hoe de relatie tussen mijn ouders over het algemeen was: koel. Een beetje op afstand.

'Hetzelfde als altijd,' antwoordde ik.

'Maar ze deden niet hatelijk tegen elkaar of tegen jou?'

'Niet anders dan anders.'

'En hoe gaat het nu met je vader? Er nog steeds kapot van, zeker?'

Ze had ergens een klein ringbandnotitieboekje vandaan getoverd en was erin begonnen te schrijven.

'Mijn vader… ik weet eigenlijk nooit goed wat er in hem omgaat. Hij laat niet veel merken. Maar volgens mij zijn we allebei nog steeds min of meer in shock. Hij heeft het grootste deel van zijn verkiezingscampagne afgeblazen. Als hij het mij had gevraagd, had ik hem aangeraden er meer tijd aan te besteden, al was het maar om zijn hoofd op andere gedachten te brengen.'

'Heeft hij iemand?'

'Bent u gek?' De gedachte aan mijn vader met iemand anders, iets wat verschillende halve garen in de weken na de dood van mijn moeder hadden gesuggereerd, maakte me iedere keer weer razend.

'Kun je goed met je vader opschieten?' vroeg ze.

'Best wel,' zei ik. 'Is het jullie om hem te doen? Om mijn vader? Probeert iemand hem in de problemen te brengen?'

Toen ik in groep vier zat, werd mijn vader berecht wegens moord. Achteraf bezien kan ik me er alleen maar over verbazen hoe lang het duurde voor de volle betekenis van deze simpele woorden tot me doordrong. Destijds vertelden mijn ouders me dat mijn vader hele erge ruzie had gekregen met zijn vrienden op zijn werk, zoals ik ook wel eens ruzie had met mijn vriendjes op school, en dat zijn vroegere maatjes nu heel boos op hem waren en allerlei gemene en oneerlijke dingen tegen hem deden. Natuurlijk accepteerde ik dat – en dat doe ik eigenlijk nog steeds. Maar ik besefte dat er meer achter stak, al was het alleen maar omdat alle volwassenen met wie ik te maken had me veel behoedzamer behandelden, alsof ze ook mij ergens van verdachten – de ouders van mijn vriendjes, de onderwijzers en conciërges op school, maar opmerkelijk genoeg ook mijn ouders zelf, die voortdurend als moederkloeken boven op me zaten, alsof ze bang waren dat me iets vreselijks zou overkomen. Mijn vader bleef thuis van zijn werk. Op een dag zwermde een heel peloton politieagenten uit over ons huis. En uiteindelijk begreep ik, nadat ik het ofwel gevraagd of toevallig gehoord had, dat er iets heel ergs met mijn vader kon gebeuren – dat de kans bestond dat hij jaren en jaren weg zou moeten en misschien nooit meer bij ons zou komen wonen. Hij was doodsbang; ik voelde dat. En mijn moeder was het ook. En dus werd ik ook doodsbang. Ze stuurden me naar een zomerkamp, waar de angst nog toenam omdat ik ver van huis was. Ik speelde honkbal en speelde met mijn vriendjes, maar werd 's nachts steeds wakker met de realiteit dat er thuis iets verschrikkelijks kon gebeuren. Elke nacht lag ik vreselijk te huilen, tot ze besloten me maar naar huis terug te sturen. En toen ik thuiskwam was opeens dat wat ze het proces noemden voorbij. Iedereen wist nu dat mijn vader niets slechts gedaan had, dat de slechte dingen waren gedaan door zijn voormalige vrienden, zoals mijn ouders al die tijd al hadden gezegd. Maar toch klopte er iets niet. Mijn vader was nog steeds niet aan het werk.

En mijn ouders leken niet in staat weer normaal tegen elkaar te doen. Het was voor mij dan ook geen verrassing toen mijn moeder vertelde dat wij met zijn tweetjes zouden weggaan. Ik had al die tijd al geweten dat er een ramp had plaatsgevonden.

'Vind je dat je vader problemen verdient?' vroeg rechercheur Diaz.

'Natuurlijk niet.'

'Dingen verzinnen doen we niet,' zei ze. Ik was nog niet gaan zitten en ze wees opnieuw naar de stoel, ditmaal met een pen. 'Zo iemand als je vader, hij is er al vanaf het begin van onze tijdrekening, en alles en iedereen heeft een mening over hem. En dan zijn er altijd mensen bij, hier en daar, die hun gram willen halen, dat weet jij ook wel. Zo gaan die dingen. Rechters, officieren van justitie, politieagenten, ze zijn altijd als zand in iemands zalf. Maar jouw vader heeft zich kandidaat gesteld voor een hoge openbare functie. Daar gaat het hier vooral om. Iemand heeft zijn dossier bekeken en gedacht: vóór hij wordt beëdigd moeten alle vragen zijn beantwoord om het af te kunnen sluiten.'

Ze vroeg me haar te vertellen wat er precies gebeurd was op de dag dat mijn moeder stierf. Of liever gezegd de dag erna.

'O, is dat het probleem?' vroeg ik. 'Vonden jullie dat vreemd – dat hij de hele dag bij haar lichaam heeft gezeten?'

Ze hief een hand op – ze deed ook maar gewoon haar werk. 'Ik weet het niet. Mijn moeder, die was van Ierse komaf en daar werd een dode met kaarsen en zo in de zitkamer opgebaard en iedereen zat daar de hele nacht omheen. Dus nee, bedoel ik. Als je iemand verliest, daar is geen handboek voor. Iedereen doet het op zijn eigen manier. Maar weet je, als iemand problemen wil maken, dan zegt hij: "Hé, wat vreemd. Hij heeft alles opgeborgen." Je weet hoe mensen kunnen zijn: wat heeft hij allemaal opgeruimd? Wat probeert hij te verbergen?'

Ik knikte. Dat klonk logisch, hoewel die vragen bij mij nooit waren opgekomen.

'Volgens een van die agenten zou jij hebben gezegd dat je vader er geen politie bij wilde halen.'

'Hij had een black-out. Dat is alles. Ik bedoel, hij zit toch lang genoeg in het vak om te weten dat je in zo'n geval de politie moet bellen.'

'Lijkt mij ook,' zei rechercheur Debby.

'Het kwam door de situatie,' zei ik. 'Ik bedoel, dat hartgedoe zat bij haar in de familie, maar mijn moeder was in een heel goeie conditie, ze deed veel aan fitness, leefde gezond. Ben jij ooit zomaar opeens iemand kwijtgeraakt van wie je veel hield? Het is of de grond onder je vandaan zakt, of alles zweeft. Je weet niet of je moet gaan zitten of blijven staan. Je kunt niet meer nadenken, nergens over. Je kunt alleen maar houvast zoeken.'

'Leek er iets anders dan anders toen je daar aankwam?'

Natuurlijk was er iets anders dan anders: mijn moeder lag dood in het bed van mijn ouders. Hoe kon die rechercheur denken dat ik me ook maar iets anders zou kunnen herinneren? Mijn vader had allebei haar handen boven op het dekbed gelegd en ze had een kleur zo bleek als was, zodat het geen vraag meer was of ze nog leefde. Ik weet niet op welke leeftijd een kind uitdokteert dat zijn vader en zijn moeder eerder de pijp uit zullen gaan dan hijzelf. Maar mijn moeder leek nooit ouder te zijn geworden. Als er al iemand opeens het hoekje om zou gaan, had ik dat nog eerder van mijn vader verwacht, die in de loop van de jaren aardig is uitgedijd en loopt te klagen over zijn rug en zijn cholesterol.

'En wanneer hebben jij en je moeder voor het laatst contact gehad?'

'De avond tevoren. We hebben bij hen gegeten, mijn vriendin en ik.'

'En hoe ging dat?'

'Het was de eerste keer dat wij bij hen kwamen eten. Iedereen leek een beetje nerveus, wat wel vreemd was omdat mijn vriendin mijn ouders al kende voordat wij iets met elkaar kregen. Maar ja, soms wordt het juist moeilijker als iemand opeens van rol verandert. En ik denk dat mijn ouders zich stiekem wel eens zorgen maakten dat ik alleen zou achterblijven – nogal wispelturig en zo – dus dat etentje was niet zomaar iets. Hebt u kinderen?'

'Ja. Maar die zijn al helemaal volwassen, net als jij.' Dat klonk mij vreemd in de oren, zoals ze dat formuleerde. Ik denk niet dat mijn ouders mij 'helemaal volwassen' zouden hebben genoemd. En om eerlijk te zijn zou ik dat woord zelf ook niet gebruikt hebben. 'Mijn zoon werkt bij Ford en heeft er zelf ook al twee, maar mijn dochter, die is niet getrouwd en dat zal er ook wel niet van komen. Ze is net als ik, denk ik, wil alles zelf doen. Haar vader? Dat was een rat van de ergste soort, maar nu denk ik soms dat ik dat niet zo vaak tegen haar had moeten zeggen. Ze zit ook bij de politie. Ik heb geprobeerd het haar uit het hoofd te praten, maar ze moest en zou.' Door de manier waarop ze verbaasd haar hoofd naar achteren wierp schoten we allebei in de lach, maar ze keerde meteen terug naar de avond voordat mijn moeder stierf.

'Wat voor indruk maakte je moeder op je? Gelukkig? Ongelukkig? Viel je iets op?'

'Tja, mijn moeder… u moet weten dat ze al jaren werd behandeld voor een bipolaire stoornis, en soms kun je zien dat ze het moeilijk heeft… dat kón je zien, bedoel ik.' Ik trok een grimas vanwege de tegenwoordige tijd. 'Voor mij was dat min of meer normaal. Mijn moeder was een beetje gespannen, zou ik zeggen, en mijn vader was stiller dan anders, en mijn vriendin was nerveus.'

'Je zei dat jullie kwamen eten,' zei rechercheur Diaz. Weet je nog wat jullie aten?'

'Wát we aten?'

Ze raadpleegde haar aantekeningenboekje. 'Ja. Iemand wil weten wat jullie aten.' Ze haalde haar schouders op, zo van: vraag me niet waarom; ik werk hier alleen maar.

Het was de laatste keer dat ik contact had met mijn moeder, dus de film van die avond heb ik wel honderd keer teruggekeken en de details staan haarscherp in mijn geheugen gegrift. Het kostte geen enkele moeite te antwoorden op de vragen van de rechercheur over wie er die avond gekookt had en wat we hadden gegeten, maar ik zag de logica van haar vragen niet in en ergens halverwege begon het me te dagen dat ik mijn mond moest houden.

'En wie schonk tijdens het eten de wijn in voor je moeder? Weer je vader?'

Ik keek de rechercheur aan.

'Ik probeer gewoon elke vraag te bedenken die mogelijk gesteld zou kunnen worden,' zei ze. 'Ik wil je niet nog een keer lastig moeten vallen.'

'Wie bij het eten de wijn heeft ingeschonken?' dacht ik hardop, alsof ik het me niet goed meer goed kon herinneren. 'Misschien mijn vader. Hij heeft zo'n kurkentrekker waar mijn moeder niet mee overweg kon. Maar ik weet het niet zeker. Misschien was ik het zelf wel.'

Debby Diaz stelde nog een paar vragen, waar ik ook vage antwoorden op gaf. Ze zal wel in de gaten hebben gehad dat ik intussen op mijn hoede was en haar naar de mond praatte, maar dat kon me niet schelen. Ten slotte sloeg ze met haar platte handen op haar dijen en stond op om te vertrekken. In de deuropening knipte ze met haar vingers. 'Zeg eens, hoe heet je vriendin ook al weer? Wie weet moet ik haar ook nog spreken.'

Ik moest me inhouden om niet te lachen. Wat een rechercheur. Staat hier de hele tijd in haar appartement en heeft geen flauw idee. Maar ik schudde mijn hoofd alsof ik het antwoord niet wist. Diaz schonk me een vuile blik. We hadden allebei genoeg van doen alsof.

'Nou ja zeg, dat kan toch geen geheim zijn,' zei ze. 'Wil je me echt dwingen het uit te zoeken?'

Ik vroeg haar een visitekaartje achter te laten zodat ik dat aan mijn vriendin kon geven.

Nog voor de rechercheur de lobby beneden had bereikt, had ik mijn vader al via zijn interne lijn aan de telefoon. Meteen na het openen van de stembureaus had hij gestemd en daarna was hij aan het werk gegaan alsof het een normale dag was, ook al waren er op dat moment voor geen van ons nog normale dagen.

Hij klonk blij toen hij mijn stem hoorde. Dat is hij altijd als ik bel. Even kon ik geen woord uitbrengen. Ik had tot dat moment niet bedacht wat ik zou zeggen.

'Pa,' zei ik. 'Pa, ik ben echt bang dat je in de nesten zit.'

24

Tommy, 22 juni 2009

Tommy Molto had altijd gemengde gevoelens gehad wat Sandy Stern betreft. Sandy was goed, daar was geen twijfel aan. Als je een schoenlapper was die eer stelde in zijn werk, kon je alleen maar bewondering koesteren voor iemand die altijd het perfecte leer wist te vinden en daar schoenen van wist te maken die als gegoten zaten en aanvoelden als fluweel. Sandy was een maestro in de rechtszaal. Hij was Argentijn van geboorte en aan het eind van de jaren veertig tijdens de beroering rond Perón naar Amerika gekomen, en zestig jaar later hing hij nog steeds de Latijnse gentleman uit, met een licht accent dat als een buitenissig kruid – truffelolie of zeezout – zijn spraak verfraaide en het personeel van chique hotels toeschietelijker maakte. Met zijn manier van doen had hij tegenwoordig meer succes dan ooit tevoren, nu zijn incidentele terzijdes *en Español* door minstens twee of drie van de juryleden voor de overigen konden worden vertaald.

Maar je moest Sandy wel in de gaten houden. Omdat hij zo'n beschaafde en verfijnde indruk maakte, kon hij zich meer permitteren dan de gemiddelde drugszaakritselaar. Tommy wist dat alle ellende die Hij tijdens het eerste proces tegen Rusty Sabich over zich heen had gekregen, alle subtiele beschuldigingen dat hij Rusty bewust probeerde te pakken, uit de koker van Sandy stamden, die in de jaren daarna Tommy bejegende alsof er nooit iets belangrijks was voorgevallen en er geen glazen stolp op Tommy's leven was geplaatst.

Momenteel worstelde Sandy met kanker. En zo te zien waren de ontwikkelingen niet rooskleurig. Hij had een Yul Brynner-kapsel en was bijna dertig kilo afgevallen, en de medicijnen hadden hem een huiduitslag bezorgd die letterlijk door zijn gezicht leek te branden. Nog maar een paar minuten geleden, vóór de zitting werd hervat, had Tommy aan Sandy gevraagd hoe het met hem ging. 'Stabiel,' zei Sandy. 'We houden de moed erin. Over een paar weken weten we meer. De laatste kuur heeft een paar hoopvolle signalen opgeleverd. Ook al ben ik de Rode Pimpernel geworden.' Hij wees naar zijn wang.

'Ik zal voor je bidden,' zei Tommy. Hij zei dat nooit tegen iemand zonder het ook daadwerkelijk te doen.

Maar zo ging het met Sandy Stern. Jij bad voor zijn ziel en hij besprong je van achteren. De beklaagde getuigde nooit als eerste. De beschuldigde was altijd de slotakte van het proces, de topattractie, die op het laatst mogelijke moment het podium betrad, zodat in het licht van alle andere getuigenissen beoordeeld kon worden of hij er goed aan deed te getuigen en zodat de beklaagde een zo goed mogelijke indruk op de jury kon maken vlak voordat die zich ging beraden. Niet dat Tommy er volledig door is verrast. Hij heeft steeds rekening gehouden met een mogelijk optreden van Rusty, vanaf het moment dat rechter Yee, in een beschikking in de raadkamer, dus buiten gehoorsafstand van de pers, had bepaald dat geen van de feiten van het vorige proces – dus noch de nieuwe DNA-resultaten, noch de moord op Carolyn Polhemus, of de juridische procedures die daar het gevolg van waren geweest – ter sprake mocht worden gebracht in dit nieuwe proces. Maar Tommy had zich de komende avonden willen voorbereiden, Rusty's kruisverhoor op een rijtje willen zetten en willen oefenen met Brand. Nu zou het ongeveer gaan zoals dertig jaar geleden, toen Tommy elke dag zoveel drugszaken moest afhandelen dat hij er niet één fatsoenlijk kon voorbereiden en zijn kruisverhoren al improviserend moest afnemen. In de zeldzame gevallen dat een beklaagde in die tijd zelf als getuige optrad, was de eerste vraag meestal of de beklaagde nog even kon herhalen hoe hij heette.

Staande achter de tafel voor de aanklager, terwijl hij net deed of hij zijn aantekeningen raadpleegde, alsof er ook maar enige volgorde in de lukraak opgeschreven notities zat, kwam er een rust over Tommy die al gedurende deze hele zaak bij hem was. Niemand zou ooit op het idee komen Tommy's optreden in de rechtszaal als relaxed aan te merken, in dit noch in enig ander proces, maar waar hij vroeger op de avonden van een strafproces geplaagd werd door angsten en overal beren op de weg zag, voelde hij zich nu min of meer op zijn gemak en kon hij gewoon naast Dominga slapen in plaats van om het uur wakker te schrikken zoals vroeger. De impact die de uitspraak in dit proces op de toekomst van hemzelf en zijn gezin kon hebben, op de wijze hoe de buitenwereld tegen hem aan zou kijken, was zo groot dat hij wist dat hij geen andere keuze had dan de wil van God te aanvaarden. Hij geloofde gewoonlijk niet dat God Zijn kostbare tijd verspilde aan een onbelangrijk wezen als Tommy Molto. Maar hoe kon het dat Rusty nu tegen alle verwachtingen in opnieuw zijn pad kruiste, als niet met de uitspraak in het eerste proces een of andere hemelse rechtsregel was overtreden?

Ook het feit dat het bewijsmateriaal van het openbaar ministerie meer hout leek te snijden dan hij tevoren had gedacht, had een positieve uitwerking op Tommy's gemoedstoestand. Na dertig jaar processen voeren wist Tommy dat je in dit stadium van het proces blind in jezelf moest geloven. Je moest er rotsvast van overtuigd zijn dat je ging winnen om ook maar een kans te maken de jury te overtuigen, ook al moest je tegelijkertijd ook paranoïde blijven. En hij was op zijn hoede. Je kon nooit voorspellen welk konijn Stern nu weer uit zijn hoge hoed zou toveren, maar uit zijn lange ervaring met de man wist Tommy dat hij het onverwachte moest verwachten.

Het openingspleidooi dat Sandy twee weken geleden bij het begin van het proces had gehouden was een eentonige mantra over 'gerede twijfel', waarin Stern niet minder dan achttien keer de term 'indirect bewijs' wist te laten vallen: 'Er is geen bekentenis en er zijn geen ooggetuigen die kunnen worden aangevoerd in de bewijsvoering, die in plaats daarvan vrijwel uitsluitend zal bestaan uit speculaties van getuige-deskundigen over wat er gebeurd zou kunnen zijn. U zult deskundigen horen van het openbaar ministerie, en vervolgens even goed gekwalificeerde en betrouwbare deskundigen van de verdediging, die u zullen uitleggen dat de deskundigen van het openbaar ministerie het waarschijnlijk bij het verkeerde eind hebben. En zelfs de deskundigen van de aanklagers, dames en heren, zullen niet in staat zijn met zekerheid te beweren dat mevrouw Sabich is vermoord, laat staan door wie.' Voor de juryleden had Stern even gepauzeerd en zijn gezicht in een frons getrokken, alsof opeens tot hem doordrong hoe ongepast het was iemand op basis van zulke dunne bewijzen van moord te beschuldigen. Hij hield de reling van de jurybank stevig vast als steun – nadat hij meters dichter bij de juryleden was gekomen dan enig rechter in dit land normaal gesproken had toegestaan.

Ondanks de zomerhitte buiten ging Stern gekleed in een driedelig pak, ongetwijfeld uit zijn dikste periode, zodat het (en dat was geen toeval) om zijn lijf hing als een vormeloos ziekenhuishemd. Er was niets in het leven dat Sandy Stern niet zo wist te gebruiken dat hij er in de rechtbank van kon profiteren. Zijn hele wezen was daarop gericht, daar kon hij niets aan doen, zoals sommige andere kerels aan niets anders dan seks of geld kunnen denken. Zelfs het feit dat hij er nu uitzag als een wezen uit *Friday the 13th* had hij weten om te vormen tot iets dat in het voordeel van zijn cliënt kon werken: Sandy's aanwezigheid leek te suggereren dat hij van zijn sterfbed was opgestaan om een vreselijke justitiële dwaling te voorkomen. Spreek Rusty vrij, zo leek hij te willen zeggen, zodat ik in vrede kan sterven.

Of de juryleden daar in zouden trappen viel moeilijk te beoordelen, maar als ze de bewijsvoering van het openbaar ministerie goed gevolgd hadden, moesten ze toch inzien dat de aanklagers een punt hadden. Na enige discussie hadden ze Rusty's zoon Nat opgeroepen om als eerste in de getuigenbank plaats te nemen. Dat was riskant, vooral omdat Yee al had bepaald dat Nat, nadat hij de getuigenbank had verlaten, in de rechtszaal mocht blijven om zijn vader bij te staan, ook al zou hij later ook nog door de verdediging worden gehoord. Toch was het altijd leuk als je bewijzen van de tegenpartij kon krijgen, en Nat was een eerlijke jongen die, zoals hij daar dag in dag uit in de zaal zat, soms de indruk maakte zelf ook zijn twijfels te hebben.

In de getuigenbank vertelde Sabich junior wat van hem verwacht werd – dat zijn vader na de dood van Barbara de politie niet had willen bellen en dat Rusty de avond voor ze overleed de steaks had gegrild en de wijn had ingeschonken en dus uitgebreid de gelegenheid had gehad om zijn vrouw een dodelijke dosis fenelzine toe te dienen.

De volgende die de aanklagers opriepen was Nenny Strack. Ze deed het beter dan eerder op Tommy's kantoor, maar nam tijdens het kruisverhoor toch bijna alles wat ze gezegd had terug. Maar ze zaten aan haar vast. Als ze een andere toxicoloog in de arm hadden genomen, had Nenny voor de tegenpartij getuigd en niet alleen het verhaal van die nieuwe onderuit gehaald, maar ook verklaard dat ze haar twijfels ook al tegenover de aanklagers had geuit. In plaats daarvan ruimde Brand de rommel op met de patholoog-anatoom, die als zijn mening te kennen gaf dat Barbara was overleden aan een fenelzinevergiftiging. Dr. Russell kreeg het flink voor zijn kiezen tijdens het kruisverhoor, en Marta Stern voerde het hem hapje voor hapje. Ze benadrukte dat Russell aanvankelijk had geloofd dat Barbara door een natuurlijke oorzaak was overleden, en dat hij die mogelijkheid ook na de autopsie niet helemaal kon uitsluiten.

Vanuit het dal klommen de aanklagers weer langzaam maar zeker in de richting van het zonlicht. Barbara's eigen apotheker werd kort in de getuigenbank geroepen en verklaarde dat hij haar herhaaldelijk had gewaarschuwd voor de gevaren van fenelzine en had gewezen op de voedingsmiddelen die ze beter kon vermijden als ze het slikte. Harnason was Harnason, gluiperig en vreemd, maar hij hield zich aan het draaiboek. Zijn straf zou in ruil voor zijn getuigenis worden teruggebracht van honderd tot vijftig jaar. Harnason leek de enige in de rechtzaal die zich niet realiseerde dat hij in de gevangenis zou sterven. Hij was de eerste getuige die niet door Marta, maar door Stern zelf werd ondervraagd. Het werd een vreemd, onderkoeld kruisverhoor. Sandy deed nauwelijks moeite Harnason te confronteren met de bedenkelijke feiten die hij al had toegegeven toen hij door Brand was ondervraagd – dat hij een leugenaar en een bedrieger was, een wegloper die al eerder zijn eed tegenover de rechtbank had gebroken toen hij ervandoor ging, en een moordenaar die nachtenlang naast zijn minnaar had geslapen terwijl hij wist dat hij hem langzaam vergiftigde. In plaats daarvan richtte Stern zich op Harnasons eerste veroordeling dertig jaar geleden, en moedigde hij de man aan zijn hart te luchten, te vertellen hoe onterecht zijn gevangenisstraf was geweest en hoe Rusty's vonnis in feite zijn leven had verwoest. Maar Stern viel Harnason niet rechtstreeks aan op zijn verklaring dat Rusty hem getipt had over de beslissing van het hof van beroep, of gevraagd had hoe het voelde om iemand te vergiftigen.

George Mason, de plaatsvervangend president van het hof van beroep, was na Harnason gekomen, met een langdurige en voor Sabich nogal beschadigende bespreking van de juridische leerstellingen. Maar tijdens het kruisverhoor had rechter Mason, die toegaf een van Rusty's beste vrienden te zijn, nog eens benadrukt dat hij onvoorwaardelijk geloofde in Rusty's integriteit en geloofwaardigheid.

Strak in het pak maar zichtbaar nerveus verklaarde Prima Dana Mann in de getuigenbank dat zijn advocatenpraktijk zich beperkte tot huwelijkszaken en gaf hij toe dat Rusty hem tweemaal had geconsulteerd, waarvan de laatste keer drie weken voor Barbara's dood.

Als laatste had het openbaar ministerie zijn beste troeven nog eens op een rijtje gezet: dat Rusty de fenelzine bij de apotheek had afgehaald, de resultaten van het vingerafdrukkenonderzoek van Barbara's medicijnkastje, de inkopen die Rusty had gedaan op de dag dat Barbara stierf, en als laatste Milo Gorvetich, de computerexpert, die al het belastende materiaal liet zien dat hij had opgedolven uit Rusty's in beslag genomen computer.

Nadat de aanklagers de bewijsvoering hadden gestaakt, betoogde Marta in een hartstochtelijk pleidooi dat de aanklagers geen corpus delicti hadden aangetoond, waarmee ze bedoelde dat ze geen bewijzen hadden aangevoerd waaruit onomstotelijk vast was komen te staan dat er een moord had plaatsgevonden en dat de jury nog steeds reden had tot gerede twijfel. Rechter Yee had zich het recht voorbehouden hier zelf over te oordelen. Meestal was dit een teken dat de rechter overwoog de zaak niet ontvankelijk te verklaren, maar Tommy had het gevoel dat Basil Yee het alleen had gedaan omdat hij Basil Yee was, even gereserveerd en op zijn hoede als bepaalde huiskatten.

Nu, terwijl Tommy op de hoek van de tafel voor de aanklagers door zijn blocnote met aantekeningen stond te bladeren, schoof Brand, die nog sterk rook naar de aftershave van die ochtend, zijn stoel in Tommy's richting en boog zich naar hem toe.

'Ga je naar die vrouw vragen?'

Tommy koesterde niet al te veel hoop wat dit punt betrof, maar hij vond dat Yee ongelijk had dat hij al wilde beginnen. Hij stapte naar voren. Yee zat in andere papieren verzonken en het duurde even voor hij vanaf zijn zetel naar beneden keek.

'Edelachtbare, ik verzoek u om gehoord te worden voor ik de getuige verhoor.'

De jury, inmiddels in de derde week van het proces, wist wat dit betekende en kwam in beweging. Om Stern te ontzien, die niet lang genoeg kon staan om naar voren te komen en op fluistertoon met de rechter te overleggen, liet de rechter bij elk verzoek om overleg de zaal ontruimen. De juryleden vonden het maar niets om steeds naar buiten en weer naar binnen te worden geleid. Ze voelden zich behandeld als kinderen die niet mogen horen waar de volwassenen het over hebben.

Toen ze eenmaal waren verdwenen, zette Molto nog een extra stap in de richting van de rechterstoel.

'Edelachtbare, aangezien de beklaagde ervoor heeft gekozen in de getuigenbank plaats te nemen, zou ik hem willen ondervragen over de affaire die hij vorig jaar heeft gehad.'

Marta schoot overeind om te protesteren. Het was voor Tommy een onverwachte tegenvaller geweest toen rechter Yee het verzoek van de verdediging inwilligde om de aanklagers te verbieden in te gaan op het feit dat Rusty in het voorjaar van 2007 een relatie had gehad met een andere vrouw. Marta Stern had aangevoerd dat zelfs als men de dubieuze bewijzen van de aanklagers dat Sabich ontrouw zou zijn geweest – dat hij in het hotel was gezien en de soa-test – zou accepteren, dat hij dan nog vijftien maanden voor Barbara's dood was gestopt met gedragingen die volgens de aanklagers op vreemdgaan wezen, zoals het vermeende patroon van afromen van zijn maandsalaris om zijn affaire mee te bekostigen. Aangezien niets erop wees dat hij contact had met deze vrouw in de tijd dat Barbara overleed, waren de aangevoerde bewijzen irrelevant.

'Rechter, het kan op een motief wijzen,' had Tommy geprotesteerd.

'Hoe?' vroeg Yee.

'Omdat het heel goed mogelijk is dat hij bij deze vrouw wilde zijn, edelachtbare.'

'Mogelijk?' Rechter Yee had zijn hoofd heen en weer bewogen. 'Bewijs dat rechter Sabich lang geleden verhouding had is geen bewijs hij moordenaar, meneer Molto. Als dat is bewijs,' zei de rechter, 'dan veel mannen moordenaar.' De persvertegenwoordigers, die tijdens het vooronderzoek op de eerste rij zaten, waren in lachen uitgebarsten alsof de stille plattelandsrechter een stand-upcomedian was.

Nu kwam Marta met haar rode Shirley Temple-krullen en haar geborduurde jasje naar voren om te protesteren tegen Tommy's pogingen vragen te stellen die de rechter tijdens het vooronderzoek had verboden. 'Edelachtbare, dat leidt onherroepelijk tot vooroordelen en dat is onacceptabel. Het zal leiden tot speculaties bij de jury dat rechter Sabich een verhouding had, waarvan het hof al heeft geoordeeld dat het irrelevant is voor het onderhavige proces. En het zou ook oneerlijk zijn tegenover de beklaagde, die zijn besluit hier te komen getuigen gebaseerd heeft op de eerdere uitspraak van het hof.'

'Rechter,' zei Tommy, 'het hele punt van uw besluit was dat er geen bewijzen waren of de beklaagde ten tijde van de moord een verhouding had met deze vrouw, wie zij ook is. Nu hij hier in de getuigenbank zit, hebben we er toch het recht toe juist naar dit punt te vragen?'

Rechter Yee keek naar het plafond en raakte zijn kin aan. 'Nu,' zei hij.

'Pardon?' vroeg Tommy. In zijn zuinigheid met woorden kon de rechter orakelachtig zijn.

'Vraag nu. Zonder jury.'

'Nu?' zei Tommy. Op de een of andere manier ving hij Rusty's blik, die even verbijsterd leek als Molto zelf.

'U wil vragen?' zei de rechter. 'Vraag.'

Tommy, die verwacht had geen poot aan de grond te krijgen, stond even met zijn mond vol tanden.

'Rechter Sabich,' zei hij ten slotte, 'hebt u in het voorjaar van 2007 een verhouding met een andere vrouw gehad?'

'Nee, nee, nee,' zei Yee. Hij schudde zijn hoofd met de pedante manier van doen die hij soms over zich had. De rechter was een paar kilo te dik en had een rond gezicht, met een zware bril en dun grijs haar dat over zijn schedel zat geplakt. Net als Rusty kende Tommy Yee al jaren. Maar je kon niet zeggen dat je hem echt kende, daarvoor was hij te veel op zichzelf. Hij was opgegroeid in Wade, als een volstrekt unieke persoon die door bijna iedereen uit de weg werd gegaan, niet alleen omdat hij er voor plattelandsbegrippen zo vreemd uitzag en vreemd sprak, maar ook omdat hij op school een van die slimme buitenbeentjes was die niemand begreep, ook al sprak hij Engels. Waarom Yee had besloten rechtbankjurist te worden, waarschijnlijk het enige beroep ter wereld dat iedereen met een beetje gezond verstand hem met klem zou hebben afgeraden, blijft een mysterie. Hij had iets in zijn hoofd, waarschijnlijk, dat is bij de meesten zo. En aangezien hij een jongen van de streek was met uitmuntende studieresultaten – hij was op de rechtenfaculteit de beste van zijn jaar, beter dan welke sollicitant ook in minstens twintig jaar – kon het openbaar ministerie in Morgan County natuurlijk met geen mogelijkheid om hem heen. Tegen de verwachtingen in deed Yee het heel goed als aanklager, hoewel hij op zijn best was bij het hof van beroep. De hoofdaanklager had uiteindelijk hemel en aarde bewogen om hem een rechtersfunctie te bezorgen, waarin Basil Yee over het algemeen uitblonk. Hij stond erom bekend dat hij op juridische congressen de teugels wel eens liet vieren. Dan dronk hij te veel en bleef de hele nacht pokeren met zijn vrienden, hij was een van die mannen die niet vaak zonder hun vrouw van huis gaan, maar als ze dat doen de bloemetjes flink buiten zetten.

Toen hij hoorde dat Yee door het hooggerechtshof op deze zaak was gezet, was Brand daar opgetogen over. Yees staat van dienst in strafzaken waarin hijzelf over schuld of onschuld moest beslissen, was verbazend eenzijdig in het voordeel van de aanklagers, en dat betekende dat Stern niet kon kiezen voor de mogelijkheid de rechter in plaats van de jury te laten beslissen. Maar in de loop der jaren had Tommy geleerd dat er in elk strafproces drie belangen op het spel stonden, die van de aanklagers, die van de verdediging en die van het hof. En de agenda van de rechter had dikwijls niets te maken met de feiten van de zaak. Yee was vrijwel zeker voor deze klus gekozen vanwege de statistieken, waaruit bleek dat hij de minst herroepen strafrechter van de staat was, een wapenfeit waarop hij niet weinig trots was. Dat hij dat record in handen had was geen toeval. Het betekende dat hij niets aan het toeval overliet. In de strafrechtspraak had alleen de beklaagde het recht om in beroep te gaan en dus zou rechter Yee in bewijskwesties alleen tegen Sabich besluiten als de precedenten ondubbelzinnig in Tommy's voordeel waren. In zijn hart was Yee nog steeds een aanklager. Als de jury Rusty schuldig bevond, zou hij levenslang krijgen. Maar tot dat moment zou rechter Yee Sabich elk voordeel van de twijfel geven.

'Beter dat ik vraag, meneer Molto,' glimlachte de rechter. Hij was van nature een zachtaardig mens. 'Gaat sneller,' zei hij. 'Rechter Sabich, toen uw vrouw doodgaan, u toen meisje, verhouding, avontuurtje?' Yee draaide zijn kleine handen in het rond om zijn punt duidelijk te maken. 'Iets met andere vrouw?'

Rusty had zich in de getuigenbank honderdtachtig graden omgedraaid om de rechter aan te kijken. 'Nee, meneer.'

'En eerder, zeg drie maand – toen verhouding, avontuurtje?'

'Nee, meneer.'

De rechter knikte met zijn hele bovenlijf en stak zijn hand uit in de richting van Molto ten teken dat hij nog andere vragen mocht stellen.

Tommy had zich achter de tafel voor de aanklagers teruggetrokken en stond nu naast Brands stoel. Jim fluisterde: 'Vraag hem of hij hoopte op een liefdesrelatie met iemand?'

Toen Tommy de vraag stelde, reageerde Yee net als eerder, met een langdurig hoofdschudden.

'Nee, nee, meneer Molto, niet in Amerika,' zei de rechter. 'Geen gevangenis voor wat in iemands hoofd.' Yee keek Rusty aan. 'Rechter,' zei Yee. 'Wel met andere vrouw over verhouding gepraat? Zeg in drie maanden voor dood mevrouw Sabich?'

Rusty aarzelde geen moment en zei weer: 'Nee, meneer.'

'Beslissing blijft zelfde, meneer Molto,' zei de rechter.

Tommy haalde zijn schouders op terwijl hij omkeek naar Brand, die keek alsof Yee hem met een mes had gestoken. Door al het gedoe begon Tommy een beetje aan Yee te twijfelen. Hoe conventioneel hij er ook uitzag met zijn nylon overhemden en zijn ouderwetse plastic bril, hij kon zijn afgedwaald. Stille wateren hebben diepe gronden. Met seks weet je het maar nooit.

'Breng jury binnen,' zei rechter Yee tegen de bode.

Zo vlak voor de start was Tommy opeens de kluts kwijt.

'Hoe moet ik hem aanspreken?' fluisterde hij tegen Brand. 'Volgens Stern mochten we "Rusty" zeggen.'

'Rechter,' fluisterde Brand kortaf. Dat was natuurlijk juist. Met voornamen zat je voor je het wist in het straatje van de persoonlijke vendetta.

Tommy knoopte zijn jasje dicht. Zoals altijd zat het net iets te krap om zijn buik om echt goed te passen.

'Rechter Sabich,' zei hij.

'Meneer Molto.' ·

In de getuigenbank wist Rusty ondanks alles een knikje en een Mona Lisa-glimlach op zijn gezicht te toveren waarmee hij op de een of andere manier bevestigde dat ze elkaar al tientallen jaren kenden. Het was een subtiel maar doelbewust gebaar, een van die kleine dingen die juryleden zelden ontgaan. Tommy herinnerde zich plotseling wat hij maanden geleden uit zijn gedachten had gebannen. Tommy was een jaar of twee na Rusty bij het openbaar ministerie komen werken, dicht genoeg bij elkaar om min of meer als gelijken met elkaar te concurreren om dezelfde zaken, dezelfde promoties. Toch was dat nooit gebeurd. Tommy's beste vriend, Nico Della Guardia, was Rusty's belangrijkste rivaal. Tommy kwam niet eens in de buurt. Het was voor iedereen duidelijk dat hij Rusty's scherpe geest, diens gewiekstheid ontbeerde. Iedereen wist dat destijds, herinnerde Molto zich, inclusief hijzelf.

25

Nat, 22 juni 2009

Zodra ik hoor wat Tommy Molto bij rechter Yee aan de orde wil stellen, ga ik naar de tafel voor de verdediging, waar ik neerhurk en in Sterns oor fluister dat ik een time-out neem. Sandy blijft alles alert volgen, maar knikt kort. Ik haast me om de deur uit te zijn voordat Molto op gang is gekomen.

Binnen een paar uur na het bezoek van Debby Diaz op de dag van de verkiezingen kreeg mijn vader te horen dat hij zou worden aangeklaagd. In de weken na mijn moeders dood had hij zijn campagneactiviteiten grotendeels opgeschort. Koll volgde aanvankelijk zijn voorbeeld, maar opende halverwege oktober de aanval met belastende verkiezingsfilmpjes. Mijn vader reageerde met zijn eigen harde campagnefilmpjes, maar daarbuiten deed hij slechts mee aan één tv-debat, georganiseerd door de Vereniging van Vrouwelijke Kiezers.

Maar op de avond van de verkiezingen moest er een feest komen, niet voor hemzelf, maar voor de honderden vrijwilligers die wekenlang met folders langs de deuren waren geweest. Ik kwam er om een uur of tien 's avonds aan, omdat Ray Horgan me gevraagd had te komen om te poseren voor foto's met mijn vader. Omdat ik wist dat Ray er ook zou zijn, drong ik niet verder aan toen Anna zei dat ze liever niet mee wilde.

Ray had een grote hoeksuite in Hotel Dulcimer afgehuurd en toen ik daar aankwam waren er ongeveer twintig mensen die zich rond de rechauds met hors-d'oeuvres hadden verzameld en televisie keken. Mijn vader was nergens te zien en ik werd uiteindelijk naar een aangrenzende kamer geleid, waar mijn vader in een ernstig gesprek met Ray was gewikkeld. Ze waren de enige twee mensen in de kamer en zoals ik al verwacht had maakte Ray dat hij wegkwam zodra hij me zag. Mijn vader had zijn das helemaal losgetrokken en de blik in zijn ogen was nog leger en afgematter dan die sinds mijn moeder was overleden toch al was. Mijn ouders waren nooit echt een hecht stel geweest, maar haar dood leek hem tot in de kern van zijn wezen te hebben uitgeput. Zijn verdriet was omvattender dan ik had kunnen voorzien.

Ik omhelsde en feliciteerde hem, maar ik was te zenuwachtig over Debby Diaz om er niet meteen over te beginnen.

'Ja,' antwoordde hij toen ik hem vroeg of hij intussen had ontdekt wat er nu eigenlijk aan de hand was. Hij gebaarde me te gaan zitten. Ik pakte een stukje kaas van het blad dat op de koffietafel tussen ons in stond. Mijn vader zei: 'Tommy Molto is van plan me aan te klagen wegens moord op je moeder.' Hij keek me strak aan terwijl de harde schijf in mijn hoofd een hele tijd tevergeefs in het rond gierde.

'Dat slaat nergens op, toch?'

'Het slaat nergens op,' antwoordde hij. 'Maar je moet er wel rekening mee houden dat ze jou uiteindelijk als getuige zullen oproepen. Sandy is er aan het eind van de middag naartoe geweest. Uit beleefdheid mocht hij vast een blik op de bewijsvoering werpen.'

'Ik? Getuige? Waarom?'

'Je hebt niets verkeerds gedaan, Nat, maar dat kan Sandy misschien beter uitleggen. Eigenlijk mag ik niet met jou praten over het bewijsmateriaal... Maar er zijn een paar dingen waarvan ik wil dat je ze van míj hoort.'

Mijn vader stond op om de televisie uit te zetten. Toen liet hij zich weer in de gecapitonneerde luie stoel vallen waarin hij eerder ook al zat. Hij keek zoals oudere mensen dat wel doen als ze de draad kwijt zijn en moeite hebben die weer op te pakken, waarbij de onzekerheid zich over hun gezicht verspreidt en er een lichte trilling bij hun kaak te zien is. Mij verging het niet veel beter. Ik wist dat ik elk moment in tranen kon uitbarsten. Op de een of andere manier heb ik me er altijd voor geschaamd in het bijzijn van mijn vader te huilen, omdat ik weet dat hij dat nooit zou doen.

'Reken er maar op dat het vanavond in het nieuws zal zijn en dat de kranten er morgen vol van zullen staan,' zei hij. 'Vanavond om een uur of zes, zodra de stembureaus gesloten waren, hebben ze het huis doorzocht. Sandy was toen nog op het bureau van de aanklagers. Fijne actie,' zei mijn vader en schudde zijn hoofd.

'Waar zijn ze naar op zoek?'

'Dat weet ik niet precies. Ik weet wel dat ze mijn computer hebben meegenomen. Wat een probleem is omdat daar nogal wat intern materiaal van de rechtbank op staat. Sandy heeft het er al een paar keer met George Mason over gehad.' Mijn vader keek weg naar de zware gordijnen, die waren gemaakt van een soort wol met gebrocheerde kleurige motieven, afzichtelijke gevallen waarvan iemand gedacht moet hebben dat ze een luxe, kostbare indruk maakten. Hij schudde even zijn hoofd om zich te dwingen bij de les te blijven.

'Nat, als je met Sandy over de zaak praat, zul je dingen horen waarvan ik weet dat ze je zullen teleurstellen.'

'Wat voor dingen?'

Hij vouwde zijn handen in zijn schoot. Ik ben altijd dol geweest op mijn vaders handen, groot en dik, ruw in alle seizoenen.

'Vorig jaar heb ik iets met een ander gehad, Nat.'

Zijn woorden drongen eerst niet tot mij door.

'Je bedoelt een vrouw? Een andere vrouw?' Door dat 'iets gehad' klonk het bijna onbetekenend.

'Dat bedoel ik, ja.' Ik kon zien dat mijn vader moedig probeerde te zijn en zich dwong niet weg te kijken.

'Wist mama het?'

'Ik heb het haar nooit verteld.'

'Mijn god, pa.'

'Het spijt me, Nat. Ik zal niet eens proberen het uit te leggen.'

'Nee, doe dat maar niet,' zei ik. Mijn hart bonsde en ik voelde me verlegen worden, terwijl ik tegelijkertijd dacht: waarom krijg ík het daar nu weer warm van? 'Jezus, pa, wie was het?'

'Dat doet er niet zoveel toe, toch? Ze is nogal wat jonger dan ik. Een psychiater zou vast zeggen dat ik heimwee had naar mijn jeugd. Toen je moeder doodging was het al lang over en voorbij.'

'Iemand die ik ken?'

Hij draaide nadrukkelijk met zijn hoofd.

'Jezus,' zei ik nog een keer. Ik ben nooit erg snel van begrip geweest. Ik kom meestal pas tot inzichten, willekeurig welke, nadat ik de dingen een hele tijd in mijn hoofd heb laten sudderen, en ik besefte dat ik hier nog een hele tijd over zou moeten nadenken. Het enige wat ik wist was dat ik er flink de balen van had en zo gauw mogelijk weg wilde. Ik stond op en zei het eerste dat in mijn hoofd opkwam: 'Jezus christus, pa, ik bedoel... kon je niet gewoon zo'n fucking sportwagen kopen?'

Hij sloeg zijn ogen naar me op en toen weer neer. Ik kon zien dat hij bij wijze van spreken tot tien telde. Mijn vader en ik hebben altijd problemen gehad over zijn afkeuring. Hij denkt dat hij stoïcijns en ondoorgrondelijk is, maar ik zie altijd zijn wenkbrauw bewegen, al zijn het maar micrometers, en zijn pupillen donkerder worden. En bij mij komt dat altijd aan als een zweepslag. Zelfs nu, nu ik wist dat ik alle reden had om boos te zijn, voelde ik me beschaamd om wat ik gezegd had.

Ten slotte antwoordde hij rustig.

'Ik denk dat ik niet zo'n fucking sportwagen wilde,' zei hij.

Ik had een papieren servetje in mijn vuist gebald en wierp het op de tafel.

'Nog één ding, Nat.'

Ik was te zeer in de war om te kunnen antwoorden.

'Ik heb je moeder niet vermoord. Het zal nog wel even duren voor je begrijpt wat er allemaal aan de hand is, maar deze zaak is oude wijn in nieuwe zakken. Gewoon een hoop ranzige bullshit van een dwangneuroot die nooit heeft geleerd wanneer genoeg genoeg is.' Mijn vader, gewoonlijk het toonbeeld van gematigdheid, keek verbaasd dat hij zich deze weinig subtiele evaluatie van de aanklager had toegestaan. 'Maar ik zeg je één ding: ik heb nog nooit iemand vermoord. Ook je moeder niet. Ik heb haar niet vermoord, Nat.'

Zijn blauwe ogen keken weer in de mijne.

Ik stond over de tafel gebogen en wilde alleen maar weg, dus flapte ik eruit: 'Dat weet ik,' en vertrok.

Marta Sterns hoofd hangt buiten de deur van de rechtszaal. Ze heeft een verwaaid kapsel met rossige krullen en lange artistieke oorbellen met gekleurd glas erin, en het enigszins verdroogde uiterlijk van iemand die vroeger dik was maar dun is geworden door als een gek te gaan fitnessen. Gedurende het hele proces heeft zij zich om mij bekommerd, in een rol tussen beschermengel en chaperonne in.

'Ze zijn klaar.' Als ik naast haar naar binnen schuifel, pakt ze me bij mijn arm en fluistert: 'Yee is bij zijn beslissing gebleven.'

Ik haal mijn schouders op. Net als zo vaak weet ik ook nu niet of ik opgelucht ben dat ik daar niet met een gezicht alsof het me niets kan schelen hoef te gaan zitten om te luisteren naar de in het openbaar besproken details van mijn vaders verhouding, of dat ik het liefst zelf het kruisverhoor zou hebben gevoerd. Ik zeg wat ik al vaak heb gevoeld sinds deze stomme toestand is begonnen.

'Hoe eerder we ervanaf zijn, hoe beter.'

Terwijl ik mijn plaats op de eerste rij inneem, keert ook de jury terug. Tommy Molto staat al voor mijn vader, een beetje als een bokser die uit zijn hoek is gekomen en wacht op het geluid van de bel. Naast mijn vader is het projectiescherm weer geopend dat de aanklagers gebruiken om de jury computerbeelden te laten zien van documenten die als bewijsstuk zijn aanvaard.

'Ga door, meneer Molto,' zegt rechter Yee als de zestien juryleden – twaalf reguliere, vier reserves – weer in de fraai versierde houten armstoelen van de jurybank hebben plaatsgenomen.

'Rechter Sabich,' zegt Molto.

'Meneer Molto.' Mijn vader geeft een knikje, alsof hij al duizend jaar weet dat zij twee elkaar hier zouden treffen.

'Meneer Stern heeft u tijdens zijn verhoor gevraagd of u de verklaringen van de getuigen à charge hebt gehoord.'

'Dat herinner ik mij.'

'Ik wil u nog enkele vragen stellen over deze getuigenverklaringen en hoe u die hebt opgevat.'

'Zeker,' zegt mijn vader. Als getuige in deze zaak kan ik niet als een van zijn advocaten optreden, maar na afloop van de procesdag help ik wel alle spullen mee terug te nemen naar Sterns kantoor. Nu ik mijn ding voor de aanklagers heb gedaan, blijf ik daar meestal nog even rondhangen tot Anna klaar is om me na haar werk te ontmoeten. De afgelopen drie avonden heeft het advocatenteam van mijn vader in een nagebouwde getuigenbank op het kantoor van Stern & Stern zijn kruisverhoor geoefend. Ray Horgan was erbij om voor aanklager te spelen en mijn vader onder vuur te nemen, waarna Stern, Marta, Ray en Mina Oberlander, een juryspecialist die ze als adviseur in de arm hebben genomen, de daarvan gemaakte videobanden hebben geanalyseerd en mijn vader aanwijzingen hebben gegeven. Waar het vooral op neerkwam was rechtstreekse en korte antwoorden te geven, en geen onwelwillende indruk te maken als hij het ergens niet mee eens was. In een kruisverhoor, vooral van de beklaagde zelf, gaat het er kennelijk vooral om de indruk te wekken dat je niets te verbergen hebt.

'U heeft de getuigenis van John Harnason gehoord?'

'Jawel.'

'En is het waar, rechter, dat u meneer Harnason in een gesprek onder vier ogen hebt gezegd dat hij zijn beroepszaak zou verliezen?'

'Dat klopt,' zegt mijn vader op de duidelijke, niet aarzelende wijze die ze geoefend hebben. Ik weet dit al sinds afgelopen november, maar voor de meeste aanwezigen is mijn vaders bevestiging nieuw, en er klinkt enig rumoer, ook onder de jury, waarvan de meesten John Harnason vermoedelijk te raar vonden om serieus te nemen. Aan de overkant perst Tommy Molto zijn lippen in kennelijke verbazing op elkaar. Met Mel Tooley als getuige in reserve, moet Molto verwacht hebben mijn vader onderuit te kunnen halen als hij ontkend had hierover met Harnason gesproken te hebben.

'U hebt gehoord dat rechter Mason vindt dat u daarmee verschillende gedragsregels voor rechters hebt overtreden?'

'Ik heb zijn verklaring gehoord.'

'Bent u het met hem oneens?'

'Nee.'

'Dus volgens u was het inderdaad ongepast om in een privégesprek met een beklaagde over zijn zaak te spreken, terwijl daar nog geen uitspraak in was gedaan?'

'Ja, dat klopt.'

'Daarmee overtrad u het verbod op wat wij "contact ex parte" noemen, dus zonder dat de andere partij daarbij aanwezig is.'

'Dat is juist.'

'Iemand van mijn bureau had daarbij aanwezig moeten zijn, waar of niet?'

'Absoluut.'

'En stond het u, als rechter van het hof van beroep, vrij mededelingen te doen over beslissingen van de rechtbank voordat die officieel naar buiten waren gebracht?'

'Er is geen expliciete regel die dat verbiedt, meneer Molto, maar als een ander lid van het hof hetzelfde had gedaan, zou me dat hebben teleurgesteld en ik beschouw het gebeurde dan ook als een ernstige beoordelingsfout mijnerzijds.'

Dat mijn vader zijn vergrijp als 'beoordelingsfout' betitelt, brengt Molto ertoe hem te confronteren met het feit dat het hof van beroep uitgebreide veiligheidsprocedures kent om te voorkomen dat uitspraken voortijdig uitlekken, en dat gerechtsklerken en ander personeel bij hun indiensttreding moeten beloven nooit voortijdig een vonnis bekend te maken.

'Hoe lang bent u nu al als rechter in functie?'

'U bedoelt inclusief de tijd dat ik rechter was bij het gerechtshof?'

'Dat bedoel ik, ja.'

'Meer dan twintig jaar.'

'En hoe vaak eerder hebt u in de loop van die twintig jaar als rechter een nog niet openbaar gemaakt vonnis aan een van beide partijen onthuld?'

'Dat heb ik nooit eerder gedaan, meneer Molto.'

'Dus dit was niet alleen een ernstige overtreding van de regels, maar ook een inbreuk op de wijze waarop u gewoonlijk uw vak uitoefent?'

'Het was een verschrikkelijke beoordelingsfout.'

'Het was meer dan een beoordelingsfout, waar of niet, rechter? Het was ongepast.'

'Zoals ik al zei, meneer Molto, is er geen specifieke regel, maar ik ben het met rechter Mason eens dat het pertinent fout was meneer Harnason de uitkomst te vertellen. Op dat moment leek het me een formaliteit omdat ik wist dat de zaak volledig beslist was. Het kwam niet bij me op dat meneer Harnason als gevolg daarvan op de vlucht zou slaan.'

'Wist u dat hij op borgtocht vrij was?'

'Natuurlijk, ik had zelf het verzoek daartoe ingewilligd.'

'Precies het punt dat ik wilde maken,' zegt Molto. Klein, gespannen, met zijn dikkige gestalte en door de tijd aangetaste gezicht glimlacht Tommy een beetje naar de jury. 'U wist dat hij de rest van zijn leven in de gevangenis zou doorbrengen als zijn vonnis eenmaal was bevestigd.'

'Ja, natuurlijk.'

'Maar toch kwam het niet bij u op dat hij er wel eens vandoor zou kunnen gaan?'

'Hij was er nog niet vandoor gegaan, meneer Molto.'

'Maar met de uitspraak van uw hof waren al zijn kansen verke-

ken, nietwaar? Reëel gezien? U was ervan overtuigd dat het hooggerechtshof van onze staat de zaak niet in behandeling zou nemen,
nietwaar? U hebt toch tegen Harnason gezegd dat hij het eindpunt
van de lijn had bereikt?'

'Dat klopt.'

'En nu probeert u ons te vertellen dat u, nadat u... hoe lang ook
alweer officier van justitie bent geweest – vijftien jaar?'

'Vijftien jaar, ja.'

'U bent dus vijftien jaar lang openbare aanklager geweest en daarna nog twintig jaar rechter, en het kwam niet bij u op dat deze man
de uitkomst van de beroepsprocedure van tevoren wilde weten zodat hij dan nog de kans had om op de vlucht te slaan?'

'Hij leek erg van streek, meneer Molto. Hij zei me, zoals hij al
toegaf in zijn getuigenis, dat hij doodsbang was.'

'Heeft hij u een rad voor ogen gedraaid?'

'Volgens mij heeft meneer Harnason verklaard dat hij pas besloot
op de vlucht te slaan nadat hij de uitslag had vernomen. Ik geef toe
dat ik het hem niet had moeten vertellen, meneer Molto. En ik geef
ook toe dat het risico dat hij zou vluchten een van de vele redenen is
waarom dat verkeerd van me was. Maar nee, op dat moment is het
niet bij me opgekomen dat hij ervandoor zou kunnen gaan.'

'Omdat u iets anders aan uw hoofd had?'

'Waarschijnlijk.'

'En wat u aan uw hoofd had, rechter, was dat u uw vrouw wilde
vergiftigen, nietwaar?'

Een typische rechtbanktruc. Molto weet dat mijn vader zich
waarschijnlijk zorgen maakte omdat Harnason hem had betrapt
met het meisje met wie hij naar bed ging. Maar dat kan hij niet zeggen. Hij moet zich tevreden stellen met een simpel: 'Nee.'

'Zou u zeggen dat u meneer Harnason een gunst hebt bewezen?'

'Ik weet niet hoe ik het zou moeten noemen.'

'Nou ja, hij vroeg u iets te doen wat ongepast was en u deed hem
dat genoegen, waar of niet?'

'Dat is juist.'

'En in ruil daarvoor, rechter – in ruil daarvoor vroeg u hem hoe
het is om iemand te vergiftigen, nietwaar?'

De aloude strategie bij kruisverhoren is nooit een vraag te stellen
waarop je het antwoord niet weet. Zoals mijn vader me al talloze ma-

len heeft uitgelegd, is dat geen regel die altijd kan worden toegepast. Een betere formulering is misschien dat je nooit een vraag moet stellen waarop je het antwoord niet weet – als het antwoord je wat uitmaakt. In dit geval moet Molto hebben gedacht dat hij niet echt kon verliezen. Als mijn vader ontkent dat hij Harnason gevraagd heeft hoe het is om iemand te vergiftigen, zal Molto Harnasons verklaring verifiëren door de vele andere onderdelen van het gesprek die mijn vader al heeft toegegeven nog eens een voor een door te nemen.

'Er was geen sprake van een "in ruil daarvoor", meneer Molto.'

'Werkelijk niet? U wilt beweren dat u al die regels heeft geschonden om meneer Harnason de informatie te geven waaraan hij wanhopig behoefte had, dat u dat deed zonder het idee te hebben dat meneer Harnason ook iets voor u zou doen?'

'Ik deed het omdat ik medelijden voelde met meneer Harnason en omdat ik me schuldig voelde over het feit dat ik hem, in de tijd dat u en ik allebei nog jonge aanklagers waren, naar de gevangenis heb gestuurd voor een misdaad waarvan ik nu inzie dat die niet zo'n zware straf rechtvaardigde.'

Verbeten staart Tommy mijn vader aan. Hij weet – net als alle andere aanwezigen in de zaal – dat mijn vader de jury niet alleen probeert te herinneren aan het verleden dat hij en Tommy delen, maar er ook van wil doordringen dat officieren van justitie soms ook te ver kunnen gaan.

'U hebt meneer Harnasons getuigenis gehoord?'

'Daarover waren we het toch al eens?'

Met zijn antwoord, dat er een beetje snibbig uitkomt, verraadt mijn vader voor het eerst dat hij zich niet helemaal in de hand heeft. Stern leunt achterover en kijkt hem strak aan, om aan te geven dat hij zich moet beheersen.

'En wilt u beweren dat hij loog toen hij getuigde dat u hem, nadat u hem de uitslag van de beroepsprocedure had verteld, gevraagd hebt hoe het is om iemand te vergiftigen?'

'Ik herinner mij ons gesprek niet precies zoals meneer Harnason het zich herinnert, maar ik weet nog wel dat die vraag werd gesteld.'

'Door u?'

'Ja, ik vroeg het omdat ik wilde –'

'Excuseer, maar ik vroeg niet wat u wilde. Hoeveel rechtszaken hebt u in uw carrière als aanklager en rechter meegemaakt?'

In de getuigenbank glimlacht mijn vader droevig om de lange mars van de tijd.

'God mag het weten. Duizenden.'

'En begrijpt u na al die duizenden processen nog steeds niet dat u antwoord moet geven op de vragen die ik u stel, niet op de vragen die u gewild had dat ik stelde?'

'Protest,' zegt Stern.

'Afgewezen,' zegt Yee. Bij een gewone getuige zou hij Tommy's gedrag misschien als intimidatie hebben aangemerkt, maar een rechter is wild waarop gejaagd mag worden.

'Dat begrijp ik meneer Molto.'

'Het enige wat ik wilde weten was: hebt u meneer Harnason gevraagd hoe het is om iemand te vergiftigen?'

Mijn vader pauzeert geen moment. Hij zegt 'Ja, dat klopt' op een gekunstelde toon die suggereert dat er nog wel meer over te zeggen valt, maar toch leidt zijn antwoord tot het soort geroezemoes in de rechtszaal dat ik vroeger altijd zo ongeloofwaardig vond in televisieseries als *Law & Order*, waar ik als kind vaak naar keek, het beste dat er te zien was naast videobanden van mijn vader aan het werk. Tommy Molto heeft een punt gescoord.

Hij laat een stilte vallen, waarin Brand hem naar de tafel voor de aanklagers wenkt. De adjunct fluistert iets in zijn oor en Tommy knikt.

'O ja, meneer Brand herinnert me zojuist aan iets. Even voor alle helderheid, rechter: meneer Harnason was nog niet opnieuw opgepakt toen uw vrouw stierf, of wel?'

'Ik geloof het niet, nee.'

'Hij was toen al meer dan een jaar op de vlucht.'

'Ja.'

'Dus toen uw vrouw stierf, hoefde u zich geen zorgen te maken dat meneer Harnason de politie zou vertellen dat u hem gevraagd had hoe het is om iemand te vergiftigen?'

'Om eerlijk te zijn heb ik nooit aan dat gedeelte van ons gesprek teruggedacht. Ik maakte me veel meer zorgen dat ik meneer Harnason onbedoeld een reden had gegeven om te vluchten.' Een seconde later voegde hij er nog aan toe: 'Dat gesprek met meneer Harnason was bijna anderhalf jaar voor de dood van mijn vrouw, meneer Molto.'

'Voor u haar vergiftigde.'

'Ik heb haar niet vergiftigd.'

'Laten we het daar dan nog even over hebben, rechter. Hebt u, toen u moest besluiten over het hoger beroep, het transcript van het proces van meneer Harnason nog eens doorgenomen?'

'Ja, natuurlijk.'

'Zouden we kunnen zeggen dat u het zorgvuldig hebt gelezen?'

'Als ik over een hoger beroep moet beslissen, lees ik het transcript altijd zorgvuldig door.'

'En wat meneer Harnason had gedaan, rechter, was dat hij zijn partner met arsenicum had vergiftigd. Klopt dat?'

'Dat stelde het openbaar ministerie in elk geval.'

'En wat vertelde meneer Harnason u dat hij had gedaan?'

'Ik dacht dat we het hier over het transcript hadden, meneer Molto?'

Molto knikt. 'Correctie geaccepteerd, rechter.'

'Dat was de reden waarom ik meneer Harnason gevraagd heb hoe het is om iemand te vergiftigen – omdat hij had toegegeven dat hij dat gedaan had.'

Molto kijkt op en ook Stern legt zijn pen neer. De rest van het gesprek tussen Harnason en mijn vader, dat over zijn eerste proces ging, mag op instructie van rechter Yee niet worden aangehaald. Mijn vader heeft iets van de door Molto veroverde grond teruggewonnen, maar ik zie dat Sandy bezorgd is dat mijn vader te dicht bij de grens zal komen en de deur zal openen naar een nog veel gevaarlijker onderwerp. Molto lijkt die mogelijkheid even te overwegen, maar besluit dan toch door te gaan op de ingeslagen weg.

'Iets wat in elk geval wel in het transcript stond, rechter, was een zeer gedetailleerde lijst met medicijnen van American Medical, het forensisch onderzoekslaboratorium waarmee het bureau van de patholoog-anatoom in Kindle County een contract heeft; het transcript bevat een lijst met middelen waarop American Medical controleert bij een standaard toxicologisch onderzoek van de bloedmonsters die bij een autopsie zijn afgenomen. Herinnert u zich die lijst gelezen te hebben?'

'Die zal ik beslist onder ogen hebben gehad, meneer Molto.'

'En daaruit blijkt dat arsenicum een stof is waarop bij een standaardonderzoek niet wordt gecontroleerd. Klopt dat?'

'Dat herinner ik me, ja.'

'En als gevolg daarvan kwam meneer Harnason bijna weg met moord, nietwaar?'

'Wat ik mij herinner is dat de dood van meneer Millan aanvankelijk aan natuurlijke oorzaken werd toegeschreven.'

'En heeft de patholoog-anatoom aanvankelijk niet hetzelfde geoordeeld over de dood van mevrouw Sabich?'

'Ja, dat klopt.'

'Welnu, rechter, bent u bekend met een klasse geneesmiddelen die met de term "MAO-remmers" worden aangeduid?'

'Vroeger zou ik niet geweten hebben wat dat waren, maar intussen ben ik vertrouwd met de term.'

'En hoe zit het met het middel fenelzine? Kent u dat?'

'Jazeker.'

'En hoe hoorde u voor het eerst over het middel fenelzine?'

'Fenelzine is een antidepressivum dat mijn vrouw zo nu en dan slikte. Het werd haar jarenlang voorgeschreven.'

'En fenelzine is een MAO-remmer, toch?'

'Dat heb ik intussen geleerd, meneer Molto.'

'U weet dat al een hele tijd, is het niet, rechter?'

'Dat zou ik niet durven zeggen.'

'Welnu rechter, u hebt eerder toch het getuigenis van dr. Gorvetich gehoord?'

'Ja.'

'En u herinnert zich vast nog wel hoe hij beschreef dat hij uw computer aan een forensisch onderzoek heeft onderworpen nadat die bij u thuis in beslag was genomen. Herinnert u zich dat?'

'Ik herinner mij zijn getuigenverklaring en ik herinner me dat mijn huis is doorzocht en dat mijn computer is meegenomen.' Mijn vader doet zijn best niet te verbitterd te klinken, maar hij heeft in elk geval duidelijk gemaakt wat hij van het binnendringen in zijn huis vindt.

'En herinnert u zich dat dr. Gorvetich heeft verklaard dat in het cachegeheugen van uw internetbrowser staat dat op een zeker moment, volgens Gorvetich eind september 2008, via uw computer twee websites zijn bezocht met informatie over fenelzine?'

'Ik herinner me zijn verklaring.'

'En als we kijken naar de pagina's die bezocht zijn, rechter...'

Tommy wendt zich tot een van de gerechtsmedewerkers en geeft het bewijsnummer op. Op het lege scherm naast mijn vader ver-

schijnt een beeld, en Tommy gebruikt een laserpointer als aanwijs-
stok terwijl hij leest: 'Fenelzine is een monoamine oxidaseremmer
(MAO-remmer). Ziet u dat?'

'Natuurlijk.'

'Herinnert u zich dat u dit eind september 2008 hebt gelezen,
rechter?

'Nee, dat kan ik me niet herinneren, maar ik begrijp waar u naartoe wilt.'

'En op bladzijde 463 van het transcript van Harnasons getuigenverklaring, dat eerder door ons is ingebracht als bewijsstuk 47 en dat
u, zoals u zojuist hebt toegegeven, hebt gelezen – op die bladzijde
staat dat op MAO-remmers niet wordt gecontroleerd bij een standaard toxicologische screening als onderdeel van een postmortaal
onderzoek van iemand die onverwacht is overleden.'

'Dat staat er, ja.'

Vervolgens roept Tommy op het beeldscherm de motivering van
rechter Hamlin van het standpunt van haarzelf en rechter Mason in
de zaak-Harnason op, waarin eveneens staat dat op arsenicum en
een groot aantal andere middelen, waaronder MAO-remmers, niet
wordt getest bij een standaardautopsie.

'En hebt u rechter Hamlins motivering gelezen?'

'Jawel. In verschillende versies.'

'Dus dan weet u dat een overdosis fenelzine bij een standaard
toxicologische screening niet zou worden opgemerkt, toch? Net als
de arsenicum waarmee de minnaar van meneer Harnason is vermoord?'

'Suggestief,' zegt Stern bij wijze van protest.

Rechter Yee wiebelt met zijn hoofd, alsof dit toch niets is om je
druk over te maken, maar zegt dan: 'Toegewezen.'

'Laat ik het dan anders formuleren, rechter Sabich: hebt u niet uw
vrouw met fenelzine vergiftigd omdat u wist dat die stof bij een
standaard toxicologisch onderzoek niet ontdekt zou worden en
hoopte dat haar dood aan natuurlijke oorzaken zou worden toegeschreven?'

'Nee meneer Molto, dat heb ik niet.'

Tommy zwijgt even en loopt een stukje op en neer. De kwestie
is aangebracht, zoals men in oude motiveringen placht te zeggen.

'Rechter, u hebt de getuigenverklaring van agent Krilic gehoord over het uit uw huis meenemen van de inhoud van het medicijnkast-je van uw vrouw op de dag nadat ze was overleden?'

'Ik herinner me dat agent Krilic me vroeg of hij dat mocht doen in plaats van bij ons thuis een lijst te moeten maken van alle middelen die daarin aanwezig waren, en ik herinner me dat ik hem daar toe-stemming voor heb gegeven.'

'Het zou ook een nogal verdachte indruk hebben gemaakt als u dat had geweigerd, denkt u niet?'

'Ik zei hem dat hij moest doen wat hij nodig achtte, meneer Mol-to. Als ik niet gewild had dat iemand die medicijnpotjes onderzocht, had ik vast wel een reden kunnen bedenken om hem te vragen ter plaatse een lijst van de aanwezige geneesmiddelen te maken in plaats van alles mee te nemen.'

Achter de tafel van de aanklagers doet Jim Brand alsof hij zijn kin wil aanraken, terwijl hij met een draaiende beweging met zijn vinger naar Molto gebaart. Hij wil dat Molto doorgaat naar het volgende onderwerp. Mijn vader heeft zojuist een punt gescoord.

'Laten we ter zake komen, rechter. De vingerafdrukken op het potje fenelzine uit het medicijnkastje van uw vrouw zijn toch de uwe, nietwaar?' Tommy roept een bewijsstuknummer en een me-dewerker van het openbaar ministerie projecteert een reeks dia's waarop verschillende gouden vingerafdrukken te zien zijn tegen een iriserend blauwe achtergrond. Geëtst in goud zien de afdrukken er-uit als iets uit de heilige ark.

'Ik heb de getuigenverklaring van dr. Dickerman gehoord.'

'We hebben hem allemaal horen verklaren dat hij van mening is dat het uw vingerafdrukken zijn, maar tegenover de jury' – Tommy zwaait met zijn arm in de richting van de zestien mensen achter zich – 'wil ik u vragen nog eens te bevestigen dat het inder-daad uw vingerafdrukken zijn die op de fenelzine van uw vrouw staan.'

'Ik heb regelmatig Barbara's pillen bij de apotheek afgehaald en ze in haar medicijnkastje op een plankje gezet. Ik heb geen reden er-aan te twijfelen dat het inderdaad mijn vingerafdrukken zullen zijn. Wat ik me nog wel herinner is dat ik een week voor Barbara's over-lijden thuiskwam en dat Barbara toen in de tuin had gewerkt, waar-door haar handen vuil waren, en dat ze me toen vroeg haar een potje te laten zien dat ik bij de apotheek had afgehaald en het in haar medicijnkastje te zetten, maar of daar de fenelzine in zat zou ik niet met zekerheid durven zeggen.'

Molto staart een seconde lang voor zich uit, met een zweem van een grijns op zijn gezicht, genietend omdat deze verklaring van mijn vader wel heel listig gekozen lijkt.

'Dus volgens u zijn die vingerafdrukken op de fenelzine gekomen toen u uw vrouw het potje liet zien?'

'Ik zeg alleen dat het zou kunnen.'

'Laten we er dan eens wat nauwkeuriger naar kijken, rechter.' Tommy loopt naar de tafel voor de aanklagers en keert terug met het originele medicijnpotje, inmiddels verzegeld in een cellofaanenvelop. 'Ik toon u bewijsstuk 1 van het openbaar ministerie, de fenelzine die u vier dagen voor de dood van uw vrouw bij de apotheek hebt afgehaald – en u zegt dat u het haar hebt laten zien... ongeveer op deze manier?' Hij pakt het kleine potje door het cellofaan heen vast en houdt het in de richting van mijn vader.

'Zoiets ja. Als het tenminste de fenelzine was die ik haar liet zien.'

'Zoals u ziet houd ik het potje vast tussen mijn rechterduim en de zijkant van mijn wijsvinger, correct?'

'Klopt.'

'En mijn rechterduim wijst naar beneden in de richting van het etiket op de voorkant van het potje, nietwaar?'

'Ja.'

'Maar als ik uw aandacht nog eens mag vestigen op bewijsstuk 1A, de dia die dr. Dickerman van de vingerafdrukken heeft gemaakt, dan is daar te zien dat drie van de vier vingerafdrukken, die van de rechterduim, de rechterwijsvinger en de rechtermiddelvinger, allemaal naar boven wijzen, in de richting van het etiket, nietwaar rechter?'

Mijn vader kijkt nog eens goed naar de dia. Hij knikt en wordt er dan door rechter Yee op gewezen dat hij wel iets moet zeggen voor het verslag.

'Ik moest in de zak grijpen om het potje eruit te halen, meneer Molto.'

'Maar de vingerafdrukken zitten op de bodem van het potje, is het niet?'

'Misschien zat het ondersteboven in de zak?'

'Volgens de getuigenverklaring van dr. Dickerman duiden de lengte en breedte van de afdrukken erop dat u het potje stevig heeft vastgepakt om de kindveilige schroefdop eraf te kunnen halen. Heeft u hem dat horen zeggen?'

'Ja, maar voor hetzelfde geld kan ik het stevig hebben vastgepakt om het uit de zak te halen.'

In de starende blik van Molto verschijnt opnieuw die zweem van een glimlach. Mijn vader heeft het niet slecht gedaan, en zorgvuldig het feit genegeerd dat nergens op het potje vingerafdrukken van mijn moeder te zien waren.

'Laten we het dan eens over de apotheek hebben, rechter Sabich. Op 25 september 2008, vier dagen voor de dood van uw vrouw, zijn bij uw apotheek tien fenelzinetabletten gekocht.'

'Dat blijkt uit het bewijsmateriaal.'

'En de handtekening op het creditcardbonnetje – bewijsstuk 42 van het openbaar ministerie – dat is de uwe, nietwaar?' Van het bonnetje, dat eerder al verpakt in cellofaan door de juryleden was doorgegeven nadat het als bewijsstuk was geaccepteerd, verschijnt nu een dia op het scherm naast de getuigenbank. Mijn vader neemt niet de moeite zich om te draaien.

'Ja.'

'Dat betekent dat u degene bent die de fenelzine heeft betaald.'

'Ik kan me dat niet meer herinneren, meneer Molto. Maar ik geef toe dat het duidelijk mijn handtekening is en ik weet dat ik op weg naar huis dikwijls Barbara's recepten ophaalde, als ze me dat vroeg. De apotheek ligt tegenover de halte waar ik altijd de bus naar mijn werk nam.'

Molto bekijkt zijn lijstje met bewijsstukken en geeft fluisterend instructies voor de volgende dia.

'Dan verwijs ik nu naar bewijsstuk 1B, een foto. U hebt agent Krilic horen zeggen dat het hier afgebeelde potje fenelzine in dezelfde staat verkeert als toen hij het bij u meenam?'

'Ja.'

'Als ik dan even uw aandacht mag vestigen op dat bewijsstuk 1B, dan ziet u dat er slechts zes pillen in het potje zitten, klop dat?'

Op de foto, waarop van boven in het plastic potje wordt gekeken, liggen op de bodem de zes pillen, die zich in niets onderscheiden van de oranjebruine ibuprofens die ik wel eens slik als ik hoofdpijn heb. Het is bijna niet te geloven dat zulke doodgewone pillen iemand van het leven kunnen beroven.

'Dat klopt, ja.'

'En weet u ook waar de vier ontbrekende pillen zijn gebleven?'

'Als u mij vraagt of ik iets te maken heb gehad met het wegnemen van die pillen, meneer Molto, dan is het antwoord nee.'

'Maar u hebt dr. Strack wel horen zeggen dat vier pillen fenelzine een dodelijke dosis vormen als ze tegelijk worden ingenomen?'

'Dat heb ik gehoord, ja.'

'Hebt u reden het daarmee oneens te zijn?'

'Ik heb begrepen dat vier pillen fenelzine dodelijk kunnen zijn als ze tegelijkertijd worden ingenomen. Maar zoals u al aangaf, heb ik het recept op 25 september opgehaald. En één pil is de aanbevolen dagelijkse dosis. De vijfentwintigste, de zesentwintigste, de zevenentwintigste, de achtentwintigste.' Mijn vader telt de dagen af op de vingers van zijn linkerhand.

'Dus u wilt beweren dat uw vrouw in de dagen vóór haar dood elke dag zo'n pil heeft geslikt?'

'Ik wil helemaal niets beweren, meneer Molto. Ik weet dat dr. Strack, uw getuige-deskundige, heeft toegegeven dat het mogelijk is dat één dosis fenelzine, ingenomen in combinatie met bepaalde voedingsmiddelen of dranken al een fatale reactie kan geven.'

'Dus de dood van uw vrouw was een ongeluk?'

'Toen ik ging slapen leefde ze nog, meneer Molto, en toen ik wakker werd was ze dood. Zoals u weet kan geen van de deskundigen zelfs maar met zekerheid beweren dat het de fenelzine was waaraan Barbara is overleden. Ze sluiten niet uit dat ze is gestorven aan een hypertensieve reactie, net als haar vader.'

'Welnu, laten we de mogelijkheid dat het een ongeluk was dan eens in overweging nemen.'

'Wat u maar wilt, meneer Molto. Ik zit hier om uw vragen te beantwoorden.'

Opnieuw zit er net iets te veel sarcasme in mijn vaders reactie. Tommy en ik – en nu ook de jury – weten allemaal hetzelfde over mijn vader. Na twintig jaar als aanklager en nog eens twaalf als hoofdrechter is hij er niet aan gewend zelf vragen van wie dan ook te moeten beantwoorden. De lichte zweem van arrogantie helpt Molto, omdat die impliceert dat mijn vader ergens diep onder de oppervlakte zijn eigen wetten hanteert.

'U hebt het gehad over een ernstige vergiftigingsreactie als fenelzine wordt gebruikt in combinatie met bepaalde voedingsstoffen, is het niet?'

'Dat ben ik aan de weet gekomen.'

'Verbaasde het u, vanuit datgene wat u aan de weet bent gekomen, dat dr. Gorvetich in zijn getuigenverklaring stelde dat informatie over de gevaren van het gebruik van fenelzine als het wordt ingenomen in combinatie met een voedingsmiddel dat tyramine bevat – zoals rode wijn, oude kaas, haring of droge worst – verbaasde het u te zien dat die informatie gemakkelijk te verkrijgen is via internet?'

'Ik wist dat een van de medicijnen die Barbara zo nu en dan gebruikte kon reageren met bepaalde voedingsmiddelen. Dat wist ik.'

'Dat is precies mijn punt. En we weten op grond van de getuigenverklaring van dr. Gorvetich ook, nietwaar rechter, dat die informatie vermeld stond op de twee websites die u aan het eind van september hebt bezocht?'

Molto knikt en de twee websitepagina's, met de betreffende passages op de dia geel gemarkeerd, verschijnen naast mijn vader op het scherm.

'Ik zie wat er op die pagina's staat, meneer Molto.'

'Ontkent u dat u die pagina's eind september van het vorige jaar hebt bezocht?'

'Ik weet niet precies wat er gebeurd is, meneer Molto. Mijn vrouw gebruikte ongeveer twintig verschillende medicijnen en sommige daarvan waren gevaarlijker dan andere. Het is heus wel eens voorgekomen dat ik bepaalde middelen, nadat ik ze voor haar had opgehaald, nog even op internet heb opgezocht om mezelf te herinneren aan de eigenschappen ervan, zodat ik haar kon helpen om het allemaal bij te houden. Maar als u mij vraagt of ik die websites in de dagen voor Barbara's dood op mijn computer heb bezocht –'

'Dat is inderdaad wat ik wil weten, rechter.'

'Voor zover ik me kan herinneren niet.'

'Niet?' Tommy is verbaasd. Ik ook. Mijn vader heeft al een plausibele verklaring gegeven waarom hij die websites bezocht zou kunnen hebben. Het lijkt onnodig het nu te ontkennen. Stern is gewoon blijven doorschrijven, maar ik zie aan de verbeten trek om zijn lippen dat hij hier niet blij mee is.

'Oké,' zegt Tommy. Hij zet een paar passen, laat zijn hand over de tafel van de aanklagers glijden en kijkt mijn vader dan weer aan. 'Waar we het wel over eens zijn, rechter, is dat u de avond voor het overlijden van uw vrouw naar de winkel bent geweest en dat u daar rode wijn, oude cheddarkaas, zure haring, yoghurt en salami genovese hebt gekocht. Is dat juist?'

'Dat kan ik me herinneren, ja.'

'Dat herinnert u zich dus nog wel,' zegt Tommy, met zo'n typisch juridische steek onder water die bedoeld is om de inconsistenties in mijn vaders geheugen te benadrukken.

'Jawel. Mijn vrouw had me gevraagd nog een recept op te halen en dan meteen de genoemde boodschappen mee te nemen.'

'U hebt het boodschappenlijstje dat ze u heeft gegeven zeker niet meer bij de hand?'

'Protest,' zegt Stern, maar mijn vader maakt zijn punt duidelijk. 'Ik heb niet gezegd dat er een boodschappenlijstje was. Mijn vrouw vroeg me een fles mee te brengen van een wijn die ze lekker vond, en een stuk oude cheddar, salami genovese en meergranencrackers omdat onze zoon, die thuis zou komen eten, die zo lekker vindt, en ook nog wat haring – waar ze zelf dol op was – en yoghurt om dipsausjes mee te maken voor de groenten die ze al in huis had.'

Het is waar dat ik dol ben op kaas en salami en dat soort dingen, al vanaf mijn vierde of vijfde. Volgens de familieverhalen at ik op die leeftijd nauwelijks iets anders, en dat zal ik ook zeggen als ik later deze week opnieuw in de getuigenbank word geroepen. Vanaf het eerste bezoek van Debby Diaz zie ik heel duidelijk voor me hoe mijn moeder de witte plastic tasjes uitpakte die mijn vader die avond had meegebracht en alle boodschappen inspecteerde. Hoewel ik soms twijfel over de hopeloze onvastheid van mijn geheugen en me wel eens afvraag hoe sterk ik me laat beïnvloeden door de hoop dat mijn vader onschuldig is, weet ik bijna even zeker dat ik mijn vader heb horen vragen: 'Zijn dit de dingen die je wilde?' Ook dat zal ik zeggen als ik straks weer moet getuigen. Maar wat ik niet weet is of mijn moeder speciaal die boodschappen had gevraagd, of hem gewoon had gevraagd wijn en wat lekkere hapjes mee te brengen, of dat hij zelfs zelf had aangeboden onderweg langs de supermarkt te gaan. Al deze mogelijkheden klinken plausibel, al lijkt het mij eerlijk gezegd het waarschijnlijkst dat mijn moeder, omdat ze was wie ze was, precies zal hebben aangegeven welke boodschappen mijn vader moest meebrengen, tot het merk en de rij in de winkel waar hij ze kon vinden aan toe.

'Welnu, rechter. Wie regelde het medicijngebruik van uw vrouw in verband met haar manische depressiviteit? Wie legde van dag tot dag haar medicijnen klaar?'

'Mijn vrouw. En als ze vragen had, belde ze dokter Vollman.'

'Was ze een slim iemand?'

'Briljant, naar mijn mening.'

'En hebt u dr. Vollman hier horen verklaren dat hij haar herhaaldelijk heeft gewaarschuwd om zeer voorzichtig te zijn met wat ze at als ze fenelzine gebruikte?'

'Ja, dat heb ik gehoord.'

'Dr. Vollman zei bovendien dat het zijn standaardpraktijk was ook u daarvoor te waarschuwen. Herinnert u zich dat hij u in verband met de fenelzine heeft gewaarschuwd?'

Mijn vader kijkt omhoog naar het cassetteplafond met zijn kruiselingse patroon van rijk versierde notenhouten balken.

'Heel vaag herinner ik me wel zoiets, meneer Molto.' Dit is weer zo'n feit dat mijn vader niet had hoeven toegeven. Ik vraag me af of de jury zijn eerlijkheid zal weten te waarderen, of die juist zal opvatten als een slimme truc van iemand die het grootste deel van zijn volwassen leven in de rechtszaal heeft doorgebracht.

'Dus u wilt ons laten geloven dat ze u vroeg wijn en kaas en salami en haring mee te brengen, terwijl ze wist dat ze fenelzine slikte? En dat ze bovendien van de wijn gedronken en van de kaas en de salami gegeten heeft?'

'Sorry, meneer Molto, maar ik geloof niet dat iemand hier al heeft verklaard dat mijn vrouw van de wijn gedronken of van de kaas gegeten heeft. Ik in elk geval niet, want ik kan me dat niet herinneren.'

'Uw zoon heeft toch verklaard dat uw vrouw wijn heeft gedronken?'

'Mijn zoon heeft alleen verklaard dat ik een glas wijn voor mijn vrouw heb ingeschonken. Ik heb Barbara er niet van zien drinken. Nat en ik zijn daarna naar buiten gegaan om de steaks te grillen, dus ik weet niet wie wat heeft gegeten.'

Tommy stopt. Dit is de eerste keer dat mijn vader echt tegen hem in gaat. En mijn vader heeft gelijk, over al deze dingen. Maar als ik in mijn eigen geheugen wroet, zie ik haar toch duidelijk met een wijnglas in haar hand, in elk geval tijdens het eten.

'Maar even voor de helderheid, rechter, stel dat uw vrouw inderdaad elke dag een fenelzine heeft genomen, zoals u zelf suggereerde, vindt u het dan logisch dat ze u naar de winkel stuurde met een lijstje vol boodschappen die voor haar levensgevaarlijk waren? Dat ze u vroeg haring mee te brengen bijvoorbeeld, of yoghurt, die volgens u voor haarzelf waren bedoeld.'

'U vraagt mij te raden, meneer Molto, maar ik wil wedden dat Barbara precies wist hoeveel ze kon smokkelen zonder een nadelige reactie te riskeren. Waarschijnlijk is ze ooit begonnen met één slokje wijn, of een klein stukje haring, en heeft ze in de loop der jaren geleerd hoeveel ze daarvan kon verdragen. Met tussenpozen slikte ze dat middel al jaren.'

'Dank u, rechter.' Molto's stem klinkt plotseling triomfantelijk terwijl hij daar staat en mijn vader aankijkt: 'Maar als uw vrouw geen wijn heeft gedronken en geen salami heeft gegeten en geen kaas heeft gegeten, en ook geen haring en geen yoghurt, dan kan haar dood dus ook geen ongeval zijn geweest, of wel?'

Er valt heel even een stilte voor mijn vader antwoord geeft. Hij beseft – en ik ook – dat er zojuist iets belangrijks is gebeurd.

'Meneer Molto, u vraagt mij te speculeren over dingen die gebeurd zijn toen ik de kamer uit was. Ik zou het vreemd vinden als Barbara grotere hoeveelheden van die wijn of die hapjes zou hebben genomen. En ik herinner me ook niet dat ze dat gedaan heeft. Maar ze was wel opgetogen omdat mijn zoon en zijn vriendin op bezoek kwamen. Ze vond hen een geweldig stel. Dus ik durf niet met zekerheid te beweren dat ze zich heeft weten te beheersen. Dat is de reden waarom ze het een ongeval noemen.'

'Nee, rechter, ik vraag u niet te speculeren. Ik probeer u te confronteren met de logica van uw eigen getuigenis.'

'Protest,' zegt Stern. 'Suggestief.'

'Afgewezen,' zegt de rechter, die duidelijk van mening is dat mijn vader zichzelf in dit lastige parket heeft gebracht.

'U hebt toch beweerd dat uw vrouw volgens u een reguliere dosis fenelzine kan hebben genomen en dat haar dood een ongeval was?'

'Ik heb gezegd dat de getuigenverklaringen ruimte laten voor die mogelijkheid.'

'Volgens u was het de keuze van uw vrouw u al die etenswaren te laten meebrengen die gevaarlijk voor haar waren, ondanks het feit dat ze fenelzine slikte, klopt dat?'

'Ja.'

'En toen zei u dat ze mogelijk van plan was er zelf niet van te eten, of slechts zulke minuscule hoeveelheden dat het geen kwaad kon. Klopt dat?'

'Dat was speculatief, meneer Molto. Het is maar een mogelijkheid.'

'En u hebt ons gezegd dat u niet hebt gezien of ze ervan gedronken of gegeten heeft, nietwaar?'

'Niet dat ik me kan herinneren.'

'En als uw vrouw niets gegeten of gedronken heeft dat tyramine bevat, dan kan ze niet door een ongeval, als gevolg van een fenelzinereactie zijn gestorven. Correct?'

'Protest,' zegt Stern vanuit zijn stoel. 'Hij vraagt de getuige om zijn mening alsof hij een deskundige is.'

Rechter Yee kijkt naar boven om na te denken en wijst het protest toe. Maar het doet al niet meer ter zake. Mijn vader heeft zich in de hoek laten drijven en daar een pak rammel gekregen. Molto levert puik werk door verbanden te leggen tussen alle kleine stukjes bewijs die ook bij mij zijn blijven knagen. De openbare aanklager laat wat hij heeft bereikt bezinken terwijl hij door zijn aantekeningen bladert.

'Rechter, een van de redenen waarom we deze discussie voeren over wat uw vrouw wel of niet gegeten of gedronken heeft, is dat het autopsieonderzoek van de inhoud van haar maag geen duidelijke resultaten heeft opgeleverd, nietwaar?'

'Inderdaad, meneer Molto. De maaginhoud heeft ons niets wijzer gemaakt.'

'Er was niet uit op te maken of ze kaas of steak had gegeten, is het wel?'

'Klopt.'

'Maar normaal gesproken, als er binnen vierentwintig uur na haar dood een autopsie had kunnen plaatsvinden, hadden we een veel beter beeld gehad van wat ze de avond daarvoor had gegeten, niet?'

'Ik heb de getuigenverklaring van de patholoog-anatoom gehoord, meneer Molto; zoals u weet denkt onze deskundige, dr.

Weicker uit Los Angeles, daar heel anders over, vooral voor wat betreft het tempo waarin de haring of de salami door het maagsap zou zijn afgebroken.'

'Maar u en ik, rechter, en de wederzijdse deskundigen kunnen het over één ding wel eens zijn, is het niet? Namelijk dat de vierentwintig uur die u aan het bed van uw vrouw hebt doorgebracht zonder iemand over haar dood in te lichten – dat dat uitstel het alleen maar moeilijker kan hebben gemaakt om te identificeren wat ze die avond gegeten heeft.'

Mijn vader wacht. Uit de manier waarop zijn ogen bewegen is te zien dat hij zoekt naar een uitweg.

'Dat heeft het wel moeilijker gemaakt, ja.' Ook dit punt wordt door de juryleden opgepikt. Molto doet het goed.

'Laten we dan nog even terugkeren naar wat u ons zojuist hebt verteld. U zei dat uw vrouw opgetogen was omdat uw zoon en zijn vriendin op bezoek kwamen.'

'Dat zei ik, ja.'

'Leek ze gelukkig?'

'"Gelukkig" is een relatief begrip, meneer Molto, zeker als je het over Barbara hebt. Ze leek in elk geval blij te zijn.'

'Maar u hebt toch tegen de politie gezegd dat uw vrouw tijdens het dinertje of in de dagen daarvoor niet depressief leek?'

'Dat heb ik hun gezegd, ja.'

'En was dat waar?'

'Dat was destijds mijn indruk.'

'En de fenelzine dan, rechter? U hebt dr. Vollman in zijn getuigenis horen verklaren dat ze dat middel zelf de A-bom noemde, alleen bestemd voor haar donkerste periodes.'

'Dat heb ik gehoord, ja.'

'En denkt u dat u, na meer dan vijfendertig jaar met haar te hebben samengeleefd, haar stemmingen redelijk kon peilen?'

'Haar ernstige depressies waren meestal wel duidelijk, maar ik kan me ook wel momenten herinneren dat ik haar toestand totaal verkeerd heb ingeschat.'

'Maar nogmaals, rechter, als we ervan uitgaan dat de fenelzinepillen alleen voor haar donkerste periodes waren bedoeld, u kreeg die avond toen u met zijn vieren dat etentje had, geen signalen dat ze in een dergelijke toestand verkeerde, of wel?'

'Nee.'

'En in de dagen daarvoor?'

'Ook niet.'

Ik heb dat zelf ook al verklaard. Terugdenkend aan die avond zou ik de stemming van mijn moeder eerder opgewekt hebben genoemd dan neerslachtig, om eerlijk te zijn. Ze leek zich te verheugen op wat komen ging.

'En dus rechter, op basis van wat u hebt waargenomen en aan de politie hebt gerapporteerd, had uw vrouw dus weinig reden om dagelijks een dosis fenelzine te nemen, of wel?'

'Nogmaals, meneer Molto, ik heb nooit gedacht dat ik haar stemmingen altijd goed heb kunnen inschatten.'

'Maar toen u drie dagen daarvoor die fenelzinepillen ophaalde, hebt u haar toen niet gevraagd of ze zich depressief voelde?'

'Ik kan me een dergelijk gesprek niet herinneren.'

'Terwijl u voor haar de A-bom had opgehaald?'

'Ik herinner me niet te hebben geregistreerd wat voor medicijnen het waren.'

'Ook al zaten uw vingerafdrukken op het potje?'

'Zoiets gaat puur op de automatische piloot, meneer Molto. Ik heb het recept opgehaald en de medicijnen op het plankje gezet.'

'U had dus niet door wat u ophaalde, ook al hebt u eind september informatie gezocht en websites bezocht over precies dat middel?'

'Protest,' zei Stern. 'Gevraagd en beantwoord. De rechter heeft al verklaard wat hij zich herinnert van die zoekacties.'

De onderbreking heeft in elk geval als voordeel dat Molto's ritme wordt verstoord, en dat is ook de reden waarom Stern zich moeizaam uit zijn stoel heeft verheven. Maar iedereen hier beseft dat Tommy Molto bezig is gehakt te maken van mijn vader. Het is allemaal niet logisch, of je het nu linksom bekijkt of rechtsom. Voor de rest kan mijn vader zijn zin krijgen. Misschien heeft hij mijn moeders depressies niet in de gaten gehad. Er is een tijd geweest dat je, vooral als mijn moeder boos was, niets aan haar merkte tot ze opeens ontplofte. En aangezien ik zelf ook zo vaak naar de apotheek ben geweest toen ik nog thuis woonde, kan ik helemaal begrijpen dat hij niet altijd precies wist welke van de tientallen geneesmiddelen die mijn moeder gebruikte, hij nu weer moest afhalen. Maar die zoekacties op internet, die zijn rampzalig. Wat hij misschien nog het best kan zeggen, en ik ben ervan overtuigd dat Stern dat in zijn slotpleidooi zal aanvoeren, is dat het wel heel dom zou zijn van een rechter en voormalige officier van justitie die zorgvuldig een moord heeft gepland om zijn computer op die manier te gebruiken. En dat zal Molto vervolgens op voorspelbare wijze weerleggen door te zeggen dat hij er niet op rekende dat hij gepakt zou worden, maar ervoor zou zorgen dat haar dood aan natuurlijke oorzaken zou worden toegeschreven.

Maar dit alles zit vast aan de mallotige epistemologie van de rechtszaal, waar de miljoenen details van het alledaagse leven plotseling worden verheven tot bewijzen voor moord. De waarheid is dat mijn vader, of willekeurig wie, de fenelzine kon hebben opgemerkt en drie dagen daarvoor die bewuste websites kon hebben bezocht om zich eraan te herinneren dat dit inderdaad die A-bom was, en het dan gewoon te laten gaan, want dat was het soort huwelijk dat mijn ouders hadden. In het huis van mijn ouders bleven zeeën van zaken onbesproken – de lucht leek daar altijd vol dingen die hun uiterste best deden niet gezegd te worden. En mijn moeder had een hekel aan vragen over haar medicijngebruik. Ik hoor haar nog zeggen dat ze heel goed voor zichzelf kon zorgen.

Rechter Yee wijst het protest af en mijn vader herhaalt rustig dat hij diep in zijn geheugen heeft gegraven maar zich niet kan herinneren die sites bezocht te hebben. Het antwoord blijft Tommy dwarszitten.

'Wie woonde er eind september 2008 nog meer in uw huis, rechter?'

'Alleen mijn vrouw en ik.'

'Wilt u beweren dat uw vrouw op uw computer naar fenelzine heeft gezocht?'

'Misschien wilde ze iets weten.'

'Had ze zelf ook een computer?'

'Ja,'

'Gebruikte ze uw computer wel vaker?'

'Niet vaak. En ook niet heel lang. Maar mijn computer stond vlak naast onze slaapkamer, dus zo nu en dan gebruikte ze hem weleens.'

Ik had zelf nooit meegemaakt dat dit gebeurde, maar met mijn moeder was het beslist mogelijk. Waarschijnlijk had ze het liefst de hele dag rondgelopen met een computer aan haar heup vastgegespt. Molto heeft zojuist weer de oude rechtszaalregel bevestigd dat je de goden niet moet verzoeken. Het voelt alsof die laatste vragen in het voordeel van mijn vader uitvallen, en Molto, die bepaald geen pokerface heeft, lijkt dit te beseffen en trekt al ijsberend zijn gezicht in een frons. Het is niet moeilijk te zien waarom Molto als strafpleiter zo succesvol is. Hij is eerlijk. Misschien misleid, maar eerlijk. Hij komt over als iemand die open kaart speelt.

'Voor alle helderheid, rechter, bent u het met me eens dat de dood van uw vrouw geen ongeluk was?'

Omdat mijn vader Stern heeft opgedragen tegenover mij eerlijk te zijn over de bewijslast, wist ik de meeste feiten die tijdens de rechtszaak aan de orde zijn gekomen al van tevoren. Mijn vader wilde niet dat ik erdoor verrast zou worden. En ik heb alles laten bezinken, er soms met Anna over gepraat als ze tijd had om te luisteren, zelfs zo nu en dan aantekeningen gemaakt. Maar nadenken over je ouders die elkaar vermoorden is nog erger dan nadenken over je ouders die seks hebben. Een deel van je hersenen zegt gewoon 'bekijk het!', dus ik heb nooit zo helder gezien hoe dingen doorwerken naar het verleden. Als mijn moeders dood geen ongeluk was, dan slikte ze waarschijnlijk ook niet elke dag fenelzine. En als ze niet elke dag fenelzine slikte, had ze ook geen reden het recept te vernieuwen. Dit betekent – of lijkt te betekenen – dat mijn vader die pillen wilde. En daarvoor is maar één logische reden denkbaar.

'Meneer Molto, nogmaals: ik ben geen patholoog of toxicoloog. Ik heb mijn theorieën en u hebt uw theorieën. Het enige dat ik zeker weet is dat uw theorie niet klopt. Ik heb haar niet vermoord.'

'Dus u beweert nog steeds dat het een ongeval is geweest.'

'Volgens de deskundigen is dat een mogelijkheid.'

'Maar als uw vrouw elke dag een fenelzinepil heeft genomen, dan zou dat betekenen dat ze ten minste vier keer het potje moet hebben opengemaakt, of vergis ik me?'

'Dat lijkt me logisch.'

'Maar toch heeft uw vrouw geen vingerafdrukken op het potje achtergelaten. Klopt dat?'

'Volgens dr. Dickerman wel.'

'Oké. Zoals u weet zijn er in totaal eenentwintig medicijnpotjes uit het medicijnkastje van uw vrouw meegenomen en door agent Krilic geïnventariseerd.'

'Dat heeft hij verklaard, ja.'

'En volgens dr. Dickerman staan op zeventien van die potjes vingerafdrukken van uw vrouw. En op twee potjes staan vingerafdrukken die zo onduidelijk zijn dat ze niet met zekerheid geïdentificeerd kunnen worden, al zijn er wel overeenkomsten met die van uw vrouw vastgesteld. Dat bestrijdt u niet?'

'Ik herinner me dat hij dat verklaard heeft.'

'Rechter, hoe vaak hebt u in uw carrière als aanklager, rechter en beroepsrechter een zaak behandeld waarin vingerafdrukken als bewijsmateriaal werden aangevoerd?'

'Zeker honderden malen. Waarschijnlijk meer.'

'En mogen we op grond daarvan aannemen, rechter, dat u in de loop der jaren het een en ander hebt geleerd over vingerafdrukken?'

'Het ligt er maar aan wat je onder "het een en ander" verstaat, maar ik weet er wel wat van.'

'Al meer dan vijfendertig jaar hebt u in verschillende hoedanigheden regelmatig een oordeel moeten vellen over de kracht en de zwakte van vingerafdrukbewijzen, is het niet?'

'Ja, dat klopt wel.'

'Zouden we u een expert mogen noemen?'

'Nou ja, ik ben geen expert zoals dr. Dickerman.'

'Dat is niemand.'

'Dat zal hij graag horen,' zegt mijn vader. Dit had als een rotopmerking kunnen overkomen, maar de juryleden hebben Dickerman in de getuigenbank meegemaakt en enkelen van hen schieten hoorbaar in de lach. Het gelach verspreidt zich over de rechtszaal. Zelfs rechter Yee grinnikt even. Ook Molto kan de opmerking wel waarderen. Bewonderend schudt hij een vinger in de richting van mijn vader.

'Maar u weet toch, rechter, dat sommige mensen duidelijker vingerafdrukken op oppervlakken als een medicijnpotje achterlaten dan andere?'

'Wat ik weet, meneer Molto, is dat het er in feite van afhangt in welke mate je handen zweten. Sommige mensen zweten sneller dan andere. Maar de hoeveelheid transpiratie varieert ook.'

'Bent u het met me eens dat iemand die op negentien – of zo u wilt zeventien – potjes vingerafdrukken heeft achtergelaten, bent u het met me eens dat het onwaarschijnlijk is dat die persoon een potje vier keer zou kunnen openmaken' – opnieuw houdt Molto het originele potje in de met speciale tape verzegelde plastic envelop omhoog – 'zonder vingerafdrukken achter te laten?'

'Dat weet ik niet zeker, meneer Molto. En eerlijk gezegd geloof ik ook niet dat ik dat dr. Dickerman heb horen zeggen.'

In de getuigenbank was Dickerman, toen hij werd ondervraagd door Brand, op dit punt minder duidelijk geweest dan Brand had gehoopt. Na afloop van de procesdag hadden Stern en mijn vader tegen elkaar gezegd dat je met Dickerman wel vaker zulke dingen had. Hij beschouwde het als een teken van zijn eigen voortreffelijkheid dat hij zo onvoorspelbaar was.

'Bent u overigens bevriend met dr. Dickerman?'

'Ik zou zeggen van wel, net zoals u met hem bevriend bent. We kennen hem allebei al jaren.'

Met zijn poging te insinueren dat in Dickermans getuigenis bepaalde sympathieën voor mijn vader zouden hebben doorgeklonken, heeft Molto precies het tegenovergestelde bereikt.

'Even voor de helderheid, rechter: in het medicijnkastje van uw vrouw staan dus maar twee potjes waarvan we met zekerheid kunnen zeggen dat haar vingerafdrukken er niet op staan. Waar of niet?'

'Kennelijk.'

'En een daarvan is het potje slaapmiddelen dat u de dag voor haar dood hebt opgehaald, is het niet?'

'Ja.'

'En dat potje is nog helemaal vol, nietwaar?'

'Ja.'

'Dus als we het nog ongeopende potje slaaptabletten buiten beschouwing laten, is het potje fenelzine het enige potje in het medicijnkastje van uw overleden vrouw waarvan de deskundigen met zekerheid hebben vastgesteld dat haar vingerafdrukken er niet op staan. Juist?'

'Op het potje fenelzine en, zoals u al aangaf, op nog drie andere potjes staan geen identificeerbare vingerafdrukken van Barbara.'

'Verzoek tot doorhalen, edelachtbare,' zegt Molto, wat betekent dat hij vindt dat mijn vader geen antwoord geeft op de vraag.

De rechter laat de vraag en het antwoord nog een keer voorlezen.

'Antwoord mag blijven,' zegt Yee, 'maar deskundigen alleen zeker van één open potje met nergens vingerafdrukken vrouw, oké rechter?'

'Dat lijkt me redelijk, edelachtbare.'

'Oké.' Hij knikt naar Molto om door te gaan.

'Maar op dat potje fenelzine – de enige vingerafdrukken op dat potje zijn toch de uwe, nietwaar rechter?'

'Mijn vingerafdrukken staan op dat potje en op nog zeven andere potjes, inclusief de nog ongeopende slaaptabletten.'

'Verzoek tot doorhalen,' zegt Molto weer.

'Toegewezen,' zegt Yee enigszins dreigend. Hij heeft mijn vader de kans gegeven, maar die heeft hem niet gegrepen.

'Voor zover we dat aan de vingerafdrukken kunnen zien, bent u de enige die de fenelzine in handen heeft gehad.'

Omdat hij al is gekapitteld door de rechter, weegt mijn vader zijn woorden zorgvuldig.

'Als je alleen naar de vingerafdrukken kijkt, klopt dat, meneer Molto.'

'Heel goed,' zegt Tommy. Terwijl hij dit zegt lijkt hij zich te realiseren dat het klonk alsof hij Stern wilde imiteren. Een van de juryleden, een zwarte man van middelbare leeftijd, begint te lachen. Hij lijkt alles was Tommy doet te gek te vinden. Molto is weer terug bij de tafel van de aanklagers en bladert door zijn aantekeningen, een teken dat hij een nieuw onderwerp wil aansnijden.

'Goed moment voor pauze?' zegt de rechter.

Molto knikt. De rechter pakt zijn hamer en schorst de zitting voor vijf minuten. De toeschouwers staan op en er klinkt geroezemoes. Mijn vader is al tientallen jaren een van de bekendste juristen van Kindle County, vooral bij het soort mensen dat graag en regelmatig rechtszaken bezoekt. Of het nu uit bloeddorst of lugubere sensatiezucht is, feit is dat velen van hen hier zijn om de machtigen te zien vallen, om voor zichzelf bevestigd te zien dat macht corrumpeert en dat je, als het erop aankomt, maar beter af bent zonder. Ik betwijfel of er buiten mijzelf nog wel iemand in de zaal zit die hoopt dat mijn vader onschuldig is.

26

Nat, 22 juni 2009

Zolang een getuige in de getuigenbank zit, mag niemand met hem over zijn getuigenis praten, ook zijn advocaten niet. Stern en Marta knikken naar hem vanaf de tafel voor de verdediging en Sandy laat hem even een gebalde vuist zien om hem aan de moedigen, maar geen van beiden gaan ze naar hem toe. Het zit me niet lekker. Gezien de realiteit waarmee hij geconfronteerd wordt, hoeft hij niet ook nog eens door iedereen in de rechtbank gemeden te worden, dus ik ga naar hem toe en vraag of hij nog een glas water wil. Hij antwoordt met het zoveelste onverschillige schouderophalen.

'Gaat het?' vraag ik.

'Ik bloed, maar ik leef nog. Hij maakt gehakt van me.'

Ik mag hier niet op reageren, en wat zou ik ook moeten zeggen? Ik kom met dezelfde holle frasen die hij mij vanaf de zijlijn toeriep als mijn pupillenteam in de tweede inning met twaalf-nul achter kwam.

'Het is nog lang niet afgelopen. We hebben nog tijd,' zeg ik.

'Tuurlijk,' zegt hij. Hij is de laatste maanden zo somber en fatalistisch dat ik er soms bang van word. Wie mijn vader ook geweest is, hij zal nooit meer dezelfde worden, ook al werd hij op dit moment door Zeus met een bliksemstraal bevrijd. Hij zal nooit meer helemaal aan het leven deelnemen. Hij legt even zijn hand op mijn schouder en zegt: 'Ik ga plassen.'

Onze conversatie is typisch voor hoe we de laatste tijd met elkaar omgaan. Het is niet zo dat ik niet meer met hem praat, maar zelfs in vergelijking met onze gekunstelde gesprekken van vroeger wisselen we nu wel erg weinig woorden. Ik weet zeker dat hij dat ook heeft gemerkt, maar de wet geeft ons geen keuze. Ik ben getuige in dit proces en mag niet met hem over het bewijsmateriaal of het verloop van het proces praten, en op dit moment lijkt hij aan niets anders te kunnen denken, wat voor mijzelf trouwens ook geldt. In zekere zin komt de radiostilte me ook wel goed uit. Ik weet niet of mijn vader schuldig is of niet. Een groot deel van mij zal het nooit kunnen accepteren als hij dat wel is. Intuïtief ben ik er rotsvast van overtuigd dat mijn moeders dood op de een of andere manier iets te maken heeft met mijn vaders affaire. Anna, die langdurige discussies over dit onderwerp altijd afkapt omdat ze niet tussen mij en mijn vader wil komen, heeft me meer dan eens gevraagd waarom ik dat denk. Het korte antwoord is dat ik mijn moeder kende. Eigenlijk denk ik dat mijn vader maar één ding van me wil horen; hij wil weten wat ik van hem denk en – belangrijker nog – of ik nog steeds van hem houd. Soms heb ik het idee dat ik hem een post-itbriefje moet toestoppen met de mededeling: 'Als ik eruit ben, zal ik het laten weten.'

Mijn vader begrijpen is altijd een hele toer geweest. Hij lijkt het prettig te vinden voor mij de mysterieuze persoonlijkheid te zijn, iets wat me in de loop van de tijd steeds meer de keel uit is gaan hangen. Ik ken hem natuurlijk wel, op de nietsontziende wijze waarop een kind zijn ouders kent, wat een beetje te vergelijken is met hoe je een orkaan kent als je midden in het oog staat. Ik ken al zijn irritante hebbelijkheden – zoals hij midden in een gesprek plotseling kan afdwalen, alsof wat hem te binnen schiet veel belangrijker is dan de rest van het gezelschap, of hoe hij altijd stilvalt zodra een gesprek ook maar een beetje persoonlijk dreigt te worden, ook al gaat het er alleen maar om dat iemand van wollen sokken jeuk aan zijn voeten krijgt, of die gewichtige houding die hij altijd tegenover mij aanneemt, alsof zijn taak als mijn vader een even zware verantwoordelijkheid is als zeggenschap hebben over alle Amerikaanse kernkoppen. Maar het proces, de beschuldigingen, de affaire, ze doen me steeds meer beseffen dat ik niet eens weet wie mijn vader zelf is.

Terwijl ik mijn gedachten probeer te ordenen, word ik heen en weer geslingerd tussen extremen. Soms ben ik bang dat de nietaflatende angsten en zorgen, die mijn vader in een soort opgebrande zombie hebben veranderd, hem uiteindelijk de das om zullen doen en dat ik binnen een jaar ook mijn andere ouder zal verliezen. Op andere momenten ga ik totaal over de rooie van pure verontwaardiging en vind ik dat hij krijgt wat hij verdiend. Maar natuurlijk ben ik vooral boos over de vele momenten dat ik niet zeker weet of ik de ene voet nog voor de andere zal krijgen, of dat de auto's buiten op straat nog wel aan de aarde zullen blijven plakken, omdat er zo snel zoveel is veranderd dat ik nergens meer in durf te geloven.

'Nog een paar onderwerpen, rechter,' zegt Molto als de zitting weer is hervat.

'Wat u maar wilt, meneer Molto.' Hij slaagt er nu iets beter in te klinken alsof het hem echt niet uitmaakt.

'Oké, rechter. Kunt u mij vertellen of u gelukkig was in uw huwelijk met mevrouw Sabich?'

'Het was zoals in veel huwelijken. We hadden onze ups en downs.'

'En in de tijd dat uw vrouw stierf, rechter, was het toen "up" of "down"?'

'Het kon ermee door, meneer Molto, maar het was niet een van onze gelukkigste periodes.'

'En als u zegt dat het ermee door kon, bedoelt u dan dat er geen echtelijke ruzies waren?'

'Geen is misschien een groot woord, meneer Molto, maar er waren die week in elk geval geen heftige uitbarstingen.'

'Maar u hebt ons verteld dat u niet gelukkig was. Waren daar bijzondere redenen voor?'

Mijn vader neemt de tijd. Ik weet dat hij meeweegt dat ik op tien meter afstand zit.

'Het was een opeenhoping van dingen, meneer Molto.'

'Zoals?'

'Nou ja, een van de dingen die speelden was dat mijn vrouw niets moest hebben van dat campagne voeren. Ze voelde zich blootgesteld op een wijze die ik niet helemaal reëel vond.'

'Werd ze daar gek van?'

'In figuurlijke zin.'

'En u kreeg daar genoeg van?'

'Ja.'

'En was dat een van de redenen waarom u drie weken voor de dood van uw vrouw een afspraak hebt gemaakt met Dana Mann?'

'Ik geloof het wel.'

'Dus u overwoog een eind aan uw huwelijk te maken?'

'Ja.'

'En niet voor het eerst, toch?'

'Nee.'

'U was in 2007 ook al eens bij meneer Mann geweest?'

Beide partijen dansen uiterst voorzichtig om elkaar heen. Mijn vaders gesprekken met Mann vallen onder het verschoningsrecht. Zolang mijn vader niet begint over wat hij met Dana heeft besproken, mag Molto daar niet naar vragen, want als hij mijn vader of Stern ertoe dwingt zich ten overstaan van de jury op dat recht te beroepen, riskeert hij daarmee een niet-ontvankelijkverklaring. Maar ook mijn vader moet op zijn tellen passen. Als hij liegt over wat hij tegen Mann gezegd heeft, of daarvan met opzet een misleidend beeld geeft, kan de rechtbank Dana verplichten naar de rechtzaal te komen om dat beeld te corrigeren. Toen Dana eerder in het proces getuigde, werd meteen duidelijk dat hij het in zijn broek deed voor Molto en Jim Brand en de hele situatie, ook al zat hij er nog geen vijf minuten. Hij bevestigde dat mijn vader hem twee keer had geconsulteerd en identificeerde de rekeningen die hij afgelopen september en in juli van het jaar daarvoor aan mijn vader had gestuurd en de cheques waarmee mijn vader hem had betaald.

'En is het niet zo, rechter, dat het onderhoud dat u in de zomer van 2007 met meneer Mann had, plaatsvond niet lang nadat u meneer Harnason had gevraagd hoe het is iemand te vergiftigen?'

'Als je niet op een maandje meer of minder kijkt.'

'En wat is er toen gebeurd, rechter? Waarom hebt u toen niet doorgezet en een eind gemaakt aan uw huwelijk?'

'Ik heb nagedacht over mijn mogelijkheden, meneer Molto. Ik heb het advies van meneer Mann ingewonnen en besloten niet op een scheiding aan te sturen.'

Al het bewijsmateriaal dat de jury niet te zien zal krijgen maar dat Marta en Sandy wel aan mij hebben laten zien – dus inclusief de soa-tests en de getuigenverklaringen dat mijn vader diverse malen in verschillende hotels zou hebben rondgehangen – wijst in de richting van dat mijn vader in plaats van te scheiden weer bij zijn verstand kwam, een eind maakte aan zijn liefdesaffaire en bij mijn moeder bleef. Ik ben er nooit aan toegekomen mijn vader te vragen of ik het bij het goede eind heb. Meer dan dat ene gesprek dat ik met hem over dit onderwerp heb gehad, kan ik voorlopig niet aan. Het vreemde is dat ik nooit gedacht heb dat mijn ouders een geweldig huwelijk hadden of samen erg gelukkig waren en dat ik minstens een keer per jaar dacht dat een van hen het bijltje erbij neer zou gooien. Maar dit – mijn vader die midden op de dag met een scharrel van in de dertig de koffer in duikt? Misselijkmakend.

'En u sprak meneer Mann opnieuw in de eerste week van september 2008?'

'Dat klopt.'

'En behoorde het vergiftigen van uw vrouw ook tot de mogelijkheden waarover u nadacht, net als toen u met meneer Harnason sprak ten tijde van uw eerste bezoek aan meneer Mann?'

Ik zie dat Marta haar vaders arm aanstoot, maar Stern doet niets. Misschien is de vraag zo belachelijk suggestief dat hij die geen protest waard acht. Marta heeft me uitgelegd dat het een betere indruk maakt als mijn vader, immers zelf rechter, voor zichzelf opkomt en niet al te intensief wordt beschermd door zijn advocaat. En dat doet mijn vader nu. Hij trekt een afkeurend gezicht en zegt tegen Tommy: 'Natuurlijk niet.'

'Was u er tijdens uw tweede bezoek aan meneer Mann in september 2008 sterker van overtuigd dat een scheiding het best was?'

'Ik weet het niet, meneer Molto. Ik was in de war. Barbara en ik waren al een hele tijd bij elkaar.'

'Maar u geeft toe dat u meneer Mann in juli 2007 ook al had bezocht om advies in te winnen?'

'Ja.'

'En dus is de conclusie gerechtvaardigd dat u nog eens terugkeerde omdat u het advies van meneer Mann wilde opvolgen en de scheidingsprocedure in gang wilde zetten.'

Molto draait rondjes met de precisie van een ijsdanser en vermijdt zorgvuldig te vragen wat mijn vader precies aan Dana Mann had gevraagd.

'Ik denk, meneer Molto, dat er een korte periode is geweest waarin ik het gevoel had dat een scheiding misschien het best zou zijn. Daarna bekoelde dat gevoel en keek ik er weer anders tegenaan.'

'Het feit dat u volop bezig was met uw verkiezingscampagne

voor het hooggerechtshof heeft geen rol gespeeld bij uw aarzeling?'

'Voor 4 november zou ik zeker geen scheiding hebben aangevraagd.'

'Dat zou geen goede indruk hebben gemaakt, is het wel?'

'Waar ik me dan meer zorgen over zou maken, is dat het volop in het nieuws zou zijn gekomen, terwijl het na de verkiezingen voor niemand behalve mijn familie van belang zou zijn geweest.'

'Maar u geeft toe dat sommige kiezers het niet hadden gewaardeerd als ze gehoord hadden dat u van uw vrouw wilde scheiden?'

'Dat zou goed kunnen.'

'Terwijl ze misschien medelijden met u zouden hebben als u plotseling weduwnaar werd?'

Mijn vader geeft geen antwoord. Hij haalt alleen zijn schouders op en steekt een hand op.

'Hebt u aan uw vrouw gezegd dat u een scheiding overwoog?'

'Nee, dat heb ik niet gedaan.'

'Omdat?'

'Omdat ik nog niet wist wat ik zou gaan doen. Omdat ik na mijn bezoek aan meneer Mann weer van mening was veranderd. En omdat mijn vrouw geen gemakkelijke was. Ze kon heel, heel boos worden. Het had geen zin dit met haar te bespreken voor ik een definitief besluit had genomen.'

'Dus u keek er niet naar uit dit onderwerp met haar te bespreken?'

'Bepaald niet, nee. Het zou een uiterst onaangenaam gesprek zijn geworden.'

'Zouden we dus kunnen zeggen, rechter, dat het feit dat uw vrouw stierf op het moment dat ze stierf heeft voorkomen dat u de confrontatie met haar en met uw kiezers aan moest gaan?'

Mijn vader trekt weer hetzelfde gezicht, half huivering, half frons, om aan te geven dat dit toch te gek voor woorden is, terwijl hij intussen beseft dat hij in de val is gelopen.

'Zo zou je het kunnen zeggen, als je dat per se wilt.'

'Alles bij elkaar genomen kwam de dood van mevrouw Sabich wel op een gelegen moment, is het niet, rechter?'

'Protest,' zegt Stern met kracht.

'Genoeg nu,' zegt rechter Yee kalm. 'Tijd voor ander onderwerp.'

'Heel goed,' zegt Tommy weer, opzettelijker nu dan de vorige keer, en richt zich op zijn aantekeningen. Even strijkt hij zijn veren glad. Molto weet dat hij het ene punt na het andere scoort. 'Laten we het nog eens over de computer hebben.'

Op de avond dat mijn vader hoorde dat hij zou worden aangeklaagd – 4 november 2008, een datum die ik nooit zal vergeten, de dag dat zijn juridische carrière zijn hoogtepunt moest bereiken – viel de politie van Kindle County ons huis in Nearing binnen met een huiszoekingsbevel. Ze namen niet alleen beide aanwezige computers mee, maar ook, duidelijk op zoek naar fenelzinesporen, al mijn vaders kleren en alle keukengerei, alle borden, alle glazen, alle geopende flessen en potten uit de koelkast en de keukenkastjes, en al mijn vaders gereedschap. Maar zelfs toen waren ze nog niet klaar. Bij de eerste doorzoeking hadden ze in de kelder een paar nieuw gemetselde stukken muur aangetroffen op de plaats waar mijn vader enkele maanden daarvoor herstelwerkzaamheden had uitgevoerd – mijn ouders voerden een eeuwige strijd tegen lekkage – en de politie keerde terug met drilboren om de muren open te breken. Toen kwamen ze met een nieuw dwangbevel en begonnen de hele tuin overhoop te halen, omdat een van de buren had verteld dat hij mijn vader daar in de tijd dat mijn moeder stierf had zien graven. Dat kon kloppen: op de dag van ons bezoek had hij immers die rododendron voor mijn moeder geplant. De aanklagers hanteerden niet alleen de botte bijl toen ze het huis plunderden, ze weigerden bovendien ook maar iets van de in beslag genomen goederen vrij te geven, zodat mijn vader in principe geen kleren had, geen pc en nog geen steelpannetje om water in te koken, en dat maandenlang.

Met name de computer was een groot twistpunt omdat mijn vader, die vaak 's nachts werkte, regelmatig juridische documenten meenam om die thuis te bewerken. Er stonden vele tientallen werkdocumenten van conceptvonnissen op, waarvan een groot deel betrekking had op beroepszaken waarbij het openbaar ministerie van Kindle County als partij betrokken was, maar ook een groot aantal memoranda die de interne processen bij het hof van beroep betroffen, waarin de rechters open en eerlijk van gedachten wisselden en hun mening gaven over advocaten, pleidooien, en zo nu en dan elkaar. De rechters van het hof van beroep waren in alle staten toen ze beseften dat dit allemaal in handen van het openbaar ministerie was gevallen.

George Mason, die als Rusty's plaatsvervanger was aangesteld, wilde niet de indruk wekken dat het hof mijn vader probeerde te beschermen, maar hij had zich wel gedwongen gezien een rechtzaak aan te spannen om zijn collega's gerust te stellen, een zaak die uiteindelijk niet doorging door een plotselinge wending waarvan ik ondanks alles de humor wel kon inzien: er was geen rechter beschikbaar om de zaak in behandeling te nemen. De rechters bij het gerechtshof hadden zich al gewraakt, en zelfs als er een rechter kon worden aangewezen, dan nog kon de verliezer nergens in beroep omdat het hof van beroep zelf een van de partijen was. Uiteindelijk kwamen Molto en Mason tot de afspraak dat er een kopie van de harde schijf zou worden gemaakt en dat de originele schijf alleen onder supervisie van George of een door hem aangewezen gevolmachtigde mocht worden bekeken om te voorkomen dat interne gerechtsdocumenten zouden worden ingezien. Over de computer die in mijn vaders werkkamer bij de rechtbank had gestaan maakten ze dezelfde afspraak.

Nadat mijn vaders computer van thuis was geanalyseerd, werd hij overgedragen aan rechter Mason, en gedurende de maand voordat rechter Yee werd aangesteld bleven beide computers, die van thuis en die van het werk, naast elkaar in de werkkamer van rechter Mason staan. Gedurende die periode had mijn vader toestemming van beide computers die bestanden te halen die hij nodig had om lopende zaken af te handelen en zijn agenda bij te houden, maar alleen als George of de door hem aangewezen gevolmachtigde daar als getuige bij was en een exact logboek bijhield van elke toets die werd ingedrukt. De eerste keer ging mijn vader nog zelf, maar hij ervoer de terugkeer naar het domein waarover hij ooit heerste als zo vernederend dat hij onder deze omstandigheden liever niet nog eens ging. Daarna stemden de aanklagers ermee in dat verder kopieerwerk ook gedaan mocht worden door gevolmachtigden van mijn vader die zowel door rechter Mason als door de aanklagers waren goedgekeurd, te weten ikzelf en – op voorstel van rechter Mason – Anna, die hij kende en vertrouwde als mijn vaders voormalige assistente en als klein technisch wonder. Toen Yee eenmaal was benoemd koos hij de kant van de aanklagers en gaf bevel beide computers aan het openbaar ministerie over te dragen. Op de computer uit mijn vaders werkkamer stond niets belangrijks, en op die van mijn moeder evenmin. Maar mijn vaders thuiscomputer was een soort goudmijn voor de aanklagers en ze slepen hem elke dag mee naar de rechtszaal, verpakt in dezelfde roze krimpfolie waarin hij heeft gezeten sinds hun deskundige, dr. Gorvetich, in december naar het hof van beroep kwam om hem op te halen.

'Op de dag vóór uw vrouw overleed, hebt u thuis verschillende e-mails van uw computer gewist, nietwaar?'

'Nee, dat heb ik niet gedaan.'

'Oké,' zegt Tommy. Hij knikt alsof hij wel verwacht had dat mijn vader dit zou ontkennen en ijsbeert wat op en neer, met de barse onverbiddelijkheid van een ouder die op het punt staat een mep uit te delen. 'Uw internetprovider is ClearCast, klopt dat?'

'Ja.'

'Even voor de helderheid: als iemand u een e-mail stuurt, dan gaat die in feite naar de server van ClearCast, en u haalt die dan met uw e-mailprogramma naar uw pc, nietwaar?'

'Ik heb niet veel verstand van computers, meneer Molto, maar dat lijkt me wel ongeveer te kloppen.'

'En als we dan even teruggaan naar de getuigenis van dr. Gorvetich: hij zei toch dat u uw account bij ClearCast zo hebt ingesteld dat alle e-mails automatisch na dertig dagen van de server worden verwijderd, nietwaar?'

'Ik wil hier niet moeilijk over doen, meneer Molto, maar dat soort dingen deed mijn vrouw altijd voor mij. Zij was gepromoveerd in de wiskunde en wist eindeloos veel meer van computers dan ik.'

'Maar het klopt toch dat u thuis, anders dan op uw computer bij het hof van beroep, met uw e-mailprogramma mails van de Clear-Cast-server naar uw computer haalde.'

'Als ik goed begrijp wat u zegt, bedoelt u dat ik op mijn werk altijd naar de website van ClearCast ging om daar mijn e-mails te lezen, maar dat die e-mails thuis rechtstreeks naar het e-mailprogramma op mijn computer gingen en daar werden opgeslagen.'

'Dat is precies wat ik bedoel. En na dertig dagen was dat nog de enige plek waar die e-mails opgeslagen bleven, nietwaar?'

'Als u het zegt, zal het wel kloppen.'

'Maar had u de gewoonte die e-mails na verloop van tijd weer van uw computer te verwijderen?'

'Nee, soms stuurde ik documenten van de rechtbank naar mijn

persoonlijke account, zonder goed te weten wat ik wanneer nodig zou hebben, dus liet ik alles maar gewoon staan.'

'Nu we het er toch over hebben: u hebt ons eerder verteld dat uw vrouw uw pc ook wel eens gebruikte?'

'Ik heb gezegd dat ze hem soms gebruikte om even snel iets op internet op te zoeken omdat hij vlak naast onze slaapkamer stond.'

'Meneer Brand heeft me daar tijdens de schorsing aan herinnerd. Stond er niet allerlei vertrouwelijke informatie over beroepszaken op die computer?'

'Ja dat klopt. Daarom hadden we ook ieder onze eigen computer, meneer Molto. Barbara wist dat mijn documenten en e-mails niet voor haar ogen waren bedoeld, maar die kreeg ze ook helemaal niet te zien als ze even iets opzocht op internet.'

'Ik snap het,' zei Molto. Op zijn gezicht ligt weer dat zelfvoldane kleine lachje dat nu en dan verschijnt als hij mijn vaders uitleg wat al te redelijk vindt. 'U hebt dr. Gorvetich horen verklaren dat hij na een forensisch onderzoek van uw pc tot de conclusie is gekomen dat diverse e-mailberichten uit de mailboxen van uw persoonlijke account zijn gewist en wel – zo blijkt uit de registergegevens – op de dag dat uw vrouw overleed. Hebt u dat gehoord?'

'Jawel.'

'En wat hij zei was dat die e-mails niet zomaar waren gewist, maar dat daarvoor een speciaal wisprogramma, Evidence Eraser genaamd, was gedownload en gebruikt, zodat een forensische reconstructie van wat er op de computer had gestaan niet meer mogelijk was. Hebt u dat gehoord?'

'Ja.'

'En u ontkent dat u dat gedaan hebt?'

'Ja.'

'Wie woonde er nog meer bij u in huis, rechter?'

'Mijn vrouw.'

'En u zegt dat u en uw vrouw een afspraak hadden dat zij uw e-mails niet zou lezen.'

'Dat is waar.'

'Van wat u zegt valt niet echt chocola te maken, is het wel?'

'Meneer Molto, eerlijk gezegd valt van dit hele verhaal geen chocola te maken. Volgens u zou ik e-mails op mijn computer zo zorgvuldig hebben gewist dat ze niet meer kunnen worden gereconstrueerd, maar tegelijkertijd zou ik niet de moeite hebben genomen mijn internetzoekopdrachten naar fenelzine te wissen of mijn vingerafdrukken van het medicijnpotje te halen. Dus ja, meneer Molto, het klinkt allemaal nogal belachelijk.'

Zijn woorden kunnen niet als uitbarsting worden aangemerkt omdat mijn vader op min of meer geduldige toon redeneert. En hij heeft gelijk. De tegenstrijdigheden in de theorieën van de aanklagers zijn bemoedigend. Het is de eerste keer dat mijn vader Molto tot luisteren dwingt. Tommy staart hem aan en zegt tegen rechter Yee: 'Ontoelaatbaar, edelachtbare. Ik verzoek dit gedeelte te schrappen. Beklaagde zal later nog de gelegenheid krijgen een slotpleidooi te houden.'

'Teruglezen, alstublieft,' zegt Yee tegen de notuliste. Dit maakt de zaak er voor de aanklagers alleen maar erger op, omdat de jury mijn vaders kleine tirade nu nog een keer te horen krijgt. Aan het eind schudt Yee zijn hoofd.

'Hij antwoordt op vraag, meneer Molto. U beter niet vragen naar chocola maken. En rechter–' Hij richt zich nu tot mijn vader met dezelfde rust en beleefdheid die hij het hele proces al tentoonspreidt. 'Alstublieft, geen argumentatie.'

'Het spijt me, edelachtbare.'

Yee schudt zijn hoofd om aan te geven dat een verontschuldiging niet nodig is. 'Nee, nee, antwoord goed. Vraag slecht. Veel goede vragen; deze niet.'

'U hebt gelijk, edelachtbare,' zegt Molto.

'Oké,' zegt de rechter. 'Iedereen blij.' Deze uitspraak, midden in een moordproces, leidt tot grote hilariteit onder de aanwezigen in de rechtszaal, en de rechter, van wie wordt beweerd dat hij privé een vreemde snoeshaan is, lacht zelf het hardst van iedereen. 'Oké,' zegt hij als het gelach wegebt.

'Rechter, stonden er e-mails op uw computer thuis waarvan u niet wilde dat iemand ze te zien kreeg? Dat wil zeggen, voor ze werden gewist?'

'Zoals ik al zei stond er nogal wat gevoelige juridische informatie op.'

'Ik bedoel persoonlijke dingen.'

'Een paar.'

'Welke precies?'

Het eerste dat mij door het hoofd schiet zijn zijn e-mails aan de vrouw met wie hij een verhouding had. Die moeten er geweest zijn, maar daarvan zijn duidelijker bewijzen, uit een andere bron.

'Meneer Mann heeft bijvoorbeeld al verklaard dat hij onze afspraken per e-mail bevestigde.'

'En rechter, stonden de e-mails van meneer Mann op uw computer op het moment dat die in beslag werd genomen, voor zover u weet?'

'Ik weet dat dat volgens de getuigenverklaringen niet zo was.'

'Sterker nog, omdat hij de exacte datum en tijd van die berichten wist, kon dr. Gorvetich vaststellen dat ze met Evidence Eraser zijn gewist.'

'Dat heeft hij inderdaad beweerd.'

'U twijfelt daaraan?'

'Volgens mij zal onze deskundige de conclusie aanvechten dat hiervoor speciale vernietigingssoftware werd gebruikt. Maar het is duidelijk dat de e-mail er niet op stond.

'En u bestrijdt dat u hem hebt gewist?'

'Ik kan me niet herinneren dat ik de e-mails van meneer Mann heb gewist, maar het is duidelijk dat ik daar wel reden toe had. Ik weet wel zeker dat ik nooit een wisprogramma heb gedownload of het ooit op mijn computer heb gebruikt.'

'Dus als er geen Evidence Eraser was gebruikt, zou iemand die uw e-mail doorzocht ontdekt kunnen hebben dat u erover nadacht uw vrouw te verlaten?'

Ik begrijp nu waar Tommy heen wil. Hij wil suggereren dat mijn vader een soort 'riem plus bretels'-strategie hanteerde en ervoor zorgde dat zijn computer schoon was voor het geval de autoriteiten de vergiftiging met fenelzine toch zouden herkennen. Maar als de zaken eenmaal zover waren gekomen, had mijn vader al flink in de problemen gezeten.

'Mogelijk.'

'Mogelijk,' zegt Molto. Hij begint weer met zijn bestudeerde loopje.

'Welnu, rechter. Als ik goed heb begrepen wat u tegen de politie hebt gezegd, trof u, toen u op 29 september wakker werd, uw vrouw dood naast u in bed aan. Klopt dat?'

'Ja.'

'En de hele dag die daarop volgde, bijna vierentwintig uur lang, hebt u met niemand contact opgenomen. Klopt dat?'

'Ja.'

'U hebt geen ambulance gebeld om te kijken of ze nog gereanimeerd kon worden.'

'Ze voelde toen al koud aan, meneer Molto. En haar hart klopte niet meer.'

'U hebt zelf dat medische oordeel geveld, en geen ambulance gebeld. Klopt dat?'

'Ja.'

'U hebt ook niet aan uw zoon of de familie van uw vrouw laten weten dat ze was overleden?

'Op dat moment niet, nee.'

'En afgaande op wat u tegen de politie hebt gezegd, hebt u al die tijd bij haar gezeten en nagedacht over uw vrouw en uw huwelijk. Is dat zo?'

'Ik heb haar een beetje recht gelegd, zodat ze er beter uit zou zien als mijn zoon haar zag. Maar voor de rest heb ik inderdaad naast haar zitten nadenken.'

'En uiteindelijk, bijna een dag later, hebt u uw zoon gebeld?'

'Ja.'

'En zoals hij zelf heeft getuigd, ontstond er toen u met Nathaniel sprak' – ik schrik even als ik mijn naam uit Molto's mond hoor komen – 'onenigheid of u al dan niet de politie moest bellen.'

'Mijn zoon heeft dat nooit onenigheid genoemd en ik doe dat ook niet. Het was gewoon niet bij me opgekomen dat de politie moest worden gebeld en eerlijk gezegd zat ik toen ook niet te wachten op bezoek van buitenstaanders.'

'Hoe lang bent u aanklager geweest, rechter?'

'Vijftien jaar.'

'En u wilt beweren dat u niet besefte dat bij elk verdacht sterfgeval de politie moet worden gewaarschuwd?'

'Voor mij was het geen verdacht sterfgeval, meneer Molto. Ze had een hoge bloeddruk en hartproblemen. Haar vader was op dezelfde manier gestorven.'

'Maar toch wilde u niet de politie waarschuwen.'

'Ik was in de war, meneer Molto, en wist niet wat ik moest doen. Ik heb nog niet zo vaak een vrouw verloren.' Er klinkt een heimelijk lachje vanaf de jurybank, wat als een verrassing komt. Stern fronst zijn wenkbrauwen; hij wil niet dat mijn vader de gisse jongen uithangt.

'U zegt dat u wist dat uw vrouw gezondheidsproblemen had. Maar ze was toch in een uitstekende conditie, is het niet?'

'Ja. Maar een van de redenen waarom ze zoveel aan fitness deed was dat ze wist dat ze genetisch was belast. Haar vader is maar net iets meer dan vijftig geworden.'

'Dus u hebt niet alleen in uw eentje de medische conclusie getrokken dat uw vrouw dood was, maar ook zonder enige professionele hulp de oorzaak van haar dood vastgesteld.'

'Ik zeg u alleen wat ik dacht. Ik probeer uit te leggen waarom ik er niet toe ben gekomen de politie te bellen.'

'Het was natuurlijk niet om een autopsie uit te stellen?'

'Nee.'

'Het was dus niet om de maagsappen de kans te geven de sporen uit te wissen van de etenswaren die u haar had gegeven en die zouden inwerken op de fenelzine die u in haar wijn had gedaan?'

'Nee.'

'En u zegt, rechter, dat u een beetje hebt opgeruimd. Hoorde daar ook het omspoelen van het glas bij waarin u de avond tevoren de fenelzine had opgelost?'

'Nee.'

'Wiens woord behalve dat van uzelf hebben we dat u niet het glas hebt omgespoeld omdat het sporen kon bevatten van het vergif dat u uw vrouw hebt gegeven?'

'Is dat het punt dat u wilt maken, meneer Molto, dat u alleen mijn woord hebt?'

'Wiens woord hebben we, rechter, dat u het aanrecht waarop u de fenelzine tot poeder hebt vermalen, of het gereedschap waarmee u dat hebt gedaan, niet hebt schoongeveegd?'

Mijn vader neemt niet de moeite te antwoorden.

'Wiens woord hebben we, rechter, dat u niet die laatste vierentwintig uur hebt besteed aan het wegwerken van elk spoortje dat zou kunnen verraden dat u uw vrouw hebt vergiftigd? Wiens woord, rechter? Wiens woord hebben we behalve het uwe?'

Tommy is steeds dichter bij mijn vader gekomen en staat nu vlak bij de getuigenbank, en kijkt mijn vader strak aan.

'Ik begrijp het, meneer Molto. Alleen het mijne.'

'Alleen het uwe,' zegt Tommy, en blijft mijn vader nog even aanstaren voor hij terugkeert naar de tafel van de aanklagers, waar hij
zijn aantekeningen ordent en dan gaat zitten.

27

Tommy, 22 juni 2009

In het omberkleurige licht van het kantoor van de aanklagers, waar de enige dagdelen schemering en duisternis leken te zijn, stonden verschillende leden van Tommy's staf op hem te wachten, gretig om hun baas als eerste de hand te drukken. Toen de koperen liftdeuren opengingen kwam een opgetogen Jim Brand als eerste tevoorschijn, terwijl hij de proceswagen voor zich uit duwde. Het open karretje van roestvrij staaldraad, dat nog het meest wegheeft van een verlengd winkelmandje, werd gebruikt om alle dossiers en Rusty's computer elke dag naar de rechtbank aan de overkant te brengen. De twee vrouwen die de aanklagers elke dag vergezellen, rechercheur Rory Gissling en secretaresse Ruta Wisz, volgden in zijn voetspoor. Zodra ze allemaal door de met staal versterkte deur van het kantoor waren binnengekomen, brak er een luid applaus uit onder de aanwezige aanklagers en assistent-aanklagers, van wie een flink deel vandaag in de rechtszaal aanwezig was geweest om persoonlijk het kruisverhoor mee te maken. Al handen schuddend en vuist aantikkend liep Tommy achter de wagen door de halfduistere gang naar het hoekkantoor van de hoofdaanklager. Het had wel iets weg van een scène uit een oude film over Rome, waarin de overwinnaars een ommuurde stad betreden achter een wagen met het dode lichaam van de oude heerser.

Aanklagers en assistenten maakten luidkeels grappen waarin Rusty met geslacht vee werd vergeleken.

'Hij draaide als een haantje aan het spit, chef.'

'Welkom bij sushibar Benihana, waar chef Tommy zijn fileerkunsten laat zien.'

Zelfs rechter Yee had even een blik met Tommy gewisseld en waarderend geknikt nadat hij de zitting had geschorst. Eerlijk gezegd wist Tommy niet goed wat hij met al die toejuichingen aanmoest. Hij had al lang geleden ingezien dat hij het soort man was dat niet goed gedijde bij succes. Ook dat was een van die kleine geheimpjes waarvoor hij zich een beetje geneerde, al werd dat de laatste jaren getemperd door het besef dat er veel meer mensen dan hij altijd had gedacht net als hij waren. Feit was dat Tommy zich vaak schuldig voelde als het hem voor de wind ging, omdat hij er diep vanbinnen van overtuigd was dat hij het niet echt verdiende. Zelfs Dominga's liefde voelde hij zich niet altijd waardig. Het was typerend voor hem dat hij zich, ook al wist hij dat hij Sabich ernstige verwondingen had toegebracht, zorgen begon te maken.

Niettemin stond als een paal boven water dat hij echt goed was geweest in de rechtbank. Toch wilde hij zich niet te veel op de borst kloppen. Je kon je voorbereiden en voorbereiden, maar een kruisverhoor was in feite als een koorddansact; soms bleef je op de been en soms kwam je op je billen terecht, en veel ervan was puur toeval. Totdat Rusty probeerde te scoren door te zeggen dat hij niet gezien had of Barbara van de hapjes had gegeten waaraan ze kennelijk was gestorven, was het nooit helemaal tot Tommy doorgedrongen hoe absurd de gedachte was dat haar dood een ongeluk kon zijn geweest. Voor hem was dat een geweldig moment, en daarvan waren er meer geweest, maar hij had ook een paar keer misgekleund, de deur een paar keer veel te wijd opengezet, wat altijd gebeurde. Maar alles bijeen genomen had de argumentatie van de aanklagers als een trompet door de rechtszaal geschald.

Zelfs de zwerm persmuskieten buiten het gerechtsgebouw leek eindelijk onder de indruk. Tommy had weinig echte fans bij de pers. Hij had de neiging te verstijven voor de camera, en de meedogenloze persoonlijkheid die hem in de rechtszaal goed van pas kwam, viel veel minder goed bij de journalisten, die er een hekel aan hadden te worden behandeld als de tegenstanders die ze vaak waren. En tegenwoordig, met al die publieke belangstelling, had Tommy toch al het gevoel met één hand op zijn rug te moeten strijden. Zodra Yee op deze zaak was gezet, had Stern een motie ingediend over de DNA-resultaten van het eerste proces. In de raadkamer, buiten de openbaarheid, had Yee niet alleen beslag laten leggen op de DNA-resultaten, zoals Tommy al lang van tevoren had voorspeld, maar ook van de aanklagers geëist dat iedereen die daar weet van had bij rechterlijk bevel zou worden verboden erover te praten tot na het proces. Uiteindelijk kwam het erop neer dat de rechter procedures voor minachting van het hof zou starten als de testresultaten uitlekten. Intussen bleven de kranten – ongetwijfeld aangemoedigd door Stern – de wraaktheorie maar uitmelken, waarbij het eerste proces weer werd uitgespit en keer op keer werd benadrukt dat de aanklagers dat hadden verloren en dat er aansluitend een jaar lang onderzoek naar Tommy's gedrag was gedaan voor hij weer in zijn oude baan kon terugkeren. Tommy, die al lang geen eerlijke behandeling door de Amerikaanse pers meer verwachtte, kon hier niets tegen inbrengen, alleen zeggen dat ze het eind van dit proces maar moesten afwachten. Maar na zijn optreden vandaag, helemaal nu de DNA-resultaten publiek waren geworden, wist Tommy dat geen jurist of journalist nog iets zou zeggen, behalve dat Jim Brand en hij geen andere keuze hadden gehad dan dit proces aan te spannen.

Veel van hun collega's bleven hen aanklampen terwijl ze door de gang liepen. Maar toen ze Tommy's kantoor bereikten, bleef hij in de deuropening staan als een onwillige gastheer. Alleen zijn procesteam mocht mee naar binnen. Hij accepteerde nog een paar schouderklopjes en klapte toen een paar keer in zijn handen om iedereen op te roepen weer aan het werk te gaan. De mensen op zijn kantoor wisten wel beter dan halverwege een proces victorie te kraaien, en het feit dat zo velen van hen de afloop van het kruisverhoor wilden vieren, verraadde dat ze zelf ook zo hun twijfels hadden gehad en dat het beter was verlopen dan ze verwacht hadden. De meer ervaren juristen wisten dat de kans nog steeds groot was dat aan het eind van de rit de champagneflessen toch dicht zouden blijven.

'Een tien plus,' zei Rory Gissling toen Tommy na een snel telefoontje met Dominga terugkeerde. Tommy had zijn vrouw maar een paar seconden aan de lijn gehad. Tomaso, die begon te praten en al echt brutaal kon zijn, stelde het geduld van zijn moeder de laatste tijd behoorlijk op de proef.

'Weet je...' antwoordde Tommy, en bleef toen een hele tijd stil.

Gevieren waren ze rond Tommy's bureau gaan zitten. Jim en hij hadden hun jasje uitgedaan en hun voeten op het publieke bezit gelegd.

Rory zei: 'Ik vind dat rechter Yee toestemming had moeten geven om over die andere vrouw te beginnen.'

'Dat zal Yee nooit toestaan,' zei Tommy, 'en ik denk dat ik weet waarom.'

'Omdat hij geen herroeping wil,' zei Brand, die als ze het over rechter Yee hadden steeds met dezelfde tekst kwam.

'Omdat hij weet dat we dat niet nodig hebben. Er zijn twaalf mensen in de jurykamer. Samen hebben ze in totaal... zeg, vijfhonderd jaar geleefd. En wat is het eerste waar iedereen meteen aan denkt als hij hoort dat een man van middelbare leeftijd zijn jeugdliefde dumpt?'

Rory lachte. Ze snapte zijn punt. 'Het kan niet anders dan dat hij wat anders achter de hand heeft.'

'Dat is precies wat de helft van de mensen in de jurykamer zal zeggen. En waarschijnlijk is wat zij daarvan zullen maken veel beter dan wat dan ook dat wij ooit zouden kunnen bewijzen.'

Brand haalde zijn voeten van de tafel en leunde naar voren. 'Waar maak je je dan zorgen over?'

Brand was de enige hier die Tommy goed genoeg kende om het te zien. Tommy nam even de tijd om na te denken, maar kon toch geen goed antwoord formuleren.

'Sandy Stern is een tegenaanvaller,' zei hij. 'Dat is één ding.' Stern had altijd al begrepen dat een proces een verwachtingenstrijd is, waarin niemand de stemming in de rechtszaal ooit helemaal kan beheersen. Sandy wist dat één goede dag voor de aanklagers, of zelfs een goede week, nog niet het einde betekende, zolang hij nog de kans had terug te komen. In feite werd nu duidelijk waarom Stern zijn cliënt als eerste in de getuigenbank had geroepen. Omdat hij Rusty's geloofwaardigheid van daaraf weer wilde opbouwen. Tommy verdacht Stern er zelfs van dat hij Rusty zo nu en dan met opzet een slechte indruk liet maken, zodat de juryleden zich uiteindelijk een beetje zouden schamen over hun twijfels als er daarvan een paar werden weerlegd. Tommy was al lang geleden opgehouden te proberen elke schaakzet van Sandy in de rechtszaal te pareren. Sandy's spelletje zou hij nooit winnen. Hij moest zijn eigen spel spelen. Elke dag recht vooruit. 'Wacht maar af,' zei Tommy. 'Stern ziet altijd kans weer overeind te krabbelen.'

'Daar zijn wij op voorbereid,' zei Brand.

'Jazeker,' zei Tommy. 'Maar weet je... over twee weken zullen de juryleden zich van vandaag nog vooral herinneren dat ze Rusty hebben horen zeggen dat hij het niet gedaan heeft. En dat hij een goede indruk maakte. Hij bleef meestal kalm en gaf geen ontwijkende antwoorden.'

'Hij ging te veel de strijd aan,' zei Rory. Ruta, de secretaresse, luisterde aandachtig maar keek wel uit zich met het gesprek te bemoeien. Ze was een gedrongen blondine van negenentwintig, die op het punt stond haar rechtenstudie te beginnen, en al dolblij was dat ze hier op het bureau van de aanklagers bij dit gesprek aanwezig mocht zijn.

'Een beetje wel, ja,' zei Tommy. 'Maar hij deed het goed. Heel goed als je bedenkt waar hij zich allemaal voor moest verantwoorden. Maar–' Tommy stopte. Opeens besefte hij wat hem al de hele tijd dwars zat. Hij had Sabich flink onder handen genomen, maar de man had iets onverstoorbaars gehouden. Geen moment had hij de indruk gewekt dat hij iemand vermoord had. Niet dat dat in zijn aard lag. Tommy had nooit veel moeite gedaan om te begrijpen wat er precies mis was met Rusty, maar het was iets dieps en ingewikkelds, iets Jekyll & Hyde-achtigs. Maar hij had zijn act goed voor elkaar. Geen nerveuze oogbewegingen. Geen verontschuldigende houding. De aanklagers hadden de rede aan hun zijde. Maar emotioneel lagen de verhoudingen in de rechtszaal veel ingewikkelder. Toegegeven, de lijst met dingen die Rusty als toevallige samenloop van omstandigheden moest kwalificeren was krankzinnig lang – Harnason, de vingerafdrukken, het afhalen van de fenelzine bij de apotheek, het kiezen van de wijn en de kaas, het raadplegen van de internetpagina's over fenelzine. Maar ongewild was Tommy toch al een paar keer overvallen door intense frustratie over de rustige manier waarop Rusty alles verklaarde. Sabich kwam vermoedelijk in aanmerking voor een eigen hoofdstuk in het psychiatrisch handboek DSM om zijn psychopathologie te beschrijven, maar na dertig jaar als aanklager had Tommy een leugendetector in zijn buik waarin hij meer vertrouwen had dan in de beste interpretatoren van de uitslaande naaldbewegingen van welk apparaat dan ook. En iemand in de jury, misschien zelfs de meesten, moest hetzelfde hebben gezien wat Tommy zag. Zelfs als Rusty de enige in de zaal was die het helemaal geloofde, had hij in elk geval zichzelf ervan overtuigd dat hij onschuldig was.

'Hoe hij zijn vrouw ervan beschuldigde degene te zijn geweest die op fenelzine had gegoogeld, wat vond je daarvan?' vroeg Brand. 'Dat sloeg toch nergens op. Alsof iemand die een medicijn al twaalf jaar slikt daar niet alles al van af zou weten.'

'Hij had geen andere keuze,' zei Rory.

Tommy beaamde dit. 'Ja, hij moest wel. Hoe moest hij anders uitleggen dat hij naar de winkel is gegaan en daar precies al die dingen heeft gekocht die gevaarlijk voor haar waren. Als je die internetpagina's hebt gelezen, dan zeg je toch: "Nee, nee schat. Laten we het maar bij tortillachips en guacamole houden." Of je zou het in elk geval met haar overleggen.'

'Het wissen van de e-mails probeerde hij haar ook al in de schoenen te schuiven,' zei Brand.

Rory schudde haar hoofd. 'Dat was juist het enige punt waarop hij wel eens gelijk kon hebben,' zei ze. 'Waarom zou hij wel de e-mails wissen, maar de opgeslagen geschiedenis van de webbrowser gewoon laten staan?'

'Omdat die sukkel dat gewoon vergeten is,' zei Brand. 'Omdat hij zich voorbereidde om zijn vrouw te vermoorden, en dat maakt zelfs iemand als hij een beetje zenuwachtig en in de war. Dat schijnargument hoor je bij elke zaak: "Als ik inderdaad zo'n uitgekookte misdadiger ben, waarom heb ik me dan laten snappen?" Ik bedoel, hij heeft het gedaan. Misschien had hij er wel geen tijd meer voor.'

'Hoe bedoel je?' vroeg Rory.

'Misschien was haar houdbaarheidsdatum verlopen. Die klootzak is ziek,' zei Brand. 'Hij heeft duidelijk besloten dat mama haar kindje nog één keer mag zien voor hij haar naar de eeuwige jachtvelden stuurt. Ik bedoel dat zo'n zieke klootzak dat als mededogen beschouwt.'

Luisterend tussen de regels door zonk Tommy nog wat verder in zichzelf weg. Dat Brand Rusty een 'zieke klootzak' noemde verontrustte hem enigszins. Niet dat zulke termen ongegrond waren – want wat zou je anders moeten zeggen van een vent die met zorg de moord op een vrouw voorbereidt en uitvoert nadat hij eerder al onbestraft een andere vrouw heeft vermoord? Maar de waarheid was dat er in de hele rechtszaal niemand was die Rusty zo goed kende als Tommy zelf. Hij kende hem beter dan zijn advocaat, beter zelfs dan zijn eigen zoon. Tommy had Rusty vijfendertig jaar geleden ontmoet, toen Tommy nog rechten studeerde en Rusty bezig was met de zaak-Matuzek, het omkoopproces van een districtsbestuurder waarbij Rusty Ray Horgan assisteerde. Vanaf die tijd had Tommy de man van alle kanten bestudeerd – in de aangrenzende kamer gezeten, naast hem processen gevoerd, onder zijn supervisie en met hem als baas gewerkt, Rusty tegenover zich in de beklaagdenbank gezien en daarna als rechter op het podium. Aanvankelijk, vooral in de tijd voordat Nat werd geboren, hadden ze goed met elkaar kunnen opschieten. Toen Tommy bij het openbaar ministerie in dienst kwam, brachten Rusty en Tommy's oude middelbareschoolvriend Nico Della Guardia regelmatig samen het weekend door, en Tommy voegde zich dan dikwijls bij hen. Ze gingen samen naar wedstrijden van de Trappers en werden meer dan eens samen dronken. Met zijn drieën hadden ze, toen Rusty op de dag nadat Nathan was geboren weer op kantoor kwam, dikke Cubaanse sigaren zitten roken. Na verloop van tijd was Tommy Rusty minder aardig gaan vinden. Toen Rusty carrière begon te maken, meestal ten koste van Nico, was hij steeds gereserveerder en zelfingenomener geworden. En na het proces van Carolyn, toen Tommy na een onderzoek van meer dan een jaar terugkeerde, had hij in Rusty's gezicht niets anders gezien dan een slecht passend masker dat, elke keer dat de twee mannen elkaar ontmoetten, op weinig overtuigende wijze deed alsof hij blij was Tommy te zien.

Maar toch. Toch. Waarom en hoezo waren geen vragen die Tommy zich in zijn werk vaak stelde. Je zag mensen in de fout gaan: geliefde priesters die duizenden mensen met God in contact brachten en uiteindelijk video's maakten van hun seksspelletjes met zesjarige kleuters; multimiljonairs die hele footballteams en winkelcentra bezaten en iemand voor vijftienduizend dollar oplichtten omdat ze iedereen altijd te slim af wilden zijn; politieke hervormers met een lange staat van dienst die nog niet in hun hoge functie waren beëdigd of ze hielden hun hand al op om zich te laten omkopen. Tommy deed geen moeite te begrijpen waarom sommige mensen er behoefte aan hadden zichzelf te trotseren. Daar werd hij niet voor betaald. Het was zijn taak bewijsmateriaal te verzamelen en het voor te leggen aan een jury van twaalf, en dan over te gaan tot de volgende zaak. Maar na drieënhalf decennia wist hij één ding zeker over Rusty: hij was geen zieke klootzak. Neurotisch? En hoe. In staat om zozeer in de ban te raken van een vrouw als Carolyn dat zij de enige waarheid werd die hij zag of waarom hij gaf? Zeker. Hij kon razend zijn geworden, haar hebben gewurgd en zijn sporen uitgewist. Maar het enige dat Tommy altijd van zichzelf eiste als hij plaatsnam op de hoge leren zetel waarop aanklagers al twintig jaar lang hun achterste neervlijden, was eerlijkheid. En de confrontatie met Rusty in de rechtszaal had Tommy er uiteindelijk toe gedwongen vragen onder ogen te zien die hij al bijna een jaar lang terzijde probeerde te schuiven. En dit was wat hem het meest had geplaagd: een zo koel berekende misdaad als deze, maandenlang gepland en in de loop van een week uitgevoerd, leek totaal niet te passen bij de man die Tommy al zo lang kende.

Tommy besefte dat niemand zo hard voor hem was als Tomassino Molto III. Hij vond het fijn zichzelf te pijnigen, en dat deed hij nu ook. Het klassieke katholieke martelaarschap. Over een paar minuten, of misschien over een uur, zou hij de grond onder zijn voeten weer terugvinden. Maar het had geen zin je te verzetten. Het waren van die gedachten die je niet wilde hebben maar ook niet kon tegenhouden – zoals gedachten over het moment dat je doodgaat of hoe het leven zou zijn als er iets met Tomaso zou gebeuren. Nu, terwijl Brand en Rory elkaar zaten te plagen, kwam bij Tommy een gedachte boven die hij in maanden niet had gehad. Het was natuurlijk uiterst onwaarschijnlijk, en druiste in tegen alle bewijzen en alle logica, maar hij vroeg het zich toch af. Wat als Rusty onschuldig was?

28
Nat, 22 juni 2009

Net als elke avond keren we ook nu terug naar het poenerige kantoor van Stern & Stern. Sandy is zo'n van krantenjongen-tot-miljonairfiguur die het prettig vindt zich te omringen met de bewijzen van zijn succes, en Marta, wier onopgesmukte informaliteit een opzettelijk contrast lijkt met haar vader, vergelijkt zijn onderkomen achter zijn rug om voor de grap met een duur steakrestaurant – veel donker hout en laag licht door lampen van gebrandschilderd glas, geplisseerde leren meubels en kristallen karaffen op de vergadertafels. Vergeleken met de sfeer in de meeste advocatenkantoren waar ik wel eens geweest ben, heerst hier een weldadige rust, alsof Sandy boven de opschudding van alledag staat. De telefoons knipperen hier in plaats van dat ze rinkelen en de computertoetsenborden maken amper geluid.

Maar sinds we in de rechtszaal onze spullen hebben gepakt en hierheen zijn gekomen, heeft een andere stilte de overhand. Stern heeft de vaste regel nooit iets te bespreken binnen gehoorsafstand van welke onvermoede bondgenoot van Molto of familielid van een jurylid dan ook, zodat de gesprekken in het gerechtsgebouw en in de lift beperkt blijven tot actualiteiten, het liefst oncontroversiële zoals sport. Maar vandaag zijn we hierheen gereden zonder een woord te wisselen, zelfs niet de gebruikelijke onschuldige prietpraat. Hoewel het LeSueur Building maar een paar blokken van het gerechtsgebouw ligt, moet Sandy daarvoor tegenwoordig de auto nemen, en hij heeft mij gevraagd met hem en mijn vader in zijn Cadillac mee te rijden, vooral omdat hij wil bespreken wat ik tijdens het getuigenverhoor ga zeggen, dat waarschijnlijk morgen aan het eind van de middag zal plaatsvinden. Onderweg naar buiten maakt Sandy soms een opmerking over de immense horde perslieden die de aanklagers en advocaten elke avond staat op te wachten, maar vandaag wisten we ons erdoorheen te wurmen met een gemompeld 'geen commentaar' van de moeizaam lopende Sandy.

Zelfs in de privacy van de auto zeiden we bijna niets. Iedereen had duidelijk tijd nodig om zich weer even op te laden en vast te stellen hoeveel schade Molto had toegebracht. Mijn vader keek de hele tijd uit het raam, en ik kon het niet helpen dat ik aan een of andere gozer in een gevangenisbus moest denken, die door straten rijdt waar hij nooit meer zal rondlopen.

Boven wordt de gebruikelijke procedure na de zitting omgekeerd. Mijn vader vertrekt met Marta, terwijl Stern mij zijn grote kantoor binnenleidt en de deur dichtdoet. Hij bestelt voor ons allebei een glas frisdrank bij een van zijn assistenten en dan gaan we naast elkaar op een paar hoge kastanjebruine leren stoelen zitten. Sandy's kantoor is net een soort museum, met aan de muur pastelschetsen van Stern op de rechtbank, en op de tafels kleine plastic kubussen met daarin bewijsstukken uit zijn beroemdste processen. Ik durf mijn glas niet neer te zetten tot hij naar een onderzettertje met een onderkant van kurk wijst.

Mijn gesprek met Stern is vooral diplomatiek bedoeld, merk ik. De eerste gesprekken over de zaak, waarin ik op de hoogte werd gebracht van de bewijzen, waren met Sandy, die zijn best deed de positieve kanten te benadrukken, bijvoorbeeld dat Molto het nooit over de doodsstraf had gehad en er bovendien in had toegestemd dat mijn vader op borgtocht werd vrijgelaten. Maar meestal als ik op het kantoor ben, doe ik mijn best om Marta te helpen. Dit heeft ertoe geleid dat Marta en hij hebben besloten dat zij mij ook het getuigenverhoor zal afnemen. Stern wil zeker weten dat ik daar geen bezwaar tegen heb.

'Ik ben dol op Marta,' zeg ik tegen hem.

'Ja, jullie lijken het goed met elkaar te kunnen vinden. Ik weet zeker dat jullie samen een goede indruk op de jury zullen maken.' Hij neemt een paar slokjes. 'Zo, en hoe zag het er vandaag uit vanuit het gezichtspunt van de toeschouwer? Hoe vond je dat het ging?' Een van Sterns vele sterke punten, zo heb ik de laatste maand gemerkt, is dat hij totaal niet bang is voor feedback. Bovendien zal hij willen peilen in welke emotionele staat ik in de getuigenbank zal plaatsnemen.

'Ik vond dat Molto het heel goed deed.'

'Dat vond ik ook.' Een onproductief kuchje volgt, zoals zo vaak, als interpunctie. 'Tommy is met het stijgen van de leeftijd, nu de vlam in zijn straalaandrijving wat zachter is gezet, een veel betere pleiter geworden. Maar zo goed als nu heb ik hem nog nooit gezien.'

Ik heb me lopen afvragen waarom Marta en hij besloten hebben mijn vader als eerste te verhoren en zeg: 'Volgens Anna wordt de beklaagde zelf meestal pas op het eind opgeroepen.'

'Dat klopt. Maar in dit geval leek het me verstandiger de normale volgorde om te gooien.'

'Om Tommy een loer te draaien?' Dat was wat Anna vermoedde.

'Ik geef toe dat ik hoopte Tommy te verrassen, maar dat was niet het belangrijkste doel.' Stern staart even in het niets, terwijl hij probeert te bepalen hoeveel hij tegen me kan zeggen, gegeven het feit dat ik morgen weer in de getuigenbank zit. In het licht van de tafellamp naast hem lijkt de uitslag op de rechterkant van zijn gezicht vandaag ietsje minder te zijn geworden. 'Om eerlijk te zijn, Nat, wilde ik er zeker van zijn dat we nog tijd genoeg zouden hebben om te herstellen als je vaders getuigenis op een fiasco zou uitlopen.'

In die ene zin zit veel informatie.

'Betekent dat dat u eigenlijk niet wilde dat hij zou getuigen?'

Waar Stern vroeger een trekje van zijn sigaar zou hebben genomen om zichzelf de tijd te geven even na te denken, legt hij nu een vinger op zijn lippen.

'In het algemeen is het in het voordeel van de beklaagde als hij zelf getuigt. Ongeveer zeventig procent van alle vrijspraken volgt op processen waarin de beklaagde zelf in de getuigenbank heeft plaatsgenomen om zich te verdedigen. De jury wil graag horen wat de beklaagde er zelf over te zeggen heeft, vooral in zaken als deze, waarin de beklaagde een juridische opleiding heeft gehad, bekend is met de rechtspraak en eraan gewend is in het openbaar te spreken.'

'Ik hoor een "maar".'

Sandy glimlacht. Ik heb het idee dat beide Sterns me echt aardig vinden. Ik weet dat ze in elk geval medelijden met me voelen, maar dat zijn er tegenwoordig wel meer. Moeder dood. Vader aangeklaagd wegens moord. Al zoveel mensen hebben tegen me gezegd dat deze periode me tot het eind van mijn leven bij zal blijven, een opmerking die me op geen enkele manier helpt om erdoorheen te komen.

'In een op indirecte bewijzen gestoelde zaak als deze, waarin de bewijzen zeer diffuus zijn, neem je het risico dat je de aanklager de kans biedt zijn slotpleidooi tijdens het kruisverhoor te houden. Het is voor een jury moeilijk te zien hoe alle stukken in elkaar passen en je wilt de aanklagers liever niet de kans geven dat twee keer aan te tonen. Het was een moeilijke keuze, maar uiteindelijk kwamen we tot de conclusie dat je vader beter niet kon getuigen. Dat was in elk geval minder riskant. Maar je vader besloot het toch te doen.'

'Dus u bent teleurgesteld?'

'Niet echt, nee. Tommy had zijn zaakjes beter voor elkaar dan ik gehoopt had en hij liet zich ook niet van de wijs brengen, ook al probeerde je vader hem nog even uit de tent te lokken. De chemie tussen die twee heeft bijna iets mystieks, vind je niet? Ze zijn al tientallen jaren elkaars tegenstander, maar de houding die ze ten opzichte van elkaar aannemen is veel te complex om voor pure haat te worden versleten. Alles bij elkaar genomen valt alles wat vandaag gebeurd is binnen het bereik van wat je kon verwachten. Je vader scoorde een negen min, Molto een negen plus, maar daar kunnen we mee leven. Als ik van tevoren geweten had dat we maar zulke marginale verliezen zouden lijden, zou ik ervóór hebben gestemd dat je vader zou getuigen. De jury heeft hem horen zeggen dat hij onschuldig is. En hij is tot het eind rustig en beheerst gebleven.'

'Waar maakte u zich dan zorgen over?'

Er komt een telefoontje binnen en Stern staat moeizaam op. Hij praat niet langer dan een minuut en maakt van de gelegenheid gebruik om als hij is uitgesproken zijn jas op de kapstok achter de deur te hangen. Het is schokkend te zien hoe dun hij is geworden, nog niet de helft van degene die hij vroeger was. Hij gebruikt bretels om zijn broek op te houden, die zo wijd zit dat hij wel een circusclown lijkt. Zijn knie is vrijwel verlamd door de artritis en hij valt bijna achterover als hij weer gaat zitten. Maar ondanks deze ongemakken heeft hij mijn vraag nog steeds in zijn hoofd.

'Je wilt niet weten wat er allemaal fout kan gaan als een beklaagde zelf in de getuigenbank plaatsneemt. Een van de mogelijkheden die me zorgen baarden was dat Molto het verzoek zou indienen dat hij aan het begin van het kruisverhoor ook inderdaad bij rechter Yee heeft ingediend.' Sandy heeft het over Molto's poging mijn vader tegenover de jury vragen te mogen stellen over zijn liefdesaffaire. 'Ik had er alle vertrouwen in dat rechter Yee nu niet van mening zou veranderen, maar de kwestie was bepaald niet zonneklaar. Veel rechters zouden zijn meegegaan in de redenering van de aanklagers dat deze gebeurtenissen rechtstreeks met de zaak te maken hadden.'

Ik kreun al bij de gedachte. Stern heeft me gezegd dat het van het grootste belang is dat de jury ziet dat ik achter mijn vader sta, maar zo'n zitting te moeten doormaken zou verschrikkelijk zijn geweest. Als ik dat tegen Stern zeg, fronst hij zijn wenkbrauwen een beetje.

'Ik denk niet dat je vader dat zou hebben laten gebeuren, Nat. Ik heb het hem niet op de man af gevraagd, maar volgens mij was hij vastbesloten niet één vraag over die jonge vrouw te beantwoorden, wie het ook is, ook al had rechter Yee tegenover de jury minachting voor het hof vastgesteld of zijn getuigenis geschrapt. Dat deze ingrepen allebei noodlottig zouden zijn, hoef ik denk ik niet uit te leggen.'

Terwijl Stern wacht, kost het me moeite dit nieuws te verwerken.

'Je lijkt van je stuk gebracht,' zegt hij.

'Ik baal ervan dat hij bereid lijkt zijn eigen kansen op vrijspraak te vergooien om haar te beschermen. Dat is hij haar niet verschuldigd.'

'Dat lijkt me ook,' zegt hij, 'en daarom vermoed ik dat jij degene bent die hij wil sparen, niet die vrouw.'

Dit is de advocaat als kunstenaar. Een proces is soms als één groot toneelstuk, als de lucht van het hele theater zich vult met stromende emoties en elke in de tegenwoordige tijd uitgesproken regel weerklinkt vanuit honderden verschillende hoeken. En Stern is als een van die verbazende acteurs die alle aanwezigen persoonlijk bij de hand lijken te nemen. Zijn onuitgesproken sympathieën zijn magisch, maar nu vertrouw ik het toch niet helemaal.

'Maar dan snap ik nog steeds niet wat hij daar in de getuigenbank deed als hij bereid was alles eraan te geven. Dacht hij dat hij geen schijn van kans had als hij niet zelf getuigde?'

'Je vader heeft zijn beweegredenen nooit met mij besproken. Hij heeft naar mijn advies geluisterd en toen zelf een besluit genomen. Maar ik had niet de indruk dat ze tactisch waren.'

'Maar wat dan wel?'

Stern trekt een van zijn gecompliceerde gezichten, alsof hij wil zeggen dat taal niet altijd alle gevoelens kan overbrengen. 'Eenzaamheid, als ik één woord zou moeten kiezen.'

Ik snap er geen jota van, natuurlijk.

'Ik ken je vader al dertig jaar heel goed en ik zou onze relatie intiem willen noemen. Maar alleen in professionele zin. Hij zegt heel weinig over zichzelf. Altijd.'

'Welkom bij de club.'

'Ik wil slechts bevestigen dat ik louter op mijn eigen inschattingen afga, en niet op wat hij me heeft verteld. Maar we hebben interessante avonden hier, je vader en ik. Ik zou zeggen dat zijn overlevingskansen beter zijn dan de mijne.' Sterns glimlach is meelijwekkend en zijn hand kruipt in de richting van een sigaar die er niet is. Een van de dingen waar mijn vader en ik het over hebben gehad is dat het niet nodig is Sandy te vragen hoe het met zijn vooruitzichten op herstel is. Zodra hij er weer een opsteekt weten we dat er geen hoop meer is. 'Maar ik heb het gevoel dat ik me veel meer bij deze wereld betrokken voel dan hij.'

Ik knik. 'Soms lijkt het of hij denkt dat hij buiten zijn eigen lichaam is getreden en van een afstandje gadeslaat wat er met iemand anders gebeurt.'

'Ja precies,' antwoordt Stern. 'Dat heb je goed gezien. Het leek hem maar weinig te kunnen schelen of zijn getuigenis de zaak nu zou helpen of schaden. Hij wilde vertellen wat er in werkelijkheid gebeurd is. Het deel ervan dat hij kende.'

Mijn reactie op Sterns woorden verbaasde mezelf: 'Hij zal nooit iemand alles vertellen.'

Stern glimlacht weer. Weemoedig. Wijs. Een ding is duidelijk: Sandy Stern geniet van dit gesprek. Waarschijnlijk is hij de laatste tijd bijna net zoveel avonden tot laat wakker gebleven omdat hij in beslag werd genomen door de vele raadsels rond mijn vader.

'Maar hij wou het je wel vertellen, Nat, zoveel hij kon.'

'Mij?'

'Ja. Ik twijfel er niet aan dat hij bijna uitsluitend heeft getuigd om jouw vertrouwen in hem te vergroten.'

'Ik heb geen gebrek aan vertrouwen.' Dit is op een bepaald niveau een leugen. De logica in de zaak van mijn vader spreekt tegen hem, zelfs in mijn hoofd. Maar het is mij zo wezensvreemd mijn vader als een moordenaar te beschouwen dat ik die geloofsbarrière nooit zal overschrijden. Als ik niet al zoveel jaren met gesprekken met psychiaters en therapeuten had doorgebracht, had ik er waarschijnlijk nu een nodig gehad, maar eigenlijk kan niemand je met dit soort vragen helpen. Zelfs als mijn vader schuldig was, zou hij mij daardoor nog geen seconde minder liefde of aandacht hebben gegeven. Maar de meeste andere levenslessen die ik van hem heb geleerd zouden wel in een ander licht komen te staan. Het zou betekenen dat ik was opgevoed door iemand in vermomming, dat ik niet van hem maar van een kostuum had gehouden.

'Hij denkt van wel.'

Ik haal mijn schouders op. 'Er is wat rottigheid.'

'Ja natuurlijk,' antwoordt Stern. We zwijgen samen.

'Denkt u dat hij schuldig is, meneer Stern?' Hij heeft me herhaaldelijk gezegd dat ik hem Sandy mag noemen, maar na een jaar bij het hooggerechtshof, waar alle juristen meneer en mevrouw waren en waar mijn bazen allemaal dezelfde voornaam hadden – rechter – kan ik mezelf er niet toe brengen hem te tutoyeren. In plaats daarvan zie ik hem worstelen met mijn vraag. Ik weet dat het eerlijk noch gepast is dit te vragen aan een advocaat die aan het hoofd staat van een verdedigingsteam. Ik verwacht dat Sandy een ontwijkend antwoord zal geven. Maar we zijn intussen al ver buiten de juridische krijtstrepen getreden. Sandy is een vader die met de zoon van een goede vriend praat.

'In onze tak van sport leert men nooit te veel aan te nemen. Maar ik was er volledig van overtuigd dat je vader in het eerste proces onschuldig was. De recente DNA-resultaten waren voor mij een grote schok, dat geef ik grif toe, maar ook dan bestaan er nog verscheidene dwingende hypotheses die voor zijn onschuld pleiten.'

'Zoals?'

'In de eerste plaats was de herkomst van dat monster tijdens het eerste proces al zeer omstreden, en er zijn geen betere verklaringen bijgekomen.'

Anna heeft me hetzelfde gezegd, dat het hele verhaal erg wankel was.

'Maar zelfs als dat monster wel echt is,' vervolgde Sandy, 'dan nog zou dat alleen maar bewijzen dat je vader seks heeft gehad met de vrouw die vermoord is. Vergeef me dat ik zo openhartig tegen je ben, maar uit de bewijzen is destijds heel duidelijk naar voren gekomen dat hij bepaald niet de enige man was die ten tijde van de moord in die categorie viel. Wat heel goed mogelijk is, is dat iemand anders je vader die avond met die vrouw heeft gezien en haar later, toen je vader al weg was, in een aanval van jaloezie heeft vermoord.'

Anna had toegegeven dat ze zich met de toewijding van een Star Trek-fanaat had verdiept in mijn vaders eerste proces, waarin ze al als kind geïnteresseerd was geraakt. Onlangs is ze nog bij Stern geweest om diens exemplaar van het transcript door te nemen, vooral omdat ik me er niet toe kon zetten het zelf te doen. Na afloop kwam ze met precies dezelfde theorie als Stern. Het scenario heeft altijd al plausibel geleken en uit de mond van Sandy des te meer.

'Dus, Nat, terwijl ik eigenlijk zou moeten twijfelen, sta ik met mijn hart nog helemaal aan je vaders kant. Toegegeven, ik heb de bewijzen in deze zaak ook nooit sterk gevonden. Volgens mij is het openbaar ministerie niet eens in staat zonder gerede twijfel aan te tonen dat je moeder door vergiftiging is overleden. Als rechter Yee niet met die DNA-resultaten was geconfronteerd, was de kans denk ik groot geweest dat hij nadat de aanklagers hun zaak hadden gepresenteerd, onze motie tot sepot had geaccepteerd. En de meeste andere aanwijzingen en theorieën die Molto en Brand aanvoeren snijden ook maar weinig hout.'

'Tommy heeft alles wel handig met elkaar verweven.'

'Die weefmetafoor wordt altijd gebruikt bij zaken waarbij de bewijzen indirect zijn, maar daar kunnen beide zijden van profiteren. Trek er een draadje uit en het hele weefsel valt uit elkaar. En reken maar dat wij er eens flink aan zullen trekken.'

'Mag ik vragen hoe?'

Hij lacht weer; een man die altijd zijn geheimpjes heeft gekoesterd.

'Later,' zegt hij, 'nadat je hebt getuigd.'

'Heb je een verklaring voor dat gedoe met die computer? Dat was behoorlijk beschadigend.'

'Het is goed dat je daarover begint.' Hij tilt een vinger op. 'Marta zal dat nader met je bespreken, maar we hadden de stille hoop dat jij ons daarbij zou kunnen helpen.'

'Ik?'

'We wilden je eigenlijk een paar vragen stellen over computers. Weet je daar wat van?'

'Een beetje. Maar niet zoveel als Anna of sommige andere mensen die ik ken.'

'En je vader? Is hij er een beetje bedreven in?'

'Als je het aan- en uitknopje weten te vinden bedreven noemt. Hij valt ergens tussen de categorieën waardeloze sukkel en absolute digibeet.'

Stern lacht hardop. 'Dus je kunt je niet voorstellen dat hij zelf die vernietigingssoftware geïnstalleerd heeft om die e-mails te wissen?'

Ik moet al giechelen bij het idee. Toegegeven, ik wil maar al te graag geloven dat mijn vader onschuldig is. Maar ik weet met het soort bovennatuurlijke geloof dat ik hecht aan dingen als de zwaartekracht dat mijn vader dat nooit in zijn eentje voor elkaar had gekregen.

'We hebben zitten denken dat we misschien een paar demonstraties met je vaders computer zouden kunnen uitvoeren, gewoon om de jury te laten zien hoe onwaarschijnlijk de theorie van de aanklagers is. Om verschillende redenen zou jij daarvoor wel eens de ideale getuige kunnen zijn.'

'U zegt het maar,' antwoord ik.

Stern kijkt op zijn horloge, een gouden Cartier die Sterns elegante precisie perfect weerspiegelt. Marta staat te wachten.

Bij de deur zeg ik: 'Dank u voor het gesprek, meneer Stern.'

'Sandy,' antwoordt hij.

29

Nat, 22 juni 2009

Als ik bij Marta vandaan kom, zit mijn vader al op me te wachten, met de mouwen van zijn witte overhemd opgerold en zijn gestreepte verenigingsstropdas uit de kraag losgetrokken. Hij heeft me gezegd dat hij slecht slaapt en na de lange dag in de getuigenbank ziet hij er volkomen uitgewoond uit. Rond zijn ogen zitten roodpaarse kringen en hij heeft veel van zijn kleur verloren. Het is emotioneel misschien de slechtst mogelijke combinatie, als je zowel wanhopig als bang bent.

'Zware middag?' vraag ik.

Hij haalt zijn schouders op. In de ogen van mijn vader ligt tegenwoordig vaak de wazige blik van een zwerver.

'Morgen gebeurt er iets, Nat,' zegt hij. Ik wacht tot hij verdergaat, maar hij zwijgt en fronst alleen zijn voorhoofd. 'Ik kan er nog niets over zeggen. Het spijt me.' Hij staat daar maar te staan, wetend dat de regels hem verbieden nog iets te zeggen of te doen, maar op de een of andere manier niet in staat dat feit te accepteren. Ik weet zeker dat zijn hersens daar al maanden geleden op zijn vastgelopen, en dat hij op zoek is naar de toetsaanslagen waarmee hij de hele situatie ongedaan kan maken.

'Heb je iets nodig, pa. Iets van thuis?'

Hij neemt even de tijd om zich op mijn vraag te concentreren. 'Ik zou dolgraag een andere stropdas willen,' zegt hij, op de toon alsof hij om een ijsje vraagt, iets waarnaar hij met heel zijn hart verlangde. 'Ik heb dezelfde twee dassen nu al drie weken om. Vind je het erg even thuis langs te gaan? Breng er maar een stuk of vier, vijf mee, als je wilt. Ik zou die paarsblauwe wel willen die ik twee jaar geleden met Kerstmis van je moeder heb gekregen.' Ik herinner me nog dat mijn moeder toen zei dat hij daarmee zijn gebruikelijke povere stijl wat kon opkrikken.

Een van de weinige nuttige diensten die ik mijn vader heb bewezen, al het andere daargelaten, is het herhaaldelijk heen en weer rijden naar zijn huis om persoonlijke bezittingen te halen die hij nodig heeft. Ongeveer een maand voordat het proces begon, heeft mijn vader voor de duur van het proces zijn intrek genomen in een hotel in Center City. Hij wilde voor en na de lange procesdagen geen tijd verspillen aan heen en weer reizen. Misschien nog belangrijker was dat hij schoon genoeg had van die griezels met camera's die elke keer als hij zijn huis in of uit ging uit de bosjes tevoorschijn sprongen.

Rond Hotel Miramar, waar hij logeert, is ondanks de naam in de wijde omgeving geen water te vinden. Het is een van die hotels waar men liever van menu en van klantenbestand veranderde dan het gebouw op te knappen. De koloniale meubilering in de lobby ziet eruit alsof die er ook al was toen George Washington er de nacht doorbracht en het behang hangt in twee verschillende hoeken van zijn kamer los als de tong van een slobberende hond. Niets daarvan lijkt mijn vader te deren, die er alleen komt om te slapen nadat Stern en hij de voorbereidingen voor de volgende dag hebben afgerond. Zo nu en dan maakt hij flauwe grappen over vast gewend raken aan een kleine ruimte.

De waarheid is dat hij momenteel alleen in zijn hoofd leeft, en zijn hoofd zit bijna helemaal vol met details van de zaak. Als hij niet in de rechtzaal is, is hij op het kantoor van Stern bezig met juridisch en feitelijk onderzoek. Het is ongelooflijk, aangezien er maar weinig hoop is dat dit ergens toe zal leiden, maar kennelijk is het voor hem de enige manier om overeind te blijven. Het zou beter zijn als er wat vrienden waren die hem konden afleiden, maar mijn vader heeft ontdekt dat hij betrekkelijk alleen staat. Dit soort beschuldigingen, vooral als het voor de tweede maal is, leveren niet veel uitnodigingen voor feestjes op, en hij is te zeer een eenling om er ooit een rijk sociaal leven op na te hebben gehouden, helemaal omdat mijn moeder fobische angsten had en liever niet van huis ging. Zelfs zijn voormalige collega's laten zich amper zien. Hij was bij het hof een nogal afstandelijke figuur en zijn enige echte vriend daar, George Mason, is net als ik een getuige die een beetje op afstand moet blijven. De gedachte die me maandenlang woedend maakte, namelijk dat mijn vader afspraakjes had met vrouwen, zou nu misschien helemaal niet zo'n slecht idee zijn, al was het maar om samen te eten of naar een film te gaan, maar hij lijkt totaal ongeïnteresseerd in alles wat niet met de zaak te maken heeft en brengt zijn vrije momenten het liefst alleen door.

Hij lijkt het niet eens leuk te vinden om met Anna en mij om te gaan. We hebben het een paar keer geprobeerd, 's avonds, maar het samenzijn bleef stijf en gekunsteld. Hoezeer hij Anna ook als assistente in opleiding heeft gewaardeerd, hij lijkt zich in deze moeilijke tijd in haar aanwezigheid niet op zijn gemak te voelen en de gesprekken vallen al snel stil. Zo nu en dan, als Anna laat moet werken of de stad uit is, gaan we wel eens samen iets eten, wat is toegestaan als we het maar niet over de zaak hebben. Hij doet me erg denken aan mijn studievriend Mike Pepi, wiens vrouw hem verliet voor haar baas bij River National en die over niets anders kon praten dan zijn scheiding. Na een tirade van een halfuur over LeeAnn en de advocaten kon Pepi opeens zeggen: 'Laten we het over iets anders hebben,' om vervolgens meteen weer naar hetzelfde onderwerp terug te keren, al hadden we het over zulke onwaarschijnlijke onderwerpen als quilttentoonstellingen of de laatste astronomische stand van Pluto.

Mijn vader doet min of meer hetzelfde. Het liefst zou hij elke rechtbankvraag en elk rechtbankantwoord met een scalpel ontleden, maar aangezien hij daar met mij eigenlijk niet over mag praten, blijft hij maar doorgaan over zijn eigen gemoedstoestand. Steeds weer vertelt hij dat hij dit proces heel anders beleeft dan het eerste, tweeëntwintig jaar geleden. Dan zegt hij dat hij het eigenlijk niet kon geloven en maar de hele tijd wenste dat het leven weer als voorheen zou zijn. Inmiddels heeft hij de aardverschuiving geaccepteerd. Hij verwijst achteloos naar een verblijf in de gevangenis. Maar zelfs als hij wordt vrijgesproken, zullen de DNA-resultaten uit het eerste proces meteen na de uitspraak van de jury naar de pers worden gelekt. Ingewijden zullen de redeneringen over vervuilde monsters of de andere liefjes van de vermoorde vrouw misschien nog begrijpen, maar die nuances zullen niet hun weg vinden naar de krantenkoppen. Als mijn vader weer wordt vrijgesproken, zal hij door alles en iedereen die zijn naam herkent worden gemeden als de pest.

Nu sta ik buiten Marta's kantoor en omhels mijn vader, wat ik elke avond doe voor ik wegga en ik zeg hem dat ik de stropdassen voor hem zal meebrengen. De blauwe Prius die Anna vorig jaar voor zichzelf heeft gekocht, staat tegen de stoeprand geparkeerd. 'Zin in een tochtje naar Nearing?' vraag ik nadat ik haar gekust heb. 'Hij heeft een paar stropdassen nodig.'

Zou je een das willen dragen die je gekregen hebt van de vrouw die je hebt vermoord? Of is mijn vader geslepen en subtiel genoeg om te voorzien dat ik me diezelfde vraag zou stellen? Het zijn dit soort vragen die nu al maandenlang door mijn hoofd spoken. Het afgelopen uur heb ik veel nagedacht over Sterns opmerking dat mijn vader in de getuigenbank heeft plaatsgenomen om mijn vertrouwen in hem te herstellen. Ik weet dat mijn vader wanhopig probeert mij niet kwijt te raken. Als ouders waren hij en mijn moeder altijd zo gebrand op mijn liefde dat we er allemaal onder leden. Maar als nu de band tussen hem en mij verbroken zou worden, zou dat mijn vader in een situatie brengen die veel te veel leek op die van zijn eigen vader, die helemaal alleen ergens in een stacaravan in het westen aan zijn einde kwam.

'Hoe ging het met hem?' vraagt Anna als we al een heel eind hebben gereden. Ze is intussen gewend aan mijn langdurige stiltes, vooral na een zitting.

'Goed,' zeg ik en maak me grote zorgen terwijl de auto langzaam door het stadsverkeer in de richting van de Nearing Bridge rijdt. Midden op straat rijdt een man in een konijnenpak op een eenwieler, zijn oren dansen mee met de pedalen. Zoiets zullen ze wel bedoelen als ze zeggen dat de wereld een schouwtoneel is. 'Heb je iets gelezen?' vraag ik.

'Frain,' antwoordt ze. 'Zijn stukje stond al op de site.' Michael Frain schrijft een nationale column met excentrieke observaties over cultuur en evenementen onder de titel 'The Survivor's Guide'. Hij is getrouwd met een plaatselijke federale rechter en om niet te hoeven reizen neigt hij steeds meer naar plaatselijke onderwerpen waar mensen in het hele land plezier aan kunnen beleven. Hij heeft veel over mijn vaders zaak geschreven en lijkt te denken dat mijn vader letterlijk met moord is weggekomen.

'Erg?'

'"Als een bombardement op een klein dorpje."'

'Zo erg was het nu ook weer niet, geloof ik. Mijn vader kreeg een paar flinke tikken. Maar Sandy heeft ook nog iets achter de hand waar hij het tot na mijn getuigenis niet over wilde hebben.' Toch galmen de woorden na in mijn hoofd: 'Een bombardement.' Ik denk na over wat ik vanmiddag heb gehoord. Het leek van moment tot moment erger te worden, zoals hij daar zat terwijl op hem werd ingepikt als op de aan een rots geketende Prometheus. Maar nadat ik met Sandy heb gepraat, heb ik meer het gevoel dat mijn vader een verschrikkelijke vliegreis heeft meegemaakt maar op de een of andere manier toch veilig is geland, meer geschrokken dan gewond.

'Herinner jij je nog of mijn moeder die avond dat we daar waren wijn heeft gedronken?' vraag ik Anna terwijl ik terugdenk aan mijn vaders getuigenis. Lang geleden al heb ik besloten de regel te overtreden dat ik niet met Anna over de zaak mag praten. Ik moet toch met iemand praten en de kans dat zij ook als getuige zal worden opgeroepen lijkt niet reëel.

Debby Diaz vond Anna twee dagen nadat de rechercheur met mij had gepraat, maar ik had haar gewaarschuwd, en ze wist veel beter dan ik hoe het spel gespeeld moest worden. Ze liet Diaz naar haar werk komen en een van de partners van het kantoor waar ze werkte kwam erbij zitten om haar als advocaat bij te staan. Toen Diaz haar vroeg wie wat had gedaan op de avond voor mijn moeder stierf, zei Anna dat ze omdat ze voor het eerst als mijn vriendin bij mijn ouders kwam te zenuwachtig was geweest om zich daar ook maar iets helder van te herinneren. Ze bleef maar antwoorden geven als 'ik weet het niet meer' en 'maar het kan ook andersom zijn geweest' en 'dat kan ik me echt niet meer herinneren' op elke vraag die ze maar stelde. Ongeveer halverwege het verhoor gaf Diaz het op. De aanklagers zetten Anna's naam voor de zekerheid toch maar op hun getuigenlijst, net als alle andere personen met wie de politie tijdens hun onderzoek had gesproken, inclusief de man van mijn vaders stomerij. Het is een oude truc om tot het laatst verborgen te houden wie ze echt van plan zijn op te roepen. Als gevolg hiervan mag ze niet in de rechtzaal komen, maar ze is altijd razend benieuwd wat er zich heeft afgespeeld.

In antwoord op mijn vraag naar de wijn herinnert Anna me eraan dat we samen aan tafel gingen en dat mijn moeder toen aan mijn vader vroeg die lekkere wijn open te maken die Anna had meegebracht en dat hij toen voor iedereen een glas had ingeschonken. Maar we konden ons geen van beiden herinneren gezien te hebben dat mijn moeder van haar glas had gedronken of van het glas dat ze in de keuken ingeschonken had gekregen.

'En hoe zat het met de hapjes? Heeft ze daar iets van genomen?'

'God, Nat, dat weet ik niet. Ik bedoel, wel van de groentes en de dipsaus, denk ik. Ik kan me herinneren dat je vader haar het hele blad voorhield, maar er staat me ook iets van bij dat jullie het daarna mee naar buiten hebben genomen toen jullie de barbecue aanstaken. Wie weet?' Ze trekt haar neus op om aan te geven hoe onzeker het allemaal is. 'Hoe gaat het eigenlijk met jou, na al dat gedoe vandaag?'

Ik wapper nutteloos met mijn handen. Ik verbaas me elke keer weer hoe uitgeput en futloos ik ben als ik bij mijn vader vandaan kom. Bij hem zijn vereist alle energie die ik heb.

'Weet je,' zei ik, 'ik heb het hen allemaal horen uitleggen en het is niet zo dat ik tegen mezelf kan zeggen dat die gozers, die Molto en die Brand, de draad zijn kwijtgeraakt, want wat ze beweren klinkt helemaal logisch. Maar toch geloof ik het niet,' zeg ik haar.

'Dat moet je ook niet doen.' Anna is altijd mijn vaders grootste fan geweest en is ook nu standvastig in haar steun. 'Het is onmogelijk.'

'Onmogelijk? Niet in de zin dat het in strijd is met de natuurwetten.' Anna's groene ogen glijden in mijn richting. Ik weet bij haar nooit te scoren als ik de filosoof uithang.

'Het past niet bij je vader.'

Ik probeer haar woorden te wegen. 'Ik weet dat je voor hem gewerkt hebt, maar als je hem echt persoonlijk van dichtbij hebt meegemaakt, weet je dat zijn kurk er aardig strak in zit.' Anna en ik hebben vaak van dit soort gesprekken, waarin ik mijn twijfels ventileer en zij me helpt daaraan voorbij te zien. 'Weet je, vroeger, toen ik nog een kind was – ik moet een jaar of twaalf zijn geweest want we waren alweer terug uit Detroit en mijn vader was nog steeds strafrechter – zaten hij en ik een keer samen in de auto. Hij presideerde over een of ander groot proces met veel publiciteit. De vrouw van de dominee van een van die megakerken had haar man vermoord. Het bleek dat die dominee homo was. Zij wist daar niets van en toen ze het ontdekte doodde ze hem door 's nachts in bed toen hij lag te slapen zijn jeweetwel eraf te snijden. Hij bloedde uiteindelijk dood.'

'Oei, die was de lul,' zegt Anna en lacht een beetje. Meisjes vinden dit soort verhalen altijd een stuk grappiger dan jongens. 'Nee, die was hij juist kwijt,' antwoordde ik. 'In elk geval konden de advocaten niet veel doen behalve ontoerekeningsvatbaarheid claimen. Ze riepen allerlei getuigen op om te verklaren dat haar gedrag totaal niet bij haar paste. En ik vroeg mijn vader wat hij ervan dacht. Dat was altijd leuk, want ik wist dat hij die vraag voor niemand anders zou beantwoorden, en ik zei: "Geloof je dat ze krankzinnig was?" en hij keek me alleen maar aan en zei: "Nat, je weet nooit wat er in het leven kan gebeuren, wat mensen kunnen doen." En vraag me niet waarom, maar ik wist zeker dat hij het op dat moment over zichzelf had en wat hem een paar jaar daarvoor was overkomen.'

'Hij heeft niet gezegd dat hij een moordenaar was.'

'Ik weet niet wat hij wel heeft gezegd. Het was nogal vreemd, alsof hij me ergens voor wilde waarschuwen.'

We komen tot stilstand voor de oprit naar de Nearing Bridge, waar drie rijbanen worden samengevoegd tot twee en het spitsverkeer elke avond in de file staat. Jaren geleden had ik een vriend die beweerde dat hij de relativiteitstheorie kende en dat ieder levend wezen voortdurend een beeld afscheidt. Als we ooit ontdekken hoe we het licht voor kunnen blijven, zouden we de tijd terug kunnen draaien en getuige kunnen zijn van elk moment in het verleden, alsof je naar een driedimensionale stomme film zit te kijken. Ik vraag me dikwijls af wat ik zou willen geven om dat te kunnen doen, gewoon kijken wat er in het huis van mijn ouders gebeurde in die zesendertig uur nadat Anna en ik vertrokken waren. Ik probeer me er soms een beeld van te vormen, maar het enige wat ik dan zie is hoe mijn vader daar aan het bed zit.

'Sandy denkt nog steeds dat mijn vader onschuldig is,' zeg ik nu tegen haar.

'Dat is goed. Hoe weet je dat?'

'Ik heb het hem gevraagd. We waren mijn getuigenis aan het voorbereiden en toen heb ik hem gevraagd wat hij dacht. Maar ja, wat moet je anders tegen de zoon van een cliënt zeggen?'

'Zulke dingen zeg je niet als je het niet meent,' zegt Anna. 'Dan zeg je iets onduidelijks en draai je er een beetje omheen.' Ze zit nu bijna twee jaar in de advocatuur, maar ik accepteer haar autoriteit in dit soort kwesties volkomen. 'Het moet toch iets voor je betekenen dat de mensen die de bewijzen het best kennen nog steeds geloof hebben in je vader.'

Ik haal mijn schouders op. 'Sandy heeft dezelfde opvattingen als jij over het DNA in de eerste zaak.' Ik weet van wat ik vroeger over de zaak gehoord heb dat Ray Horgan, die destijds vrijgezel was, iets had met de vrouw die vermoord is. Hij moet de logische verdachte zijn als het mijn vader niet was, vooral als je bedenkt dat hij zich tegen mijn vader heeft gekeerd en bij Molto heeft getuigd. Maar je zou denken dat mijn vader dat toch had moeten beseffen. Maar in plaats daarvan heeft hij het weer goedgemaakt met Ray, die hem sindsdien als een trouwe hond heeft gediend.

Maar ik houd dit allemaal voor mezelf. Het is nooit goed als ik Rays naam noem of het heb over wat er tussen hem en Anna is gebeurd. Soms dringt de gedachte zich aan me op dat mijn vader in diezelfde periode een verhouding moet hebben gehad. In combinatie met allerlei andere onzin die voortdurend door mijn hoofd spookt, heeft deze toevallige tijdsovereenkomst me wel eens doen afvragen of het misschien mijn vader was met wie Anna iets had, tot ik dan weer bij zinnen kom en besef dat Anna en ik dan niet bij elkaar zouden zijn, onderweg over deze brug of waar dan ook, als dat inderdaad het geval was geweest. In plaats daarvan probeer ik me in te denken wat er met mannen op middelbare leeftijd gebeurt. Kennelijk begeeft hun verstand het ongeveer tegelijkertijd met hun rug en hun prostaat.

'Dank je wel dat je dit doet,' zeg ik tegen Anna als we voor de deur van het huis van mijn ouders zijn aangekomen. Als antwoord omhelst ze me even. Ze is nu al een paar keer met me mee geweest bij deze bezoekjes. Ik krijg er helemaal de kriebels van om hier naar binnen te gaan – de plaats van de vermeende misdaad, waar alle waarheid op de een of andere manier in de muren is begraven. De gordijnen zijn dichtgetrokken tegen glurende camera's en eenmaal binnen ruikt het alsof hier nog maar een paar uur geleden iets gebraden is.

Voor Anna en mij is het proces moeilijk geweest. In feite is alles de laatste negen maanden moeilijk geweest, en soms verbaast het me een beetje dat we nog bij elkaar zijn. Regelmatig zweef ik weg naar Nergensland en zijn er avonden dat ik niet kan of wil praten, en onze regelmatige gesprekken over mijn vader en het proces leiden vaak tot onenigheid. Zij is sneller geneigd hem te verdedigen, en soms heeft dat tot gevolg dat ik woest op haar word.

En dan zijn er nog de gewone hindernissen van het leven. Op het advocatenkantoor is het nog steeds niet druk, maar zij is nog steeds zeer in trek bij de partners van het kantoor voor het weinige werk dat er is. Er zijn periodes dat er dagen voorbijgaan zonder dat ik haar te zien krijg en dat ik alleen weet dat ze thuis is geweest omdat de afdruk van haar lichaam nog in het bed staat en ik me vaag herinner 's nachts tegen haar aan te hebben gelegen. Maar zij heeft er totaal geen moeite mee en zegt me keer op keer dat ze er vanwege mij nog meer van overtuigd is geraakt dat ze doet wat ze het liefst doet. En dat is te merken. Ik koester de momenten dat we elkaar ontmoeten en zie haar voordat ze mij ziet. Ze stapt doelgericht door de straten van Center City en lijkt mooi en slim en zich volledig de baas.

Ik daarentegen ben totaal de weg kwijt. Vaak weet ik de ene dag niet of ik de volgende dag moet werken. Ik doe nog steeds invalwerk op Nearing High, maar niet nu het proces bezig is, en heb een aantal beslissingen over mijn verdere juridische carrière voor me uit kunnen schuiven aangezien ik nu een stuk rijker ben dan ik ooit gedacht had te zullen zijn, nu al het geld dat mijn grootouders Bernstein hadden nagelaten na de dood van mijn moeder aan mij is toegevallen.

We gaan de trap op en blijven treuzelen voor de slaapkamer van mijn ouders, bij de deur van het werkkamertje waar mijn vaders computer stond voordat die door Molto was meegenomen.

'Dat klonk niet best vandaag,' zeg ik, terwijl ik in de richting van het kamertje knik. Zoals vaker ben ik te onvolledig en begrijpt ze niet wat ik bedoel en moet ik uitleggen wat er in de rechtzaal is gezegd over de websearches naar fenelzine en de gewiste e-mails.

'Ik dacht dat Hans en Franz zouden verklaren dat er misschien wel helemaal geen e-mails zijn gewist,' zegt ze.

'Hans en Franz' zijn de bijnamen die we hebben gegeven aan de twee computerdeskundigen die Stern heeft ingehuurd om dr. Gorvetich, de hoogleraar in de informatica die voor de aanklagers werkt, van repliek te dienen. Hans en Franz zijn twee Poolse jongens van in de twintig, de een lang en de ander kort, en allebei met een stekeltjeskapsel als van een egel. Ze praten ongelooflijk snel en hebben nog steeds een sterk accent en doen soms denken aan tweelingbroers die de enigen op aarde zijn die elkaar kunnen verstaan. Ze vinden dat dr. Gorvetich, hun vroegere hoogleraar, zich volledig voor het karretje van de aanklagers laat spannen en scheppen er plezier in de spot te drijven met zijn conclusies, wat kennelijk niet moeilijk is. Maar bij de terloopse commentaren die ze zich zo nu en dan laten ontvallen krijg ik het gevoel dat Gorvetich waarschijnlijk gelijk heeft en dat er inderdaad speciale software is gedownload om bepaalde e-mails volledig te wissen.

Anna schudt haar hoofd terwijl ik het haar uitleg.

'Ik zou niet te veel vertrouwen hebben in tests die van het bureau van Molto afkomstig zijn,' zegt ze. 'Er waren sterke aanwijzingen dat hij bij het eerste proces ook met het bewijsmateriaal heeft geknoeid.'

'Ik kan niet geloven dat ze dat zouden doen.'

Anna lacht. 'Een van de weinige behartigenswaardige dingen die mijn schoonmoeder ooit tegen me heeft gezegd is: "Wees nooit verbaasd als mensen niet veranderen."'

In de slaapkamer hebben we lol als we door de stropdassen in mijn vaders kast struinen. Het moeten er minstens vijftig zijn, allemaal min of meer hetzelfde, rood of blauw, met kleine patroontjes en streepjes. De paarsblauwe das waar hij om gevraagd heeft valt ertussen op als Rudolf het rendier met de rode neus. Ik duikel beneden wat keukenpapier en een tas op en we vouwen de dassen op het bed van mijn ouders.

'Zal ik je eens iets vertellen waarvan je de haren te berge zullen rijzen?' vraag ik Anna. Een ding is duidelijk wat mijn vriendin betreft: je hoeft niet bang te zijn dat ze op zo'n vraag nee zegt. 'Toen Paloma en ik nog op de middelbare school zaten, gingen we soms stiekem naar huis om het te doen terwijl haar ouders aan het werk waren, en om de een of andere reden vond ze het heel opwindend om het in het bed van haar ouders te doen.'

Anna glimlacht en wiebelt met haar hoofd. Kennelijk lijkt het haar ook geen slecht idee.

'Nou ja, nu zou ik er natuurlijk niet aan moeten denken,' zeg ik, 'maar als je zeventien bent wil je het overal wel doen. Maar op een dag waren we hier thuis beland en toen had ze het idee om het in dit bed te doen. Dat was te veel, ik bedoel, ik kreeg hem niet overeind. Niks, nul, zero.'

'Is dit een uitdaging?' Ze komt naar me toe en gaat recht op haar doel af. Ik voel mijn kleine Ik meteen in beweging komen, maar keer me van haar af.

'Jij bent echt gestoord,' zeg ik.

Ze lacht en komt weer op me af: 'Is dit een dubbele uitdaging?'

De dood van mijn moeder maakte een eind aan die hemelse tijd dat we dag en nacht seks hadden en was het begin van die hemelse tijd dat we bijna de hele dag seks hebben, ondanks alles wat er gebeurt. De seks biedt ons de verbondenheid en de vergetelheid die we allebei nodig hebben om te overleven. In januari kregen we allebei griep en bleven we drie dagen thuis van ons werk. We voelden ons allebei ellendig, met hoge koorts en allerlei vervelende verschijnselen, en we sliepen de meeste tijd, maar om de paar uur kropen we toch naar elkaar toe om het te doen, twee oververhitte lichamen die aan elkaar vastplakten als huishoudfolie, en de intensiteit en het genot leken deel uit te maken van het koortsige delirium. Aan die trancetoestand is daarna eigenlijk nooit helemaal een eind gekomen.

Wat Anna's excentrieke verlangens ook zijn, seks hebben in het bed waarin mijn moeder is overleden gaat mij toch iets te ver, maar ik neem haar mee naar de kamer beneden waar ik vijfentwintig jaar heb geslapen. Dat bed is een soort thuishaven voor mij als het om seks gaat; de plek waar ik mijn eerste orgasme heb beleefd, in mijn eentje, toen ik een jaar of dertien was, en waar ik het voor het eerst met een meisje deed – toevallig de oudere zus van Mike Pepi, die toen bijna twintig was – en we hebben er veel plezier. Ik lig net over een tweede ronde na te denken, als Anna abrupt overeind gaat zitten.

'Jezus, ik heb honger,' zegt ze. 'Laten we gaan.' We worden het eens over sushi. Er is een goede tent halverwege de stad.

We grissen de dassen mee en zijn in een paar minuten de deur uit. Als we weer in de auto zitten voel ik het gewicht van alle ellende weer op me neerdrukken. Dat is het probleem met seks; hoe lang je het ook rekt, er is altijd weer een daarna.

'Ik wou dat je naar mijn getuigenis kon komen,' zeg ik tegen haar. 'Stern zou het de aanklagers kunnen vragen, toch?'

Ze denkt er even over na en schudt dan haar hoofd.

'Dat is geen goed idee. Als ik er ben en jij aan de tand wordt gevoeld over wat er die avond is gebeurd, kan iemand heel gemakkelijk vanaf de tafel van de aanklagers naar mij oversteken om me te vragen wat ik me ervan herinner.'

Vanaf het begin is Anna bang geweest dat ze iets zou kunnen zeggen dat mijn vader kan schaden, en het vervelende is dat bijna alles dat ook kan doen. Alleen al die kleine flarden die vanavond weer bij haar naar boven kwamen over mijn vader die tijdens het eten de wijn inschonk of die mijn moeder het blad met hapjes vol tyramine voorhield, zouden door Molto en Brand met een complete fanfare zijn onthaald. Allemaal – Stern, Marta, mijn vader, Anna en ik – zijn we het erover eens dat Anna het best een van die getuigen kan blijven die geen van beide zijden durft op te roepen omdat onmogelijk te voorspellen is hoe dat zou uitpakken.

'Een van de dingen die Sandy me vanavond heeft verteld is dat hij niet wilde dat mijn vader zou getuigen.'

'Echt waar?'

'Hij was bang dat het daardoor voor Molto gemakkelijker zou worden de stippen ten overstaan van de jury met elkaar te verbinden. En hij dacht dat er een kleine kans bestond dat Yee zijn besluit over mijn vaders verhouding zou herzien en alsnog zou toelaten dat Molto erover begon. Wat hij ook geprobeerd heeft.'

'Ga weg.'

'Ik kon niet eens blijven zitten om naar de motiveringen te luisteren. Ik spring nog steeds op tilt en denk "klootzak" – mijn vader? – elke keer als het aan de orde komt.'

Ze neemt even de tijd, probeert haar woorden zorgvuldig te kiezen. We kijken anders tegen dit onderwerp aan, eigenlijk vooral omdat hij niet haar vader is.

'Het is niet mijn beslissing,' zegt ze, 'en het is ook niet de eerste keer dat ik dit zeg, maar vroeg of laat zul je je er toch eens overheen moeten zetten.'

Het begint een oude discussie te worden. En altijd komt die weer uit bij mijn koppige overtuiging dat die verhouding iets met mijn moeders dood te maken heeft gehad.

'Het was gewoon zo allejezus dom,' zeg ik, 'en zo allejezus egoïstisch. Vind je niet?'

'Ja, dat kun je wel zeggen,' zegt ze. 'Maar weet je wat ik écht denk? Die man die ik ontmoet heb en op wie ik verliefd ben geworden. Die man?'

'Een supergeweldige vent,' zeg ik.

'Helemaal,' zegt ze. 'Nou, die supergeweldige vent dus, die was juridisch medewerker bij het hooggerechtshof van onze staat. En zijn vader had zich toevallig kandidaat gesteld om daar een rechterspost te gaan bekleden. En die supergeweldige vent kwam regelmatig op zijn werk bij het hooggerechtshof aanzetten met een zakje wiet in zijn broekzak. Ook al zou het voorpaginanieuws zijn geweest als hij gesnapt was. Ook al zou dat hem zijn baan hebben gekost. En in elk geval een tijdje zijn licentie. En zijn vader misschien diens verkiezing.'

'Oké, oké, maar ik voelde me toen ook een tijdje echt klote.'

'Dat gold waarschijnlijk ook voor je vader. En misschien ook wel voor die vrouw; wie zal het zeggen? Ik begrijp dat je je teleurgesteld voelt. Maar we doen allemaal bij tijd en wijle wel eens vreemde, onvoorstelbare dingen waarmee we mensen van wie we denken te houden pijn doen. Als iemand voortdurend zulke dingen doet, heb je het volste recht hem een eersteklas eikel te vinden, maar we hebben allemaal zulke momenten. Je wilt niet weten welke domme dingen ík allemaal op seksueel gebied heb gedaan.'

'Dat hoef ik ook niet te weten.' Een paar van Anna's verhalen waren wel genoeg. Ze heeft veel te veel tijd besteed aan het zoeken naar liefde op alle verkeerde plaatsen. 'Er is nog steeds een verschil tussen domme dingen die je doet als je jong bent en domme dingen die je doet terwijl je beter zou moeten weten.'

'Dat is wel erg gemakkelijk, vind je niet?'

'Ik weet niet wat ik moet denken,' zeg ik. Ik heb er langzamerhand genoeg van. De twinkelende lichtjes op de Nearing Bridge worden wazig. Er komen tranen in mijn ogen. Dit punt bereik ik elke dag, dat alles me opeens te veel wordt en ik er alles voor zou geven om simpelweg op fast forward te kunnen duwen en een zekere toekomst te aanvaarden. 'Ik haat dit. Ik haat die hele teringzooi.'

'Ik weet het, schat.'

'Ik haat het allemaal'

'Ik weet het.'

'Laten we naar huis gaan,' zeg ik dan. 'Ik wil naar huis.'

30

Tommy, 23 juni 2009

Weer een dag in de rechtszaal. De verdediging stond duidelijk op scherp. Ondanks de afstraffing waar Rusty gisteren tegenaan was gelopen, zag hij er heel kalm uit toen hij aankwam. Hij had zelfs een nieuwe stropdas om, een vrolijk paarsblauw ding, waarmee hij leek te willen uitdragen dat hij mentaal ongebroken was. Sandy zat instructies uit te delen, alsof zijn stoel een troon was, en Marta en de rest van de mensen van de Sterns waren druk bezig.

Marta bleef staan bij de tafel van de verdediging. Sommige mensen gaan er beter uitzien als ze ouder worden, en dat gold duidelijk ook voor haar. Toen Marta voor Sandy begon, was ze net een fluitketel, op een bepaalde manier wel bruisend, maar steeds met een schrille ondertoon. Maar na haar huwelijk en het moederschap was ze kalmer geworden. Ze kon nog steeds knap agressief zijn, maar dat had dan meestal een goede reden. Na haar laatste kind was ze een kilo of vijftien afgevallen, en die waren er niet meer aangekomen. Ze leek sprekend op haar bepaald niet knappe vader, en toch was ze eigenlijk best aantrekkelijk. En als advocaat was ze geweldig. Ze speelde niet zo op het publiek als haar vader, maar ze was intelligent en degelijk, en ze had flink wat van Sandy's talent om een situatie intuïtief te beoordelen.

'We willen straks Rusty's computer gebruiken,' zei ze tegen Tommy. 'Waarschijnlijk vanmiddag.'

Tommy maakte een genereus handgebaar, alsof het hem allemaal niet deerde, alsof de verdediging met haar fratsen wel ergerlijk was, maar verder even onbelangrijk als een zoemende mug. Maar toen ze zich had omgedraaid, schreef hij 'computer???' op zijn notitieblok en zette er een paar strepen onder. De bewijzen van de gewiste mails en de browsergeschiedenis waren zo dodelijk dat de aanklagers Rusty's computer elke dag naar de rechtszaal meenamen, in de roze krimpfolie waarin hij al sinds ze hem in december aan rechter Mason hadden ontfutseld verpakt was. Hij lag de hele dag op de tafel van de aanklagers, voor de jury.

Rammelend als een voorbijrijdende trein arriveerde Brand met het karretje. Rory en Ruta, zijn secretaresse, liepen achter hem aan.

'Wie is dat mens?' fluisterde Brand toen hij bij de tafel van de aanklagers was.

Tommy wist niet wie hij bedoelde.

'Er zit een dikkige latina buiten. Ik dacht dat jij haar gezien had.' Brand wenkte Rory en vroeg haar om te kijken of ze wat te weten kon komen. Toen Gissling wegliep, begon Tommy over de computer.

'Willen ze hem aanzetten?' vroeg Brand.

'Ze had het over "gebruiken".'

'We moeten met Gorvetich praten. Volgens mij loopt het helemaal fout als ze hem aanzetten.'

Tommy schudde zijn hoofd dat hij het daar niet mee eens was, maar Brand liet het er niet bij zitten.

'Chef, dat is echt de verkeerde aanpak. Alleen al door hem aan te zetten breng je veranderingen aan op de harde schijf.'

'Dat maakt niet uit, Jimmy. Het is zijn computer. En hij is door óns opgevoerd. Als we tegen Yee zeggen dat het via een simulatie moet, krijgen we geen poot aan de grond. Als ze de jury iets willen laten zien op dat ding, kunnen we hen moeilijk tegenhouden als ze een demonstratie willen geven met het eigenlijke bewijs.'

'Wat voor demonstratie?'

'Die memo heb ik niet gekregen,' zei Tommy.

Gissling kwam teruglopen met een kaartje en ze bogen zich er gevieren overheen. Rosa Belanquez was medewerker klantenservice van het kantoor van de First Kindle in Nearing.

'Wat gaat ze zeggen?' zei Brand.

'Ze zegt dat ze alleen komt getuigen over bankgegevens.' Daar snapten ze geen van vieren iets van. Bijna alle gegevens van de bank die Rory het najaar daarvoor boven water had weten te krijgen, waren niet als bewijsstuk toegelaten omdat ze met Rusty's affaire te maken hadden. De enige uitzondering waren de cheques die Rusty naar Prima Dana had gestuurd. Brand keek naar Tommy. Wat Tommy de avond daarvoor had gezegd, klopte. Stern voerde iets in zijn schild.

'Als we haar eens bang maakten?' zei Brand. 'We zouden kunnen zeggen dat getuigen in strijd is met de termijn van negentig dagen.'

'Jimmy!' Tommy wist het volume net niet binnen de perken te houden en aan de andere kant van de rechtszaal keken Stern, Marta en Rusty's zoon alle drie op. Maar Brands idee was gevaarlijk en dom. Het eerste wat Rosa zou doen, was naar Stern lopen en die zou dan naar de rechter gaan en de aanklagers van obstructie beschuldigen. En terecht. De negentigdagentermijn had niets uit te staan met getuigen.

In de loop van het proces was Brand steeds feller geworden. De overwinning lag voor het grijpen, en door het vooruitzicht dat ze een zaak konden winnen die er steeds beroerd had uitgezien, was Jimmy gevaarlijk opgefokt geraakt. Het ging om Tommy's toekomst, Tommy's nalatenschap. Maar Jimmy was een samoerai, die Tommy's belangen zwaarder vond wegen dan die van hemzelf. Dat was wel roerend. Maar Brands grootste zwakte als jurist was zijn temperament. Dat was altijd al zo geweest. Tommy wachtte tot Brand net als altijd weer bij zinnen kwam.

'Sorry,' zei die, en hij zei het nog een paar keer. 'Het komt gewoon doordat ik niet weet wat Stern in zijn schild voert.'

De bode riep: 'De rechtbank!' en Yee stormde door de deur achter zijn stoel naar binnen.

Tommy klopte op Brands hand. 'Daar kom je zo achter.'

31

Nat, 23 juni 2009

Mijn vader kiest de paarsblauwe das uit en doet hem om, kijkt eerst in de spiegel van het herentoilet en dan naar mij, of ik hem vind staan.

'Helemaal goed,' zeg ik.

'Nogmaals bedankt dat je gekomen bent.' Heel even kijken we elkaar aan, en over zijn gezicht glijdt onuitgesproken ellende. 'Wat een teringzooi,' zegt hij.

'Heb je gisteravond nog naar de wedstrijd van de Trappers gekeken?' vraag ik.

Hij kreunt. 'Wanneer krijgen ze nou eens een echte afmaker?' Dat is de eeuwige vraag. Hij kijkt nog heel even in de spiegel. 'We gaan er weer tegenaan,' zegt hij.

Mijn vader is in de rechtszaal altijd heel formeel, dus wacht hij tot rechter Yee hem een teken geeft voor hij weer onder het notenhouten baldakijn van de getuigenbank plaatsneemt, zodat de leden van de jury het hem zien doen. Stern en Marta en Mina, die heeft geholpen met het samenstellen van de jury, vinden dat ze best een goede groep bij elkaar hebben gekregen. Ze wilden zwarte mannen uit de stad en blanke mannen uit de buitenwijken die zich konden herkennen in mijn vader, en op negen van de twaalf stoelen zitten mannen uit die twee categorieën. Ik kijk om te zien of ze mijn vader nog durven aan te kijken na de afstraffing van gisteren. Ze zeggen dat dat aangeeft op hoeveel sympathie iemand nog kan rekenen, en het doet me goed te zien dat twee van de Afro-Amerikanen, die vlak bij elkaar in North End wonen, even naar hem lachen en hem een knikje geven.

Ondertussen komt Sandy langzaam overeind, steunend op de tafel en met een zetje van Marta. Zijn huiduitslag is vandaag duidelijk een stuk minder rood.

'Rusty, toen je gisteren antwoord gaf op de vragen van meneer Molto, heb je hem er een paar keer op gewezen dat hij je vroeg te speculeren, vooral over de doodsoorzaak van je vrouw. Herinner je je die vragen nog?'

'Protest,' zegt Molto. Hij is het niet eens met de samenvatting, maar rechter Yee wijst het af.

'Rusty, weet je zeker hoe je vrouw is overleden?' vraagt Stern.

'Ik heb haar niet vermoord, dat weet ik in elk geval zeker.'

'Heb je naar de getuigenissen geluisterd?'

'Natuurlijk.'

'Je weet dat de lijkschouwer in eerste instantie zei dat ze een natuurlijke dood is gestorven.'

'Jawel.'

'En jij en meneer Molto hebben het erover gehad dat ze in haar opwinding dat je zoon en zijn nieuwe vriendin kwamen eten misschien per ongeluk een overdosis fenelzine heeft ingenomen.'

'Klopt.'

'Of dat ze een normale dosis fenelzine heeft ingenomen en is overleden door een fatale wisselwerking met iets wat ze had gegeten of gedronken.'

'Ja.'

'En aangezien meneer Molto ernaar heeft gevraagd: zijn al die andere theorieën over het overlijden van je vrouw – een natuurlijke doodsoorzaak, per ongeluk een overdosis of een wisselwerking met iets wat ze had gegeten of gedronken – onhoudbaar in het licht van de bewijzen?'

'Nou, nee. Ze zijn volgens mij allemaal mogelijk.'

'Maar heb je op basis van wat er aan gegevens op tafel ligt over het overlijden van je vrouw een theorie die jou het waarschijnlijkst lijkt?'

'Protest,' zegt Molto. 'Mijn confrère vraagt de getuige een mening te geven, terwijl deze daartoe redelijkerwijs niet in staat is.'

De rechter tikt met zijn potlood op de tafel terwijl hij nadenkt.

'Is dit theorie van verdediging?' vraagt hij.

'Inderdaad, edelachtbare,' zegt Stern. 'We sluiten andere mogelijkheden niet uit, maar dit is de theorie van de verdediging over de dood van mevrouw Sabich.'

Beklaagden krijgen veel ruimte om hypotheses aan te voeren die zouden aantonen waarom ze toch onschuldig zijn en bewijsstukken in een bepaald licht moeten worden gezien.

'Heel goed,' zegt Yee. 'Protest afgewezen.'

'Herinner je je de vraag nog, Rusty?' vraagt Stern.

'Natuurlijk,' zegt mijn vader. Hij neemt even de tijd om goed te gaan zitten, en kijkt dan de jury rechtstreeks aan, iets wat hij daarvoor nog niet vaak heeft gedaan. 'Volgens mij heeft mijn vrouw zich van het leven beroofd door opzettelijk een overdosis fenelzine te nemen.'

Ik heb gemerkt dat je in een rechtszaal een schok kunt afmeten aan het geluid dat erop volgt. Soms wordt een antwoord gevolgd door een gezoem als van bijen. Bij andere gelegenheden, en deze was daar een van, blijkt hoe hard een uitspraak aankomt uit de totale stilte die neerdaalt. Iedereen in de zaal zit nu na te denken. Maar bij mij wekt zijn antwoord een angst die heel lang in het diepst van mijn hart begraven heeft gelegen. Ik voel hem naar buiten golven, van mijn hart naar mijn longen naar mijn ledematen. En ik weet met een onuitsprekelijk gevoel van opluchting dat dit de absolute waarheid is.

'Dat heb je anders niet tegen de politie verteld,' zegt Sandy.

'Meneer Stern, toen wist ik nog maar een fractie van wat ik nu weet.'

'Zo zo,' zegt Stern. Hij klemt met één hand de hoek van de tafel vast en draait zich daarop steunend twee stappen om. 'Er was geen afscheidsbriefje, Rusty.'

'Nee. Volgens mij hoopte Barbara dat het als een natuurlijke dood zou worden aangezien.'

'En dat heeft de lijkschouwer in eerste instantie ook gezegd.'

'Protest,' zegt Molto. Yee wijst het toe, maar met een ingehouden glimlachje over Sandy's handige aanpak.

'En waarom zou mevrouw Sabich volgens jou willen verhullen dat ze zich van het leven had beroofd?'

'Vanwege mijn zoon, denk ik.'

'Doel je op de knappe jongeman op de voorste rij?'

'Inderdaad.' Mijn vaders lachje naar mij is voor de jury bedoeld.

Ik vind het niet leuk dat ik zo de aandacht trek, en het kost me moeite terug te glimlachen.

'Waarom zou je vrouw niet willen dat je zoon wist dat ze zich van het leven had beroofd?'

'Nat is enig kind. Mijn zoon zou de eerste zijn om toe te geven dat hij het in zijn jeugd niet gemakkelijk heeft gehad. Hij is een prima vent geworden, met een prima leven. Maar zijn moeder wilde hem altijd tegen van alles beschermen. Ik weet zeker dat als Barbara een eind aan haar leven wilde maken, ze hem zo weinig mogelijk verdriet en ellende wilde bezorgen.'

Stern zegt niets, maar knikt even, alsof het op hem allemaal heel logisch overkomt. Op mij in elk geval wel. Een van de onuitgesproken zekerheden die je in een gezin nu eenmaal hebt, is dat ik mijn depressies van mijn moeder heb. Daarom wilde mijn moeder voor mij verborgen houden dat ze die woeste god niet had weten te temmen. Dat zou voor mij een al te somber vooruitzicht zijn geweest.

'Heeft je vrouw voor zover je weet wel eens eerder een suïcidepoging gedaan?'

'Barbara's depressies waren zo ernstig dat dokter Vollman me had aangeraden om haar goed in de gaten te houden. En ja, ik weet dat ze een zelfmoordpoging heeft gedaan, eind jaren tachtig, toen we apart woonden.'

'Ontoelaatbaar,' zegt Molto. 'Als die plaatsvond toen ze apart woonden, spreekt rechter Sabich niet uit persoonlijke ervaring.'

'Toegewezen,' zegt Yee.

Stern knikt minzaam en zegt: 'Dan zullen we een andere getuige moeten oproepen.'

Molto komt weer overeind. 'Zelfde verhaal. Dit was geen vraag, maar een regieaanwijzing.'

'Was dat een protest of een recensie?' zegt Stern.

Yee, die wel gevoel voor humor heeft, lacht zijn kleine tanden bloot. 'Jongens, jongens…'

'Ik trek de vraag in,' zegt Stern.

Tijdens de woordenwisseling hebben de ogen van mijn vader weer de mijne gevonden. Nu weet ik waarom hij gisteren zijn excuses aanbood. Dat ze op mijn tiende met mij naar Detroit verhuisde, heeft mijn moeder er niet gelukkiger op gemaakt, wat ze ook had verwacht. Kinderen weten het altijd als er iets heel erg verkeerd zit.

Ik had vaak nachtmerries en als ik dan wakker werd, was het beddengoed een rommeltje en bonkte mijn hart en schreeuwde ik om mijn moeder. Soms kwam ze. Soms moest ik mijn bed uit om haar te gaan zoeken. Ze zat bijna altijd in het donker in haar slaapkamer, zo in zichzelf verzonken dat het een paar tellen duurde voor ze merkte dat ik voor haar stond. Steeds vaker ging ik als ik wakker werd kijken of er niets met haar aan de hand was. Een nacht kon ik haar niet vinden. Ik liep van de ene kamer naar de andere en riep steeds haar naam, tot ik aan de badkamer dacht. Daar was ze, in het volle ligbad. Het was een verbijsterend ogenblik. Ik was het niet meer gewend om mijn moeder naakt te zien. Maar dat was veel minder belangrijk dan het feit dat ze een lampje in haar hand had, en dat de stekker met een verlengsnoer een eind verderop in een stopcontact zat.

Voor mijn gevoel heb ik daar een volle minuut gestaan. In werkelijkheid was het vast veel korter, niet meer dan een paar seconden, maar het duurde veel te lang voor ze zich naar mij omdraaide, naar het leven.

'Niks aan de hand,' zei ze. 'Ik wilde gaan lezen.'

'Niet waar.'

'Niks aan de hand. Ik wilde gaan lezen.'

Uit pure wanhoop begon ik te huilen. Ze kwam het bad uit, naakt, om me te knuffelen, maar ik was zo verstandig om meteen naar de telefoon te lopen en mijn vader te bellen. Een paar dagen later werd de diagnose 'bipolaire stoornis' gesteld. Toen begon ik aan de tocht die me terug zou brengen bij mijn vader, ons gezin, ons vroegere leven. Maar dat ene ogenblik, dat spookbeeld, is altijd tussen ons in blijven staan.

'Hebben jij en je vrouw ooit gepraat over haar suïcidale neigingen?'

'Protest,' zegt Molto. 'Suggestieve vraag.'

'Hebben jij en je vrouw het er ooit over gehad of ze zelfmoord wilde plegen?'

Aan de overkant fronst Tommy zijn voorhoofd. Maar hij zit klem. Ik heb het tijdens mijn rechtenstudie nooit begrepen, maar wat mijn moeder over het verleden heeft gezegd, is niet toelaatbaar als bewijs, terwijl wat ze over de toekomst heeft gezegd dat wel is.

'Toen we eind jaren tachtig weer bij elkaar gingen wonen, heeft ze me herhaaldelijk verzekerd dat ze Nat dat nooit meer zou aandoen.

Dat hij zoiets nooit meer hoefde te zien.' Ik weet dat dit waar is, want ze heeft het mij ook honderden keren met de hand op haar hart beloofd.

'Woonde Nat thuis toen Barbara vorig jaar overleed?'

'Nee.'

'Heeft je overtuiging dat ze het op een natuurlijke dood wilde laten lijken te maken met haar belofte tegenover Nat?'

'Ja.'

'Heeft Barbara voor zover je weet nog wel eens een suïcidepoging gedaan nadat jullie weer in één huis zijn gaan wonen?'

'Nee.'

'Dus je wist niet wat voor gedrag je vrouw kon vertonen als ze van plan was om zich van het leven te beroven.'

'Nee.'

'Maar als ze had laten doorschemeren dat ze plannen in die richting had, wat had je dan gedaan?'

'Protest. Speculatieve vraag.'

'Zou je hebben geprobeerd haar tegen te houden?'

'Natuurlijk.'

De tweede vraag en het antwoord komen heel snel, voor rechter Yee zich kan uitspreken over het protest.

'Toegewezen, toegewezen,' zegt hij.

'Dus als Barbara een eind aan haar leven wilde maken, moet ze dat voor jou en je zoon verborgen hebben gehouden?'

'Rechter!' zegt Molto scherp.

Mijn vaders hoofd schiet in de richting van Molto en hij zegt: 'Ja?' Meteen schrikt hij van zijn eigen vergissing. 'Och nee,' zegt hij.

Yee, die vrolijke Frans, moet hier erg om lachen en de hele zaal grinnikt met hem mee. Het is een komisch intermezzo in een grimmig duel, en het duurt een hele tijd voor het lachen verstomt. Uiteindelijk schudt Yee zijn vinger naar Stern.

'Zo kan wel weer, meneer Stern. Punt begrepen.'

Stern reageert door in een vergeefse poging tot een nederige buiging het hoofd licht te nijgen, voor hij verdergaat.

'Weet u of uw vrouw bekend was met de zaak-John Harnason?'

'We hebben erover gepraat toen ik dat proces voorzat, en ook later wel. Ze had er belangstelling voor omdat ze er in de krant over had gelezen en ook omdat ik had verteld dat meneer Harnason me na de getuigenverhoren had aangesproken. En in de weken voor Barbara's overlijden kwam de zaak terug in televisiespotjes van mijn tegenkandidaat bij de verkiezing voor het hooggerechtshof. Mijn vrouw mopperde vaak over die spotjes, dus ik weet dat ze ze zag.'

'Heeft mevrouw Sabich het schriftelijke vonnis van het hof in de zaak-Harnason gelezen?'

'Ja. Ik neem maar zelden een afwijkend minderheidsstandpunt in. Veel belangstelling had Barbara niet voor mijn werk, maar zoals ik zei, had ze deze zaak wel gevolgd. Ze vroeg of ik de tekst van de uitspraak wilde meenemen.'

'Die zit al bij de bewijsstukken, maar het gaat om het feit dat bepaalde geneesmiddelen, waaronder MAO-remmers, niet worden meegenomen bij een gewone toxicologietest.'

'Klopt.'

Dan gaat Stern over op andere kwesties. Mijn vader vertelt uitvoerig dat toen hij en mijn moeder in 1988 besloten weer bij elkaar te gaan wonen, ze beloofde altijd haar middelen tegen manische depressiviteit te blijven gebruiken, en dat hij daarom vaak haar medicijnen ophaalde en wegborg. Dat is allemaal bedoeld als verklaring voor het feit dat zijn vingerafdrukken op het potje fenelzine zitten. Stern fluistert iets tegen Marta, die naar Jim Brand loopt en iets tegen hem zegt. Ze komt terug met een bewijsstuk in een doorzichtig plastic zakje.

'Rusty, meneer Molto heeft je vragen gesteld over je bezoeken aan Dana Mann. Weet je dat nog?'

'Uiteraard.'

'Kende je vrouw meneer Mann?'

'Ja. Dana Mann en zijn vrouw Paula Kerr waren studiegenoten van mij op de rechtenfaculteit. We gingen toen veel met elkaar om. Met zijn vieren, bedoel ik.'

'Wist ze in wat voor zaken meneer Mann zich gespecialiseerd had?'

'Zeker. Het is maar één voorbeeld, maar vijf of zes jaar geleden, toen Dana voorzitter was van de Matrimonial Bar Association, vroeg hij of ik daar een toespraak voor wilde houden. Paula was daar ook bij, en dus ging Barbara ook mee naar het diner.'

'Meneer Molto heeft je in het kruisverhoor vragen gesteld over je bezoeken aan meneer Mann. Je hebt aangegeven dat je bij het tweede bezoek, op 4 september 2008, heel even hebt overwogen om te gaan scheiden. Is dat juist?'

'Ja.'

'En meneer Mann heeft je een rekening gestuurd voor zijn diensten.'

'Op mijn verzoek, ja. Ik wilde niet dat hij het voor niets deed, om meer dan één reden.'

'Alle waar is naar zijn geld?' vraagt Sandy.

Mijn vader glimlacht en knikt. De rechter herinnert hem eraan dat hij hardop antwoord moet geven, en hij zegt ja.

'Wil je even naar bewijsstuk 22 kijken? Is dat de rekening die hij je in september 2008 geeft gestuurd?' Op hetzelfde ogenblik verschijnt de rekening op het scherm.

'Ja.'

'En hij is gericht aan je huisadres in Nearing, is dat juist?'

'Ja.'

'Heb je hem in de brievenbus gekregen?'

'Nee, ik heb hem over de mail gekregen. Ik had gevraagd of alle correspondentie naar mijn persoonlijke mailadres kon worden gestuurd.'

'Maar je hebt die rekening, bewijsstuk 22, wel betaald?'

'Ja. Ik heb twee keer geld opgenomen bij een betaalautomaat en daarmee heb ik een cheque gekocht.'

'Bij welke bank?'

'De First Kindle in Nearing.'

'En dit is de cheque die je hebt gestuurd? Bewijsstuk 23?'

'Dat is juist.' Ook de cheque komt nu op het scherm. Er staat een nummer op en 'Consultatie, 04/09/88'.

'Rusty, waarom hebt je een cheque gestuurd die niet op naam is gesteld?'

'Om niet tegen Barbara te hoeven zeggen dat ik bij Dana was geweest of waarom ik daar geweest was.'

'Heel goed.' Stern werpt een snelle blik op Tommy, om hem te laten weten dat het hem niet is ontgaan dat die hem gisteren probeerde te imiteren.

'Wil je even naar bewijsstuk 24 kijken, dat is toegelaten tijdens de getuigenis van meneer Mann? Wat is dat?'

'Een reçu, dat ik de cheque betaald heb.'

'Geadresseerd aan je huis in Nearing. Is het daar ook heen gestuurd?'

'Nee, ik heb het over de mail gekregen.'

'Alle dingen die je per mail hebt ontvangen, dus bewijsstukken 22, 23 en 24, en twee bevestigingen van afspraken, zijn van je computer gewist. Is dat juist?'

'Ik heb dr. Gorvetich horen getuigen dat het zo is gegaan.'

'Heb jij die mails gewist?'

'Dat zou heel zinnig zijn geweest, want zoals ik al heb gezegd, wilde ik niet dat Barbara op de hoogte was van mijn afspraken met Dana, tot ik er zeker van was dat ik de scheiding door ging zetten. Maar voor zover ik me kan herinneren heb ik het niet gedaan. En ik weet zeker dat ik geen wisprogramma's heb gedownload.'

'En je hebt nooit met je vrouw gesproken over je gesprekken met meneer Mann of dat je overwoog te gaan scheiden?'

'Nee.'

Stern buigt zich naar Marta en zegt wat tegen haar. Dan zegt hij tegen de rechter: 'Geen vragen meer.'

Yee knikt naar Molto, die als een duveltje uit een doosje overeind schiet.

'Rechter, uw theorie is dat uw vrouw suïcide heeft gepleegd met een overdosis fenelzine. Zijn haar vingerafdrukken aangetroffen op het potje fenelzine in haar medicijnkastje?'

'Nee.'

'Van wie waren de vingerafdrukken op het potje dan wel, rechter?'

'Van mij,' zegt mijn vader.

'Alleen maar van u, toch?'

'Inderdaad.'

'En de websites over fenelzine zijn op wiens computer bekeken?'

'De mijne.'

'Heeft de technische recherche ook de computer van uw vrouw onderzocht?'

'Volgens dr. Gorvetich wel.'

'Is daarop iets gevonden dat erop wees dat ze fenelzine had opgezocht?'

'Nee, niets.'

'Nog even over die mogelijkheid van zelfmoord, rechter: twintig jaar lang, van 1988 tot 2008, heeft uw vrouw geen suïcidepoging gedaan. Toch?'

'Voor zover ik weet niet, nee.'

'Was er eind september 2008 iets met betrekking tot uw vrouw veranderd, voor zover u weet?'

Mijn vader kijkt strak naar Tommy Molto. Ik weet niet wat er gebeurd is, maar dit is duidelijk een ogenblik waarop mijn vader heeft zitten wachten.

'Ja, meneer Molto,' zegt mijn vader. 'Er had een ingrijpende verandering plaatsgevonden.'

Tommy kijkt of hij een klap in zijn gezicht heeft gekregen. Hij stelde een vraag die volgens hem risicoloos was, en is zo de afgrond in gelopen. Hij werpt een blik op Brand, die onder de tafel zijn hand spreidt en hem een paar centimeter naar beneden beweegt. Zitten, betekent dat. Maak het niet nog erger.

En dat doet Tommy. Hij zegt: 'Geen vragen meer', en rechter Yee zegt tegen mijn vader dat hij uit de getuigenbank mag komen. Mijn vader knoopt zijn jasje dicht en loopt langzaam de drie treden af. Hij ziet eruit als een trotse militair, schouders naar achteren, hoofd rechtop, blik recht vooruit. Hoe onmogelijk dat gisteren aan het eind van de dag ook leek, opeens lijkt mijn vader de overwinning te hebben behaald.

32
Nat, 23 juni 2009

Rechter Yee zegt tegen Sandy dat die zijn volgende getuige mag oproepen, en Marta schiet overeind en roept Rosa Belanquez op, die
medewerker klantenservice bij de bank van mijn ouders blijkt te
zijn.

Mevrouw Belanquez is een knappe vrouw van in de dertig, een
tikje mollig. Ze heeft zich keurig gekleed voor haar ogenblik in de
schijnwerpers. Om haar hals hangt een klein kruisje, en aan haar
ringvinger blinkt een diamantje. Zij is Amerika, het goede Amerika,
een vrouw die hierheen is getrokken, of misschien waren het wel
haar ouders, die hard heeft gewerkt en een beetje geluk heeft gehad:
een prima baan bij een bank, succes in het leven, een beetje geld, genoeg voor haar kinderen, die ze opvoedt zoals ze zelf is opgevoed,
hard werken, doen wat gedaan moet worden, en God en elkaar lief-
hebben. Ze is gewoon een aardig mens. Dat zie je af aan de manier
waarop ze gaat zitten en even naar Marta glimlacht.

'Ik wil met u teruggaan naar 23 september 2008. Hebt u toen een
gesprek gevoerd met een vrouw die zich Barbara Sabich noemde?'

Ik tel even af. 23 september 2008 was de dinsdag voor mijn moeder stierf.

'Inderdaad.'

'Wat heeft mevrouw Sabich gezegd en wat hebt u gezegd?'

Jim Brand, groot en stevig, met een dik geruit colbertjasje aan,
ook al is het hartje zomer, staat op en zegt: 'Protest. Bewijs uit de
tweede hand.'

'Rechter,' zegt Marta, 'het gaat ons hier niet om waarheidsvin-
ding. We willen vaststellen hoe het gesprek verlopen is.'

Rechter Yee knikt. Wat Marta bedoelt is dat de verdediging niet probeert aan te tonen dat wat mijn moeder heeft gezegd waar is, alleen dát ze het heeft gezegd.

'Eén antwoord tegelijk,' zegt hij. Hij bedoelt dat hij bij elk antwoord zal beoordelen of het uit de tweede hand is, een voordeel voor de verdediging, die alles aan de jury kan voorleggen, ook al kan de rechter uiteindelijk besluiten dat delen ervan ontoelaatbaar zijn.

'Eerste vraag,' zegt Marta. 'Had mevrouw Sabich iets bij zich?'

'Ja, een kwitantie van een advocatenkantoor.'

'Wilt u even kijken naar bewijsstuk 24? Herkent u dat document?' De kwitantie van Dana Mann, die een paar minuten geleden aan het eind van mijn vaders getuigenis al op het scherm te zien was, verschijnt opnieuw.

'Dat was de kwitantie die mevrouw Sabich bij zich had, ja.'

'Heeft ze u verteld hoe ze eraan is gekomen?'

'Protest. Tweede hand,' zegt Brand.

Marta werpt hem een bozig lachje toe, maar trekt de vraag in.

'Herinnert u zich nog hoe mevrouw Sabich hem aan u liet zien?'

'Ze had hem in een envelop.'

'Wat voor envelop?'

'Gewoon. Een standaardenvelop met een venster.'

'Weet u nog of er een postzegel op zat?'

'Volgens mij alleen een frankeerstempel.'

'Stond er een retouradres op de envelop?'

'Het ging zo,' zegt mevrouw Belanquez. 'Zij gaf mij de envelop en ik haalde de kwitantie eruit. Hij was met de post verstuurd. Dat kon je zien.'

Brand staat op om te protesteren. Tommy legt zijn hand op zijn mouw en hij gaat zonder iets te zeggen zitten. Molto wil niet de indruk wekken dat de aanklagers iets te verbergen hebben. Anders dan zijn baas knokt Brand ook tegen dingen die gewoon duidelijk zijn. Op het kantoor van Prima Dana hebben ze geblunderd door een kwitantie naar het huis van mijn ouders te sturen. Mijn moeder, die altijd de post deed, had de envelop opengemaakt en was naar de bank gegaan, omdat ze het niet snapte.

'Wilt u ons vertellen hoe het gesprek met mevrouw Sabich verliep?'

'Op de kwitantie stond het nummer van een cheque.' Mevrouw

Belanquez heeft zich omgedraaid in haar stoel en wijst nu naar het scherm achter zich. 'Ze wilde weten of dat een nummer van ons was. Ik zei dat ik dacht van wel, maar dat ik dat voor de zekerheid even wilde natrekken. Dat heb ik gedaan, bij de boekhouding, en daarna zei ik dat ik even met de directeur moest overleggen.'

Marta pakt een plastic envelop van de tafel van de verdediging en loopt ermee naar Brand. Hij kijkt ernaar en komt overeind.

'Rechter, wij hebben dit niet gezien.'

'Edelachtbare, dit document is al in november, in de eerste fase van het onderzoek door het openbaar ministerie aan ons ter beschikking gesteld.'

Dat moet wel waar zijn, want rechercheur Gissling gebaart naar Brand, en knikt. Marta fluistert iets tegen Brand, hij steekt zijn hand op en het document wordt als bewijsstuk geaccepteerd. Sandy's juridische assistent laat de dia ervan op het scherm zien. Het is het verzoek om een niet op naam gestelde cheque. Ik heb het de afgelopen herfst nog gezien. Het bedrag valt in het niet bij de cheque voor het lab dat op geslachtsziekten controleerde.

'Wilt u even kijken naar bewijsstuk 1 van de verdediging. Wat is dat?'

'Dat is het stuk dat ik even heb nagetrokken bij de boekhouding.'

'En daarna hebt u overlegd met de directeur.'

'Ja.'

'Hebt u daarna nog met mevrouw Sabich gepraat?'

'Zeker.'

'Wat hebt u tegen haar verteld?'

'D-d-dat ze...' Mevrouw Belanquez glimlacht, likt langs haar lippen en biedt haar excuses aan dat ze nerveus is. 'Ik heb verteld wat de directeur had gezegd.'

'En dat was?'

Brand protesteert, maar Yee zegt dat hij het wel wil horen.

'Nou, dat de rechter de cheque had gekocht met het contante geld dat hij bij zich had, en ook nog driehonderd dollar had gepind. Dat kon je zien aan de tijd die op het bonnetje stond. Dus hij had het geld eigenlijk van de rekening opgenomen. We hebben hem niks gerekend voor de cheque, omdat hij rekeninghouder was. De vraag was dus of dit gewoon bij het betaalverkeer hoorde en of ze het mocht inzien, want zij, mevrouw Sabich dus, is een van de rekeninghouders. De directeur zei dat als we hem een gratis cheque hadden gegeven omdat hij een rekening bij ons had en als zij mederekeninghouder was, het gewoon bij het betaalverkeer hoorde en zij alles mocht inzien. Dat heb ik dus tegen haar gezegd, en daarna heb ik haar de nota voor de cheque en de cheque zelf laten zien.'

'Ik laat u bewijsstuk 23 zien. Is dat de cheque die u aan mevrouw Sabich hebt laten zien?'

Ten gunste van 'Mann en Rapini', staat er in een vakje van de cheque. 'Betreft nota 645332.'

'Ja,' zegt mevrouw Belanquez, en Marta zegt dat ze verder geen vragen heeft. In de gerechtszaal is het stil. Iedereen beseft dat er net iets gebeurd is. Iets belangrijks. Mijn vader heeft gezegd dat mijn moeder zelfmoord heeft gepleegd, en nu is daar een reden voor. Ze wist namelijk dat hij bij Dana was geweest, een advocaat die vooral scheidingen doet, en dat hij dus bij haar weg wilde.

Aan de overkant kijkt Jim Brand niet gelukkig. Dat zijn aanklagers nooit als de verdediging iets blijkt te weten wat zij niet weten. Hij zit in zijn stoel met zijn benen uit elkaar en presteert het zijn pen in de lucht te gooien en weer op te vangen, voor hij uit zijn stoel komt met een gezicht als een cowboy die achter weggelopen vee aan moet.

'Was dat het enige waarover u met mevrouw Sabich hebt gesproken?' vraagt hij.

'Nee, niet bepaald.'

'Als u dan eens vertelde wat er nog meer is gebeurd,' zegt Brand, alsof dat de meest voor de hand liggende vraag van de wereld is, alsof hij niet snapt waarom Marta daar zelf niet mee komt. Ik blijf het indrukwekkend vinden, de mores van een rechtszaal, het theatrale improviseren, het dubbelzinnige communiceren met de jury.

Marta, vandaag gekleed in een bedrukt zijden jasje, komt overeind, maar zegt niets terwijl mevrouw Belanquez antwoord geeft.

'Toen ze deze ene cheque had gezien, wilde ze weten of er nog meer waren en hoe die waren betaald en zo. En dus zijn we aan de slag gegaan met andere cheques en afschriften en bewijzen van stortingen en opnamebriefjes. Heel veel transacties. We zijn er het grootste deel van de dag mee bezig geweest.'

'Rechter,' zegt Marta, 'volgens mij heeft dit allemaal niks meer met de zaak te maken. We hebben het over stukken waarvan u al een paar keer hebt gezegd dat ze irrelevant zijn.'

'Nog meer, meneer Brand?' vraagt Yee.

'Nee, laat maar,' zegt Brand. Maar hij heeft wat terrein teruggewonnen, hij heeft de jury duidelijk gemaakt dat er nog meer speelde. Mevrouw Belanquez mag gaan en klikt op haar hoge hakken de rechtszaal uit, met een lachje naar Marta, die ze vast aardig vindt. Haar zware parfum volgt haar, als ze langs mijn zitplaats op de voorste rij komt.

Ik weet niet zeker of de mensen in de zaal, de jury incluis, het volle gewicht van mevrouw Belanquez' woorden wel hebben begrepen. Maar ik heb weer het gevoel dat mijn hart heet lood aan het rondpompen is. Het zou me niet moeten verbazen. Ik heb steeds gezegd dat mijn moeder het wist. Maar het is niet te harden, vooral niet als ik denk aan wat er in de documenten stond die de jury nooit te zien zal krijgen. Ik zie het allemaal voor me – het bureau van mevrouw Belanquez bij de bank, met de gebruikelijke nepantieke inrichting, met door elkaar heen lopende klanten en bankmedewerkers, en aan de andere kant zit mijn moeder, die soms een halve Xanax nodig had voor ze de straat op durfde, die er de pest aan had dat ze werd bekeken of kon worden bekeken. En nu zit ze bij die aardige mevrouw Belanquez en komt er stukje bij beetje achter wat er aan de hand is, eerst dat mijn vader bij Dana Mann is geweest, een advocaat die scheidingen doet, en daarna dat hij vijftien maanden daarvoor stiekem geld heeft opgenomen om een kliniek te kunnen betalen waar je je kunt laten testen op geslachtsziekten. Ze weet dus dat hij haar ontrouw is geweest, dat hij haar non-stop heeft voorgelogen, op allerlei manieren, ook – en dat is nog het ergst – over de vraag of hij haar man wil blijven, en ze moet dat allemaal incasseren met een stalen gezicht en een brekend hart, tegenover mevrouw Belanquez, en ze weet dat Rosa Belanquez de trouwring aan haar vinger kan zien, en dus weet hoe diep vernederend dit is.

Ik sta in de gang buiten de rechtszaal te huilen. Het is allemaal duidelijk, dat ze die dinsdag nadat ze weer thuis kwam op een gegeven moment de mail van mijn vader heeft doorgenomen en zo heeft ontdekt wat er te ontdekken viel over de scharrel met wie hij een jaar eerder het bed in dook. Hebben ze ruzie gemaakt, de week voor ze stierf? Is er gegild en geschreeuwd en hebben ze meubels omver getrapt en alleen maar gedaan of er niks aan de hand was toen Anna en ik op bezoek kwamen? Of heeft mijn moeder het allemaal voor zich gehouden? Dat laatste, vermoed ik. Toen we kwamen eten wist ze het al bijna een week. Ze had geglimlacht en naar een uitweg gezocht, verschillende opties tegen elkaar afgewogen en uiteindelijk, dat weet ik nu zeker, haar dood voorbereid. Mijn vader had de fenelzine voor haar opgehaald, twee dagen nadat ze bij de bank was geweest.

Marta Stern is de rechtszaal uit gelopen om te kijken waar ik gebleven ben. Ze is vijftien centimeter kleiner dan ik en komt maar tot mijn schouder. Ze draagt een zware ketting van gehamerd goud, die me niet eerder is opgevallen.

'Dat was helemaal verkeerd,' zeg ik tegen Marta. Ik betwijfel of ze begrijpt wat ik bedoel, want tot ik de woorden uitspreek begrijp ik ze zelf niet eens. Mijn vader heeft mijn moeder niet vermoord. Niet in de juridische zin van het woord. Maar dat verandert niet wat er is gebeurd. Hij verdient het om als vrij man de rechtszaal uit te lopen, maar als dat gebeurt, zal ik hem altijd ergens in mijn hart de schuld blijven geven.

33

Tommy, 23 juni 2009

Marta vroeg om een schorsing om voor de volgende getuige Rusty's computer klaar te zetten, en Yee keek niet blij. De laatste paar dagen begon duidelijk te worden dat het geduld van de rechter opraakte. Hij leefde uit een koffer, honderden kilometers van waar hij woonde, en probeerde allerlei zaken waarmee hij in Ware bezig was, via de telefoon af te handelen. Na zijn terugkeer zou hij nog maanden nodig hebben om de achterstand in te halen. Hij had geen zin een uur te verspillen met het verwijderen van de krimpfolie en de verzegeling en dus gaf hij opdracht om de computer de volgende ochtend klaar te hebben staan. Hij was van plan de jury naar huis te sturen en de rest van de dag aan de telefoon door te brengen om te proberen of hij zo twee dringende zaken in goede banen kon leiden.

Eigenlijk kwam dat wel goed uit. Tommy en zijn mensen konden wel een adempauze gebruiken. Brand en Marta spraken af dat de technische jongens van het openbaar ministerie de krimpfolie zouden verwijderen en dat de experts van de aanklagers én van de verdediging de politietape zouden weghalen en de computer zouden klaarzetten voor de volgende ochtend de zitting begon. Daarna ging het team van het openbaar ministerie met hun rammelende karretje de zaal uit en de straat over naar hun kantoor. Toen ze eenmaal samen in de lift stonden, begon Rory Gissling zich te verontschuldigen.

'Ik had het verdomme in de gaten moeten hebben,' zei ze.

'Gelul,' zei Tommy.

'Ik had op zijn minst iets moeten vermoeden,' zei Rory. 'Ik had door moeten vragen. Toen de bank de gegevens in een nanoseconde bij elkaar had, had ik moeten bedenken dat ze dat al eerder voor iemand anders hadden gedaan.'

'Je bent rechercheur,' zei Tommy, 'geen gedachtelezer.'

Wat de Sterns hadden bewezen was op zich nog niet zo erg, namelijk dat Barbara had geweten dat haar man van plan was geweest om bij haar weg te gaan, en dus ook dat hij was vreemdgegaan, waar de jury anders niets van zou hebben gehoord. Eigenlijk was er geen man overboord. Dus ze wist het. Dat zette de deur open voor een miljoen mogelijkheden waar de aanklagers wat mee konden. Misschien vlogen Rusty en Barbara elkaar op een verschrikkelijke manier in de haren en heeft hij haar daarom om zeep geholpen. Misschien dreigde ze ermee naar hun zoon te lopen. Of naar de *Trib*. God mag het weten. Het was een proces; als ze zich er twee dagen in verdiepten, zouden ze heus wel een theorie kunnen bedenken die met de feiten overeenstemde.

Maar de verdediging had ook iets veel belangrijkers bewezen: dat het openbaar ministerie niet alles wist. Dat die beste jongens aan de overkant niet op de hoogte waren van een belangrijk bewijsstuk in een zaak waar alles op indirect bewijs aankwam. Het was alsof de aanklagers een kaart van de wereld hadden getekend, maar het grootste deel van Noord-Amerika waren vergeten. Volgens de aanklagers had Rusty Barbara vermoord, maar de verdediging zei nu: 'Kijk, die jongens weten gewoon niet alles. Barbara is iets deprimerends te weten gekomen en dat is de reden waarom ze er heel stilletjes een eind aan heeft gemaakt.'

Gevieren, Brand, Tommy, Rory en Ruta, zaten ze in Tommy's kamer met de deur dicht. Tommy bekeek de briefjes op zijn bureau om te zien wie er gebeld hadden, alsof er niets aan de hand was, maar eigenlijk wilde hij het liefst nadenken over de zaak en proberen na te gaan hoe groot de schade was.

Brand liep de kamer uit om een blikje frisdrank te halen en kwam terug.

'Hoe kan een blikje fris uit zo'n klotemachine nou vijfentachtig cent kosten?' zei hij. 'Kunnen we die lui van Beheer niet bellen om daar iets aan te doen? Bij Safeway betaalt Jody er twintig cent voor. Zakenlui. Het is verdomme gewoon diefstal.'

Tommy stak zijn hand in zijn zak en haalde er een kwartje uit.

'Zeg Jody maar dat ik een cola light wil met extra ijs. Het wisselgeld mag je houden.'

'Als hij echt belt, Tommy,' zei Rory, 'kun je het verder alleen opknappen.'

Jody was assistent-aanklager geweest toen Brand haar ontmoette. In het woordenboek stond haar foto naast het lemma 'harde tante'.

'Ik kan Beheer niet eens zover krijgen dat ze de muren witten of wat aan de verwarming doen,' zei Tommy toen ze uitgelachen waren.

Weer zei niemand iets.

'Dus Harnason is toeval?' vroeg Brand uiteindelijk. Hij probeerde te bedenken wat Sandy in zijn slotpleidooi zou zeggen.

'Daar hebben ze het over gehad,' zei Rory. 'Barbara was op de hoogte van die zaak.'

'Klopt,' zei Tommy. 'Daar hebben ze het over gehad. Daardoor is ze op het idee gekomen zich van kant te maken met een middel dat bij een standaard toxicologische test niet zou worden ontdekt, waardoor het op een natuurlijke dood zou lijken. Zo kon ze dus richting het Grote Niets zonder die knul nog verder in de vernieling te helpen. Dat zal Nat dus wel gaan zeggen, niet? Dat zijn moeder hem altijd heel erg afschermde. Hij bevestigt morgen het hele verhaal.'

Het was niet best, besefte Tommy. Door die mogelijke zelfdoding zou Rusty vrijuit gaan.

'Wat doen zijn vingerafdrukken op de fenelzine?' vroeg Brand.

'Nu hoeft hij nog maar één verdacht feit te verklaren in plaats van zes. De rest klopt allemaal. Ze heeft natuurlijk aan zijn computer gezeten. Dat snap jij toch ook wel? Daarom willen ze er morgen mee aan de slag. Ze gaan aantonen dat ze zijn mail kan hebben gelezen. Waar het op neerkomt is dat we de jury vragen hem schuldig te verklaren terwijl onze eigen deskundige toegeeft dat ze het potje kan hebben beetgepakt zonder vingerafdrukken achter te laten, en Rusty altijd haar medicijnen ophaalde.'

Brand zat daar maar en staarde naar de muur. Tommy had het kantoor nooit echt ingericht. Hij was slechts plaatsvervangend hoofdaanklager en het zou dus wat aanmatigend zijn geweest om de muren vol te hangen met zijn eigen certificaten en foto's. Er hingen een paar goede foto's van Dominga en Tomaso en een oude foto van zijn ouders en hemzelf bij zijn afstuderen. Maar op een paar plekken waren de latex en het stucwerk beschadigd toen Muriel Wynn vier jaar geleden was vertrokken, en de dienst Beheer was die ondanks herhaaldelijk bellen nooit komen repareren. Brand leek zijn blik op een van die plekken te richten.

'We gaan verdomme niet verliezen,' zei hij opeens.

'Het is vanaf dag één lastig geweest,' zei Tommy.

'Alles ging van een leien dakje! En nu gaan we dus níét verliezen.'

'Kom op, Jimmy. Ga eens een avond wat anders doen. Er eens een nachtje over slapen.'

'Er zit ergens een fout in,' zei Brand. Hij doelde op de nieuwe theorie van de verdediging.

'Waarschijnlijk meer dan één, als je het echt wilt weten,' zei Tommy.

'Waarom heeft ze zijn computer opgeschoond?' vroeg Brand. 'Oké, ze heeft die zooi gelezen die erop stond. Maar waarom heeft ze die er daarna afgedonderd?'

'Precies,' zei Tommy. Dat soort vragen moesten ze de komende dagen nog eens goed bekijken. Ze hadden tijd nodig om zich op de nieuwe situatie in te stellen. En hun achterstand in te lopen, om heel eerlijk te zijn. Want Sandy en Marta waren al maanden bezig om vragen én antwoorden te bedenken. Omdat Jim zich wat beter wilde voelen over de zaak drukte hij door.

'Als ze zich zonder te veel gedoe van kant wil maken,' zei Brand, 'dus zonder briefje en zo, waarom verraadt ze zich dan door zijn mails te deleten?'

Rory besefte als eerste wat de verdediging zou zeggen.

'Dat weet Rusty. Als hij mails heeft bewaard, had hij daar een goede reden voor. Misschien vond hij het leuk om de liefdesbriefjes van zijn vriendinnetje nog eens te lezen. Maar wat de reden ook was, hij ziet op een gegeven moment dat ze weg zijn. Allemaal. Dan weet hij dat Barbara ze een voor een gewist heeft. Daardoor beseft hij dat zijn vrouw alles heeft ontdekt en zich van kant heeft gemaakt. Misschien heeft ze daarom op zijn computer dingen uit zitten zoeken over fenelzine, om hem te laten weten hoe ze het heeft gedaan. Maar hij is de enige die het weet. Die jongen en de rest van de wereld denken dat het aan haar zwakke hart lag. Maar Rusty gaat kapot aan de wroeging.'

Brand zat te staren naar Rory, alleen maar te staren, zijn mond een beetje open in de 'o shit'-stand.

'Kut,' zei hij toen, en smeet zijn lege blikje tegen de muur. Hij was niet de eerste die dat deed. Een driehoek van beschadigd stucwerk gaf de plek aan waarop Tommy en zijn assistenten al jaren hun frustraties botvierden door er met de vuist tegenaan te slaan of er proppen papier of blikjes tegenaan te gooien. Brand mikte goed. Het blikje raakte de muur in het midden van de plek en viel toen in de afvalbak die eronder was gezet om projectielen op te vangen.

Ze zagen het alle vier zwijgend aan. De volgende ochtend, zei Tommy bij zichzelf, zou hij even kijken of er verder nog iets in die vuilnisbak lag. Hun aanklacht tegen Rusty, om maar iets te noemen.

34

Nat, 24 juni 2009

Het is halfacht in de ochtend en in het centrum lopen de straten vol met voetgangers en auto's. Iedereen wil graag aan de slag. Anna komt voorrijden in de geruisloze Prius en zet me af voor het Le-Sueur Building.

'Ik hoop dat het goed gaat.' Ze steekt haar hand uit en pakt de mijne. 'Stuur je een sms'je als je klaar bent?' Ik buig me naar haar over voor een snelle omhelzing en loop dan weg. Ik heb mijn studentikoze voorkomen nog niet helemaal af weten te zweren en verkreukel mijn mooie pak onder de banden van mijn rugzak, die ik net voor ik naar binnen loop over mijn schouders slinger.

Het was een rotavond. Anna vond het heel erg toen ik haar over de getuigenis van die vrouw van de bank had verteld. Het kwam bij haar even hard aan als bij mij. Ze bleef maar zeggen hoe erg ze het vond, en uiteindelijk begon me dat te ergeren, omdat het net was of ze verwachtte dat ik háár moest troosten. Misschien zat ze op dezelfde manier klem als ik en dacht ze ook steeds aan mijn moeder en hoe ze die avond voor ons vieren de tafel had gedekt, in de wetenschap dat haar leven bijna voorbij was.

Door alle toestanden was ik gisteren niet bij machte om samen met Marta mijn getuigenis door te nemen, en dus is ze vanmorgen vroeg gekomen. Ze heeft drie kinderen thuis, dus het is niet makkelijk voor haar en haar man Solomon, maar ze wimpelt mijn bedankjes af terwijl ze door het kantoor naar de koffiepot loopt.

Nu ik Marta de afgelopen weken in de rechtszaal bezig heb gezien, weet ik dat ze nooit zo'n grootse carrière zal krijgen als haar vader. Ze heeft zijn intelligentie, maar niet zijn magie. Ze is warm en toegankelijk, terwijl haar vader juist indruk maakt doordat hij formeel en afstandelijk is, maar dat lijkt haar niet te deren. Ze is een van de mensen die tevreden zijn met wie ze zijn en met hoe hun leven gelopen is. Ik heb haar al vaak gezegd dat ze mijn grote voorbeeld is.

'Was het niet raar toen je besloot om bij je vader in de praktijk te gaan?' vraag ik, terwijl we kijken hoe de koffiekan volloopt. Het is een vraag die me al een paar weken bezighoudt, maar in de hectiek van het proces heb ik hem nooit kunnen stellen.

Ze lacht en geeft toe dat dat nooit een bewuste beslissing is geweest. Er is een familiecrisis geweest, jaren geleden, toen haar moeder stierf. Ze zegt er niets over, maar ik weet vrijwel zeker dat Clara, Marta's moeder en Sandy's eerste vrouw, zelfmoord heeft gepleegd – een rare gedachte op deze ochtend. Sandy, zegt ze, was 'een en al zenuwen' en Marta werd haar vaders assistent, eigenlijk zonder erbij na te denken.

'Maar als mensen zeggen dat het allemaal goed heeft uitgepakt, doelen ze op dit soort dingen,' zegt ze. 'Ik vind het heerlijk om samen met mijn vader een praktijk te hebben. En als mijn moeder niet was overleden, zou dat er misschien niet van gekomen zijn, zo ligt het natuurlijk wel. Hij is de beste advocaat die ik ken, en op kantoor gaat het heel harmonieus. Ik geloof niet dat we daar ooit met stemverheffing praten. Niet dat dat overal zo gaat. Als Helen op reis is en hij bij mij thuis komt eten loop ik al op hem te vloeken als hij nog maar net binnen is. Hij lapt *alle* regels die ik voor de kinderen heb aan zijn laars. Ik houd van mijn vader,' voegt ze er dan als nadere overweging aan toe, en bloost zo snel dat ik in eerste instantie niet doorheb wat er is gebeurd. Ze geeft er expliciet mee aan dat Sandy Stern stervende is. Ze staart in haar koffie.

'Ik ben nog niet over mijn moeder heen,' zegt ze. 'En dat is bijna twintig jaar geleden.'

'Echt waar? Ik wacht steeds tot ik me weer normaal voel.'

'Het is een nieuw soort normaal,' zegt ze.

De professionele afstand die er misschien ooit tussen Marta en mij is geweest, is vrijwel verdwenen. We hebben gewoon te veel gemeen. Beiden advocaat. Beiden een moeder die voortijdig is overleden en een jurist als vader die groot genoeg lijkt om alle licht van de zon tegen te houden, maar nu in de problemen zit. We hebben tijdens dit proces figuurlijk gesproken elkaars hand vastgehouden en ik leg zelfs even mijn hand op haar schouder als we naar haar kantoor teruglopen. Zij wordt een van de mensen die ik de rest van mijn leven om raad wil vragen.

Snel nemen we mijn getuigenis door. Na gisteren zitten er pijnlijke dingen bij, maar het is ontegenzeglijk nodig ze onder ogen te zien.

'Wat wil je met de computer?' vraag ik haar.

'Gokje. Het was een idee van je vader. Hij zegt dat het niet riskant is. Dat merken we vanzelf. Maar ik wil dat je tegen de jury kunt zeggen dat we het hier niet vooraf over hebben gehad, dus doe maar gewoon wat ik zeg. Het is niet ingewikkeld of zo.'

De bedoeling is duidelijk: we willen laten zien hoe gemakkelijk het voor mijn moeder zou zijn geweest om zijn computer binnen te komen.

Als ik naar de wc ga voor we naar de rechtbank vertrekken, kom ik mijn vader tegen. Hij is gisteren uit mijn buurt gebleven en zelfs nu hebben we elkaar zoals gewoonlijk weinig te zeggen.

'Het spijt me, Nat.'

Mijn moeder was klein, dus het verbaasde iedereen, ook mij, dat ik een paar centimeter groter ben geworden dan mijn vader. Ik heb het heel lang een bizar idee gevonden dat ik op hem neer kon kijken, al was het maar een beetje. Hij pakt me bij mijn schouders en ik struikel in een soort omhelzing, en dan gaat hij de ene kant op en ik de andere.

De eerste keer dat ik getuigde, werd het een ongelooflijke puinhoop. Ik had nog nooit een proces meegemaakt, en ik was meteen de eerste getuige van het openbaar ministerie, opgeroepen in een proces waarbij mijn vader terechtstond voor de moord op mijn moeder. Ik zat er als een zoutzak bij, en gaf mijn antwoorden zo snel mogelijk. Rechter Yee zei steeds dat ik harder moest praten. Toen Brand klaar was, kwam Marta met een paar vragen waarmee ze wilde aantonen dat mijn vader in een shocktoestand was toen hij ruzie met me maakte over al dan niet de politie bellen. Daarna zei ze tegen Yee dat ze de resterende vragen wel bewaarde voor als ik als getuige à decharge werd opgeroepen.

Als ik voor de tweede keer naar de stoel onder het notenhouten baldakijn loop, is het gemakkelijker. De rest van mijn leven zal ik deze rechtszaal in mijn dromen blijven zien, maar op een heel vreemde manier ben ik thuis.

'Wilt u uw naam opgeven en uw achternaam spellen?'

'Nathaniel Sabich. S, a, b, i, c, h.'

'Bent u dezelfde Sabich die al als getuige à charge is opgeroepen?'

'Precies dezelfde, ja.' Een jonge latina op de voorste rij van de jurybank glimlacht. Ze vond me zeker cool toen ik de eerste keer getuigde.

'En na die getuigenis bent u elke dag hier in de zaal geweest?'

'Ja. Ik ben de enige familie die mijn vader heeft, en rechter Yee zei dat ik hem mocht steunen door hier te zijn.'

'Maar voor de duidelijkheid, Nat, heb je de bewijsstukken in deze zaak, of je getuigenis van vandaag, met je vader besproken?'

'Nee. Nou ja, hij heeft me verteld dat hij het niet heeft gedaan en ik heb gezegd dat ik hem geloof, maar nee, we praten niet over wat de getuigen hebben gezegd of wat ik ga zeggen.'

De laatste antwoorden, die net over de rand zijn, zijn vooraf afgesproken met Marta. Als Brand protest had aangetekend toen ik zei dat ik mijn vader geloofde, hadden ze dat prima gevonden, want dan was dat extra stevig aangekomen bij de jury, maar ik zag hoe Molto Brands pols aanraakte, net voor die overeind wilde schieten. Als je de verhalen mag geloven was Molto net zo'n felle toen hij jonger was, maar de tijd en de verantwoordelijkheid hebben hem blijkbaar kalmer gemaakt. Hij weet dat de leden van de jury me hier dag in dag uit hebben zien zitten en weten aan welke kant ik sta. Hij is toch mijn vader? Wat moet ik dan geloven?

'Ben je officieel geregistreerd als advocaat?'

'Ja.'

'Je begrijpt dus wat het betekent om onder ede te staan?'

'Natuurlijk.'

'Nat, ik wil beginnen met een paar vragen over de zaak-John Harnason. Heb je het daar ooit met je moeder over gehad?'

'Mijn moeder?'

'Ben je er ooit bij geweest als je moeder of je moeder en je vader het daarover hadden, bedoel ik.'

En dus vertel ik wat er gebeurd is tijdens mijn vaders zestigste verjaardag, toen duidelijk werd dat mijn moeder zelf het een en ander over de zaak te weten was gekomen. Daarna gaan we door op de boodschappen die mijn vader heeft gedaan op de avond dat mijn moeder stierf. Ik leg uit dat ik al sinds mijn jeugd gek ben op salami en kaas en dat mijn moeder me net als iedere moeder graag dingen te eten gaf die ik lekker vond en dat ze altijd mijn vader, en vroeger ook wel mij, erop uitstuurde om die dingen te gaan kopen, omdat ze het niet prettig vond om het huis uit te gaan. Ze deed de wekelijkse boodschappen zelfs online. Vervolgens vertel ik tegen de jury dat het waar is dat mijn vader altijd de medicijnen van mijn moeder op-haalde en ze mee naar boven nam als hij zijn nette pak uittrok en heel vaak ook de potjes op de plank zette.

Tik, tik, tik. Mijn vader zegt dat Sandy net zo werkt als een edel-smid, met een klein hamertje. Zo gaat het nu ook. Ik steun mijn va-ders verhaal, de ene schakel na de andere.

Alles verloopt kalm en gemakkelijk, tot we bij de zelfmoordpo-ging komen van mijn moeder, toen ik tien was. De aanklagers doen erg moeilijk voor ik eraan kan beginnen, en de jury moet de zaal uit, wat idioot is, omdat het alleen maar bevestigt wat mijn vader giste-ren heeft gezegd. Maar als de jury eenmaal terug is, schiet ik vol als we nog niet ver in het verhaal zijn. Vóór vandaag heb ik het verhaal aan misschien vier mensen verteld. Zelfs Anna heeft het pas gister-avond gehoord. En nu zit ik hier in een enorme rechtszaal, met jour-nalisten en rechtbanktekenaars op de voorste rij, voor het nieuws van vijf uur te getuigen dat mijn moeder helemaal de weg kwijt was.

'En toen liep ik de badkamer in,' zeg ik, als ik mezelf weer een beetje in de hand heb, en begin meteen weer te snikken.

Ik probeer het nog twee, drie keer, maar ik kom er niet doorheen.

'Wilde ze zich elektrocuteren?' vraagt Marta uiteindelijk.

Ik knik alleen maar.

Rechter Yee komt tussenbeide. 'Noteer getuige knikt ja. Duide-lijk voor iedereen, mevrouw Stern,' zegt hij, en maakt een eind aan de vragen over dit onderwerp. Hij schorst tien minuten om me een beetje bij te laten komen.

'Het spijt me,' zeg ik tegen hem en de jury.

'Geen spijt nodig,' zegt Yee.

Ik loop de zaal uit, ga in mijn eentje voor het raam aan het eind van de gang staan en kijk uit over de snelweg. Het is nooit makkelijk geweest om over mijn moeder te praten. Ik heb van mijn moeder ge-houden, ik hou nog steeds van haar en zal dat blijven doen. Mijn vader zweefde altijd op zekere afstand van me, nu eens dichterbij, dan weer verder weg, net als de maan, zeg maar, maar de zwaartekracht die me aan de aarde vasthield, was mijn moeder, ook al heb ik mijn hele leven met haar liefde geworsteld. Op de een of andere manier wist ik dat ze te veel van me hield, dat dat niet goed voor me was, dat er te veel met die liefde meekwam, en daardoor probeerde ik altijd aan de druk van haar aandacht te ontsnappen. Toen ik nog klein was, was ze altijd tegen me aan het fluisteren. Ik voelde eeuwig en altijd haar adem in mijn nek en de haartjes die dan rechtop gingen staan. Ze wilde niet dat een ander hoorde wat ze zei. Er zat ook een impliciete boodschap in verborgen: wij met ons tweetjes. Het was altijd wij met ons tweetjes. Ze zei het me recht in mijn gezicht: 'Jij bent de wereld voor me. Jij bent de hele wereld voor me, ventje.'

Natuurlijk vond ik dat geweldig om te horen. Maar met die woorden kwam iets zwaars en donkers mee. Al toen ik nog een jongetje was, voelde ik me verantwoordelijk voor haar. Misschien hebben alle kinderen dat wel. Ik zou het niet weten, ik ken alleen mezelf. Maar ik besefte wel dat ik meer dan belangrijk voor haar was. Ik was haar reddingsboei. Ik wist dat mijn moeder zich alleen op haar gemak voelde als ze samen met mij was, als ze voor me zorgde, met me praatte, aan me dacht. Dat waren de enige keren dat ze in evenwicht was in de wereld.

Nu ik terugkijk, zie ik duidelijk dat wat in mijn tienertijd het zwaarst woog het feit was dat ik bij haar weg zou gaan. Terwijl ik naar de auto's kijk die over de snelweg rijden, besef ik opeens iets dat ik nooit onder ogen heb durven zien. Ik wijt haar dood aan mijn vader omdat ik mezelf niet de schuld wil geven. Maar ik heb altijd geweten dat zoiets kon gebeuren als ik het huis uit ging. Dat wist ik, en toch ben ik weggegaan. Niemand, en al helemaal mijn moeder niet, wilde dat ik mijn leven voor haar opgaf. Maar toch. Mijn vader heeft zich als een klootzak gedragen. Maar ik moet ook mezelf vergeven. Als dat lukt, kan ik misschien beginnen ook hem te vergeven.

'Kunnen we het nu over computers hebben?' zegt Marta als de zitting wordt voortgezet. De computer van mijn vader is op een tafel midden in de zaal gezet, en Marta wijst ernaar. 'Heb je door de jaren heen je vader op computers bezig gezien, Nat?'
'Zeker.'

'Waar?'

'Thuis. Of als ik bij hem langsging op de rechtbank.'

'Hoe vaak?'

'Heel, heel vaak.'

'En heb je met hem gepraat over zijn computer?'

'Vaak genoeg.'

'Heb je hem wel eens geholpen met zijn computer?'

'Natuurlijk. Voor mensen van mijn generatie is dat net zoiets als toen je ouders je leerden fietsen, maar dan omgekeerd. Iedereen helpt zijn ouders met computers.'

De jury vindt het prachtig. Rechter Yee ook. Ik begin te zien dat hij best een cool figuur is.

'Is je vader goed met een computer?'

'Als u met goed bedoelt dat hij het verschil weet tussen aan en uit, is het antwoord ja. Verder weet hij er weinig van.'

Uit de jurybanken stijgt luid gelach op. Iedereen in de zaal heeft met me te doen, en dus ben ik even heel populair.

'En jijzelf. Weet jij wat van computers?'

'Vergeleken met mijn vader wel, ja. Ik weet er veel meer van dan hij.'

'En je moeder?'

'Die was bijna geniaal. Ze is gepromoveerd in de wiskunde. Tot vrienden van me informatica gingen studeren, wist zij er meer van dan iedereen die ik kende. En zelfs die jongens belden haar nog wel eens met vragen. Ze zat er helemaal in.'

'Weet je het wachtwoord van je vaders computer?'

'Ik denk het wel. Mijn vader gebruikte overal hetzelfde wachtwoord voor.'

'En dat was?'

'Zijn eigen naam. Rozat. Eigenlijk hoort er op de z nog een tekentje te staan, dus in het Engels wordt het wel als r, o, z, h, a, t gespeld. Dat was het wachtwoord van onze voicemail. En van het alarmsysteem van ons huis. En de code om geld te pinnen. En het toegangswoord van zijn bankrekening. Altijd Rozhat. Zo gaat het bij iedereen. Je kunt toch moeilijk zestien verschillende wachtwoorden hebben. Die onthoud je gewoon niet.'

'Heb je het er wel eens met je moeder over gehad dat je vader maar één wachtwoord had?'

'Wel duizend keer.'

'Kun je je nog een van die keren herinneren?'

'Nou, twee jaar geleden was ik op bezoek bij mijn ouders. Mijn vader had een nieuwe creditcard gekregen, over de post, en hij moest bellen om hem te activeren en toen vroegen ze hem wat het wachtwoord van zijn rekening was. Hij deed zijn hand over de telefoon en vroeg aan mijn moeder wat zijn wachtwoord was. Ja, echt. Ze sloeg haar ogen ten hemel, zo van "gottegot", en toen keek ze mij aan, met zo'n hulpeloze blik in haar ogen, en ik viel zo ongeveer van mijn stoel en mijn vader snapte het nog steeds niet en toen zeiden we allebei tegelijk: "Rozhat". En hij trok zo'n gezicht van "O, shit". Toen legde hij hoofdschuddend de hoorn neer en daarna lagen we allemaal dubbel van het lachen.'

Aan de overkant zit mijn vader echt te lachen. Af en toe glimlacht hij even, maar dit is misschien wel de eerste keer tijdens het proces dat ik hem echt heb zien lachen. Ook de jury vond het een mooi verhaal, dus ik zeg tegen ze: 'Sorry dat ik dat woord gebruikte.'

'Nat,' zegt Marta, 'weet je dat ik je ga vragen iets te doen met je vaders computer?'

'Ja.'

'Weet je wat ik je ga vragen?'

'Nee.'

'Je hebt hier horen getuigen over programma's om definitief e-mails te wissen, hè?'

'Zeker.'

'Heb jij ooit dat soort wissoftware gedownload?'

'Nee.'

'Heeft je vader bij jouw weten ooit zo'n wisprogramma gedownload?'

'Onmogelijk.'

Brand protesteert, en mijn antwoord wordt geschrapt.

'Sorry,' zeg ik tegen de rechter.

Hij steekt vriendelijk een hand op. 'Antwoord op vraag.'

'Nat,' zegt Marta, 'ik wil je nu vragen om naar de computer van je vader te lopen en die aan te zetten. Voer dan het wachtwoord Rozhat in, en als dat werkt, download dan het wisprogramma waar het openbaar ministerie het over heeft gehad om te zien of je het kunt gebruiken.'

'Protest,' zegt Brand.

De jury moet weer de zaal uit. Brand zegt dat het feit dat ik het wachtwoord ken niet bewijst dat mijn moeder het ook kende, en dat ook als ik moeite heb met het wisprogramma dat niet uitsluit dat mijn vader er niet mee kan hebben geoefend.

Rechter Yee wijst het protest af. 'Eerst kijken of wachtwoord klopt, want mevrouw Sabich kende wachtwoord. U zegt dat rechter wisprogramma heeft gebruikt, dus verdediging heeft recht te tonen wat daarvoor nodig is. Als zoon van rechter in problemen komt, kan verdediging niet zeggen dat bewijs rechter ook problemen, maar verdediging kan zeggen dit te moeilijk voor rechter. Aanklagers kunnen ontkennen. Oké, jury mag terugkomen.'

Ik sta voor de computer tegen de tijd dat ze allemaal weer zitten. Rechter Yee is van zijn plek gekomen om te kijken, en ook alle mensen van het openbaar ministerie staan om me heen. Marta vraagt de rechter of ze de monitor naar de jury mag draaien. Dat vindt hij goed, ook al wordt het beeld ook geprojecteerd op het scherm naast de getuigenbank. Dan druk ik de knop in. Het apparaat komt zoemend tot leven en doorloopt de gebruikelijke riedel van de opstartfase. Dan verschijnt het zonnige scherm en vraagt hij om het wachtwoord.

Marta zegt: 'Rechter, ik wil nu meneer Sabich vragen als wachtwoord de letters r, o, z, h, a en t in te tikken.'

'Doe maar,' zegt Yee.

En natuurlijk werkt het. Eerst hoor je dat ingeblikte muziekje en dan verschijnt tot mijn verbazing een aan mijn vader gerichte kerstkaart. Ik merk dat het opeens doodstil wordt in de zaal.

Boven de kaart staat: 'Vrolijk kerstfeest en een gelukkig Nieuwjaar,' en binnen het tekstkader verschijnt nu regel voor regel een tekst. Bij elke regel wordt het rumoer in de zaal luider.

Rozen verwelken
Schepen vergaan
Je zit weer in de nesten
Door mij ga je eraan.

Liefs, je weet wel wie...

35

Tommy, 24 juni 2009

De eerste emotie die Tommy trof was alsof ergens in een muur een leiding barstte of dat een man met wie hij zat te bellen een hartaanval kreeg. De hele zaak dondert in elkaar, dat is het enige waar je heel even aan kunt denken, Het gewone leven komt krakend tot stilstand.

Terwijl hij de tekst las, voelde hij naast zich van alles bewegen. De leden van de jury, die zich al naar voren bogen om de computer te kunnen zien, waren van hun stoelen opgestaan om dichterbij te komen, en een paar journalisten schoven over de denkbeeldige grens van de rechtszaal zelf om ook op de monitor te kunnen kijken. De gerechtsdienaren schoten naar voren en riepen dat iedereen terug moest naar zijn plaats. Pas toen het geluid van rechter Yees hamer door de zaal klonk, drong het tot Tommy door dat Yee, die was opgestaan om de demonstratie te zien, weer op zijn stoel had plaatsgenomen.

'Iedereen zitten,' zei de rechter. 'Zitten!' Hij hamerde nog een keer en herhaalde zijn opdracht.

Iedereen gehoorzaamde, behalve Rusty's zoon, die verbijsterd midden in de zaal bleef staan, wezenloos als een blote etalagepop in een modewinkel. Marta wees naar de getuigen. Weer hamerde Yee om de zaal tot stilte te manen, maar het rumoer hield aan, tot Yee nu echt hard hamerde en zei: 'Stilte, of ik laat zaal ontruimen. Stilte!'

Uiteindelijk bedaarde het rumoer, als in een schoollokaal.

'Oké,' zei de rechter. 'Eerst wil ik dat u, meneer Sabich, terugloopt naar computer en leest wat op scherm staat, voor verslag.'

Nat liep terug en beschreef op vlakke toon wat er op het scherm te zien was: 'Het is een kerstkaart met een zwarte rand en zwarte guirlandes eromheen, zoals bij Halloween. De tekst luidt: "Vrolijk kerstfeest en een gelukkig Nieuwjaar," en eronder staan een paar regels tekst.' Hij las het rijmpje voor.

'Oké,' zei de rechter. 'Oké. Mevrouw Stern, hoe wilt u nu verder?'

Marta overlegde even met haar vader en stelde toen een korte schorsing voor.

'Goed idee,' zei de rechter. 'Mevrouw, heren, even naar mijn werkvertrek?'

Het viertal liep achter Yee aan, eerst door de deur achter zijn stoel en daarna door de gang die de rechtszaal scheidde van de werkvertrekken van de rechters. Stern liep heel moeizaam, en uiteindelijk hadden Tommy en Jim een voorsprong van zeven meter. Een woedende Brand bleef onder het lopen maar 'dit is echt bullshit' mompelen.

Yee gebruikte het werkvertrek van Malcolm Marsh, die een jaar met verlof was om in Australië les te geven aan rechtenstudenten. Rechter Marsh was een uitstekend violist, die ter gelegenheid van zijn vijfenzestigste verjaardag een vioolconcert had gespeeld met een symfonieorkest, en hij had zijn werkvertrek versierd met ingelijste lp's en bladmuziek. Rechter Yee deed zijn toga uit en gebaarde de aanwezigen te gaan zitten. Zelf bleef hij achter Marsh' bureau staan.

'Oké,' zei hij. 'Iemand hier weten wat gebeurd is?'

Het bleef een hele tijd stil. Uiteindelijk nam Marta het woord.

'Edelachtbare, zo te zien heeft iemand een bericht op rechter Sabich' computer gezet voor die in beslag is genomen, en zo te zien wil degene die het heeft geschreven rechter Sabich een loer draaien.'

'Gelul,' zei Brand.

Rechter Yee hief streng een vinger op. 'Brand, alstublieft,' zei hij, en Jim verontschuldigde zich meermaals.

'Wat doen we?' zei Yee.

Uiteindelijk zei Marta: 'Volgens mij moeten we de computer onderzoeken. We moeten er door de deskundigen van beide partijen naar laten kijken, samen, bedoel ik, zonder iets te veranderen aan wat erop staat, om na te gaan wanneer dit bericht erop is gezet en of het authentiek is.'

'Mooi,' zei Yee. Hij vond het wel een goed plan. De Sterns zouden meteen hun twee whizzkids laten komen, en het openbaar ministerie dr. Gorvetich. Brand en Marta stonden op om te gaan bellen, maar Brand bleek het nummer van Gorvetich aan de overkant van de straat te hebben liggen en liep weg. Ondertussen liet Yee een bode komen om de jury mee te delen dat ze naar huis konden gaan. De verdediging en de aanklagers zouden naar hun kantoor teruggaan en daar de conclusies van de deskundigen afwachten. De computer zou in de rechtszaal blijven, onder het waakzame oog van de gerechtsdienaren.

Op weg naar buiten wierp Stern Tommy een van zijn geheimzinnige lachjes toe. Sandy zag er zowaar wat beter uit. Zijn gezicht oogde iets voller en de uitslag was duidelijk minder aan het worden. Net op tijd, dacht Tommy. Net op tijd, goddomme, om in de camera te lachen nadat hij had gewonnen.

'Interessante zaak,' zei Stern.

In de rechtszaal laadden Tommy, Rory en Ruta alle spullen weer op het karretje. Brand was heel precies over de volgorde waarin dat moest, en ze probeerden zich alle drie te herinneren hoe Jim het wilde, omdat ze wisten dat hij zou ontploffen als het niet exact klopte.

Milo Gorvetich arriveerde net toen Tommy terug wilde lopen naar zijn kantoor aan de overkant van de straat. Milo was klein van stuk, kleiner dan Tommy en Stern, met een woeste witte haardos en een sikje dat was vergeeld door zijn pijp. Het was Brands idee geweest om hem in te huren, omdat die twintig jaar geleden bij hem een werkcollege programmeren had gevolgd. Als eerste lid van het universiteitsfootballteam dat ooit een voet in Gorvetich' collegezaal had gezet, had Brand voldoende de aandacht van de professor weten te trekken om er nog een redelijk cijfer ook voor te krijgen. Maar Gorvetich was inmiddels een oude man. Hij was wijdlopig en zijn scherpte kwijt. Sandy's whizzkids hadden hem alle hoeken van de rechtszaal laten zien en inmiddels was Tommy er niet meer zo zeker van of hij nog wel van hem op aankon. Hij vertelde Milo wat er gebeurd was. De ogen van de oude man sperden zich open. Tommy was bang dat hij weinig aan hem zou hebben.

Met de twee vrouwen stak hij de straat over. Hij trof Brand aan in zijn kantoor, waar hij narrig met zijn voeten op zijn bureau op een rietje zat te kauwen. Brand had veel van de fysieke pluspunten waar Tommy andere juristen al jaren om benijdde. Hij was groot, stevig en knap, en straalde de stalen wilskracht uit waar jury's dol op zijn, vooral bij aanklagers. Maar Tommy was Jim in één ding de baas, dat tijdens processen heel belangrijk was: hij kon met weinig slaap toe. Jim had acht uur nodig, en als hij die niet kreeg, werd hij bokkig, als een kind. Hij had het gisteren duidelijk heel laat gemaakt met de technici en hij had ook nog iets proberen te vinden op de nieuwe zelfmoordtheorie van de verdediging. De cellofaanverpakking van de maaltijd die hij uit een verkoopautomaat had gehaald lag in de prullenbak naast zijn bureau, tussen de roze flarden krimpfolie die ze van Sabich' computer hadden losgetrokken voordat vanochtend in de rechtszaal de verzegeling was verbroken.

'Het past toch allemaal veel te mooi in elkaar?' zei Brand. 'Het slachtoffer staat op uit de dood om mee te delen dat ze de verdachte erin heeft geluisd. Doe me verdomme een lol. Nee, echt. Dat is toch allemaal bullshit. De ene dag zeggen ze dat het zelfdoding is, een dag later zegt zij: klopt, en ik heb het gedaan om hem erin te luizen.'

Tommy ging op de houten stoel naast Brands bureau zitten. Daar stond een nieuwe foto op van Jody en de meiden, en Tommy keek er even naar.

'Mooie vrouwen,' zei hij.

Brand glimlachte flauw. Tommy zei dat Gorvetich er was.

'Wat zei hij?' vroeg Brand.

'Hij zei dat ze naar de *calendaring* cliënt konden kijken en dan meteen konden zien wanneer het object was aangemaakt. Ik snapte het niet helemaal, maar jij vast wel, dacht ik. Met dat "object" bedoelde hij zeker die kaart?'

'Precies.' Brand dacht even na, terwijl hij op het rietje kauwde. 'Volgens mij slaat zo'n *calendar*-programma de datum op waarop een object is aangemaakt als onderdeel van dat object. Volgens mij heeft hij me dat al over de telefoon gezegd.'

'Maar dat ding, die computer van Rusty, is toch al sinds november veilig opgeborgen?'

'Zeker. Sinds begin december, eigenlijk. Hij heeft een maand bij het hof van beroep gestaan, bij Mason, terwijl we kibbelden over de bestanden die we al dan niet mochten inzien. Dat weet je vast nog wel.'

Dat wist Tommy inderdaad nog. Hij had half verwacht dat de rechters van het hof de straat zouden oversteken om voor zijn deur te gaan demonstreren. Als je je met hun zaken bemoeide, waren rechters bijna even gevoelig als een sultan.

'Oké, maar als de kaart echt is…'

'Hij is niet echt,' zei Brand meteen.

'Oké,' zei Tommy. 'Oké. Maar stel nou even…'

'Hij is niet echt,' zei Brand weer. Zijn neusvleugels waren opengesperd, als bij een stier. Hij kon het niet verdragen dat zijn baas bereid was die mogelijkheid te overwegen. Maar hij had wel gelijk. De kaart was óf later op de computer gezet, en in dat geval was Sabich de klos, óf hij was echt, en in dat geval konden ze weinig anders doen dan de hele zaak maar laten schieten. Zo simpel lag het.

Tommy en Brand bleven nog even zitten, maar hadden niets meer te zeggen. Malvern, Tommy's assistent, had hem binnen zien komen, klopte op de deur en zei dat Dominga aan de lijn was. Waarschijnlijk had ze gehoord dat er een 'dramatische ontwikkeling' was in de zaak-Sabich.

'Geef je me een seintje zodra Gorvetich terugbelt?' zei Tommy, terwijl hij opstond.

Brands telefoon ging en hij knikte terwijl hij opnam. Tommy haalde de deur niet. 'Gorvetich,' zei Brand achter hem. Hij stak zijn vinger op toen Molto omkeek.

Tommy keek hoe Brand luisterde. Zijn donkere ogen bewogen niet en er lag een plechtige frons op zijn voorhoofd. Hij wist niet of Brand wel ademhaalde. 'Oké,' zei Brand. Toen zei hij een paar keer: 'Ik begrijp het.' Uiteindelijk mikte hij met een klap de telefoon in de houder en bleef met gesloten ogen zitten.

'Wat is er?' zei Molto.

'Ze zijn klaar met een eerste onderzoek.'

'En?'

'En het object is aangemaakt op de dag voor Barbara Sabich stierf. Brand aarzelde even voor hij doorging. Toen zei hij: 'Die kaart is echt.' Hij gaf een trap tegen de prullenbak naast zijn bureau. De inhoud vloog door de kamer. 'Hij is godverdomme echt!'

36

Nat, 24 juni 2009

Nadat rechter Yee het proces voorlopig heeft stilgelegd, gaan Marta, mijn vader, Sandy en ik terug naar het LeSueur Building. Even later zitten we in Sandy's grote werkvertrek. Sandy leeft al weken in blessuretijd, en nu probeert hij niet al te opgetogen over te komen. Maar hij heeft iets waardoor je bijna zou zeggen dat hij weer helemaal de oude is. Keer op keer gaat het lichtje op zijn telefoon aan en blijkt het een journalist te zijn, tegen wie hij zegt dat hij geen commentaar heeft. Uiteindelijk zegt hij tegen zijn secretaresse dat ze niemand meer moet doorverbinden.

'Ze komen allemaal met dezelfde vraag,' zegt hij. 'Of Molto ontslag van rechtsvervolging zal vragen.'

'En?' vraag ik.

'Dat weet je nooit met Tommy. Misschien bindt Brand hem nog liever aan zijn stoel vast dan dat hij het zover laat komen.'

'Molto geeft het niet op,' zegt Marta. 'Als puntje bij paaltje komt, komen ze vast wel weer met een of andere bezopen theorie die verklaart hoe Rusty dit zelf op zijn computer heeft gezet.'

'Rusty kon al niet meer bij zijn computer vóór hij in staat van beschuldiging werd gesteld,' zegt Stern.

Hij kijkt naar mijn vader, die diep weggedoken in een leunstoel zit te luisteren, maar zelf weinig te zeggen heeft. Hij lijkt nu al anderhalf uur het diepst geschokt en het meest teruggetrokken van ons allemaal. Toen ik jaren geleden psychologie deed, ben ik op bezoek geweest in een psychiatrische inrichting. Daar zaten mensen op wie in de jaren vijftig een lobotomie was gedaan. Als een deel van je hersenmassa wordt weggehaald, zakken je ogen een paar centimeter

dieper in hun kassen. Zo ziet mijn vader er nu ook een beetje uit.
'Als ze met dat soort theorieën aankomen, wordt het een gênante vertoning voor ze,' zegt Stern.
'Ik zeg het maar gewoon,' zegt Marta. 'De journalisten gaan er zeker van uit dat het Barbara was?'
'Wie zou het anders moeten zijn?' vraagt Sandy.
De afgelopen anderhalf uur heb ik me keer op keer dezelfde vraag gesteld. Ik geloof al een hele tijd niet meer dat ik mijn ouders – ja, allebei – helemaal begrijp. Wat ze voor elkaar betekenden, of wie ze waren in dat deel van hun leven dat het mijne niet raakte, is iets wat ik nooit helemaal zal begrijpen. Het is net zoiets als proberen te bepalen wat voor mensen acteurs in het echt zijn aan de hand van de rol die ze spelen. Hoeveel is rolpatroon? Hoeveel is doen alsof? Anna zegt altijd dat het bij haar moeder net zo is.

Maar als ik me de vraag stel of ik echt kan geloven dat mijn moeder zelfmoord heeft gepleegd en het zo heeft geregeld dat ze daar mijn vader voor wil laten opdraaien, dan taxeert een heel diep in mij verborgen mechanisme dat idee als volstrekt geloofwaardig. Mijn moeders woedeaanvallen waren dodelijk en veranderden haar in een wezen dat vrijwel onherkenbaar was.

En het past allemaal in elkaar. Daarom zitten alleen mijn vaders vingerafdrukken op het potje fenelzine. Daarom heeft ze hem erop uitgestuurd om wijn en kaas te gaan halen. Daarom is op zijn computer niet gewist dat iemand op fenelzine heeft gegoogeld.

'Maar waarom zou ze zich vergiftigen met iets waardoor je ook aan een natuurlijke doodsoorzaak kan denken?' vraagt mijn vader. Het is zijn eerste echte bijdrage aan het gesprek.

'Ik vermoed,' zegt Sandy, en dan moet hij even stoppen voor dat venijnige hoestje van hem, 'omdat het zo een stuk verdachter overkomt. En natuurlijk komt dan de zaak-Harnason bovendrijven. Die heb jij gedaan en Barbara wist er veel van.'

'Het komt alleen verdacht over als het wordt ontdekt,' zegt mijn vader.

'Maar dan komt Tommy Molto in beeld,' kaatst Stern terug. 'Zou Tommy, in het licht van de geschiedenis, de ontijdige dood van een tweede vrouw die jou na staat kunnen laten passeren zonder die tot op de bodem uit te zoeken? Barbara zag Tommy als je gezworen vijand.'

Mijn vader schudt één keer zijn hoofd. In tegenstelling tot zijn advocaten is hij nog niet helemaal overtuigd.

'Waarom zet ze haar naam er dan niet onder?'

'Zo is het toch net zo duidelijk?'

'Maar als ze me erin wil luizen, waarom haalt ze me dan op deze manier weer uit de ellende?'

Sandy kijkt me even aan, niet om te zien hoe ik reageer, maar om me iets duidelijk te maken.

'Jou terecht laten staan, Rusty, was een prima wraakoefening voor je ontrouw. Maar je de rest van je leven in de gevangenis laten zitten ging te ver, vooral als je bedenkt dat Nat er ook nog is.'

Daar denkt mijn vader over na. Zijn geest werkt duidelijk trager dan anders.

'Het is een truc,' zegt hij dan. 'Als dit van Barbara komt, dan is het een truc. Net zoiets als onzichtbare inkt. Als we ons hierop verlaten, gebeurt er iets dat we nu nog niet voorzien.'

'Tja,' zegt Sandy. 'Dat zouden Matteus en Ryzard' – hij is de enige die de twee computerexperts niet Hans en Franz noemt – 'toch moeten kunnen nagaan.'

'Aan haar kunnen ze niet tippen,' zegt mijn vader beslist.

Mijn vader suste het temperament van mijn moeder door haar eindeloos complimentjes te maken. Over haar koken. Over hoe ze eruitzag. Waarschijnlijk meende hij het ook nog, al zal hij het vervelend hebben gevonden dat al die loftuitingen nodig waren. Maar één ding dat hij altijd met volle overtuiging zei, was: 'Van alle mensen die ik ken, is Barbara Bernstein de intelligentste.' Hij weet nu vrijwel zeker dat straks zal blijken dat ze iedereen op het verkeerde been heeft gezet. Ik zou dat wel roerend vinden als het niet impliceerde dat mijn moeders bedoelingen lang niet zo nobel waren als Stern nu suggereert. Het was niet de bedoeling hem alleen maar even flink aan het schrikken te maken, zegt mijn vader. Ze probeert hem vanuit het graf echt te grazen te nemen.

Een minuut of tien later meldt Sandy's secretaresse dat Hans aan de telefoon is. De experts zijn klaar met hun onderzoek. Zelfs Gorvetich geeft toe dat de kaart authentiek lijkt. Hij is de middag voor de dood van mijn moeder gemaakt, blijkbaar een paar minuten voordat Anna en ik arriveerden voor het eten. Stern licht de rechter in en iedereen krijgt opdracht om terug te gaan naar de rechtszaal, waar de experts rapport zullen uitbrengen aan rechter Yee. We lopen naar de garage en stappen allemaal in Sandy's Cadillac voor de korte rit naar het gerechtsgebouw.

'Wat een beroerde dag voor Tommy,' zegt Marta. 'Ik zou graag de uitdrukking op zijn gezicht hebben gezien toen Gorvetich hem vertelde dat de kaart authentiek was.'

We waren er allemaal van uitgegaan dat dit de uitslag zou zijn. Iedereen wist dat mijn vader niet de tijd of de technische kennis had om zoiets te maken.

De rechtszaal lijkt wel een spookstad als we hem betreden. Hij zit al wekenlang tjokvol, er kan echt geen toeschouwer meer bij, maar blijkbaar hebben de journalisten en de mensen, op zoek naar gratis amusement, die van de ene zaal naar de andere zwerven nog niet gehoord dat er ontwikkelingen zijn. Marta en Sandy willen heel even met Hans en Franz overleggen, maar moeten het gesprek afbreken als rechter Yee binnenkomt.

Dr. Gorvetich is ongeveer een meter zestig, met pluizig wit haar dat op diverse plekken op zijn hoofd omhoogsteekt, een armoedig sikje en een buik die te dik is voor zijn goedkope sportjasje. Hij heeft sportschoenen aan, maar dat kun je hem nauwelijks kwalijk nemen aangezien hij op stel en sprong is opgeroepen. Ook Hans en Franz hebben vrijetijdskleding aan. Matteus is wat ouder en langer, maar ze zijn allebei slank en fit en modieus, met hun overhemd uit hun design spijkerbroek en hun haar in de gel. De aanklagers en de Sterns hebben afgesproken dat Gorvetich het woord zal doen, omdat zijn cliënt de klappen krijgt. Hij gaat naast de computer staan, midden in de zaal.

De kaart, zegt hij, is een standaard grafisch bestand, dat eigenlijk op Nieuwjaarsdag 2009 als pop-up tevoorschijn had moeten komen. Die datum verklaart waarom de deskundigen de kaart niet hebben opgemerkt toen de computer begin december door zowel de aanklagers als de verdediging aan allerlei forensische proeven werd onderworpen.

Dat het bericht bedoeld was voor de kersttijd spreekt boekdelen voor me, omdat dat dat bij ons altijd een rare tijd was. Mijn moeder was joods opgevoed en stak elk jaar weer samen met mij een chanoekakaars aan, maar dat was vooral uit zelfverdediging. Mijn moeder had een hekel aan godsdienstige feestdagen en om de een of andere reden had ze vooral de pest aan Kerstmis. Maar voor mijn vader was Kerstmis in zijn jeugd juist een van de weinige leuke dagen in het jaar geweest en dus keek hij er nog steeds naar uit. Wat het voor mijn moeder nog erger maakte, was misschien wel dat de Serviërs Kerstmis pas op 7 januari vieren, dus voor haar leek de kersttijd zich een eeuwigheid voort te slepen. Ze had al helemaal de pest aan de traditionele kerstetentjes waarvoor we altijd werden uitgenodigd door de mallotige Servische neven van mijn vader, want die zetten altijd varkensvlees op tafel, kozen vaak een dag uit waarop ik een schoolfeest had, en gooiden zich vol met slivovitsj. Meestal duurde het tot februari voor zij en mijn vader weer on speaking terms waren.

'We hebben de registerbestanden op de computer bekeken en daarbij vooral gelet op het .pst-bestand, omdat daarin de calendarobjecten zitten,' zegt Gorvetich. 'De datum en de tijd waarop een object wordt aangemaakt, maken deel uit van dat object zelf. Het .pst-bestand laat zelf ook een datum zien, die weergeeft wanneer het calendar-programma voor het laatst is gebruikt, ook al werd het programma alleen maar geopend. In het object is te zien dat het op 28 september is aangemaakt, om 17.37 uur.

Ik kan het hof dus meedelen dat het er in dit stadium naar uitziet dat het object in alle opzichten authentiek is. Omdat het bestand vanmorgen in deze rechtszaal is geopend, wat ik zelf niet zo verstandig vond, heeft het .pst-bestand nu vandaag als datum. Maar we hebben allemaal in onze aantekeningen gekeken, en toen de computer de vorige herfst door beide partijen is onderzocht, was de .pst-datum 30 oktober 2008. Zoals ik tijdens mijn getuigenverklaring heb gezegd, zitten er in het register restanten van data die aangeven dat er wisprogrammatuur is gebruikt, maar die restanten zijn ook al opgemerkt toen de computer in december door beide partijen is onderzocht.'

Tommy Molto staat op. 'Rechter, mag ik iets vragen?'

Yee tilt zijn hand op.

'Als iemand nu eens na oktober de computer te pakken heeft gekregen, de klok heeft teruggedraaid en toen de kaart heeft aangemaakt?'

Brand weet duidelijk dat dit onmogelijk is en probeert zijn baas aan zijn jasje te trekken. Ook Hans en Franz schudden hun hoofd. Gorvetich legt het uit.

'Zo werkt het programma niet. Om een goede calendar-functie te waarborgen kan de klok van het programma niet worden teruggezet.'

Rechter Yee tikt met zijn potlood op het notitieblok dat voor hem ligt.

'Meneer Molto,' zegt hij uiteindelijk, 'hoe wilt u nu verder?'

Tommy staat weer op. 'Mogen we daar een nachtje over slapen, edelachtbare?'

'Oké,' zegt de rechter. 'Morgen, negen uur verder.' Hij schorst de zitting met een hamerslag.

Ik kom overeind en wacht tot ik met mijn vader naar buiten kan. Ook al is hij morgen waarschijnlijk weer een vrij man, mijn vader, het eeuwige raadsel, lacht nog steeds niet.

37

Tommy, 25 juni 2009

Estoy embarazada. Toen hij donderdagochtend van de parkeergarage naar zijn kantoor liep, wervelden de woorden en de verlegen trots waarmee zijn vrouw ze had uitgesproken nog steeds door Tommy heen. 'Estoy embarazada,' had Dominga gisteren gezegd toen Tommy de telefoon had opgepakt nadat hij uit Brands kamer was gekomen. Ze was altijd heel onregelmatig ongesteld, en ze probeerden het al een poosje, omdat ze vonden dat Tomaso geen enig kind moest blijven. Maar het wilde niet zo lukken. Niet dat het erg was. Tommy voelde zich al onvoorstelbaar gezegend. Maar nu was ze dus embarazada, zes weken, en groeide er nieuw leven in haar.

Dat was de reden dat Tommy altijd had geweten dat God bestond. Je zou het toeval kunnen noemen dat zijn vrouw merkte dat ze zwanger was op de dag dat hij hoorde dat zijn lange jacht op Rusty Sabich weer was mislukt. Maar zat daar een soort logica achter, dat dingen zo uitpakken, en dat de vreugde over het een het verdriet over het ander compenseert?

Gisteren was hij vroeg naar huis gegaan, relatief kalm, en had hij het goede nieuws gevierd door samen te zijn met zijn vrouw en zijn zoon tot die gingen slapen. Om drie uur was hij wakker geworden en zijn bed uit gegaan om na te denken. Terwijl hij in het donker in hun huis zat, dat nu waarschijnlijk te klein zou worden, werd hij besprongen door de twijfels die hij opzij had gezet toen een tweede kind nog heel onwaarschijnlijk leek. Moest een man van zijn leeftijd wel aan een tweede kind beginnen, als het meisje – Tommy hoopte voor zijn vrouw dat het een meisje zou worden – haar vader moest begraven voor ze twintig, of op zijn best in de twintig was? Dat wist

Tommy niet. Hij hield van Dominga, hij was zielsveel van haar gaan houden, en de rest kwam daar vanzelf achteraan, ook al leek het leven dat hij nu leidde maar weinig op de verwachtingen die hij bijna zestig jaar had gehad. Je volgt je hart naar het goede en je merkt wel wat er komt.

Ook bij Rusty had hij het goede gedaan. Nu hij bijna een hele dag had kunnen nadenken, besefte hij dat het voor iedereen het beste was om de zaak af te sluiten. Het openbaar ministerie was met open ogen in de val gelopen die nota bene door het slachtoffer was opgezet, maar Tommy en zijn mensen viel niets te verwijten. Rusty zou weer op vrije voeten komen, maar wat hem was overkomen, was niet iets wat hij Tommy kon verwijten. Hij had er in zijn eigen huis een puinhoop van gemaakt. Eigenlijk zou Sabich zijn excuses moeten aanbieden. Niet dat dat ooit zou gebeuren.

Brand zou een probleem worden, want die was na de zitting een theorie gaan opzetten. Ook al was de kaart dan authentiek, zo beweerde hij, dat wilde nog niet zeggen dat hij niet al in september door Rusty was aangemaakt. Per slot van rekening zat hij op zijn computer. Hij was van plan geweest om Barbara te vermoorden in de hoop dat het voor een natuurlijke dood zou worden aangezien, maar als iemand dat zou doorzien zou Sabich in stukjes en beetjes met dat verhaal over suïcide en wraak vanuit het graf op de proppen komen.

En als je naar de feiten keek, kon Jimmy nog wel eens gelijk hebben ook. Wie pleegt nou zelfmoord om een ander een loer te draaien? Maar Tommy had Brand al een hele tijd daarvoor verteld waar het eigenlijk om draaide: Rusty Sabich was te slim en te zeer op zijn hoede voor Tommy om zijn vrouw te vermoorden, tenzij dat kon op een manier die veroordeling nagenoeg onmogelijk maakte. Ook als Sabich dit allemaal in elkaar had gestoken, had hij nog de schijn mee. Had hij die kaart op zijn computer kunnen zetten, en zijn vingerafdrukken op het potje fenelzine kunnen achterlaten of de zoekacties op zijn computer? Tommy en Brand zaten klem. Als ze probeerden met een verklaring te komen voor het nieuwe bewijs, hadden ze geen andere keuze dan te proberen nog een derde verdieping op hun theorie te zetten, terwijl ze de jury al uitgebreid hadden rondgeleid in de bestaande constructie. Als ze hadden mogen bewijzen dat Rusty al eens was weggekomen met een moord, had de jury misschien geloofd dat hij een heel plan had bedacht om een tweede vrouw te vermoorden. Maar Yee zou niet meer terugkomen op beslissingen die hij daarover had genomen. En iedereen was ervan overtuigd dat Barbara, niet Rusty, alles van computers wist, en dus ook hoe ze die kaart in september zo op zijn harde schijf moest zetten dat hij aan het eind van het jaar opeens op zou duiken.

Als de aanklagers zich te zeer in de zaak vastbeten, zou Yee hen waarschijnlijk onontvankelijk verklaren. Dat kon je gisteren al aan hem merken. Ze konden een poging wagen hem zover te krijgen dat hij de jury uitspraak liet doen, met als argument dat alleen de jury het recht had getuigen al dan niet te geloven. Maar daar trapte Yee natuurlijk niet in. Het ging niet om de geloofwaardigheid van de getuigen. Met de bewijzen van de aanklagers kon niet buiten gerede twijfel worden aangetoond dat het zelfmoord was in plaats van moord. Het was een lege verzameling, zoals de wiskundejongens zeiden. Het bewijs leidde tot niets.

Ze stonden dus waar ze stonden. Als ze er nu een streep onder zetten, zouden ze, op grond van de bewijzen zoals die zich aandienden, hun taak naar behoren hebben vervuld. Als ze doorzetten, zoals Brand wilde, zouden ze overkomen als rancuneuze drammers die de waarheid niet onder ogen wilden zien.

Inmiddels was Tommy, alles overdenkend wat hij de nacht daarvoor ook al had afgewogen, in de marmeren hal aangekomen van het oude County Building, en hij knikte naar de vertrouwde gezichten van de mensen die ook aan het werk gingen. Niemand kwam naar hem toe voor een praatje, wat aantoonde hoe diep het nieuws van gisteren erin had gehakt. Goldy, de liftbediende die al oud leek toen Tommy hier dertig jaar geleden was begonnen, nam hem mee omhoog, en hij liep de deur door en het kantoor in.

Aan het eind van de lange, donkere gang zag Tommy Brand op hem wachten. Het zou een moeilijk gesprek worden en onder het lopen zocht Molto naar woorden. Had hij maar iets meer tijd genomen om te bedenken wat hij moest zeggen tegen de man die niet alleen zijn trouwste ondergeschikte was, maar ook zijn beste vriend.

Toen hij Brand tot een meter of vijftien genaderd was, begon die te dansen. Te verbaasd om verder te lopen, keek Tommy toe hoe Jim een soort hiphopdansje deed, zoals footballspelers in de eindzone. Hij kende Brand goed genoeg om te weten dat Jim, die ooit zelf football had gespeeld, dit dansje voor de spiegel had geoefend en wilde dat hij niet een generatie te vroeg was geboren.

Brands gehuppel bracht hem dichter bij Tommy, en nu kon die hem ook horen zingen. Nou ja, zingen... Elke keer dat hij van de ene voet op de andere wipte, zong hij er een paar lettergrepen bij.

'Rus-ty ge-naaid, Rus-ty ge-pakt, Rus-ty be-trapt, Rus-ty gaat in de bak.'

De laatste regel klopte metrisch niet meer, maar hij zong hem toch alsof hij op Broadway op het toneel stond, met zijn armen wijd en zo hard hij kon. Verscheidene secretaresses, politiemensen en assistent-aanklagers waren blijven staan om naar zijn optreden te kijken.

'Hartstikke goed, meid,' zei een van hen. Iedereen lachte.

'Wat nou?' zei Molto.

Brand was te opgetogen om iets te zeggen. Met een brede grijns op zijn gezicht liep hij naar zijn minstens twintig centimeter kleinere baas toe en gaf hem een innige omhelzing. Toen duwde hij hem naar zijn kantoor, waar iemand op hem zat te wachten. Het bleek Gorvetich te zijn, die wel wat weg had van een verlopen versie van Edward G. Robinson in zijn nadagen.

'Vertel op,' zei Brand. 'Milo kreeg gisteren een fantastisch idee.'

Gorvetich krabde even aan zijn gelige sikje. 'Het was eigenlijk Jims idee.'

'Maak het nou.'

'Maakt niet uit,' zei Tommy. 'Die Nobelprijs mogen jullie delen. Wat voor idee?'

Gorvetich haalde zijn schouders op. 'Weet je nog dat jullie in het begin zwaar onder vuur lagen van het hof van beroep?'

Tommy knikte. 'Ze wilden niet dat we naar de vertrouwelijke documenten over rechtszaken op Rusty's computer keken.'

'Klopt. En dus hebben we een kopie gemaakt van de harde schijf. En daarna de computer overgedragen aan die rechter.'

'Mason.'

'Rechter Mason, ja. Nou, Jim en ik zaten gisteravond te praten en we bedachten dat we, als we zekerheid wilden over die kerstkaart, moesten kijken naar de kopie van de harde schijf van Sabich' computer die we in november hebben gemaakt. Dat hebben we gedaan. En dat object, die kaart dus, die staat daar niet op.'

Tommy ging op zijn grote stoel zitten en keek het tweetal aan. Zijn eerste reactie was er een van ongeloof. De oude Gorvetich kon niet tegen Brand op en had zich door zijn ex-student laten verleiden om een domme fout te maken.

'Ik dacht dat de kaart al in september was aangemaakt, voor Barbara stierf,' zei Molto.

'Ik ook,' zei Gorvetich. 'Daar leek het ook op. Maar toch is dat niet zo. Want hij staat niet op de kopie. Hij is op de computer gezet nadát we die in beslag hebben genomen.'

'Wanneer?'

'Dat weet ik niet. Op het .pst-bestand staat nu namelijk gisteren als datum.'

'Omdat de verdediging dat bestand heeft geopend toen ze de computer aanzetten,' zei Brand. Hij wilde Tommy er maar al te graag aan herinneren dat hij daarvoor had gewaarschuwd.

'Precies,' zei Gorvetich. 'De kaart moet er dus op gezet zijn in de maand dat de computer bij rechter Mason stond. Hij is in het werkvertrek van Mason in krimpfolie verpakt en verzegeld toen rechter Yee opdracht gaf om hem terug te halen.'

Tommy dacht na. Om de een of andere reden kwam iets bovendrijven wat Stern gisteren had gezegd. 'Interessante zaak.'

'Waar bevond die kopie zich?'

'Op een externe drive in een kantoor van het openbaar ministerie. Jim heeft hem gisteravond opgehaald en een kopie voor mij gebrand.'

Dat stond Tommy helemaal niet aan. 'Zonder iemand van Sandy erbij?'

Brand reageerde snel. 'Als je bang bent dat ze zullen zeggen dat we met die kopie gerotzooid hebben, dan is dat niet nodig: zij hebben er indertijd, toen we de kopie maakten, ook een gekregen. Ze kunnen dus op hun eigen exemplaar gaan kijken. Maar de kaart zal er niet op staan.'

Gorvetich legde uit dat de kopie was gemaakt met een programma dat Evidence Tool Kit heette. De algoritmes van de software waren specifiek voor dat programma, en de kopie kon alleen worden gelezen met dezelfde software, die 'alleen lezen' was om ervoor te zorgen dat niemand achteraf wijzigingen kon aanbrengen in een kopie.

'Echt waar, Tommy,' zei Gorvetich. 'Rusty heeft een manier bedacht om dit erop te zetten.'

Molto vroeg hoe hij dat gedaan kon hebben. Dat kon Gorvetich niet met zekerheid zeggen, maar nadat hij er de hele avond over had nagedacht, had hij wel een theorie. Je had een softwareprogramma dat Office Spy heette. Het was bedacht door hackers, maar inmiddels als shareware via internet te krijgen. Daarmee kon je in een calendar-programma komen en de objecten daarin in een andere volgorde zetten. Je kon een datum wijzigen, een verdacht item op de calendar wissen en namen toevoegen of weghalen van mensen die bij een belangrijke vergadering zijn geweest. Nadat het nieuwe object, in dit geval de kerstkaart, eenmaal op Sabich' computer was gezet, moest Office Spy weer worden verwijderd met een wisprogramma. Daarna moest die software weer worden verwijderd. Daarvoor moest je handmatig registerbestanden wijzigen. Niet alleen was de kaart niet aanwezig op de kopie die afgelopen herfst was gemaakt, maar toen Gorvetich de twee vergeleek, vielen hem subtiele verschillen op in de softwareresten die in bepaalde lege sectoren van de drive waren achtergebleven. Daaruit concludeerde hij dat er twee keer wisprogrammatuur was gebruikt en weer verwijderd, een keer vóór Barbara's dood en een keer nadat er op de computer beslag was gelegd.

'Ik dacht dat de computer helemaal veilig was bij Mason.'

'Dat dacht hij dus ook,' zei Gorvetich.

'Jezus, chef. Rusty is daar veertien jaar de baas geweest. Je dacht toch niet dat er een deur is waar hij niet de sleutel van heeft? Het zou beter zijn geweest als we meteen naar die harde schijf hadden gekeken toen we hem terugkregen, maar Mason heeft gezegd dat hij een lijst heeft bijgehouden van alles waar Rusty's mensen naar hebben gekeken, en Yee heeft hem laten verzegelen. Alleen onder die voorwaarde kregen we hem terug. Daar kunnen we niet meer over beginnen.'

Tommy zette het voor zichzelf nog een keer op een rij. Barbara had de kerstkaart niet aangemaakt, omdat Barbara dood was toen dat gebeurde. En de enige die iets te winnen had bij het op de calendar zetten van die kaart was Rusty Sabich. En dat Rusty niks wist van computers was dus flauwekul.

Uiteindelijk begon hij hardop te lachen. Het was niet zozeer opgetogenheid als wel verbazing.

'Jemig, ga ik even genieten van mijn gesprek met die arrogante kleine Argentijn,' zei Molto. 'Jemig,' herhaalde hij.

Aan de andere kant van de kamer hief Brand, die niet was gaan zitten, zijn handen op.

'Dansje doen?'

38

Nat, 25 juni 2009

Zoals Marta al had verwacht, komen de aanklagers met een nieuwe theorie om aan te tonen dat mijn vader toch schuldig is. Jim Brand staat op en vertelt rechter Yee dat het openbaar ministerie tot de conclusie is gekomen dat de kaart nep is.

'Edelachtbare!' protesteert Sandy vanuit zijn stoel. Hij probeert overeind te komen, maaiend met zijn handen als een figuur uit een tekenfilm. Uiteindelijk helpt Marta hem op te staan. 'De deskundige van het openbaar ministerie heeft gisteren zelf toegegeven dat dit zogeheten object authentiek was.'

'Toen hadden we de kopie nog niet bekeken,' zegt Brand. Hij roept die gewichtige dr. Gorvetich op en laat die zijn nieuwe conclusies toelichten. Voor Gorvetich klaar is, graait Marta al in haar tas naar haar mobiel en draaft de zaal uit om Hans en Franz te bellen.

Rechter Yee is duidelijk zijn geduld aan het verliezen. Zijn potlood begint halverwege Gorvetich' verhaal te tikken.

'Mensen,' zegt hij uiteindelijk, 'wat wij aan het doen? Eigenlijk jongeheer Sabich in getuigenbank. Juryleden zitten aan telefoon. Wij proces voeren of niet?'

'Edelachtbare,' zegt Stern, 'ik hoopte dat het openbaar ministerie vandaag een punt achter de zaak zou zetten. Ik kan dit bijna niet geloven. Mag ik vragen of het openbaar ministerie van plan is bewijzen aan te voeren voor deze nieuwe theorie over de kaart?'

'Nou en of,' zegt Brand. 'Dit was misleiding van het hof.'

Stern schudt bedroefd zijn hoofd. 'Edelachtbare, de verdediging kan uiteraard niet verder voor we dit zelf hebben onderzocht.'

We gaan terug naar het kantoor van de Sterns om te wachten tot

Hans en Franz, die op kantoor een kopie van de harde schijf hebben, deze nieuwste beschuldiging hebben onderzocht. Tijdens het wachten bel ik Anna om te vertellen wat er gebeurd is. Ze heeft steeds gedacht dat als het erop aankwam Tommy Molto vals zou spelen om toch te winnen, en ze weet zeker dat hij dat nu weer probeert.

'Een vos verliest wel zijn haren, maar niet zijn streken,' zegt Anna nu. Gisteravond heeft ze net als Marta voorspeld dat Molto met een smoes zou komen om ontslag van rechtsvervolging te voorkomen.

Hans en Franz zijn er nog geen uur later, in vrijwel dezelfde kleren als gisteren, met hun designer jeans aan en gel in hun haar. Blijkbaar gaan ze elke nacht de clubs af tot die dichtgaan. Zo te zien heeft Marta ze uit bed gebeld.

'Zelfs een kapotte klok geeft twee keer per dag de goede tijd aan,' zegt Hans, de langste van de twee. 'Gorvetich heeft gelijk.'

'Dus de kaart staat niet op de kopie?' vraagt Marta. Ze heeft haar schoenen met hoge hakken uitgedaan en steunt met haar hoekige voeten tegen een salontafeltje van haar vader. Nu valt ze bijna van haar stoel. Ik kreun hardop. Het ergst is nog wel dat ik niet weet wat ik moet geloven. De laatste die reageert is mijn vader. Hij laat een schrille lach horen.

'Het is Barbara,' zegt hij. Hij drukt zijn vingers tegen de brug van zijn neus en beweegt verbijsterd zijn hoofd heen en weer. Het lijkt me een bizar idee, maar toch heb ik meteen het gevoel dat hij wel eens gelijk kon hebben. 'Ze heeft een manier bedacht om het zo te doen dat hij niet op de kopie terecht is gekomen.'

'Kan dat?' vraagt Marta aan de twee deskundigen. 'Kan ze onzichtbare inkt hebben gebruikt, om het zo maar te zeggen, en een object zo hebben aangemaakt dat niet op de kopie is gekomen?'

Hans schudt zijn hoofd, maar kijkt ter bevestiging naar Franz. Ook die schudt nadrukkelijk nee.

'Kan echt niet,' zegt Ryzard. 'Die software, die Evidence Tool Kit dus, dat is echt top of the bill, man. De standaard voor de hele industrie. Daar maak je een exacte kopie mee. Die programmatuur is al duizenden keren gebruikt, in duizenden gevallen, zonder dat er ooit iets van afwijkingen is gebleken.'

'Jij hebt Barbara niet gekend,' zegt mijn vader.

'Rechter,' zegt Franz. 'Ik heb een ex-vrouw. Soms denk ik dat die ook supertalenten heeft, vooral als ik wat extra geld verdien. Ze staat al bij de rechter om meer geld te eisen voor de cheque is uitbetaald.'

'Jij hebt Barbara niet gekend,' zegt mijn vader nog een keer.

'Rechter, luister nou,' zegt Franz. 'Ze had exact moeten weten wat voor software er gebruikt zou gaan worden…'

'Je zegt net dat het de standaard is.'

'Zestig procent marktaandeel. Maar geen honderd. Dan moet ze in de algoritmes zien te komen, en dan moet ze een heel programma schrijven om de software te neutraliseren en dat opstart als de computer wordt gestart. En dat nergens op de kopie zichtbaar is. Of op de harde schijf die we gisteren hebben bekeken. Je kunt alle computerfreaks uit Silicon Valley bij elkaar zetten, maar dat krijgen ze niet voor elkaar. Het is volslagen onmogelijk.'

Mijn vader bestudeert Franz met die verbijsterde, starre blik in zijn ogen die ik tegenwoordig zo vaak bij hem zie.

'Wanneer kan de kaart er dan wel op zijn gezet?' vraagt Marta.

Franz kijkt naar Hans. Die haalt zijn schouders op.

'Dat moet zijn gebeurd in de werkkamer van die andere rechter.'

'Rechter Mason? Hoezo? Waarom niet later?'

'De computer was tot gisteren verzegeld en in krimpfolie gewikkeld en geparafeerd. U hebt het zelf gezien. Gorvetich heeft ons zelfs naar de verzegelingen laten kijken voor die in de rechtszaal werden verbroken, zodat ik zou zeggen dat alles origineel was. En Matteus en Gorvetich en ik hebben samen de laatste stukken tape eraf gepulkt en de monitor en de systeemkast aangezet.'

'Is het niet mogelijk dat ze de folie en de verzegeling eraf hebben gehaald en later weer hebben aangebracht?'

Hans en Franz proberen uit te leggen dat dat niet kan. Als de tape wordt verwijderd, verschijnen daar de letters 'verbroken' op, in blauw. Sandy valt hen in de rede.

'Het openbaar ministerie rommelt meestal niet met bewijzen om daar wat aan toe te voegen dat de onschuld van een verdachte aantoont. Als de kaart nep is, komen we niet ver bij de rechter of de jury als we zeggen dat dat door de aanklagers is gedaan. We gaan door op Rusty's theorie over Barbara of we zoeken een andere verklaring voor het feit dat de kopie iets niet bevat wat er nu wel op staat.'

'Dat kan echt niet,' zegt Hans nu gedecideerd.

'Dan moeten we bezien of we de theorie waarmee de aanklagers nu gaan komen op de een of andere manier kunnen ontkrachten.'

De laatste paar dagen gebruikt Stern een stok. Daar loopt hij een stuk vlotter mee dan in de rechtszaal. Nu gebruikt hij hem om weer achter zijn bureau te gaan zitten en hij toetst een nummer in.

'Wie bel je, pap?' vraagt Marta.

'George,' zegt Sandy.

Rechter Mason, nog steeds waarnemend hoofd, is er niet, maar belt twintig minuten later terug. Hij begint blijkbaar met wat vragen te stellen over Sandy's gezondheid, want die geeft antwoorden als 'Helemaal volgens plan' en 'Beter dan verwacht'. Uiteindelijk vraagt Sandy of hij Mason op de speaker mag zetten, zodat de rest het ook kan horen. Ik hoor hier waarschijnlijk niet bij te zijn, maar pieker er niet over om weg te gaan. Ik hoor, net als Anna en mijn vader, bij de mensen die de computer hebben gebruikt toen hij in het werkvertrek van rechter Mason stond.

'Ik heb Tommy Molto vanmorgen al gesproken,' zegt rechter Mason. 'Sandy, je weet vast nog wel dat we indertijd hebben afgesproken dat niemand in zijn eentje bij de computer mocht en dat ik zou bijhouden welke documenten werden ingezien. Tom vroeg of hij die lijst mocht hebben, dus die heb ik hem gemaild. Ik stuur hem met alle genoegen ook naar jou.'

'Heel graag,' zegt Stern.

Rechter Mason en hij zijn het met elkaar eens dat het zinniger is eerst die lijst te bekijken en dan verder te praten. Terwijl we wachten tot het document binnenkomt, vragen Stern en Marta aan Hans en Franz wat er nodig is om zoiets te doen. Het tweetal heeft al in hoog tempo zitten speculeren, waarbij de ideeën heen en weer schieten als de bal in een flipperkast, en ze zijn het samen eens dat het gedaan moet zijn met Office Spy, een sharewareprogramma, dat daarna weer moet zijn verwijderd.

'Hoeveel tijd kost dat allemaal?' vraagt Sandy. 'De software installeren, het object aanmaken, de software verwijderen en het register bijwerken?'

'Een uur?' zegt Hans, met een blik op Franz.

'Misschien lukt het mij in drie kwartier, als ik eerst de kans krijg om te oefenen,' zegt die. 'Stel dat ik Spy en het object al op een flashdrive heb staan. Dat scheelt tijd met downloaden. En ik heb exact hetzelfde al eens gedaan bij een andere pc, dus ik weet precies hoe ik de programma's zo onzichtbaar mogelijk kan verwijderen. Maar iemand die mijn achtergrond niet heeft? Twee keer zo lang. Op zijn minst.'

'Op zijn minst,' zegt Hans. 'Zeker een paar uur.'

Als de lijst binnenkomt, staan daar vier aparte bezoeken op. Op 12 november, een week na de verkiezing, is mijn vader bij rechter Mason geweest, waar hij de computer had laten neerzetten. Het was een vreselijke ervaring en hij nam zich voor dat nooit meer te doen. Die eerste keer was Mason er zelf bij. Mijn vader was achtentwintig minuten bezig. Hij kopieerde vier documenten naar een flashdrive, drie voorlopige vonnissen en een researchmemo van een van zijn assistenten, en zette zijn afspraken voor de rest van het jaar in zijn agenda.

Ik ben er een week later geweest om nog eens drie voorlopige vonnissen te kopiëren, en ik ben de dag daarop teruggekomen voor een vierde, omdat ik het verzoek van mijn vader verkeerd begrepen had. Riley, een assistent van rechter Mason, was er beide keren bij. De eerste keer was ik tweeëntwintig minuten bezig, de tweede keer zes.

De vierde en laatste keer, vlak voor Thanksgiving, is Anna geweest, die het op het allerlaatste ogenblik van mij had overgenomen. Mijn vader wilde heel graag een oudere versie inzien van een motivering waaraan hij thuis bezig was en die al klaar had moeten zijn. Ik was die ochtend als invaller opgeroepen en wilde niet nee zeggen, want het was zeker twee weken werk. Anna had al eens aangeboden om het kopieerwerk voor mijn vader te doen omdat ze toch in Center City was, en rechter Mason had er geestdriftig in toegestemd. Volgens zijn opgave was ze een uur binnen geweest, maar dat kwam omdat haar kantoor had gebeld en ze het grootste deel van de tijd aan de telefoon had gezeten.

'Was Riley bij haar?' vraagt Sandy aan rechter Mason.

Mason laat Riley komen. Die kent Anna al twee jaar, omdat Riley al assistent werd voor Anna afzwaaide. Wat Riley zich herinnert komt vrijwel volledig overeen met wat Anna indertijd tegen mij heeft verteld. Peter Berglan, een veeleisende klootzak voor wie Anna veel werk moet doen, had haar gebeld omdat hij wilde dat ze deelnam aan een telefonisch overleg. Riley zegt dat Anna achter de computer vandaan is gekomen en naar een andere stoel aan de andere kant van de kamer is gelopen. Riley is de kamer uit gegaan omdat het duidelijk iets was dat niet voor haar oren was bestemd, maar ze is de volgende veertig minuten zeker drie keer gaan kijken of Anna al klaar was, en elke keer zat Anna in die tweede stoel, niet achter de computer. Uiteindelijk kwam Anna naar buiten om te zeggen dat ze klaar was, en Riley is er weer bij gaan zitten terwijl Anna het downloaden afmaakte en noteerde welke afspraken mijn vader de komende tijd had. Uit het log blijkt dat de kalender openstond op dezelfde datum als toen Anna gestoord werd en opstond.

'Is dat alles?' vraagt Mason als Riley weer weg is.

Sandy bedankt hem, en daarna zitten we zwijgend bij elkaar.

'Wat gaat Molto zeggen?' vraagt Sandy zich hardop af. 'Het lijkt onmogelijk dat iemand met de computer heeft gerommeld.'

'Een uur,' zegt Marta. Ze heeft het over Anna.

'Een uur is niet lang genoeg,' zegt Sandy. 'Rusty, of zelfs zijn zoon, had zoiets kunnen bedenken, maar Anna is duidelijk de minst waarschijnlijke kandidaat. Desnoods vragen we haar telefoongegevens op en praten we met Peter Berglan.'

Ik ben tot dezelfde conclusies gekomen. Mijn vader heeft niet de technische kennis om zoiets te proberen, en zoals Stern zegt, heeft Anna geen enkele reden om haar hele carrière in de waagschaal te stellen. Eigenlijk zijn we geen van drieën een geloofwaardige kandidaat.

Stern maakt een gebaar naar mijn vader. 'Rusty, had jij de sleutels van het gerechtsgebouw?'

'Alleen van mijn werkvertrek,' zegt mijn vader.

'Heb je die nog?'

'Niemand heeft ze teruggevraagd.'

'Ben je daar ooit buiten kantoortijd geweest?'

'Voor of nadat ik met bijzonder verlof ben gegaan?'

'Erna.'

'Nee, nooit.'

'En ervoor?'

'Een paar keer, als ik een lang weekend had en iets vergeten was. Het was een vreselijk gedoe. Er was maar één bewaker. Je moest op de deur gaan staan bonken tot hij je hoorde. Een keer kostte het me twintig minuten voor hij reageerde.'

'En waar stond de computer?'

'In het werkvertrek van George.'

'Was hij als waarnemend hoofd niet naar jouw werkkamer verkast?'

'Nee. Nog steeds niet, voor zover ik weet.'

'Nog even over die bewaker. Had die sleutels van alle werkvertrekken?'

Mijn vader denkt na. 'Hij had wel een enorme sleutelbos bij zich. Je kon hem aan horen komen. En af en toe sloten mensen zich buiten en dan werd de bewaking gebeld om ze weer binnen te laten. Maar of de nachtwaker ook alle sleutels had... Dat weet ik niet.'

'Dat is hun theorie toch?' zegt Marta. 'Dat het van binnenuit is gebeurd. Door Rusty met behulp van een computerwhizzkid, midden in de nacht.'

'Ga met de bewaker praten,' stelt mijn vader voor.

'Ik durf er wat om te verwedden dat Tommy daar al zit,' zegt Marta. 'Je weet natuurlijk hoe dit verdergaat, Rusty. Ze beschuldigen die bewaker ervan dat hij je beste vriend is of komen erachter dat hij een strafblad heeft waar hij niets van gezegd heeft toen hij solliciteerde en dreigen hem met vervolging, tot hij zich opeens herinnert dat hij je inderdaad heeft binnengelaten. Of ze vinden een dag waarop de vaste bewaker er niet was, en dan praat Jim Brand net zo lang op de vervanger in tot die zegt dat hij niet meer weet wie of wanneer, maar dat hij wel op een nacht iemand heeft binnengelaten. Ze timmeren wel iets in elkaar.'

'*Res ipsa loquitur*,' zegt Sandy. De zaak spreekt voor zich. 'Niemand had hier een motief voor, alleen Rusty. In november had niemand enig idee wat voor bewijzen er zouden opduiken of over welke boeg we het zouden gooien. We wisten nog niet eens wat de aanklagers allemaal hadden.'

'Het is zwak,' zegt Marta. 'En straks hebben we een proces binnen een proces. Met allemaal extra getuigen. Rechter Mason, Riley, de bewaker, Nat, Anna. Nog een keer Rusty. De aanklagers mogen van geluk spreken als de jury daarna nog weet waar het over gaat.'

Sandy zit na te denken. Onbewust gaat zijn hand naar zijn gezicht en tast langs de randen van de zere plek. Zo te zien doet die nog steeds pijn.

'Dat is allemaal waar,' zegt hij. 'Maar we moeten ons niet rijk rekenen. Dit is geen goede ontwikkeling voor de verdediging.'

Na zijn oordeel kijken we allemaal naar mijn vader, om te zien hoe hij erop reageert. Hij zit onderuitgezakt in een leunstoel, moe, bleek en slapeloos. Hij heeft het gesprek duidelijk niet gevolgd en schrikt van alle aandacht als hij uiteindelijk opkijkt. Hij lacht flauwtjes naar me, een beetje schaapachtig, en kijkt dan weer naar zijn handen, die gevouwen in zijn schoot liggen.

Om vier uur in de middag moeten we bij rechter Yee komen, die wil weten hoe de zaken ervoor staan, zodat hij een rooster kan maken. Dat is een paar journalisten ter ore gekomen en Yee vindt het goed om de zaak plenair te behandelen. Er zijn ook een paar assistenten van het bureau van de aanklagers met hun chefs meegekomen om te genieten van wat naar hun verwachting een mooie zitting gaat worden. Ik zit op de voorste rij, maar een meter of wat van mijn vader vandaan. Hij zegt tegen niemand iets, in zichzelf gekeerd als een lege tas.

Yee stelt een simpele vraag: 'Wat is aan de hand?' en Stern loopt naar voren. Voor het eerst gebruikt hij zijn stok ook in de rechtszaal.

'Edelachtbare, onze deskundigen hebben de kopie die in november vorig jaar is gemaakt onderzocht en bevestigd dat het object daarop inderdaad niet voorkomt. Ze hebben minstens vierentwintig uur nodig om vast te stellen waarom niet.'

Weer komt Brand overeind om antwoord te geven namens het openbaar ministerie. 'Waarom niet?' vraagt hij, en hij legt sarcastisch de nadruk op 'om'. 'Met alle respect voor de heer Stern, maar het antwoord lijkt me nogal duidelijk. Dit is misleiding. Niet meer en niet minder. Het object is duidelijk op de computer van rechter Sabich gezet nadat die in november in beslag is genomen en voordat die na uw benoeming aan het openbaar ministerie is teruggegeven. Er is geen andere verklaring.'

'Rechter Yee,' zegt Stern, 'de zaak ligt lang niet zo duidelijk als de heer Brand graag wil. Rechter Sabich noch zijn gevolmachtigden hebben langer dan achtenvijftig minuten over de computer kunnen beschikken. Volgens onze deskundigen kunnen de veranderingen waar we het in dit verband over hebben nooit binnen zo'n kort tijdbestek zijn aangebracht, zelfs niet door een professional, en dat waren deze mensen geen van allen.'

'Dat weet ik niet, rechter. Dat zouden we moeten uitzoeken,' zegt Brand. Door zijn behoedzame antwoord krijg ik het idee dat

Gorvetich een langere tijdsduur heeft genoemd dan Hans en Franz. Ze hebben dus een andere theorie nodig, maar die hebben ze, zoals Stern al vermoedde. 'Dat brengt mij op het volgende, edelachtbare,' zegt Brand, 'heeft rechter Sabich ooit zijn sleutels van het gerechtsgebouw afgegeven?'

'Rechter Sabich had geen sleutels van de werkkamer van rechter Mason, waar de computer stond,' zegt Sandy.

'Wilt u beweren dat rechter Sabich nooit buiten kantooruren in het gerechtsgebouw is geweest? Wilt u beweren dat hij de mensen van de beveiliging niet kent die de sleutels van alle werkvertrekken hebben?'

Rechter Yee ziet het gehakketak aan met zijn hand voor zijn mond, maar het potlood in zijn hand begint te kwispelen. Het is net de staart van een hond, maar dan omgekeerd, en het geeft aan dat hij zijn geduld begint te verliezen.

'Edelachtbare,' zegt Stern, 'het openbaar ministerie komt wel snel met beschuldigingen aan het adres van rechter Sabich, maar levert er geen bewijzen bij.'

'Wie heeft er verder nog baat bij deze misleiding?' zegt Brand.

'Rechter, wat mij steeds door het hoofd speelt, is dat de heer Molto twintig jaar geleden door het parket is berispt voor het opzettelijk manipuleren van bewijsstukken, iets wat hij ook heeft toegegeven.'

Dan volgt weer een gebeurtenis waarvan ik niet weet wat ik ervan moet denken. Sandy heeft er op zijn kantoor niets over gezegd. Maar Brand ontploft. Hij is van nature al lichtgeraakt, maar nu begint hij te schreeuwen. Zijn hoofd is rood en de aderen bij zijn slapen kloppen zichtbaar. Bij de tafel van het openbaar ministerie is ook Tommy Molto overeind gekomen.

'Rechter,' roept hij, maar hij is door Brand nauwelijks te horen.

'Schande' en 'schandelijk' zijn de woorden die Brand keer op keer de zaal in slingert. Hij draait de rechter even zijn rug toe om woedend iets tegen Stern te zeggen en gaat dan verder met zijn geraas.

Dan heeft Yee er genoeg van.

'Wacht, wacht, wacht,' zegt hij. 'Wacht. Ho. Iedereen zitten. Zitten.' Hij wacht even tot het rumoer is verstomd. 'Dit proces niet over twintig jaar geleden. Twintig jaar geleden is twintig jaar geleden. Dat één ding. Dit proces is over vraag of mevrouw Sabich is vermoord, niet over gerommel met computer. Dames en heren, ik zal zeggen wat ik denk dat beste is. Ik denk dit is allemaal geen bewijsmateriaal. Sleutels, spionageprogramma's, hoeveel uur nodig is voor dit of voor dat. Jury krijgt opdracht bericht op computer buiten beschouwing te laten. En dan zetten we punt achter proces. Jongeheer Sabich gaat morgen weer getuigen. Dat is wat ik denk.'

Brand komt overeind. 'Rechter,' zegt hij. 'Rechter, mag ik wat zeggen?' Yee zegt dat Brand naar voren mag komen, maar die wordt eerst even toegesproken door Molto, die hem bij zijn mouw heeft gepakt. Ik weet zeker dat hij Brand heeft gezegd niet te onbesuisd te doen. Brand is nu een stuk kalmer.

'Rechter, ik begrijp dat het hof zich liever niet door dit soort zaken laat afleiden, maar ik geef u in overweging dat uw voorstel erg ongunstig is voor de aanklagers. De jury heeft de kaart namelijk al gezien. De verdediging kan nu zeggen dat mevrouw Sabich zelfmoord heeft gepleegd. Ze kunnen zeggen dat zij in de computer van haar man bezig is geweest. Ze kunnen zelfs insinueren dat ze heeft geprobeerd om hem voor iets op te laten draaien wat hij niet gedaan heeft. Dat zullen ze allemaal zeggen, en dan denkt de jury natuurlijk aan die kaart. En dan mogen bewijzen die aantonen dat die hele theorie onzin is niet worden meegenomen? Rechter, dat kunt u ons niet aandoen.'

Yee houdt zijn hand weer voor zijn mond. Zelfs ik begrijp wat Brand bedoelt.

'Rechter, dit kan heel snel worden aangetoond. Dat kan met een paar getuigen, maximaal.'

Stern, die kansen altijd snel aangrijpt, reageert zonder uit zijn stoel overeind te komen.

'Een paar getuigen van het openbaar ministerie misschien, rechter. Maar de verdediging heeft geen andere keus dan zich maximaal te weer te stellen tegen deze aantijging. Dan wordt dit een proces over het hinderen van de rechtsgang, terwijl dat niet eens in de aanklacht staat.'

'Wat vindt u daarvan?' vraagt Yee aan Brand. 'Klaag rechter aan wegens hinderen rechtsgang. In apart proces.' Yee wil duidelijk naar huis en laat dit probleem graag aan een ander over.

'Rechter,' zegt Brand, 'u wilt ons dit proces laten afronden met beide handen op onze rug gebonden.'

'Oké,' zegt de rechter. 'Ik ga vanavond over nadenken. Morgen-

ochtend getuigt de jonge meneer Sabich. Daarna komen andere bewijsstukken. Maar eerst dit proces. Nog geen beslissing wie wat kan
bewijzen. Maar wel getuigen horen. Voor iedereen duidelijk?'

De aanklagers en de Sterns knikken. De rechter hamert af. De zitting is voorbij.

39

Tommy, 25 juni 2009

Tommy's probleem, als je het zo wilde noemen, was dat hij altijd te gevoelig is geweest. Hoe ouder hij werd, hoe beter hij wist dat bijna iedereen gevoelige plekken had. En met de jaren was hij beter geworden in het incasseren van de gebruikelijke tikken – venijnige stukken in de pers, rotopmerkingen van advocaten of buurtcomités die hem de schuld gaven van iedere corrupte agent. Maar toch. Hij had gevoelige plekken. En als er een speer door zijn wapenrusting kwam, ging die er behoorlijk diep in.

Toen Stern iedereen eraan herinnerde dat Tommy had toegegeven dat hij bewijsstukken had gemanipuleerd, ging er een steek door zijn hart. Dat hij dat had gedaan, was geen geheim. Mensen die het een en ander van hem wisten, wisten ook dat. Maar iedereen wist dat Tommy ertoe was gedwongen dit toe te geven om zijn baan terug te krijgen, en het was indertijd nooit in de pers gekomen. En omdat journalisten doorgaans alleen maar terugkomen op iets wat eerder in de krant heeft gestaan, had niemand in een van de vele stukken die recent over Rusty's eerste proces in de kranten hadden gestaan daar iets over geschreven. Tommy had zijn hele leven voor de goede zaak gestreden en zijn best gedaan om het publiek te beschermen, en hij wilde niet bekendstaan als iemand die een keer iets te scherp aan de wind had gezeild. Het eerste woord dat bij hem opkwam toen hij weer wat was gekalmeerd, was 'Dominga'. Hij had dit nooit aan zijn vrouw uitgelegd.

Zodra Yee afhamerde, dromden de journalisten om Tommy heen, wel vijf of zes.

'Dit is een oude geschiedenis,' zei Tommy, 'en rechter Yee heeft net gezegd dat die niets met deze zaak te maken heeft. Ik heb geen commentaar tot deze hele zaak achter de rug is.' Hij moest het zes of zeven keer zeggen, en toen ze uiteindelijk wegliepen om hun stukken uit te tikken, vroeg hij de juridisch assistent en Rory om het karretje naar de overkant van de straat te rijden. Toen gebaarde hij naar Brand om in een hoekje van de loge van de jury te gaan zitten om daar te overleggen. Hij wilde niet meteen naar beneden, want daar zouden camera's zijn en de verslaggevers zouden hun standaardtruc uithalen en hem een microfoon onder zijn neus duwen, om te proberen hem in beeld te laten erkennen dat hij indertijd over de schreef was gegaan. Sandy Stern, die ook zijn spullen bij elkaar aan het rapen was, keek even naar hem en strompelde toen met zijn stok Tommy's kant op. Tommy schudde met zijn hoofd toen Stern nog zes meter bij hem vandaan was.

'Laat maar zitten.'

'Tom, het was eruit voor ik het wist.'

'Zak in de stront, Sandy. Je wist heel goed wat je deed, en ik ook.' In zijn negenendertig jaar als aanklager had Tommy zoiets maar tegen een paar advocaten gezegd. Stern hief zijn handen op maar Tommy bleef met zijn hoofd schudden.

Toen Stern zich uiteindelijk omdraaide, schreeuwde Brand hem na: 'Je bent een derderangs ritselaar, maar dan in een beter pak.'

Tommy pakte Brand bij zijn mouw.

'Ik heb zelden zo'n gore rotstreek gezien,' fluisterde Brand.

Maar je moest het Stern nageven: hij kwam altijd met iets om zijn cliënt te redden. Hij wilde niet dat er op de voorpagina van de *Tribune* van morgen kwam dat de kerstkaart nep was, en dus had hij voor een betere kop gezorgd: MOLTO GAF WANGEDRAG TOE. Hoe zou dat op de jury overkomen? Het zou er heel goed toe kunnen leiden, zo vermoedde Tommy, dat de helft van de jury zou gaan denken dat die kerstkaart wel een fout van de aanklagers zou zijn.

'We moeten dat verhaal over het DNA laten uitlekken,' zei Brand zacht.

Tommy overwoog dat heel even, maar schudde toen zijn hoofd. Dat zou uitlopen op een sepot. Basil Yee wilde naar huis. Als hij een aanleiding zag om ermee te kappen zou hij die meteen aangrijpen. En er zou zeker een onderzoek naar het lek komen en Tommy was niet van plan onder ede te gaan liegen of iemand anders dat te laten doen. Het was een mooie wraak op Stern en Sabich. Maar het zou over een paar weken toch bekend worden, en als ze er nu mee kwamen, werd het alleen maar een nog groter zootje.

'Als Yee onze bewijzen dat de kaart nep is niet toelaat, moeten we in hoger beroep gaan,' zei Brand.

Halverwege een zaak in hoger beroep gaan kwam niet vaak voor, maar het mocht in een strafzaak omdat het openbaar ministerie na vrijspraak niet in hoger beroep mocht. Brand had gelijk. Dat was hun beste optie omdat ze anders weinig kans maakten bij de jury. Als ze met het idee op de proppen kwamen, zou Yee misschien wel toegeven. Hij wilde de zaak vooral niet bij een hoger hof laten voorkomen, want dat zou op een vernietiging kunnen uitdraaien en dat was niet goed voor zijn reputatie, waar hij zo trots op was. En de rechter zou het vreselijk vinden om de jury – en zichzelf – twee tot drie weken te laten wachten, want zo lang zou de beroepsprocedure wel vergen.

'Hoe heeft dit in een paar dagen zo'n klerezooi kunnen worden?' vroeg Tommy.

'Als we die bewijzen mogen gebruiken, is er geen enkel probleem. Rory heeft een paar politiemensen naar het gerechtsgebouw gestuurd om met de nachtwakers te praten. Er is heus wel iemand te vinden die iets gezien of gehoord heeft. Als we met een goede getuige komen die zegt dat Rusty daar naar binnen in geslopen, gaat Yee wel om.'

Misschien had Jim wel gelijk. Maar toch werd Tommy bekropen door een gevoel van schaamte. Hij kon nooit eens mild over zichzelf oordelen. Hij had nooit met bewijzen gerotzooid, alleen informatie laten uitlekken. En dat was verkeerd. Hij had iets verkeerds gedaan. En Sandy Stern wilde iedereen daaraan herinneren.

'Ik ga even plassen,' zei hij tegen Brand.

In de wc stond Rusty Sabich al bij een van de urinoirs. Er zat geen tussenschot tussen de spierwitte urinoirs, en Tommy richtte zijn blik op de tegels voor zich. Aan het druppelende begin en het iele straaltje daarna kon hij horen dat Rusty moeite had met plassen. Wat dat betreft was Tommy nog een jonge vent. Die voorsprong gaf hem op de een of andere manier moed.

'Dat was vuil spel, Rusty.' Hij herhaalde wat Brand had gezegd, dat het een gore rotstreek was.

Rusty reageerde niet. Molto zag Sabich' schouders bewegen toen hij zich weer in zijn broek hees, en hoorde daarna de rits. Even later stroomde er water in de wastafel. Toen Tommy zich omdraaide, was Rusty er nog steeds. Hij stond zijn handen af te drogen aan een bruine papieren handdoek, zijn slappe gezicht onleesbaar en met een starre blik in zijn lichte ogen.

'Het was vuil spel, Tommy. En het was ook niks voor Sandy, om eerlijk te zijn. Maar hij is ziek. Het spijt me. Ik had geen idee dat hij dat zou gaan zeggen. Als hij het vooraf met mij had overlegd, had ik nee gezegd.'

Door de excuses, en door toe te geven dat Stern te ver was gegaan, voelde Tommy zich nog beroerder worden. Waar hij nog het meest mee zat, was wat hij in de ogen van zijn assistenten en de rechters zou lezen. Meteen na het proces zou hij met een verklaring moeten komen. Waarschijnlijk zou hij de stukken openbaar moeten maken en iets moeten zeggen in de trant van: ja, ik zat fout, het was een klein vergrijp, maar ik heb ervoor geboet en ik zal de les nooit meer vergeten. Sabich zag hem worstelen met het verleden. Zo zijn processen altijd, dacht Tommy. Je rijt aan beide kanten wonden open. Zoals het beter is de dokter te zijn dan de patiënt, zo is het ook beter de aanklager te zijn dan de verdachte. Maar dat betekende niet dat je geen klappen kreeg. Toen hij het voor de eerste keer met Rusty uitvocht, had hij zijn lesje moeten leren. Om die vent te pakken te krijgen moest je door prikkeldraad kruipen.

'Tommy,' zei Rusty, 'heb je ooit de mogelijkheid overwogen dat ik niet zo slecht ben als jij denkt en dat jij niet zo slecht bent als ik denk?'

'Bedoel je te zeggen dat je eigenlijk een toffe peer bent?'

'Dat ben ik niet. Maar ik ben ook geen moordenaar. Barbara heeft zelfmoord gepleegd, Tommy.'

'Dat zeg jij. Heeft Carolyn zichzelf ook verkracht en zich van kant gemaakt?'

'Dat heb ik ook niet gedaan. Daarvoor moet je bij de echte dader zijn.'

'Wel zonde dat er in jouw buurt altijd vrouwen doodgaan.'

'Ik ben geen moordenaar, Tommy. Dat weet je. Diep in je hart weet je dat.'

Tommy begon zijn handen af te drogen. 'Wat ben je dan, Rusty?'

Sabich snoof even, een flauw lachje om zichzelf. 'Ik ben een idioot, Tommy. Ik heb een hoop fouten gemaakt en het zal een hele tijd duren voor ik erachter ben wat de ergste was. IJdelheid. Wellust. Hoogmoed, omdat ik dacht dat ik iets kon veranderen wat niet te veranderen was. Ik zeg niet dat dit me niet goed uitkomt. Maar het was zelfmoord.'

'Met de bedoeling jou ervoor op te laten draaien?'

Sabich haalde zijn schouders op. 'Daar ben ik nog niet achter. Misschien. Waarschijnlijk niet.'

'En wat moet ik nou, Rusty? De jury een bedankbriefje sturen en zeggen dat ze naar huis mogen?'

Sabich hield even zijn blik vast. 'Jongens onder elkaar?' zei hij. 'Wat je wilt.'

Rusty keek onder de deurtjes van de toiletten of er verder geen mensen waren en kwam toen teruglopen.

'Als we er eens een punt achter zetten? Jij en ik weten allebei dat er geen peil meer op te trekken valt waar deze zaak naartoe gaat. Het is een op hol geslagen trein. Ik beken dat ik met de computer heb geknoeid. Alle andere aanklachten vervallen.'

Sabich stond in de compromisloze hardejongensstand. Maar hij meende wat hij zei. Tommy's hart sloeg over toen hij het hoorde.

'En dan vrijuit gaan voor moord?'

'Die ik niet begaan heb. Pak nou maar wat je krijgen kunt.'

'En de strafmaat?'

'Een jaar.'

'Twee,' zei Tommy. Het onderhandelen gebeurde instinctief. Opnieuw haalde Sabich zijn schouders op. 'Twee.'

'Ik zal het erover hebben met Brand.'

Tommy keek Sabich nog even aan en probeerde te begrijpen wat er net gebeurd was. Bij de deur gekomen bleef hij stilstaan en draaide zich om. Het was een vreemd ogenblik, maar toch drukten ze elkaar de hand.

'Ben je er klaar voor?' vroeg Tommy, toen hij naast Brand ging zitten, op een van de achterste stoelen van de jurybank. De zaal was nog niet helemaal leeg. Sterns team was al naar buiten, maar er liepen nog mensen van de rechtbank in en uit. Op zachte fluistertoon vertelde hij Brand over het aanbod van Sabich. Jim staarde alleen maar, zijn ogen hard als graniet.

'Zeg dat nog eens.'

Tommy vertelde het nog een keer.

'Dat kan hij niet doen.'

'Wel als wij ermee instemmen.'

Brand zat vrijwel nooit om woorden verlegen. Hij ging wel eens in de fout als hij boos was, maar hij zat nooit met zijn mond vol tanden. Maar dit ging hem boven de pet.

'En gaat hij dan vrijuit voor moord?'

'Hij heeft me net iets verteld dat voor honderd procent waar is. Dit proces is een op hol geslagen trein. Niemand weet wat er nu gaat gebeuren.'

'Komt hij dan met twee moorden weg?'

'Daar is een goeie kans op, ja. Een grotere kans dan wij maken om hem voor iets veroordeeld te krijgen.'

'Dat kun je niet maken, chef. Die man heeft godverdomme twee moorden op zijn geweten.'

'Zullen we naar de overkant gaan? De kust zal nu wel veilig zijn.'

Buiten was het heet. De zon scheen de hele week al fel en net als altijd was het in dit deel van het land abrupt zomer geworden, alsof iemand een knop had omgezet. Het was een beroerde lente geweest, met ongekend veel regen. Dat was het mooie aan de opwarming van de aarde. Je wist van de ene dag op de andere niet meer waar je nou eigenlijk woonde. Kindle County was nu al een maand het Amazonegebied.

Op kantoor namen ze vijf minuten de tijd om binnengekomen berichten te checken. Tommy was door minstens tien journalisten gebeld. Hij zou die middag naar Jan DeGrazia toe moeten, die de perscontacten deed, om te vragen wat haar het beste leek. Uiteindelijk liep hij naar Brands kamer, die naast de zijne lag en iets kleiner was.

Ze zaten elk aan een kant. Een football, lang geleden gesigneerd door een ster van toen, werd beschouwd als onderdeel van het meubilair. Hij lag er al zolang Tommy zich kon herinneren, al in de tijd van John White, die hoofdaanklager was geweest toen hij – en Rusty – als jonge aanklagers waren begonnen. Vaak werd de bal tijdens een gesprek over en weer gegooid. Brand, wiens handen om het ding heen pasten alsof de bal voor hem op maat was gemaakt, was meestal de eerste die hem pakte. Als verder niemand zin had om mee te doen, liet hij hem in een volmaakte spiraal naar het plafond draaien, waarna hij hem zonder te kijken beneden weer opving. Toen Tommy de football op Brands bureau zag liggen, gooide hij hem met een boogje naar zijn adjunct en liet zich in een stoel zakken. Brand liet de bal vallen, de eerste keer dat Tommy hem dat had zien doen. Zacht vloekend raapte hij hem op.

'Je weet toch dat hier maar één verklaring voor is, hè?' zei Brand. 'Voor dat aanbod van Rusty, bedoel ik.'

'Hoe bedoel je?'

'De enige reden dat hij belemmering van de rechtsgang bekent is dat hij zijn vrouw heeft vermoord.'

'Als hij nou eens niet zijn vrouw heeft vermoord, maar wel met de computer heeft gerotzooid?'

'Daar heeft hij alleen mee gerotzooid als hij zijn vrouw wel heeft vermoord.'

Dat was de traditionele logica van de wet. De wet zei dat iemand die vluchtte of iets probeerde te verbergen of loog daarmee bewees dat hij schuldig was. Maar Tom had dat altijd onzinnig gevonden. Waarom zou iemand die vals werd beschuldigd volgens de regels handelen? Waarom zou iemand die zag hoe de machinerie van de wet knarsend en kletterend in de prut draaide niet zeggen: 'Ik vertrouw die puinbak niet.' Liegen om van een valse aanklacht af te komen was waarschijnlijk beter te rechtvaardigen dan liegen als je wel schuldig was. Zo zag Tommy het in elk geval. Dat had hij altijd al gedaan.

Toen hij dit standpunt uiteenzette, leek het wel of Jim Brand er echt over nadacht. Het kwam niet vaak voor dat Brand voors en tegens afwoog. Maar er stond veel op het spel en ze hadden geen van beiden ooit verwacht dat dit zou gebeuren.

Brand pakte de football van tussen zijn voeten en gooide hem een paar keer omhoog. Hij was bezig om tot een besluit te komen. Dat zag Tommy.

'Ik vind dat we het moeten doen,' zei hij.

Tommy gaf geen antwoord. Hij werd een beetje bang toen Brand het zei, ook al wist hij dat hij gelijk had.

'Ik vind dat we het moeten doen,' herhaalde Brand. 'En ik zal je vertellen waarom.'

'Waarom?'

'Omdat jij dat verdient.'

'Is dat zo?'

'Ja, dat is zo. Sandy heeft je vanmiddag helemaal ondergescheten. En dat is nog maar het begin. Als Rusty wordt vrijgesproken, krijg je nog vrachten ellende over je heen over wat je indertijd hebt toegegeven, en dan hebben ze meteen ook een verklaring voor het DNA in die eerste zaak. Dan zeggen ze: "Dat komt doordat Molto met de bewijzen heeft lopen knoeien."'

Tommy knikte. Daar was hij zelf inmiddels ook achter. God mocht weten waarom hij het al die tijd zelf niet had gezien. Waarschijnlijk omdat hij juist níét met de bewijzen had geknoeid.

'Oké, maar als Sabich bekent dat hij zich schuldig heeft gemaakt aan belemmering van de rechtsgang – een kandidaat voor het hooggerechtshof die bekent dat hij met bewijzen heeft geknoeid om zo vrijuit te gaan – als hij dat doet, weten de mensen wat voor iemand hij is. Dan zal iedereen denken dat hij is weggekomen met moord. Twee keer. Misschien komt er kritiek op jou dat je bereid bent zijn aanbod te aanvaarden. Maar Yee dekt je, dat weet ik bijna zeker. Basil komt vast met zo'n toespraak die rechters altijd houden als ze opgelucht zijn dat ze van een zaak af zijn. Hij zal wel zeggen dat hij dit een heel verstandige oplossing vindt. Al met al zullen de mensen denken dat je een hele tijd achter een boef hebt aangezeten en hem nu eindelijk te pakken hebt gekregen. Je trekt hem alle veren uit zijn reet. En dat komt je toe.'

'Ik kan dit werk niet doen als ik steeds denk aan wat me toekomt.'

'Je kunt dit werk wel doen als je weet dat je zo het vertrouwen van de mensen in het recht op peil houdt. Natuurlijk kun je het dan doen. En ik vind dat je het ook moet doen.'

Brand pakte Tommy's ego in cadeaupapier in en deed er nog een strik omheen ook.

'Dit komt jou toe,' zei hij. 'Zeg nou maar ja, dan ben je van alle ellende af. Misschien kun je je volgend jaar wel verkiesbaar stellen als hoofdofficier van justitie.'

Daar had je dat weer. Tommy dacht even na. Eigenlijk had hij nooit serieus nagedacht over de mogelijkheid zich kandidaat te stellen, alleen in de vorm van een fantasie die voorbij is zodra je onder de douche vandaan stapt. Hij zei tegen Brand wat hij al eens eerder had gezegd, namelijk dat als hij zich ergens kandidaat voor zou stellen, het voor de post van rechter zou zijn.

'Ik heb een kind van eenentwintig maanden,' zei hij. 'Ik heb een baan nodig waar ik vijftien jaar kan blijven zitten.'

'En een tweede op komst,' zei Brand.

Tommy lachte. Hij voelde zijn hart opengaan. Hij had een goed leven. Hij had hard gewerkt en goede dingen gedaan. Hij zou het nooit hardop zeggen, maar wat Brand zei was waar. Het kwam hem toe. Het kwam hem toe dat mensen hem zagen als iemand die zijn geweten had gevolgd.

'En een tweede op komst,' zei hij.

40

Nat, 26 juni 2009

Er is iets mis.

Als ik vrijdagmorgen bij Stern aankom, mag ik mijn vader niet storen. Die is in gesprek met Marta en Sandy. Eerst zit ik drie kwartier in de receptie tussen dat vreselijke meubilair en dan komt Sandy's assistent binnen en zegt dat ik het best naar het gerechtsgebouw kan gaan. De verdediging zal zich daar bij me voegen. Als ik daar kom, zijn de mensen van het openbaar ministerie er ook nog niet. Vanaf mijn plek op de eerste rij stuur ik een sms'je naar Anna. 'Er is iets mis. Sandy nog zieker? Heel vreemd.'

Uiteindelijk komt Marta binnen, maar ze loopt meteen de zaal door naar Yees werkvertrek. Als ze weer tevoorschijn komt, blijft ze heel even bij mij staan.

'We zitten met de mensen van het openbaar ministerie te praten,' zegt ze.

'Wat is er aan de hand?'

De uitdrukking op haar gezicht is te verward om er iets uit op te kunnen maken.

Een paar minuten later kijkt rechter Yee om het hoekje van de deur de zaal in om te zien hoe het ermee staat. Zonder zijn toga lijkt hij net een kind dat hoopt ongezien te blijven. Als hij me ziet, gebaart hij dat ik naar hem toe moet komen.

'Koffie?' zegt hij, als ik in de gang achter de deur sta.

'Best.'

We lopen naar zijn werkvertrek, waar ik even naar de ingelijste bladmuziek aan de wanden kijk. Een vel, zie ik, is gesigneerd door Vivaldi.

'Even op anderen wachten,' zegt de rechter, zonder dat verder uit te leggen. Ik zit opgesloten in getuigenland, waar ik geen vragen mag stellen, zeker niet aan de rechter. 'En, wat denk je?' vraagt hij, als hij met koffie voor ons allebei binnenkomt. Hij heeft een bureaulade uitgetrokken en gebruikt die als voetensteun. 'Strafrecht, net als vader?'

'Dat denk ik niet, rechter. Dat kunnen mijn zenuwen niet aan.'

'Ja, ja. Slecht voor zenuwen voor iedereen. Hoop dronkenlappen. Recht zorgt voor hoop dronkenlappen.'

'Ja, daar zou ik me ook zorgen om moeten maken, maar ik bedoelde dat ik er de persoonlijkheid niet voor heb. Ik vind het niet prettig als ik in het centrum van de belangstelling sta. Daar ben ik niet geschikt voor.'

'Je weet nooit,' zegt hij. 'Ik maak foutjes in Engels. Thuis zeiden ze: "Dat geen werk voor jou." Iedereen lachen, zelfs mijn moeder. En die kan geen drie woorden Engels.'

'Hoe is het bij u dan gegaan?'

'Was opeens idee. Snap je? Ik was kind. Veel kijken naar *Perry Mason*, op tv. Ik was dol op *Perry Mason*. Op middelbare school kreeg ik werk bij krant. Niet als journalist. Verkopen. *Tribune*, krant van hier. *Tribune* wilde meer abonnees buiten stad, dus ik aanbellen. Meeste mensen heel aardig, maar allemaal pest aan stad. Wilden geen krant uit stad. Wel heel aardig tegen mij, allemaal. "Nee, Basil. Jij leuke knul, maar krant, nee." Behalve één vent. Grote vent. Een meter negentig. Honderdvijftig kilo. Wit haar. Wilde, wilde ogen. Ziet mij en stuift naar buiten alsof hij mij wil vermoorden. "Ophoepelen Jap. Jappen hebben drie van mijn maten vermoord. Opgerot." Ik wil uitleggen dat Japanners ook mijn opa vermoord. Maar hij niet luisteren. Wil niet luisteren.

Dus ik naar huis. Mijn mama, mijn papa, zij van: "Zo zijn mensen. Willen niet luisteren. Zo zijn mensen." Maar ik denk: Nee, ik kan laten begrijpen. Als hij luistert, ik kan laten begrijpen. Ik denk aan *Perry Mason*. En aan jury. Jury moet luisteren. Is hun werk, luisteren. Ik maak steeds fouten in Engels. Heb heel erg mijn best gedaan. Ik schrijf Engels als professor. Op school altijd negens. Maar bij spreken kan ik niet nadenken. Echt niet. Mijn hoofd loopt vast, als machine. Maar ik zeg: mensen snappen heus wel als ze moeten luisteren. Aanklager thuis, Morris Loomis, ken ik al sinds basisschool.

Zijn zoon Mike en ik goeie vrienden. Dus na studie zegt Morris: "Oké, Basil. Jij mag proberen. Maar als je verliest, ga je weer dossiers doorspitten en instructies schrijven." Bij eerste zaak ga ik staan en zeg: "Ik spreek niet goed Engels. Sorry. Ik praat langzaam, dan u begrijpen. Maar zaak draait niet om mij. Draait om getuigen. Om slachtoffer. Die moet u begrijpen." En juryleden knikken allemaal ja. Oké. En na twee, drie dagen iedereen begrijpen. Elk woord dat ik zeg. En ik winnen. Ik die zaak winnen. Ik tien keer op rij gewonnen voor ik zaak verloor. Soms fluistert iemand in jury tegen ander: "Wat zegt hij?" Maar ik zeg altijd: "Zaak gaat om getuigen. Niet om mij. Niet om de verdediger, al praat hij stukken beter. Om getuigen. Om bewijs. Luister naar getuigen en bewijs en beslis dan." Jury denkt altijd: die vent niets te verbergen. Ik win alles. Dus je kunt nooit weten. Hof raadselachtig, wat jury begrijpt, wat jury niet begrijpt... Snap je?'

Ik schiet in de lach. Ik vind rechter Yee echt te gek.

We praten een tijdje over klassieke muziek. Rechter Yee weet daar veel van. Hij blijkt hobo te spelen. Hij zit in een regionaal orkest in de buurt van waar hij woont, en gebruikt zijn lunchtijd vaak om te repeteren. Hij heeft een hobo die gedempt is, zodat je hem op een paar meter al niet meer hoort, en speelt zelfs een stukje Vivaldi voor me, ter ere van dat gesigneerde vel bladmuziek aan de wand. Ik weet eigenlijk heel weinig van muziek, al ben ik erin geïnteresseerd als taal. Maar net als de meeste kinderen werd ik helemaal gestoord van pianoles, tot ik er na jaren van mijn moeder mee mocht stoppen. Serieus iets met muziek gaan doen is een van de dingen die op mijn lijstje staan 'voor als ik volwassen ben'.

Net als de rechter aan het volgende stuk wil beginnen wordt er op de deur geklopt. Het is Marta.

'Rechter,' zegt ze, 'we hebben nog een paar minuten nodig. Mijn vader wil graag even met Nat praten.'

'Met mij?' vraag ik.

Ik loop achter haar aan, de gang door, naar wat de spreekkamer voor advocaten wordt genoemd. Die is niet veel groter dan een bezemkast. Er zijn geen ramen, en het enige meubilair is een haveloze tafel en twee oude houten stoelen. Sandy zit in een van de twee. Hij ziet er vanmorgen niet best uit. Met de rode plek gaat het beter, maar hij kijkt vermoeider.

'Nat,' zegt hij, maar maakt geen aanstalten om op te staan. Ik loop naar hem toe en druk hem de hand. Hij gebaart dat ik moet gaan zitten. 'Nat, je vader heeft gevraagd of ik met je wilde praten. We hebben het met het openbaar ministerie op een akkoordje gegooid.'

Bij deze zaak denk ik elke keer: Zoiets heb ik nog nooit meegemaakt. En dan gebeurt er weer iets dat me helemaal omver blaast.

'Ik weet dat het onverwacht is,' zegt Stern. 'De aanklacht wegens moord tegen je vader wordt ingetrokken. En hij zal bekennen dat hij schuldig is aan belemmering van de rechtsgang, een beschuldiging waar het openbaar ministerie over een paar minuten mee komt. We hebben vanmorgen heel wat overlegd met Molto en Brand. Ik wilde dat ze genoegen namen met minachting van het hof, want dan had je vader nog kans gemaakt om zijn pensioen te houden, maar zij wilden per se dat het een misdrijf was. In de praktijk zal het niet veel uitmaken. Je vader krijgt twee jaar. En dan kan hij door met zijn leven.'

'Twee jaar?' zeg ik. 'Gevangenisstraf, bedoelt u?'

'Ja. We zijn overeengekomen dat het een werkboerderij wordt. Licht regime. En niet ver van jou vandaan.'

'Belemmering van de rechtsgang? Wat heeft hij dan gedaan?'

Stern glimlacht. 'Dat was een van de problemen die we moesten oplossen. Hij bekent dat hij zich daaraan schuldig heeft gemaakt, dat hij opzettelijk en welbewust de loop van het recht heeft gesaboteerd. Maar hij weigert in detail te treden. Ik neem aan dat er iemand is die hij er niet bij wil betrekken, maar om eerlijk te zijn wil hij zelfs dat niet zeggen. Molto was niet tevreden, maar hij beseft ook wel dat er gewoon niet meer in zit. We zijn het dus eens. Je vader wilde graag dat ik jou inlichtte.'

Ik aarzel niet. 'Ik wil met mijn vader praten.'

'Nat...'

'Ik wil met hem praten.'

'Weet je, Nat, toen ik met dit werk begon, heb ik gezworen dat ik nooit een onschuldige schuld zou laten bekennen. Die belofte heeft nog geen jaar standgehouden. Ik vertegenwoordigde een jongeman. Een prima vent. Arm. Maar hij was op zijn twintigste nog nooit in aanraking geweest met de politie, terwijl hij toch in de slechtste buurt van Kehwahnee was opgegroeid. Dan weet je wel wat voor karakter zo'n jongen heeft. Maar op een dag zat hij met een paar jeugdvrienden in een auto, ze hadden flessen whisky bij zich, en een van hen zag een man die zijn moeder had belazerd, en die jongeman bleek een pistool op zak te hebben en schoot die bedrieger vanuit de auto neer. Gewoon, zonder er een seconde over na te denken. Mijn cliënt had niets met die moord te maken. Niets. Maar je weet hoe dat soort dingen gaat. De moordenaar zei dat zijn vrienden en hij samen op jacht waren geweest naar die man. Dat zei hij om zo onder de doodstraf uit te komen, want daar waren ze indertijd nogal vlot mee. En dus werd mijn cliënt aangeklaagd voor moord. Terwijl ze bij het openbaar ministerie diep in hun hart wel wisten dat hij er niks mee te maken had. Maar ze hadden een getuige. Ze boden hem een deal aan: een voorwaardelijke straf, als hij schuld bekende. Hij wilde bij de politie, die jongeman. En hij zou een goeie zijn geweest. Maar hij ging erop in. En pakte zijn leven weer op, alleen werd het nu een ander leven. Hij werd dakdekker, met een eigen bedrijf, drie kinderen, allemaal gestudeerd. Een van hen is advocaat, iets ouder dan jij.'

'Waar wil je heen, Sandy?'

'Ik heb geleerd in dit soort zaken op het oordeel van mijn cliënt te vertrouwen. Er is niemand die beter is toegerust om te beslissen of je bepaalde risico's wel of niet moet nemen.'

'Volgens jou heeft hij het dus niet gedaan?'

'Dat weet ik niet, Nat. Hij houdt vol dat dit een goede afloop is.'

'Ik wil mijn vader spreken.'

Ik neem aan dat hij in de getuigenkamer zit, met Marta. Stern wil eerst nog even met hem praten. Ik help hem overeind. Ik ben maar een paar minuten alleen, maar als mijn vader binnenkomt, zit ik te huilen. Het vreemde is dat hij er beter uitziet dan in de afgelopen maanden. Zijn zelfbeheersing is terug.

'Ik wil de waarheid weten,' zeg ik zodra ik hem zie. Hij glimlacht als ik dat zeg. Hij buigt zich over me heen om me te omhelzen en gaat dan tegenover me zitten, waar eerst Stern zat.

'De waarheid is dat ik je moeder niet heb vermoord. Ik heb nog nooit iemand vermoord. Maar ik heb wel de rechtsgang belemmerd.'

'Hoe dan? Het wil er bij mij niet in dat jij zoiets met de computer gedaan kunt hebben. Ik geloof het gewoon niet.'

'Nat, ik ben boven de eenentwintig. Ik weet wat ik heb gedaan.'

'Nu raak je alles kwijt.'

'Niet mijn zoon, hoop ik.'

'Hoe kom je straks aan inkomen? Het is wel een misdrijf, hoor.'

'Dat besef ik.'

'Je bent straks geen rechter meer. Je mag ook niet als advocaat aan de slag. En je verspeelt je pensioen.'

'Ik zal proberen niet bij jou aan te kloppen.' Hij glimlacht. Ja, echt. 'Nat, dit is een compromis. Ik beken schuld aan iets wat ik heb gedaan en zit mijn straf uit, en in ruil daarvoor loop ik niet meer het risico te worden veroordeeld voor iets dat ik niet heb gedaan. Is dat nou zo'n slechte deal? Als rechter Yee moet beoordelen of al die computerdingen toelaatbaar zijn als bewijs, ligt het overwicht daarna bij één van de twee partijen, en dan is zoiets niet meer mogelijk. Je moet me maar vergeven voor alle stommiteiten die ik de afgelopen twee jaar heb uitgehaald. Maar ik heb ze uitgehaald en het is niet verkeerd dat ik deze prijs betaal. Ik kan met deze uitkomst leven en dat moet jij ook maar doen.'

We staan tegelijk op en ik omhels mijn vader en begin weer stom te janken. Als we elkaar loslaten staat de man die nooit huilt ook te huilen.

Een paar minuten later wordt de zitting voortgezet. Het nieuws over wat er te gebeuren staat is ons vooruitgesneld en de zaal stroomt al snel vol met geïnteresseerden, medewerkers van het openbaar ministerie en minstens tien journalisten. Eerst durf ik niet naar binnen. Ik blijf bij de deur staan en de gerechtsdienaars zijn zo aardig dat ze me door het raampje in de deur laten kijken om te zien wat er binnen gebeurt. Er is zoveel ellende in dit gebouw, dat helemaal doortrokken is van het verdriet van slachtoffers en verdachten en hun familie, dat de mensen die hier werken misschien juist daardoor extra hun best doen om aardig te zijn tegen de mensen die tegen wil en dank terechtkomen in de gehaktmolen die het recht wordt genoemd. Een van hen, een wat oudere latino, legt zelfs even zijn hand op mijn rug als de zitting begint en mijn vader tussen Marta en Sandy opstaat voor rechter Yee. Brand en Molto staan aan de andere kant. Mijn vader knikt en zegt iets. Brand en Molto overhandigen paperassen, waarschijnlijk de formele overeenkomst tussen de verdediging en de aanklagers en de nieuwe tenlastelegging. Daarna begint de rechter mijn vader te ondervragen, een ingewikkelde procedure, die al een paar minuten gaande is als ik Anna binnen zie komen. Ik heb haar een paar minuten geleden een simpel sms'je gestuurd: 'Pa bekent belemmering rechtsgang, einde proces.' Nu rent ze op haar hoge hakken door de gang, een hand voor de v van haar blouse, omdat haar bh bedoeld is om in te werken in plaats van te hollen.

'Ik snap er niets van,' zegt ze.

Ik leg het zo goed mogelijk uit en dan lopen we arm in arm de zaal in, naar de plaatsen op de voorste rij die nog steeds gereserveerd zijn voor mijn vaders slinkende familie. Rechter Yee kijkt op, en hij lacht heel even geruststellend. Dan kijkt hij weer naar het procedureboek dat voor hem ligt en waarin de vragen staan die een rechter moet stellen voor hij een schuldigverklaring mag aanvaarden. Het valt op dat hij bij het voorlezen niet de grammaticale foutjes maakt die hij normaal gesproken wel maakt, al is zijn accent ook nu zwaar.

'Rechter Sabich, u bekent dus schuld aan deze uit één punt bestaande aanklacht, omdat u zich feitelijk schuldig hebt gemaakt aan hetgeen u daarin ten laste wordt gelegd. Is dat juist?'

'Ja, edelachtbare.'

'In orde. Willen de aanklagers aangeven waarop de aanklacht is gebaseerd?'

Jim Brand neemt het woord. Hij beschrijft alle technische details rond de computers, het object dat op de harde schijf van mijn vader stond, maar niet toen er begin november 2008 een kopie van werd gemaakt. Hij voegt eraan toe dat Anthony Potts, een nachtwaker van het gerechtsgebouw, bereid is te getuigen dat hij mijn vader daar in de herfst een keer 's avonds heeft gezien, en dat mijn vader schielijk weg leek te lopen toen Potts hem zag.

'In orde,' zegt de rechter. Hij kijkt weer in zijn procedureboek. 'En meneer Stern, is de verdediging van mening dat de voorliggende feiten van dien aard zijn dat rechter Sabich schuldig zou worden bevonden als de zaak aan een jury zou worden voorgelegd?'

'Jazeker, edelachtbare.'

'Rechter Sabich, bent u dat met de heer Stern eens?'

'Ja, rechter Yee.'

'In orde,' zegt Yee. Hij slaat het procedureboek dicht. Verder moet hij het zelf doen. 'Het hof wil alle partijen complimenteren met goede afloop van deze zaak. Dit is heel, heel complexe zaak. Overeenkomst tussen verdediging en aanklagers geniet naar mening van hof instemming van verdachte.' Hij knikt een paar keer, alsof hij de journalisten die een eind verderop op de voorste rij zitten daarvan wil doordringen.

'Oké,' zegt hij. 'Hof oordeelt dat voldoende basis is voor schuldigverklaring, en aanvaardt bekentenis van verdachte Roz...' Hij struikelt over de naam, zodat die klinkt als 'Rosy'. '... Sabich wat betreft aanklacht 09-0872. Aanklacht 08-2456 wordt hierbij ingetrokken. Rechter Sabich, u wordt bij dezen veroordeeld tot een gevangenisstraf van twee jaar. De zitting is gesloten.' Hij hamert af.

Mijn vader schudt Sandy de hand en kust Marta op haar wang. Dan draait hij zich om naar mij. Hij lijkt te schrikken en het duurt even voor ik doorheb dat dat komt omdat Anna naast me zit. Het is de eerste keer dat ze in de zaal zit en hij had haar duidelijk niet verwacht. Net als ik heeft ze de laatste paar minuten in stilte zitten huilen en haar make-up ziet er niet uit. Hij werpt haar een complex lachje toe, kijkt dan naar mij en knikt. Dan draait hij zich om en zonder dat iemand dat vraagt, legt hij zijn handen op zijn rug. Hij is helemaal voorbereid op wat er nu komen gaat. De gedachte komt bij me op dat hij dit in zijn dromen waarschijnlijk al honderd keer heeft meegemaakt.

Manny, de hulpsheriff, doet hem handboeien om en fluistert iets tegen hem. Waarschijnlijk vraagt hij of ze niet te strak zitten. Dan geeft hij mijn vader een duwtje in de richting van een deur in de muur van de rechtszaal. Daarachter is een kleine ruimte waar hij wordt opgesloten tot hij met de rest van de verdachten die vanmorgen voor de rechter zijn verschenen naar de gevangenis wordt overgebracht.

Mijn vader loopt de rechtszaal uit zonder om te kijken.

IV

41

Tommy, 3 augustus 2009

Zomer in al zijn zoete weelde. Het was vijf uur 's middags en Tommy was een van de groep vaders die hun kinderen rond het peuterveldje volgden om de overbelaste moeders te ontzien tijdens het uur voor het eten. Het speelveldje was zonder enige twijfel Tomaso's favoriete plek op aarde. Als Tommy's zoon het betrad, rende hij van het ene speeltoestel naar het andere, duwde tegen de kleine draaimolen, klom het spinnenweb op en af. Tommy volgde hem op een stap afstand en voelde altijd de vertwijfeling van zijn tweejarige dat hij niet alles tegelijk kon doen.

Dominga had het met deze zwangerschap zwaarder dan ze het met Tomaso had gehad. De misselijkheid 's ochtends was erger, ze was constant moe en klaagde dat ze zich in de warmte opgezwollen voelde, als een overrijpe vrucht aan een wijnrank. Nu hij officieel demissionair was, kon Tommy zich makkelijker losmaken van het bureau en probeerde hij niet later dan halfvijf thuis te zijn om haar te ontlasten. Als Tomaso en hij terugkwamen van het speelveldje troffen ze haar vaak diep in slaap. Dan kroop Tomaso over zijn moeders achteroverliggende lijf en probeerde zich in haar armen te wurmen. Dominga glimlachte voor ze wakker werd en drukte haar smoezelige en beminde jochie tegen zich aan.

Het leven was goed. Nog maar even en Tommy werd zestig en hij had een beter leven dan hij zich ooit kon herinneren. Zoals de eerste zaak-Sabich met zijn ellendige nasleep een paar decennia geleden zijn bestaan had verduisterd, bleek de tweede zaak nu het begin van een leven als een achtenswaardig figuur. De publieke opinie had zich grotendeels ontwikkeld zoals Brand die avond dat ze besloten

Rusty's aanbod aan te nemen had voorspeld. Sabich' veroordeling had Tommy schoongewassen. Het DNA van de eerste rechtszaak werd als controversieel beschouwd vanwege twijfels aan de echtheid van het monster, maar de meest genoemde parallel was die met O.J. Simpson, die ook met moord was weggekomen omdat het lab de zaak verprutst had. De consensus op de redactionele pagina's was dat aanklager Molto eruit had gehaald wat hij kon en erin geslaagd was een man te laten veroordelen die al veel eerder veroordeeld had moeten zijn. In de afgelopen zes weken lieten de kranten steeds vaker het woord 'interim' vallen als ze hem aanduidden als hoofdaanklager. En het districtsbestuur had laten weten dat het Tommy zou verwelkomen als hij zich volgend jaar verkiesbaar wilde stellen.

Hij had daar ook inderdaad een paar dagen serieus over nagedacht. Maar het was tijd zijn zegeningen in ontvangst te nemen. Hij had tien keer zoveel geluk gehad als zijn generatiegenoten op het bureau van de openbare aanklager die hadden moeten sappelen voor hun carrière toen hun kinderen klein waren. Tommy kon nu op een rechterstoel plaatsnemen, een waardig ambt dat hem tijd zou overlaten om te genieten van zijn jongens en meer dan een schim in hun leven te zijn. Hij had twee weken geleden aangekondigd dat hij zich kandidaat stelde als rechter bij het gerechtshof en Jim Brand aanbevolen als zijn opvolger. Ramon Beroja, een voormalig aanklager die nu lid was van het districtsbestuur, zou het in de voorverkiezingen tegen Jim opnemen, maar de partij had een voorkeur voor Brand, grotendeels omdat men algemeen vermoedde dat Ramon het daarna snel tegen het districtshoofd zelf zou opnemen. Jim zou een halfjaar hard campagne moeten voeren, maar men verwachtte dat hij wel zou winnen.

Vanaf de overkant van het peuterveldje zat een oude, behaarde man, die tussen de pijpen van zijn korte cargobroek en zijn gestreepte kniekousen nog een flink stuk weerzinwekkend witte benen liet zien, te kijken naar Tommy. Dat hij keek was niet ongebruikelijk. Tommy was een bekend gezicht van de televisie en mensen probeerden altijd hem te plaatsen, hoewel ze hem vaak aanzagen voor iemand die ze vroeger hadden gekend. Maar deze man keek openlijker dan de gebruikelijke nieuwsgierige buren met hun vorsende blikken. Toen de kinderen die hij bij zich had zich in Tomaso's richting bewogen, kwam de man naar Tommy toe, en hij had hem zelfs al de hand geschud voordat Molto hem uiteindelijk herkende als Milo Gorvetich, de computerexpert in de zaak-Sabich.

'Zijn kleinkinderen niet het mooiste wat je in het leven kan overkomen?' vroeg hij en hij knikte naar twee meisjes, allebei met een bril. De meisjes waren de glijbaan op geklommen en Tomaso was ze gevolgd en stond op de onderste tree naar boven te kijken, verlangend maar bang om verder te klimmen. Dit drama herhaalde zich elke dag. Uiteindelijk zou Tomaso gaan huilen en dan zou zijn vader hem op de glijbaan tillen. Daar zou Tomaso dan weer een tijd aarzelen voor hij de moed had verzameld om zich omlaag te storten, waar Tommy stond te wachten om hem op te vangen.

'Hij is mijn zoon,' zei Tommy. 'Ik ben een laatbloeier.'

'O jee,' antwoordde Gorvetich, maar Tommy lachte. Hij had Dominga al een paar keer gezegd dat hij voor Tomaso een T-shirt ging laten bedrukken met de tekst: 'Die oude man daar is echt mijn vader'. Tegen de tijd dat Tommy de andere ouders zijn status had uitgelegd, hadden ze hem gewoonlijk al weten te plaatsen als openbare aanklager. Uit het commentaar dat volgde kon hij opmaken dat velen hem beschouwden als een lokaal politiek kopstuk dat paste op zijn tweede leg bij het bekende groen blaadje. Niemand begreep het leven van iemand anders ooit werkelijk.

'Mooi jochie,' zei Gorvetich.

'Het zonnetje in mijn leven,' antwoordde Tommy.

Ze kwamen erachter dat de jongste dochter van Gorvetich bij Tommy in de buurt woonde, een straat achter hem in de richting van de rivier. Ze was docent natuurkunde en getrouwd met een ingenieur. Gorvetich was weduwnaar en kwam op dit uur vaak op de kinderen passen tot hun ouders van hun werk thuiskwamen.

'En, ben je alweer bezig met je volgende zaak?' begon Gorvetich om een praatje aan te knopen.

'Nog niet,' zei Tommy. In feite fungeerde de hoofdaanklager normaal gesproken ook alleen als hoofd van het bureau. De meesten van Tommy's voorgangers kwamen nooit in een rechtszaal en Tommy begon al te wennen aan het idee dat de zaak-Sabich zijn allerlaatste zaak als aanklager zou kunnen zijn.

'Zo'n zaak is voor jou natuurlijk dagelijkse kost,' zei Gorvetich, 'maar ik moet zeggen dat die zaak me sinds hij is geëindigd niet heeft losgelaten. Je verwacht van een rechtszaak dat die tot een krachtige apotheose komt, maar deze ging uit als een nachtkaars.'

Zo gaat het soms, erkende Tommy. Een paar smalle categorieën – schuldig, onschuldig, aan dit of aan dat – om een heelal aan ingewikkelde feiten in te vangen.

'We hebben liever dat er een klein beetje recht wordt gedaan dan helemaal niet,' zei Tommy.

'Een buitenstaander staat er raar van te kijken, maar jullie zijn natuurlijk al zo gewend aan de schimmigheid van die dingen dat je er de grimmige humor van kunt inzien.'

'Ik geloof niet dat ik in die zaak veel om te lachen heb gevonden.'

'Dat is dan net het verschil tussen jou en Brand,' zei Gorvetich.

Tommy hield Tomaso in het oog, die stokstijf stil bleef staan op de ladder, hoewel zich achter hem een rij had gevormd. Tommy probeerde hem van de eerste tree af te krijgen, maar hij protesteerde heftig en krijste zijn favoriete woord: 'Nee!' Tommy wist Tomaso met enig geduld te overreden om de andere kinderen op de trap te laten, maar zodra die voorbij waren, beklom Tomaso zijn eerste tree weer als een havik zijn standplaats. Zijn vader stond op minder dan een armlengte achter hem.

'Een bijtertje,' zei Gorvetich lachend.

'Zo eigenwijs als zijn vader. Wonderlijke dingen, genen.' Hij dacht weer aan hun gesprek. 'Wat zei u ook alweer over Brand?'

'Het was gewoon iets wat hij zei toen we de week daarna uit eten zijn gegaan. Om het te vieren, zeg maar. Was jij ook niet uitgenodigd?'

Tommy herinnerde het zich. Hij had een maand lang de klok rond gewerkt voor de zaak en voorlopig wilde hij 's avonds thuis zijn. Hij legde uit dat zijn vrouw net zwanger was gebleken toen het etentje plaatshad. Hij nam de gelukwensen van Gorvetich in ontvangst en de oude professor ging verder met zijn verhaal.

'Het was later op de avond. We stonden op de stoep voor de Matchbook en hadden allebei een borrel op, en toen zei ik tegen Jim dat het frustrerend moest zijn om deel uit te maken van een systeem dat soms zulke onbevredigende uitkomsten oplevert. Jim moest lachen en zei dat hij met het verstrijken van de tijd steeds meer de perverse humor van deze zaak was gaan inzien. De grap dat iemand die de perfecte moord had willen plegen uiteindelijk wordt gestraft voor een misdaad waaraan hij part noch deel heeft gehad.'

'Wat bedoelde hij daarmee?' vroeg Tommy.

'Dat weet ik niet. Ik vroeg het hem ook, maar hij haalde zijn schouders op. Ik dacht dat jij het wel zou begrijpen.'

'Niet echt,' zei Tommy.

'Daar heb ik over lopen malen. Toen Sabich schuld bekende, heb ik als vanzelfsprekend aangenomen dat hij een medeplichtige had die met zijn pc heeft geknoeid. Het zou een verbijsterende technische prestatie zijn geweest voor een man die blijkbaar zo weinig van computers wist. Weet je nog, hij had zich niet eens gerealiseerd dat zijn zoekacties op internet in de cache van zijn browser werden opgeslagen.'

'Klopt,' zei Tommy.

'Dus toen ben ik me gaan afvragen of Jim er misschien achter was gekomen dat die medeplichtige helemaal geen medeplichtige was maar iemand die helemaal op zijn eigen houtje had gehandeld, zonder enige aanwijzing van Sabich.'

Tommy haalde zijn schouders op. Hij had geen idee waar dit over ging. Ze hadden op de dag dat ze ontdekten dat de kerstkaart niet op de kopie van de harde schijf stond geprobeerd alle mogelijkheden de revue te laten passeren. Om elke mogelijke beschuldiging van de advocaten voor te zijn, hadden ze de hele keten van het bewijs nog een keer nagelopen om zich ervan te vergewissen dat die onaangetast was. Nog in december, toen Yee had gelast dat de computer terugkwam, hadden Gorvetich en Orestes Mauro, een forensisch technicus van het bureau van de aanklager, de monitor, het toetsenbord, de aan-uitknop op de kast en zelfs de muis ingepakt in bewijsmateriaaltape, waarop ze hun initialen hadden gezet voordat ze alle onderdelen in krimpfolie hadden verpakt. De dag dat Nat Sabich had getuigd, was de krimpfolie met toestemming van de verdediging opengesneden op het bureau van de aanklager, maar de tapeverzegeling was pas in de rechtszaal verbroken in aanwezigheid van die twee computerhotshots die Sabich had ingehuurd en die hadden geverifieerd dat nergens op de tape in blauw het woord 'VERBROKEN' was verschenen ten teken dat er met de tape was geknoeid.

Dus de enige mogelijkheid was dat het geknoei had plaatsgehad in de tijd dat de computer in de werkkamer van George Mason stond. Gorvetich had Masons logboek bekeken en was van mening dat niemand lang genoeg toegang tot de computer had gehad om alle veranderingen te kunnen doorvoeren en vooral om het register op te schonen, iets wat volgens hem een tijdrovend karwei was, zelfs voor hem. De enige plausibele verklaring die ze zich hadden kunnen voorstellen was dat Sabich met een of andere techneut buiten kantooruren het gebouw was binnengeslopen. Maar blijkbaar had Brand in de weken daarna een andere verklaring bedacht.

'Waarschijnlijk kletste Brand maar wat,' zei Molto.

'Zou kunnen,' zei Gorvetich. 'Of ik heb hem verkeerd begrepen. We hadden hem nogal hangen.'

'Zou ook kunnen. Ik zal het hem eens vragen.'

'Of je kunt het laten gaan,' zei Gorvetich.

De oude man leek altijd wat in zichzelf verdiept en verstrooid, maar heel even lichtte er een sluwe blik in zijn ogen op. Tommy kon niet goed raden wat hij dacht, maar inmiddels waren Milo's kleindochters afgedwaald naar de andere kant van het speelveld en hij ging haastig achter ze aan. Dat was maar goed ook, want op hetzelfde moment hoorde Tommy een kreet die alleen van Tomaso kon komen, wist hij. Toen hij opkeek, zag hij dat zijn zoon het trapje op was geklommen. De peuter van twee stond nu boven aan de glijbaan, geschrokken van zijn eigen prestatie.

42

Rusty, 4 augustus 2009

'De gevangenis boezemt hem geen angst in.' Dat zeiden we decennia geleden, toen ik nog aankomend aanklager was, voortdurend tegen elkaar. Meestal hadden we het dan over geharde criminelen, flessentrekkers, bendeleden, beroepsdieven, voor wie misdaad een manier van leven was en opsluiting geen afschrikwekkend vooruitzicht, ofwel omdat ze nooit nadachten over de toekomst of omdat ze een verblijf in de gevangenis simpelweg accepteerden als onderdeel van hun eigen soort carrièreplan.

Het gezegde gaat de hele tijd in mijn hoofd rond omdat ik een bijna constante drang voel om tegen mezelf te zeggen dat gevangenzitten niet zo erg is. Ik heb gisteren overleefd. Ik zal vandaag overleven en morgenochtend gewoon weer wakker worden. De dingen waarvan je dacht dat ze van belang waren – de angst voor andere gedetineerden en de mythische gevaren van de douches – nemen een deel van je psychische ruimte in, maar ze vallen in het niet bij wat daarbuiten triviale dingen lijken. Het is onmogelijk te weten wat het gezelschap van andere mensen of de warmte van natuurlijk daglicht met je doet, tot je het zonder moet doen. Evenmin kun je volledig begrijpen hoe kostbaar vrijheid is tot de dingen die je elke dag zelf uitmaakt – wanneer je opstaat, waar je naartoe gaat, wat je aantrekt – streng worden voorgeschreven door iemand anders. Ironisch genoeg, ongelooflijk genoeg, is het ergst van gevangenzitten het meest voor de hand liggende: je kunt niet weg.

Aangezien mijn veiligheid te midden van de gevangenispopulatie als hoogst riskant wordt beschouwd, word ik gehouden in wat administratieve detentie wordt genoemd, beter bekend als eenzame opsluiting. Ik vraag me voortdurend af of ik er beter aan zou doen het risico van gewone opsluiting te accepteren, wat me in elk geval de gelegenheid zou geven om acht uur per dag te werken. De meesten van de gedetineerden hier zijn jonge zwarte of latino bendeleden die zijn opgepakt voor drugsdelicten en geen lange geschiedenis van geweld achter zich hebben. Of er iemand bij is die me kwaad zou willen doen is zuiver een kwestie van speculeren. Ik heb via de bewaarders, die het internet van de instelling zijn, al gehoord dat hier twee mannen zitten van wie ik in beroep hun veroordeling heb bevestigd, en simpel optellen en aftrekken is genoeg om te bedenken dat er vast nog een paar zijn van wie ik hun vader of grootvader heb vervolgd, lang geleden. Grosso modo deel ik de visie van de adjunct-directeur, die me heeft aangeraden vrijwillig voor eenzame opsluiting te kiezen, dat ik te beroemd ben om niet door een of andere depressieve en giftige jongeling als symbool te worden gezien, als trofee die hij maar al te graag zou willen winnen.

Dus houden ze me nu in een cel van nog geen drie bij drie met betonnen muren, een lage met staal gewapende deur waardoor mijn maaltijden naar binnen worden geduwd en een enkel lichtpeertje. Er is ook een raam van twintig bij zeventig centimeter dat nauwelijks licht toelaat. Hierbinnen mag ik mijn tijd besteden zoals ik wil. Ik lees ongeveer een boek per twee dagen. Stern opperde dat er misschien een markt voor mijn memoires zou kunnen zijn als ik vrijkom en ik schrijf elke dag wat, maar er is een goede kans dat ik die blocnotevellen in de fik steek zodra ik hier weg mag. De krant komt met de post, twee dagen te laat, en als er ooit iets in staat over de staatsgevangenissen, wordt het eruit geknipt. Ik ben met een cursus Spaans begonnen, ik oefen met een paar bewaarders die bereid zijn terug te praten. En als een welgestelde heer aan het eind van de negentiende eeuw houd ik mijn correspondentie bij. Ik schrijf Nat elke dag een brief en ik heb nog contact met een paar mensen uit mijn vorige leven wier loyaliteit ik enorm waardeer, George Mason en Ray Horgan in het bijzonder, en een van mijn buren. Dan zijn er ook nog een dikke twintig getikten, vooral vrouwen, die me de afgelopen maand hebben geschreven om hun geloof in mijn onschuld te betuigen en hun eigen verhaal te doen over het onrecht dat ze is aangedaan, meestal door een corrupte rechter die hun scheiding behandelde.

Als de vier gevangenen die in administratieve detentie zitten worden losgelaten op de luchtplaats voor een uur beweging, is mijn eerste neiging de drie anderen alle drie te omhelzen, al onderdruk ik die neiging snel. Rocky Toranto is een hiv-positieve travestiet, die zich in de grote groep aan andere mannen bleef opdringen. De andere twee die me in de gaten houden als ik de luchtplaats rond draaf en mijn spreidsprongen en push-ups doe, zijn echte psychopaten. Manuel Rodegas heeft een gezicht als een platgeslagen insect. Hij is amper anderhalve meter lang en zijn hoofd lijkt rechtstreeks op zijn schouders te staan. Hij is zo nu en dan helder, maar als je met hem praat, begint hij doorgaans al snel wartaal uit te slaan. Harold Kumbeela heeft in ieders nachtmerries wel eens een rol gespeeld. Hij is bijna twee meter lang en weegt over de honderddertig kilo en hij heeft toen hij beneden in de grote groep zat één man kreupel geslagen en een andere bijna dood. Hij is veel te gewelddadig voor een gewone staatsgevangenis en de enige reden dat hij hier zit is dat de gevangenis een betaalde regeling heeft met de Immigratiedienst, die een vijftal cellen huurt voor delinquente immigranten die wachten op uitzetting, en in Harolds geval kan die niet snel genoeg komen. Helaas voor mij is Harold erachter gekomen dat ik rechter ben geweest en komt hij regelmatig mijn raad vragen over zijn zaak. Dat ik hem zei dat ik niets van immigratiewetgeving weet was een smoes die me maar een paar weken respijt heeft opgeleverd. 'Ja, man,' zei hij een paar dagen geleden tegen me, 'maar misschien, jongen, misschien kan je wel wat bijlezen, weet je? Een *brother* helpen, weet je?' Ik heb de bewaarders gevraagd een oogje op Harold te houden, maar dat doen ze toch wel.

Nat komt me elke zondag opzoeken en brengt dan een mand vol boeken mee, die door de bewaking wordt geïnspecteerd, en de veertien dollar die ik per week in de kantine mag besteden. Ik maak het hele bedrag op aan snoep, want hoeveel ik ook sport, ik zal wel nooit zin krijgen in dat eten hier. Nat en ik zitten aan een wit geschilderde versie van een picknicktafel. Er is hier minimale beveiliging, dus ik mag over de tafel heen zijn hand even vastpakken en hem een knuffel geven als hij komt en vertrekt. We hebben maar een uur. De eerste twee keer dat hij me hier zag moest hij huilen, maar we hebben plezier gekregen in zijn bezoeken. Meestal is hij aan het woord, met nieuws van de buitenwereld, het werk, de familie, en ook wat de week aan goede internetgrappen te bieden had. We lachen veel dat uur, hoewel er altijd een triest moment komt als we het over de Trappers hebben, die weer eens zijn vastgelopen in een hopeloos seizoen. Tot nu toe is Nat mijn enige bezoeker geweest. Voor Anna zou het om allerlei redenen onverstandig zijn om met hem mee te komen en ze houdt dezelfde afstand als nu al bijna twee jaar. Ik zit er trouwens niet om te springen dat iemand anders me hier ziet. Op zondag, als Nat er is, word ik door een bewaarder die Gregg heet door de achtereenvolgende veiligheidspoorten geleid, letterlijk uit het halfdonker naar het daglicht.

Daarom ben ik stomverbaasd als de deur van mijn cel wijd openzwaait en Torrez, een van de bewaarders die me met mijn Spaans helpt, zegt: '*Su amigo*'. Hij stapt opzij en Tommy Molto bukt zich om door de deur binnen te komen. Ik lig op mijn brits een boek te lezen. Ik ga haastig rechtop zitten, maar ik weet totaal niet wat ik moet zeggen. Tom ook niet. Hij blijft bij de deur staan alsof hij zich nu pas afvraagt wat hij hier doet.

'Rusty.' Tommy steekt zijn hand uit en ik schud hem. 'Stoer, die bakkebaarden,' zegt hij.

Ik heb hier mijn baard laten staan, grotendeels omdat het licht in mijn cel scheren tot een riskante operatie maakt, en omdat de veiligheidsmesjes die we mogen hebben vanzelfsprekend bot zijn.

'Hoe is het hier?' vraagt Molto.

Ik doe mijn handen open. 'De fitnessclub is niet veel soeps, maar we hebben tenminste roomservice.'

Hij glimlacht. Ik gebruik hetzelfde grapje in mijn brieven.

'Ik ben niet uit leedvermaak gekomen, als je dat soms denkt,' zegt Molto. 'Er was hier een vergadering van gevangenismanagers en openbare aanklagers uit de hele staat.'

'Rare plek voor een bijeenkomst.'

'Geen journalisten.'

'Ah.'

'De Dienst Penitentiaire Inrichtingen wil dat de aanklagers een plan goedkeuren om sommige gedetineerden boven de vijfenzestig jaar vrij te laten.'

'Omdat ze geen gevaar meer zijn?'

'Om geld te besparen. De staat kan de kosten van hun gezondheidszorg niet meer opbrengen.'

Ik glimlach. Wat een wereld. In het justitiële systeem praat niemand ooit over de kosten van straf. Daar denkt iedereen dat er op deugdzaamheid geen prijs staat.

'Misschien heeft Harnason een betere deal gemaakt dan hij dacht,' zeg ik.

Dat vindt Tommy wel leuk, maar hij haalt zijn schouders op. 'Ik dacht dat hij de waarheid sprak.'

'Ik ook. Zo'n beetje.'

Tommy knikt. De celdeur staat nog open en Torrez staat er vlak achter. Om wat te ontspannen leunt Tommy in zijn pak tegen de muur. Ik vind het niet nodig hem te zeggen dat zich daar vaak vocht verzamelt.

'Hoe dan ook,' zegt Tommy, 'er zijn een paar mensen die vinden dat jij ook een kandidaat voor vervroegde vrijlating zou moeten zijn.'

'Ik? Iemand buiten mijn familie?'

'Er schijnt op het bureau een theorie rond te gaan dat je schuld hebt bekend aan een delict dat je niet hebt begaan.'

'Die theorie is ongeveer net zo goed als de andere theorieën die jullie over mij hebben gehad. Die klopten geen van alle, net zomin als deze.'

'Nou ja, ik was toch in de buurt, dus ik dacht ik zoek je even op om te horen wat je erover te zeggen had. Nogal een toeval, dus misschien betekent dat wel dat ik hier moet zijn.'

Tommy is altijd al een katholiek met een mystieke inslag geweest. Ik overdenk wat hij net heeft gezegd. Ik weet niet of ik er vrolijk of woedend over moet worden, tot het tot me doordringt dat Tommy nog altijd bereid lijkt me op mijn woord te geloven. Het is moeilijk voor te stellen wat hij van me denkt. Geen echt consistent verhaal, denk ik. Dat is net zijn probleem.

'Nou, dat heb je nou gehoord, Tom. Die theorie bij jullie op het openbaar ministerie, waar komt die trouwens vandaan?'

'Ik kwam gisteren Milo Gorvetich tegen en hij vertelde me door wat hij had gehoord. Ik begreep er in eerste instantie niet veel van, maar het begon me midden in de nacht te dagen en het zat me niet lekker.'

Tommy kijkt om, steekt dan zijn hoofd om de deur en vraagt Torrez om een stoel. Het duurt even en het beste wat ze kunnen vinden is een plastic krat. Ik had even overwogen om Molto de brilloze roestvrijstalen wc-pot aan te bieden, maar Tommy is te netjes om dat grappig te vinden. Lekker zitten doet hij ook niet.

'Je werd 's nachts wakker en het zat je niet lekker,' herinner ik hem.

'Wat me niet lekker zit is dat ik een zoon heb. Sterker: nog een maand of zes en ik heb er twee.'

Ik feliciteer hem. 'Je geeft me hoop, Tommy.'

'Hoezo dat?'

'Op latere leeftijd opnieuw beginnen? Lijkt jou goed af te gaan. Misschien overkomt mij ook wel iets goeds als ik hieruit kom.'

'Ik hoop het voor je, Rusty. Alles is mogelijk als je erin gelooft, als je het niet erg vindt dat ik het zeg.'

Ik weet niet of dat de oplossing voor mij zou zijn, maar ik neem aan dat de raad goed bedoeld is en ik zeg dat Tommy ook. Dan blijft het stil.

'Hoe dan ook,' zegt Molto uiteindelijk. 'Als iemand tegen mij zou zeggen dat ik twee jaar de bak in moest om het leven van mijn jongens te redden, zou ik er geen seconde over nadenken.'

'Is mooi van je.'

'Dus als ik ervan overtuigd was dat iemand van wie ik hield met die computer had geknoeid, ook al had ik er niet om gevraagd, had ik me misschien ook in het zwaard gestort en schuld bekend, gewoon om overal een eind aan te maken.'

'Oké. Maar in dat geval was ik onschuldig, en ik heb je gezegd dat ik schuldig was.'

'Dat zeg je.'

'Vind je het niet een beetje ironisch? Ik heb je twintig jaar lang gezegd dat ik geen moordenaar ben en je gelooft me niet. Uiteindelijk stuit je op een misdrijf dat ik wél heb gepleegd en als ik zeg dat het zo is, geloof je dat ook niet.'

Molto glimlacht. 'Ik zal je eens wat zeggen. Als jij zo'n liefhebber van de waarheid bent, leg me dan maar eens precies uit hoe je dat met die computer voor elkaar hebt gekregen. Alleen tussen jou en mij. Je hebt mijn woord dat niemand anders er ooit voor aangeklaagd zal worden. Sterker: wat je me ook vertelt, komt niet buiten deze cel. Ik hoef het alleen maar te horen.'

'Sorry, Tom. Daar hadden we al een afspraak over. Ik heb gezegd dat ik geen vragen zou beantwoorden als jij mijn bekentenis aanvaardde. En daar hou ik me aan.'

'Wil je het zwart op wit hebben? Heb je een pen? Schrijf ik het nu op. Scheur maar een blanco pagina uit een van die boeken.' Hij wijst op het stapeltje op mijn eenzame boekenplankje. 'Ik, Tommy Molto, hoofdaanklager van Kindle County, beloof alle informatie die me ter ore komt als strikt vertrouwelijk te behandelen en geen enkele vorm van verdere vervolging in te stellen in enig verband met de pc van Rusty Sabich. Denk je dat dat een belofte is die ik niet kan nakomen?'

'Waarschijnlijk niet, om eerlijk te zijn. Maar daar gaat het niet om.'

'Alleen jij en ik, Rusty. Vertel me wat er is gebeurd. Dan kan ik de hele boel laten rusten.'

'En jij denkt dat je me zou geloven, Tom?'

'God weet waarom, maar ja. Ik weet niet of je een sociopaat bent of niet, Rusty, maar het zou me niet verbazen als je nog niet gelogen hebt. Althans zoals jij de waarheid ziet.'

'Daar heb je gelijk in. Oké,' zeg ik, 'de waarheid. Voor eens en voor altijd. Tussen jou en mij.' Ik kom overeind van mijn bed zodat ik hem recht in de ogen kan kijken. 'Ik heb de rechtsgang belemmerd. En laat het nou rusten.'

'Dat wil je?'

'Dat wil ik.'

Molto schudt zijn hoofd nog eens en ziet daardoor de natte plek op de schouder van zijn pak. Hij wrijft er een paar keer overheen en als hij opkijkt kan ik de glimlach niet van mijn gezicht poetsen. Zijn blik verstrakt. Ik heb de oude zenuw tussen ons geraakt, Rusty boven, Tommy onder. Ik maak hem de Beheerder van Recht en Waarheid, maar als het gaat tussen hem en mij kan ik hem nog steeds de kast op jagen.

'Krijg toch ook de klere, Rusty,' zegt hij dan. Hij loopt naar buiten en komt dan terug, maar alleen om de krat mee te grissen.

43

Tommy, 4-5 augustus 2009

Tommy vroeg zich altijd af wat er terecht moest komen van jongens als Orestes Mauro, de forensisch onderzoeker die was gespecialiseerd in digitale apparatuur. Tommy meende dat hij op zijn leeftijd toch enig idee moest hebben, maar hij dacht werkelijk niet dat er in zijn jeugd mensen als Orestes bestonden. De jongen was slim genoeg en hij deed zijn werk, zij het op zijn eigen manier. Maar voor Orestes was het leven een en al spel. De oordopjes van zijn iPod zaten permanent in zijn oren, behalve als hij er een uitdeed om met iemand te praten. Als Tommy Orestes op de gang hoorde praten, ging het onveranderlijk over onlinespellen of de nieuwste uitgaven voor zijn Xbox. Ook de computer beschouwde hij als een puzzel op meerdere niveaus, dus de zakelijke opdracht waar hij aan werkte, hoe moeilijk ook, was grotendeels ondergeschikt aan het betoverende mysterie van wat er in het binnenste van die kast gebeurde. Werk was een noodzakelijk kwaad dat Orestes op de koop toe nam, als het maar niet te lang duurde. Hij was een zachtaardige, vriendelijke jongen. Als hij merkte dat je er was.

Orestes was op de afdeling bewijsmateriaal met een stel kartonnen dozen in de weer waarop hij ritmisch trommelde toen Tommy de deur van het kantoor van de hoofdaanklager uit kwam. Het was bijna zeven uur 's avonds. Hij had onderweg terug van de gevangenis in Morrisroe veel te lang in het verkeer vastgezeten, was uiteindelijk afgeslagen en had de rest van de weg naar huis secundaire wegen genomen, die hem uiteindelijk langs het County Building voerden. Hij was toch al te laat om met Dominga en Tomaso te kunnen eten, dus hij had besloten op kantoor langs te gaan om de stukken op te halen voor zijn afspraak bij het hof van beroep de volgende ochtend. Dan kon hij een halfuur later van huis vertrekken en Dominga wat langer laten slapen.

Toen hij Orestes vanaf de gang bezig zag, sloeg hij af naar de afdeling bewijsmateriaal, een omgebouwde opslagruimte achter de goederenlift. Bewijsmateriaal dat in opdracht van een grand jury was gevorderd moest volgens de wet worden bewaard in het bureau van de openbare aanklager, en niet bij de politie, en dan worden geregistreerd en opgeslagen. Toen Orestes Tommy aan zag komen, maakte hij op zijn tenen een perfecte pirouette à la Michael Jackson.

'Chef!' Hij praatte altijd te luid met de oordopjes in.

'Hé, Orestes.' Tommy gebaarde naar zijn oren en Orestes deed een oordopje uit. Tommy tikte ook aan de andere kant. Orestes deed wat hem werd opgedragen, maar verwachtte nu kennelijk een ernstige boodschap.

'Wat is er?'

'Die zaak van Sabich,' antwoordde Tommy.

Orestes kreunde bij wijze van reactie. 'Die rechter?'

'De rechter,' antwoordde Tommy.

'O, die ellende. Gewoon gestoord, man,' zei hij.

Geen slechte analyse. Tommy had de hele weg terug aan Rusty moeten denken. Hem daar in die cel zien was een schokkende ervaring geweest, maar kennelijk meer voor Tommy dan voor Sabich zelf. Tom had met de mogelijkheid rekening gehouden dat Rusty depressief of in de war zou zijn, zoals de meeste mensen in eenzame opsluiting, maar hij had eerder iets bevrijds gehad. Hij had lang haar en een gevangenisbaard, witter dan Tommy verwacht zou hebben, wat hem de indruk gaf van een drenkeling op een onbewoond eiland. En zo'n air had hij ook over zich: ik heb het ergste gehad; nu maak je me niks meer. Toch was Sabich zichzelf gebleven. Hij had Tommy waarschijnlijk niet voorgelogen, maar hij had de dingen op zijn eigen manier gezegd, voorzichtig, zelfs argwanend, met de woorden die hij gebruikte, zodat hij tegen zichzelf kon zeggen dat hij de waarheid sprak, maar tegelijkertijd, en typisch voor Rusty, ervoor zorgde dat hij de enige was die de waarheid echt kende. Waardoor Tommy in de spagaat terechtkwam die nu al decennialang zijn relatie met Rusty kenmerkte. Want wat wás nou eigenlijk de waarheid?

'Ik loop me nog steeds af te vragen hoe ze met die computer hebben geknoeid.'

'Geen idee, man,' zei Orestes. 'Ik was het in elk geval niet, dat weet ik wél.' Hij lachte.

'Ik ook niet. Maar ik blijf maar denken dat we iets over het hoofd hebben gezien. Ik vraag me af of Sabich misschien een bekentenis heeft afgelegd om zijn zoon te beschermen. Slaat dat ergens op, denk jij?'

'Oké,' zei Orestes. Hij zette de uitzonderlijke stap dat hij zijn iPod uitschakelde en op een metalen kruk ging zitten. 'Niemand heeft het me gevraagd, maar weet je nog die grote vergadering die we hebben gehad toen jullie allemaal van de rechtbank terugkwamen en jullie wisten dat die kaart vals was? En Milo zat maar te trippen van dat niemand die op het kantoor van rechter Mason aan die computer was geweest – Sabich niet, zijn zoon niet, die vorige assistente van Sabich niet – genoeg tijd had gehad om zo met dat ding te rotzooien en alles in te stellen om die kaart daar te planten. Weet je nog?'

'Natuurlijk.'

'En hoe Jimmy B. toen dat hele verhaal ophing van dat Sabich het gerechtsgebouw binnengeslopen moest zijn?'

'Klopt.'

'Maar nou komt het. Wat als ze het allemaal samen waren? Wat als ze allemaal een stuk hebben gedaan om die kaart daar te planten. De ene zet hem erop vanaf een USB-stick, de volgende voert Spy uit en nog een ander bewerkt de directory. Met zijn allen, of zelfs met zijn tweeën, hadden ze tijd genoeg.'

Tommy greep naar zijn voorhoofd. Natuurlijk. Misschien zag Orestes' toekomst er beter uit dan hij dacht.

'Dus jij denkt dat het zo is gegaan?' vroeg Molto.

Orestes lachte voluit. 'Man,' zei hij, 'ik heb geen idee. Computers, man, dat is altijd een trip. Er is niet één persoon die alles weet. Daarom zijn ze ook zo cool.'

Tommy overdacht dit stukje filosofie. Het deed erg aan sciencefiction denken. Wat Orestes eigenlijk zei was dat computers net als mensen waren, in de zin dat je ze nooit echt begreep.

'Maar als jij die kaart erin had willen zetten, had jij het dan zo gedaan?'

'Ik?' Orestes lachte weer, met een hoog melodieus geluid. 'Nee, ik had het zeker gekund. Maar ja, ik ben ik.'

Het nonchalante zelfvertrouwen waarmee Orestes dat zei verontrustte Tommy. Het was immers juist zijn taak systemen te ontwikkelen om te voorkomen dat er met bewijsmateriaal onder zijn hoede gerommeld kon worden. Natuurlijk vroeg Tommy hem dus wat hij bedoelde.

'Ach dat zeg ik maar zo. Net als die avond toen ik daar met Jimmy B. was om dat verpakkingsmateriaal eraf te halen –'

'Ik dacht dat dat 's ochtends was gebeurd, direct voor de zitting?'

'Hé, man. Ik ben hier van twaalf tot acht.' Orestes legde een duim op een van de felgekleurde strepen van zijn shirt. 's Ochtends naar school. Diploma halen. Wat van mijn leven maken.' Orestes tikte op een kartonnen doos om zijn woorden te onderstrepen. 'Dus ik ging naar beneden, naar Brands kantoor, want de pc stond daar op het karretje uit de rechtszaal en toen hebben we samen de folie ervan afgehaald, en dat kostte eeuwen want we hadden drie, vier lagen gebruikt, allemaal met onze initialen, en toen kamen we bij de componenten uit en toen ik ernaar keek, ging ik van: Shit, check dit hé.'

'Want?'

'Want, weet je, die beveiligingstape op de kast, die zat over de powerknop. Maar die powerknop zit een stukje naar binnen, snap je? Dus er zit net zo'n millimetertje ruimte onder die tape en ik zeg tegen Brand zo van: "Niet best, dat hebben we niet best gedaan, je zou dat ding zo aan kunnen zetten." En hij gaat van: "No way," dus ik pak zo'n dingetje...' Uit zijn borstzakje haalde Orestes een klein schroevendraaiertje tevoorschijn, klein genoeg om de schroefjes van brillen vast te draaien. 'En ik steek dat zo naar binnen. En Brand, man, hij is mijn mattie, maar hij wurgt me bijna. Hij denkt dat ik die tape kapot ga maken. Dat was diezelfde dag dat die chiquita van de bank kwam opdagen, en Brand gaat tekeer van: "Hoo, rustig aan, het is al erg genoeg." Ik deed niks. Maakte hem alleen aan het schrikken. Gorvetich en zo hebben die tape er de volgende ochtend afgehaald, no problem. Maar dat bedoelde ik. Als ik aan dat ding had willen zitten, was dat die avond een makkie geweest.'

'Dus je had hem aan kunnen zetten?'

'Maar ik heb het niet gedaan.'

'Dat snap ik wel, Orestes. Maar je had het gekund? En die andere componenten, het toetsenbord, de monitor en zo, die waren toch nog verzegeld?'

'Van onder tot boven, man. Maar de ingangen op de kast niet. Je had er zo een andere muis of een compatibele monitor aan kunnen hangen. Kun je kiezen uit een miljard of zo. Daarom ging ik d'r zo van uit mijn plaat. Niet dat er zoiets is gebeurd of wat dan ook. Het zat allemaal al maanden ingepakt, natuurlijk. De initialen zaten er nog en alles. Ik zeg alleen dat ik het had gekund, omdat je ernaar vraagt. Maar ik heb het niet gedaan en Sabich en die lui – die wel. Maar hoe, dat weet ik niet. Regel één, man. Wat je niet weet, weet je niet. Makkelijk zat.'

Onder het lichte dons dat voor een snorretje moest doorgaan glimlachte Orestes breed. Hij was echt een slimme jongen, dacht Tommy weer. En in de loop der jaren zou hij zich gaan realiseren wat hij precies niet wist.

Brand zat de volgende ochtend in zijn kamer dossiers over zijn bureau te schuiven toen Tommy om een uur of elf terugkwam van zijn vergadering bij het hof van beroep. Onderwerp van gesprek was min of meer hetzelfde geweest als waar ze het een dag eerder in de gevangenis over hadden gehad. Iedereen komt geld tekort. Waar bezuinigen ze op?

Brand had gisteren vrij genomen voor gesprekken met politieke adviseurs. Zijn tegenstander Beroja had het voordeel van een bestaande organisatie. Brand zou veel steun van de partij krijgen, maar hij moest zijn eigen mensen ter plekke hebben.

Molto vroeg wat hij vond van de adviseurs die hij had gesproken.

'Ik vond die twee vrouwen wel goed. O'Bannon en Meyers? Vrij scherp. Maar raad eens wat hun laatste campagne hier was.'

'Sabich?'

'Precies.' Brand lachte. 'Over huurlingen gesproken.'

'Ik heb hem gisteren nog gezien, trouwens.'

'Wie?'

'Rusty.'

Dat hakte erin bij Brand, die was doorgegaan met het ordenen van de stapels op zijn bureau. Het karretje met het materiaal van de zaak-Sabich stond nog altijd in de hoek van zijn kamer, met alle stukken van Jim en Tommy er nog op, aangevuld met de bewijsstukken die rechter Yee had teruggegeven toen het proces voorbij was. Als een zaak voor de rechter kwam, sloot je alles wat er verder in het heelal gebeurde buiten – familiegebeurtenissen, het nieuws, andere zaken – en als de zaak voorbij was, werden die dingen die je al die tijd opzij had geschoven veel dringender dan zoiets banaals als opruimen. Je kon bij de helft van de aanklagers hun werkkamer binnenlopen en dossierdozen tegenkomen die er in de nasleep van een zaak maanden onaangeroerd waren blijven staan. En als je uiteindelijk tijd vond om de boel op te ruimen, was dat net zo'n schrijnende ervaring als het verzamelen van de relikwieën van een vroegere relatie, de documenten en medicijnpotjes die ooit even betekenisvol hadden geleken als splinters van het Ware Kruis, hadden nu geen enkele plek meer in de stroom van het dagelijks leven. Over een paar maanden zou Tommy je van de meeste van die objecten niet meer kunnen zeggen hoe ze pasten in het fijne web van aanwijzingen en gevolgtrekkingen waaruit de zaak van het openbaar ministerie had bestaan. Nu was alleen de uitkomst nog van belang. Rusty Sabich was veroordeeld als misdadiger en zat in de gevangenis.

'Ik ben in Morrisroe geweest,' zei Tommy. Hij deed Brand verslag van de vergadering. Het plan om delinquenten vrij te laten zou zodra de pers er lucht van kreeg een belangrijke kwestie in de campagne worden, maar Brand was meer geïnteresseerd in Sabich.

'Je bent gewoon bij hem langsgegaan? Geen advocaat of niks?'

'Oude vrienden, zeg maar,' zei Tommy. Het was niet eens bij hem opgekomen dat Sabich had kunnen weigeren om met hem te praten. Bij Sabich kennelijk ook niet, trouwens. Ze gingen allebei veel te veel op in hun oude strijd om er iemand anders bij te willen hebben. Het was als de strijd met je ex-vrouw.

'Hoe ziet-ie eruit?' vroeg Brand.

'Beter dan ik had gedacht.'

'Shit,' zei Brand.

'Ik wilde hem onder vier ogen vragen hoe het hem gelukt was met die computer te knoeien.'

'Weer?'

'Hij wou me geen antwoord geven. Ik denk dat hij zijn zoon dekt.'

'Zo'n gevoel had ik ook.'

'Weet ik. Een paar dagen geleden ben ik Gorvetich tegengekomen. Hij zei dat jullie na de rechtszaak samen hadden zitten doorzakken en dat jij hem had gezegd dat je dacht dat Rusty iets had bekend wat hij niet had gedaan. Ik kon me eerst niet voorstellen wat je daar in godsnaam mee bedoeld kon hebben. En toen daagde het bij me dat jij misschien vermoedde dat hij zijn zoon dekte.'

Brand haalde zijn schouders op. 'Wie weet wat ik dacht? Ik was zo dronken als een tor en Milo ook.'

'Maar ik snap nog altijd niet hoe je erbij komt dat Rusty die jongen uit de wind hield?'

Brand trok met zijn mond en staarde neer op zijn bureau. De stapels waren met militaire precisie opgesteld, strak in het gelid en op gelijke afstanden van elkaar, zoals de britsen in een kazerne. Hij pakte een stapeltje lichtbruine aktemappen op en overwoog waar hij het neer zou leggen.

'Gewoon een gevoel,' zei hij.

'Maar waarom?'

Brand liet de mappen vallen op een lege hoek van het bureau waar ze duidelijk niet hoorden.

'Wat maakt het uit, chef? Rusty zit in de bak. Waar-ie hoort. Een tijdje, in elk geval. Waar ben je bang voor?'

Bang. Dat was het juiste woord. Tommy was om drie uur wakker geworden en het grootste deel van de tijd was hij domweg nachtmerriebang geweest. Hij had geprobeerd zich wijs te maken dat hij zichzelf weer kwelde zoals hij dat soms deed, als hij niet kon of wilde geloven hoe goed hij het deed. Maar hij wist ook dat hij het zou moeten uitzoeken als hij met zichzelf wilde kunnen blijven leven.

'Waar ik bang voor ben, Jimmy, is dat jij wéét dat Rusty die kerstkaart niet op zijn pc heeft gezet.'

Brand ging eindelijk in zijn bureaustoel zitten. 'Hoe kom je daar nu bij, Tom?'

'Ik heb de afgelopen dagen puzzelstukjes in elkaar zitten schuiven. Wat je tegen Gorvetich hebt gezegd. Het feit dat je de hele avond hier hebt gezeten nadat die pc was uitgepakt. Dat Orestes je had laten zien hoe je hem kon aanzetten zonder de beveiligingstape weg te halen. Dat was net nadat die vrouw van de bank had getuigd en onze hele zaak ineens door het putje leek te spoelen. En jij hebt verstand van computers. Je hebt bij Gorvetich colleges gevolgd in programmeren. Dus dan moet ik het toch vragen, Jim, of niet? We

hebben nog altijd niks anders dat in de buurt komt van een verklaring. Je hebt die kaart er toch niet zelf in gezet, of wel?'

'Hoe had ik dat kunnen doen?' vroeg Brand, ontwapenend kalm.
'Ik kon die computer niet aanzetten en erin werken zonder dat de
programmadirectory zou laten zien dat-ie was geopend. Weet je
nog?'

'Zeker. Behalve dat de pc de volgende dag in de rechtszaal aangezet zou worden, dus dan zouden die datum en die tijd in de directory
te zien zijn. Hij had nu Brands volledige aandacht. Jim keek Tommy
argwanend aan.

'Het is briljant,' zei Tommy. Je verzint een verhaal voor de verdediging dat al het bewijsmateriaal verklaart, dus dat moet Stern wel
overnemen. En als hij dat dan doet, schiet je het compleet aan flarden. En zet je de beklaagde te kijk als een oplichter. Het is briljant,
gewoon.'

Brand had al een tijdje met een lege blik over zijn bureau zitten
staren. Nu begon hij traag te glimlachen, tot hij op zijn bekende manier naar Molto grijnsde, zoals hij het zo vaak deed als ze getweeën
weer eens oog in oog stonden met de waanzin, de ironie, de feitelijke
absurditeit van menselijk wangedrag en de ijdele pogingen van het
recht om dat te beteugelen.

'Het zou nogal godvergeten briljant zijn geweest,' zei hij.

Er was binnen in Tommy iets dat brak, waarschijnlijk zijn hart.
Hij zat in een houten stoel aan de andere kant van de kamer. Het
enige dat Brand hem had hoeven zeggen was nee. Jims glimlach was
intussen verslapt nu Tommy's gemoedsgesteldheid tot hem doordrong.

'De man heeft iemand vermoord, chef. Twee iemanden. Hij is
schuldig.'

'Behalve aan waar we hem voor veroordeeld hebben.'

'Zit daar iemand mee?'

'Ik wel,' zei Tommy. Zo lang als hij al voor het parket werkte, had
hij de ene hoofdaanklager na de andere zijn medewerkers horen toe-
spreken over de plicht van de aanklager om streng maar rechtvaar-
dig op te treden. Sommigen van hen meenden het, anderen zeiden
het met een knipoog en een hoofdknik in de wetenschap hoe moeilijk het was om roodjassen tegen indianen te spelen, om in een rechte
lijn over het midden van de weg te marcheren terwijl de boeven je

vanuit de bosjes onder vuur namen. Voordat Tomaso werd geboren had Tommy op dat punt misschien ook wel eens een oogje dichtgedaan. Maar met een kind had je een andere inzet voor de toekomst. Een kind moest je leren wat goed en kwaad was. Zonder voorbehoud of uitvlucht. Op straat zou altijd de troebele waarheid heersen. Maar als zelfs de aanklager geen scherpe lijnen trok en daar ook achter bleef staan, was alles verloren.

'Maar hij gaat toch zelf voor de rechter staan en zegt dat hij schuldig is,' zei Brand.

'Zou jij dat niet doen om je zoon te beschermen? Hij wist dat hij het niet geweest was, Jim, en die jongen was de enige ander met een motief om hem op die manier uit de brand te helpen. Dus bekent hij schuld om aan alles een eind te maken.'

'Hij is een moordenaar.'

'Weet je,' zei Tommy, 'Zelfs daar ben ik niet helemaal zeker meer van. Zeg mij eens waarom het voor die vrouw, die het toch al heel moeilijk had, niet inderdaad de laatste druppel kan zijn geweest toen ze erachter kwam dat haar man vreemdging? En dat ze zich toen van kant heeft gemaakt?'

'Zijn vingerafdrukken staan op dat pillenpotje. Hij is op internet gaan zoeken naar fenelzine.'

'En dat is onze hele zaak? Wou jij werkelijk beweren dat we gewoon aan die zaak waren begonnen als we hadden geweten dat Barbara naar de bank was geweest?'

'Hij verdiende het niet om er weer onderuit te komen. En jij ook niet. Je sleept die Rusty nou al twintig jaar als een ijzeren bal met je mee.'

Hij wilde niet wat Brand had gedaan. Het was voor hem geen cadeau. Maar zelfs toen hij daar midden in de nacht in het donker had gezeten en had geluisterd naar de nu en dan snikkende slaapgeluidjes van zijn zoon en soms van zijn vrouw, vaak in een onverklaarbaar gelijk ritme, zelfs toen had hij al één ding begrepen: als Brand het had gedaan, dan had hij het voor hem gedaan.

'En jij spint er ook garen bij, Jim. Jij bent degene die kandidaat staat om de volgende hoofdaanklager te worden.'

Was hij tot nu toe openhartig maar alert en defensief geweest, nu ging Brand echt kwaad rechtop zitten, zijn grote handen tot vuisten gebald.

'Ik hang al jaren aan de laatste tiet omdat ik dat aan jou verplicht ben. Omdat je er recht op hebt. Je bent beter voor me geweest dan mijn eigen broers. Ik zou nooit eerst aan mezelf denken en dan pas aan jou. Ik ben dol op je en dat weet je.'

Dat wist hij ook. Brand hield van hem. En hij hield van Brand. Hij hield van Brand zoals strijders leren houden van de mannen en vrouwen die met hen in de loopgraven staan, die hun rugdekking gaven en die net als jij tot de weinigen behoren die iets begrijpen van de angst, het bloedvergieten en de ontzetting van een oorlog. Je werd zo vanzelf een Siamese tweeling, verbonden bij het hart of een ander vitaal orgaan. Brand was trouw. En Brand was slim. Maar hij had ook zijn eigen redenen om zich zo stevig aan Tommy vast te klampen. Want wat hij nodig had was een geweten.

'Luister,' zei Brand. 'Shit happens. Het is verdomme midden in de nacht en je bent gefrustreerd en kwaad, en dan krijg je zo'n idiote inval, vooral omdat je weet dat je het zou kunnen, en je gaat erop door en het gaat een eigen leven leiden. Om je de waarheid te zeggen, heb ik er de hele drie uur dat het me kostte hardop om zitten lachen. Op dat moment vond ik het een goeie grap.'

Tommy dacht erover na. Dat was waarschijnlijk waar ook. Niet dat het iets goedmaakte.

'Ik ga die man niet in de bak laten zitten voor iets dat-ie niet heeft gedaan, Jim.'

'Je bent gek.'

'Nee, dat ben ik niet. Ik ga rechter Yee bellen. We gaan vanmiddag een verzoek tot invrijheidstelling indienen. Dan komt Sabich morgenochtend vrij. Ik moet alleen bedenken wat ik moet zeggen. En wat ik met jou aanmoet.'

'Met mij?' Brand verstijfde. 'Mij? Ik heb niks gedaan. Ik heb geen valse getuigenis afgelegd. Ik heb geen vervalst bewijsmateriaal ingebracht. Ik ben niet degene die de computer heeft aangezet. Lees het transcript er maar op na, Tom. Je zult er geen woord in vinden waar ik iets anders heb gedaan dan het hof zeggen dat die kerstkaart bedrog was. En ik heb bewijsmateriaal ingebracht om dat te bewijzen en het hof voor misleiding te behoeden. Is dat dan een misdaad?

Tommy nam Brand treurig in zich op. Tegenwoordig maakte misdaad hem treurig. Toen hij jonger was, maakte misdaad hem kwaad. Nu wist hij dat misdaad nu eenmaal een onuitwisbaar deel van het leven was. Het rad van fortuin draaide, de driften gierden de mensen door het lijf en ze wisten zich meestal in bedwang te houden. En als ze dat niet deden, moest Tommy ervoor zorgen dat ze bestraft werden, niet zozeer omdat je geen begrip kon hebben voor wat ze hadden gedaan – niet als je echt eerlijk was over hoe mensen konden zijn, tenminste – maar vanwege de andere mensen, diegenen die zich elke dag in bedwang probeerden te houden en die de waarschuwing nodig hadden en, belangrijker nog, de genoegdoening dat de slechteriken kregen wat ze verdienden. De gewone mensen moesten inzien wat het nut was van het bit en de teugels die ze zichzelf aandeden.

'Je kunt me niet vervolgen,' zei Brand. 'En als je het ooit zou doen, weet je precies waar het op zou uitlopen. Uiteindelijk zul jij degene zijn die de schuld krijgt.'

Bij die laatste woorden van Brand voelde Tommy zijn hart omdraaien en hij maakte een gepijnigd geluid. Maar voordat hij antwoordde, overdacht hij het geheel nog een keer. Brand was sneller dan hij en hij had weken de tijd gehad om de situatie te overdenken. Dus hoe zou dit zich moeten ontvouwen, vroeg Tommy zich af.

Er zou een speciale aanklager moeten worden aangesteld. Het argument dat Brand een seconde eerder had ingebracht, dat hij niets had gedaan om het hof op het verkeerde been te zetten, zou op een speciale aanklager niet veel indruk maken. Midden in een rechtszaak gaan knoeien met het bewijsmateriaal was hoe dan ook een misdrijf.

Maar dat bewijzen was een andere kwestie. Ze zaten maar met zijn tweeën in de kamer. Ook al zou Tommy's lezing van het gesprek worden aanvaard, dan nog had Brand in feite geen gedetailleerde bekentenis afgelegd.

Maar wat Brand als laatste had gezegd, zijn listig bedekte dreigement, was het belangrijkste punt. Want Brand had gelijk. Zodra Tommy de kogel afvuurde zou die ongetwijfeld terugketsen en dwars door hemzelf heen gaan. Als het ooit zover zou komen dat het openbaar ministerie overwoog Brand aan te klagen, zou Jim zich daar weer onderuit kunnen onderhandelen door te zeggen dat Tommy ervan wist: wat Brand ook had gedaan, hij had het namens Tommy gedaan. Als Molto zich – zoals Jim het zag – tegen hem zou keren, zou hij hem met gelijke munt terugbetalen door zich tegen Tommy te keren. En als Brand goed genoeg kon liegen, kon het uiteindelijk Tommy zijn die ervoor opdraaide. Maar ook als het niet zover zou komen, zou hij zich in hetzelfde vagevuur storten als twintig jaar geleden. De mensen zouden het geloven omdat hij destijds had bekend met bewijsmateriaal te hebben geknoeid. Het leven, bedacht Tommy niet voor het eerst, was niet eerlijk.

'Oké,' zei Molto, nadat hij nog een paar minuten de balans had opgemaakt, 'dit gaan we doen. Ik zeg tegen rechter Yee dat we hebben ontdekt dat de keten van bewijs ten aanzien van Sabich' computer is verbroken. De computer is de avond voordat hij werd aangezet uitgepakt en heeft zo de hele nacht op jouw werkkamer gestaan, en in tegenstelling tot wat we altijd dachten, heeft de veiligheidstape niet strak genoeg gezeten, zodat iedereen die 's nachts of in de vroege ochtend op het bureau van de hoofdaanklager is geweest de computer had kunnen inschakelen. We zeggen niet dat het is gebeurd. Maar aangezien Sabich nooit bekend zou hebben als hij had geweten dat de keten van bewijsmateriaal niet sluitend was, verzoeken we de rechter het vonnis te vernietigen en ook de andere aanklachten niet ontvankelijk te verklaren.

En jij neemt binnen dertig dagen ontslag. Want als Rusty voor de tweede keer vrijuit gaat komt daar een hoop gelazer van. En het was jouw fout dat die computer niet fatsoenlijk was beveiligd. Jij neemt de verantwoordelijkheid voor het feit dat Sabich vrijkomt. Omdat het jouw schuld is, Jim.'

'En dan is mijn kandidatuur naar de klote,' zei Brand.

'En dan is je kandidatuur naar de klote,' zei Molto.

'En dan moet ik nu zeker dank je wel zeggen?' vroeg Brand.

'Zou je kunnen doen. Als er wat tijd overheen is gegaan zul je dat ook doen, denk ik.'

'Klotezooi,' zei Brand.

Tommy haalde zijn schouders op. 'Het is een klotewereld, Jimmy,' zei hij. 'Soms tenminste.' Hij stond op. 'Ik ga Sandy Stern bellen.'

Uitgeteld en verbitterd zat Brand onbewust op een van zijn duimnagels te knauwen. 'Is die nog niet dood dan?'

'Ik geloof het niet. Het schijnt zelfs dat hij aan het opknappen is. Zo zie je maar.'

'Wat?'

'Dat is precies waarom we 's ochtends opstaan. Omdat je nooit kunt weten.' Hij keek Brand, van wie hij ooit had gehouden, aan en schudde zijn hoofd. 'Nooit,' herhaalde hij.

44

Anna, 5-6 augustus 2009

'Dit geloof je niet,' is het eerste dat Nat tegen me zegt als ik in mijn kantoor mijn mobiel opneem. Hij herhaalt de woorden. Elke keer als ik denk dat Nat en ik de laatste breker hebben overleefd, dat het niet gekker kan worden, dat we eindelijk op weg zijn naar rustiger vaarwater, gebeurt er weer iets nieuws. 'Ik had net Sandy aan de telefoon. Ze laten mijn vader vrij. Ik kan het bijna niet geloven. Ze trekken de aanklacht in.'

'O, Nat.'

'Dat geloof je toch niet? Molto heeft kennelijk van een beheerder van het bewijsmateriaal te horen gekregen dat mijn pa's computer de nacht voordat ik hem weer heb aangezet niet beveiligd was. Dus hebben ze geen sluitende keten van bewijs en zonder een goeie keten is er geen bewijsbaar delict.'

'Ik begrijp het niet.'

'Ik ook niet. Niet echt. Sandy ook niet. Maar Yee heeft al opdracht gegeven hem in vrijheid te stellen. Sandy heeft mijn vader nog niet kunnen bereiken omdat die lui in eenzame opsluiting alleen op afspraak telefoontjes kunnen krijgen. Terwijl hij in feite al vrij is. Stern wacht tot de directeur hem terugbelt.' Een ogenblik later begint Nats telefoon te piepen dat er een tweede gesprek binnenkomt en neemt hij afscheid om met Marta te praten.

Ik zit in mijn kleine kantoortje te kijken naar de foto van Nat op mijn bureau, en ik ben helemaal opgelucht voor hem en blij om zijn blijdschap. Toch zit er een koud randje om mijn hart. Ik zou het hem nooit hebben toegewenst, maar de lelijke waarheid is toch dat het voor mij gemakkelijker was toen Rusty weg was, dat er een eind kwam aan die verwarde momenten als we bij elkaar waren en we allebei alle signalen moesten blokkeren en allebei de seconden telden tot we ieder ons weegs konden gaan. Sinds de dood van Barbara hebben we vrijwel geen woord meer tegen elkaar gesproken en zelfs nauwelijks onze ogen naar elkaar opgeslagen. De enige uitzondering was het moment direct na zijn schuldbekentenis, toen Rusty zich omdraaide en duidelijk verbaasd was dat hij me naast Nat in de rechtszaal zag zitten. 'Complex' is niet genoeg om die blik te beschrijven. Hunkering. Afkeuring. Onbegrip. Elke emotie die hij waarschijnlijk voor me gevoeld heeft lag in die blik. Toen draaide hij zich om en hield zijn handen achter zijn rug.

De volgende veertig minuten zit ik aan mijn bureau en doe absoluut niets behalve wachten tot de telefoon weer overgaat. Als dat gebeurt hebben de Sterns eindelijk een plan bedacht. Rusty zal om drie uur 's ochtends worden vrijgelaten uit de staatsgevangenis in Morrisroe. Het tijdstip is Sandy's idee. Hij weet niet of het nieuws van Rusty's vertrek zal uitlekken, maar hij is ervan overtuigd dat in deze tijd geen van de nieuwsmedia de overuren kan betalen om midden in de nacht reporters en fotografen bij een gevangenis te zetten.

'Kun je meekomen?' vraagt Nat me.

'Is dit niet meer een moment voor je vader en jou alleen?'

'Nee,' zegt hij. 'Marta en Sandy zijn er ook. Wij zijn alles wat pa nog aan familie overheeft. Jij moet er ook zijn.'

Het wachten tot het vertrek die avond duurt lang. De mistroostige, zichtbaar teruggetrokken man met wie ik bijna een jaar samenwoon is verdwenen, in elk geval voor even. Nat kan niet blijven zitten. Hij loopt door het huis, zoekt op internet naar de laatste commentaren over zijn vader en zet de tv aan om te zien of de nieuwszenders iets melden in de berichtencarrousel onder aan het scherm. Blijkbaar is er vandaag wel een ploeg journalisten in Wade neergestreken om een item te filmen over rechter Yee, toen hij om halfzes vanmiddag zijn bureau verliet. Hij liet niets los, maar glimlachte en zwaaide naar de camera's, zoals altijd geamuseerd door de verrassende wendingen van het leven en het recht. De reporters gebruikten allemaal het woord 'verbijsterend' om te beschrijven wat er vandaag is gebeurd. Stern heeft een persbericht uitgegeven dat de reporters woord voor woord voorlezen en waarin de integriteit van de hoofdaanklager wordt geprezen en de verwachting wordt uitgesproken dat de cliënt morgen zal worden vrijgelaten.

Om negen uur stel ik Nat voor om een paar boodschappen te gaan doen voor zijn vader. Dat blijkt een goede afleiding, want Nat heeft er plezier in de spullen te kopen waarvan hij weet dat zijn vader ervan houdt. Eenmaal weer thuis besluiten we naar bed te gaan – daar zal iets goeds gebeuren, al was het alleen een dutje – en uiteindelijk moeten we ons zelfs haasten om om één uur 's nachts het huis van de familie Sabich te bereiken; we hebben daar afgesproken om te controleren of er geen pers staat te wachten. Als bij de gevangenis alles goed gaat, zal Rusty hier om vier uur aankomen en dan meteen weer doorreizen naar het vakantiehuisje van de familie Sabich in Skageon, om de pershorde te ontlopen. Het lijkt bizar dat een man vrijkomt uit eenzame opsluiting en ervoor kiest om nog langer alleen te zijn, maar volgens Stern vond Rusty het vooral heerlijk dat hij daar gewoon het dorp in kan gaan om een krant te kopen of een film te zien.

De Sterns komen een paar minuten na ons aan in Marta's Navigator. Marta en Nat omhelzen elkaar uitgebreid op de oprijlaan. Als hij haar loslaat loopt hij naar de passagierskant en buigt zich naar binnen om – iets minder lang – ook Stern te omarmen. Ik heb beide Sterns een paar maanden geleden ontmoet toen ze bezig waren de rechtszaak voor te bereiden, maar Nat stelt me opnieuw voor.

Ik geef Sandy een hand. In de binnenverlichting van de auto ziet hij er een stuk steviger uit dan de laatste keer dat ik hem zag, bij de rechtbank. Van de opvallende uitslag die een groot deel van zijn gezicht bedekte is niets meer over dan een vage vlek en hij is de uitgehongerde, hologige blik van de krijgsgevangene kwijt. Of dit herstel alleen een tijdelijke opleving is of iets blijvends weet Nat niet, en Sandy misschien ook niet. Want wat het ook moge betekenen, als hij zich verontschuldigt omdat hij niet opstaat om me te begroeten, merkt hij op dat hij iets aan 'die verdomde knie' gaat laten doen zodra hij weer een ziekenhuis binnen durft te gaan.

Onderweg bestookt Nat Sandy met vragen over zijn vaders toekomst. Zal Rusty het gewone rechterspensioen krijgen? Kan hij weer rechter worden? Nat schijnt de enige te zijn die niet inziet wat voor iedereen in de auto zo klaar als een klontje is, namelijk dat het feit dat Rusty om deze reden wordt vrijgelaten, de moeder aller vormfouten, hem alleen maar meer tot een paria zal maken. Sinds eind juni, toen de DNA-resultaten bekend werden, is Rusty in de media afgeschilderd als een listige tacticus die twee moorden heeft gepleegd en met een minimale straf is ontsnapt omdat hij het systeem dat hij van haver tot gort kent zo goed wist te bespelen. Nu zullen ze luidkeels protesteren dat hij zelfs die straf ontloopt.

Niettemin antwoordt Stern geduldig op zijn vragen en legt hem uit dat zijn vader weliswaar zijn pensioen behoudt, maar dat het met zijn status als rechter veel ingewikkelder ligt.

'De veroordeling is vernietigd, Nat, en aangezien je vader automatisch uit het ambt is ontslagen toen hij schuld bekende, wordt ook het ontslag vernietigd. Maar Rusty heeft in de rechtszaal openlijk verklaard dat hij de rechtsgang heeft belemmerd en dat kan hij moeilijk terugnemen. Laat staan wat hij verder nog heeft toegegeven, zoals de ongepaste mededeling van de beslissing van het hof aan meneer Harnason, waarmee hij zich schuldig maakte aan buitengerechtelijk contact met een betrokken partij. De commissie van toezicht op de rechtbanken kan dat moeilijk allemaal negeren, dus die gaat hem vast proberen te verwijderen.

Over het geheel genomen, Nat, en afhankelijk van wat je vader wil, zou ik het als een uitermate bevredigende uitkomst zien als we met de toezegging dat je vader spoedig zijn functie neerlegt kunnen voorkomen dat de orde van advocaten zich ermee gaat bemoeien of althans dat ze maar beperkt actie onderneemt. Ik zou graag de mogelijkheid openhouden dat hij uiteindelijk de juridische praktijk weer op kan nemen.' Een ogenblik lang weten we geen van allen iets te zeggen over de moeilijkheden die Rusty tegemoet gaat, zonder werk, met weinig vrienden en een vrijwel verwoeste reputatie, en daalt er in de auto een stilte neer.

We komen bijna een uur te vroeg bij de penitentiaire inrichting aan en doden de tijd in een nachttent voor truckers; we drinken koffie om wakker te blijven en nemen de tijd om de foto's van Marta's kinderen te bekijken die ze op haar mobiel heeft opgeslagen. Om kwart voor drie rijden we dan eindelijk het stadje door naar de gevangenis. Die is gebouwd als een werkkamp en staat op een vroeger leegstaand stuk grond op het terrein van de enige hoogbeveiligde gevangenis voor vrouwen in de staat en bestaat uit een serie lange barakken en een bakstenen bestuursgebouw, waar Rusty op de bovenste verdieping zit. Het bestuursgebouw, het enige dat enigszins gewichtig aandoet, wordt omringd door schuren en twee uitgestrekte velden vol rijpe bonen en maïs, die in augustus hoog genoeg staan om in sierlijke golven mee te deinen in de wind. Hoewel het kamp zelf laagbeveiligd is, vereist de naburige instelling een hek van harmonicagaas bedekt met rollen scheermesdraad en daarbinnen muren van zeker zes meter hoog en wachttorens die om de paar honderd meter oprijzen.

Om de pers nog wat zand in de ogen te strooien, hebben Stern en de directeur afgesproken dat Rusty zal worden vrijgelaten bij de expeditie-uitgang aan de westkant van het kamp, waar de gedetineerden ook in busjes worden aangevoerd. We parkeren daar in het grind van de oprijlaan, voor de massieve stalen deuren.

Een paar minuten voor drie horen we stemmen in de stille nacht en dan gaat de enorme deur zonder enig ceremonieel piepend open, maar niet meer dan een meter. Rusty Sabich stapt in het schijnsel van de koplampen van Marta's auto en schermt zijn ogen af met een manilla envelop. Hij draagt hetzelfde blauwe pak dat hij aanhad toen hij het vonnis te horen kreeg, maar zonder das, en hij heeft zijn haar verbazend lang laten groeien, iets wat me meer verrast dan de bijna witte baard die Nat na zijn bezoeken beschreef. Hij is ook een stuk magerder. Nat en hij lopen op elkaar af en vallen elkaar uiteindelijk in de armen. Hoewel we zeker zes meter bij ze vandaan staan, kun je ze in de stilte van de nacht allebei horen huilen.

Uiteindelijk laten ze elkaar los, wrijven hun ogen uit en komen arm in arm naar ons toe. Rusty omarmt zijn beide advocaten langdurig en geeft mij dan een vluchtige knuffel. In het drama van het moment heb ik niet gemerkt dat er nog een auto achter ons is komen staan en ik schrik even, tot Sandy uitlegt dat het Felix Lugon is, een vroegere fotograaf van de *Trib* die door Sandy is gewaarschuwd. Hij wilde een foto voor aan de muur, zegt hij, maar een foto kan ook een kostbaar ruilmiddel worden voor een voorpagina-artikel om Rusty's kant van het verhaal te promoten als dat de komende dagen wenselijk zou blijken. De Sterns en Nat en Rusty geven elkaar een arm en poseren voor een paar foto's, dan klikt Lugon door terwijl Rusty voor in Marta's suv gaat zitten. Marta heeft de motor al gestart als er nog een figuur uit de poort tevoorschijn komt en naar ons toe draaft. Het blijkt een geüniformeerde bewaker te zijn. Rusty doet het raam open en schudt hem de hand, beiden kwebbelend in het Spaans, dan gaat na een laatste zwaai het raam weer omhoog en vertrekken we door de dikke stofwolken die Lugons auto heeft opgeworpen, eindelijk op weg om Rusty Sabich naar huis te brengen.

De terugreis lijkt altijd korter. Marta trekt de snelheid op tot boven de honderdtwintig, ze wil Rusty snel op weg hebben. Nu hij Rusty heeft gezien, heeft Sandy het idee om zijn foto te publiceren overboord gezet. Rusty ziet er zo anders uit dat hij zo goed als anoniem over straat kan gaan, mits we de pers kunnen ontwijken tot we bij hem thuis zijn.

De ex-gedetineerde blijft een tijdlang stil en laat in de passagiersstoel het landschap aan zich voorbij zoeven met nu en dan een zwak bromgeluid alsof hij zeggen wil: O ja, open ruimte, ik was bijna vergeten hoe die eruitziet en aanvoelt. Hij maakt de envelop open die hij bij zich had en die zijn persoonlijke bezittingen bevat. Hij pakt alle pasjes uit zijn portefeuille en bekijkt ze een voor een, als om zich eraan te helpen herinneren waar ze voor dienen. En hij lijkt onuitsprekelijk blij te zijn dat zijn mobiel het nog doet, al geeft die na een paar seconden de geest omdat de batterij leeg is.

'Kun je het uitleggen?' vraag Rusty uiteindelijk als we al een tijdje onderweg zijn.

'Wat uitleggen?' vraagt Sandy, aan wie de vraag gericht was, vanaf de achterbank.

'Waarom Tommy dit gedaan heeft.'

'Ik heb je al verteld wat hij heeft gezegd. De computer was niet beveiligd de nacht voordat hij in de rechtszaal werd aangezet. Game, set en match. Ze hebben geen keten meer.'

'Maar ze moeten toch meer weten dan dat. Denk je niet? Waarom zou Tommy dat in dit stadium toegeven?'

'Omdat dat zo hoort. Tommy is de oude Tommy niet meer, dat kan iedereen in de Tri-Cities je vertellen. En trouwens, wat zouden ze dan meer moeten weten?'

Rusty geeft geen antwoord, maar begint een minuut later te vertellen over een bezoek dat Tommy Molto hem twee dagen geleden in de gevangenis heeft gebracht, waarbij hij hem heeft verteld dat bepaalde mensen bij het openbaar ministerie ervan overtuigd zijn dat Rusty schuld heeft bekend aan een misdrijf dat hij niet heeft gepleegd. Zelfs de eeuwig onverstoorbare Sandy Stern kan niet verbergen dat hij schrikt.

'Neem me niet kwalijk,' zegt Stern, 'ik ben maar de arme advocaat, maar het was misschien verstandig geweest ons dat te laten weten.'

'Het spijt me, Sandy. Ik realiseer me dat het belachelijk klinkt, maar ik beschouwde het als een privégesprek.'

'Hm,' zegt Sandy. Rusty heeft zich omgekeerd naar Sandy op de achterbank en achter zijn rug mimet Marta geluidloos dat ze zich voor haar hoofd slaat. Ik zit tussen Sandy en Nat op de achterbank en ik voel Nat in mijn hand knijpen terwijl hij stil zijn hoofd schudt. We zullen het geen van allen ooit begrijpen.

We komen om een paar minuten over vier in Nearing aan. In de buurt is het stil. Bij de oprit is het weer tijd voor een rondje knuffels. Nat en ik laden de boodschappen van mijn auto over in die van Rusty in de garage en we gaan aan de kant staan om hem uit te zwaaien naar Skageon. In plaats daarvan produceert de ontsteking van Rusty's Camry slechts een beschaafd kuchje, ongeveer zoals dat van Sandy, en valt dan stil. Dood.

'De mens wikt,' zegt Rusty terwijl hij uitstapt. Ik bied hem mijn auto aan, maar Nat helpt me eraan herinnen dat ik morgen een gesprek met een getuige heb in Greenwich County. Een ogenblik bespreken we met ons vijven de alternatieven. Marta wil haar vader graag naar huis brengen om hem niet verder uit te putten, maar ze heeft een set startkabels thuis, niet zo ver weg. Wel staan er twee zakken van dertig kilo kunstmest voor het kastje en is er mannelijke spierkracht nodig om die te verplaatsen. Als we de auto met de startkabels niet aan de praat krijgen, moeten we voor Rusty een auto zien te huren of te lenen.

Ik stap in mijn auto om Nat erheen te brengen, maar hij komt naar mijn kant en fluistert door het open raampje: 'Laat hem niet alleen, niet nu.'

Ik staar hem alleen een seconde aan en geef hem dan de sleutels. Nat zit al achter het stuur maar leunt naar buiten en fluistert opnieuw: 'Kijk maar of hij ontbijt wil, oké? Vind je het erg?'

Rusty is al naar binnen en ik volg hem met mijn twee zakken boodschappen door de garage. Hij heeft zijn mobiel aan de oplader gelegd en staat bij het keukenraam door de gordijnen te gluren.

'Journalisten?' vraag ik.

'Nee, nee. Ik keek even of ik hiernaast licht zag. Die van Gregorius hebben altijd een stuk of twee auto's staan die niemand gebruikt.'

In feite lijkt hij er een stuk beter aan toe dan ik had durven hopen. Tijdens de rechtszaak en de maanden eraan voorafgaand was hij in kortere tijd dan ik ooit heb meegemaakt totaal veranderd. Stern had zich met zijn levensbedreigende ziekte beter gehouden. Rusty was geruïneerd en leeg, een gezonken schip. Soms als we samen ergens waren, zag ik hem op straat mensen begroeten die hij kende. Hij wist nog altijd wat hij moest zeggen. Hij stak op het juiste moment zijn hand uit, maar het was bijna alsof hij zich zijn eigen plek op aarde niet waard vond. Ik wist nooit zeker of Nat die dingen ook merkte. Hij was zo druk aan het proberen in het reine te komen met zijn vader dat hij zich niet leek te realiseren dat er van de man die hij had gekend nauwelijks meer iets over was. Maar nu is hij terug. En niet dankzij de vrijheid. Ik weet het onmiddellijk. Het is omdat hij boete heeft gedaan, een prijs heeft betaald.

'Nat dacht dat je misschien wilde ontbijten,' zeg ik.

Hij komt een stapje dichter naar me toe om in de zakken te kijken. 'Zit er soms vers fruit bij? Ik had nooit gedacht dat ik als ik uit de gevangenis kwam nog het meest zou verlangen naar een aardbei.'

Als aandachtig observator van zijn beide ouders heeft Nat bosbessen en aardbeien gekocht, en ik begin met wassen en snijden.

Als de kraan loopt, zegt Rusty achter me: 'Barbara wilde deze keuken altijd opknappen. Ze had alleen geen zin om de hele dag werklui over de vloer te hebben.'

Ik kijk rond. Het is inderdaad een klein en gedateerd keukentje. De kersenhouten kastjes zijn nog altijd mooi, maar al het andere is versleten en verouderd. Toch is het vreemd dat hij Barbara noemt. Zoals zo vaak gaat er een koude vlaag door me heen als ik denk aan de manier waarop Barbara als een geest rondwaarde in dit huishouden, de intensiteit van haar passie voor haar zoon en de aanhoudende diepte van haar ongeluk. Ze was een van die mensen die moed nodig hebben om te leven.

'Ik heb haar niet vermoord,' zegt hij. Ik werp een snelle blik over mijn schouder en zie hem aan de kersenhouten tafel met zijn ouderwetse schulprand zitten staren in afwachting van mijn reactie.

'Weet ik,' zeg ik. 'Was je bang dat ik daaraan twijfelde?'

Ik meen wat ik zeg, maar ik verzwijg de maanden die het me heeft gekost om me met die conclusie op mijn gemak te voelen. Hoe sterk ik ook een oordeel over het bewijsmateriaal probeerde te vermijden, mijn probleem is mijn eigen voorgeladen software. Ik rijg bewijsmateriaal aaneen als een obsessieve quiltster. Het is de reden waarom ik voorbestemd was voor een juridisch beroep, het slimme meisje dat al vroeg voor haar moeder en zichzelf moest opkomen, dat de wereld afspeurde naar tekens en die bij elkaar legde. Daarom kon ik simpelweg niet om de meest onrustbarende feiten die ik kende heen: dat Rusty een afspraak maakte met Prima Dana, achtenveertig uur nadat ik hem had gezegd dat ik een relatie met Nat aanging, en de woeste blik warmee hij Hotel Dulcimer verliet, een man verteerd door de vlammen van zijn eigen razernij. Het ergst van alles: ik herinnerde me de ontvangstberichten die deden vermoeden dat Barbara mijn e-mails aan Rusty had gezien. Ze had die avond dat Nat en ik naar Nearing waren gekomen niets laten merken, maar ik heb me vaak voorgesteld dat er nadat wij waren vertrokken uiteindelijk een vreselijke scène had plaatsgevonden tussen haar en Rusty.

Maar moord heb ik me nooit kunnen voorstellen. Mijn tijd met Rusty lig ver achter me. Toch heb ik in die paar maanden diep genoeg in zijn ziel kunnen kijken om er zeker van te zijn dat hij geen moordenaar is.

'Soms wel,' antwoordt hij nu.

'Dacht je daarom ook dat ik met je computer had geknoeid? Ik bedoel, Tommy heeft toch gelijk, niet? Je hebt schuld bekend aan iets dat je niet hebt gedaan.' Ik heb dat al vaker gedacht, maar na het gesprek met Stern in de SUV weet ik het zeker.

'Ik wist niet wat ik moest denken, Anna. Ik wist dat ik het niet had gedaan. Ik heb die zogenaamde deskundigen nooit helemaal geloofd, maar ze bleven stellig in hun mening dat de computer waterdicht verzegeld naar de rechtbank was gebracht, zodat uitgesloten was dat iemand op het bureau van Molto eraan had gezeten – wat trouwens wel de verklaring moet zijn. Denk je niet? Tommy kan zeggen wat-ie wil, en moet in het openbaar natuurlijk zoiets zeggen. Maar hij weet dat iemand die voor hem werkt de verzegeling heeft weten te omzeilen en die kaart erop heeft gezet om ons een karatetrap te verkopen.'

Tot die conclusie was ik zelf nog niet gekomen, maar nu hij het zegt weet ik dat hij gelijk heeft. Ik heb nooit vergeten dat Molto een paar decennia geleden al met bewijsmateriaal heeft geknoeid en ik schaam me een beetje dat ik dit niet eerder heb bedacht. We zullen er nooit achter komen wat de aanklager deze keer op andere gedachten heeft gebracht. Waarschijnlijk angst dat het zou uitkomen, om de een of andere reden.

'Hoe dan ook,' zegt hij, 'in juni dacht ik dat Nat of jij de enige mensen waren die het gedaan konden hebben. Of jullie samen. Daar leken de deskundigen nooit bij te hebben stilgestaan, dat jullie hadden kunnen samenwerken om die kaart erop te zetten. Het laatste wat ik wilde was dat het hele onderzoek zo lang zou gaan duren dat Tommy en Gorvetich eindelijk op hetzelfde idee zouden komen.

Aan de andere kant kon ik maar geen plausibele reden bedenken waaróm jullie zoiets gedaan zouden hebben. Er gingen me wel duizend dingen door mijn hoofd en die bleven dan een paar seconden hangen. Maar een ervan was dat jij geloofde dat ik Barbara had vermoord en me eruit wilde redden omdat je jezelf er de schuld van gaf en dacht dat ik het had gedaan om je terug te krijgen.'

Ik schep de laatste vruchten in een schaal, maar ik wacht nog even voor ik me omdraai. Het allerslechtste moment dat ik de afgelopen twee jaar heb gehad was toen die ontvangstberichten in mijn e-mail opdoken, en het op één na slechtste was de dag dat Nat me vanuit de rechtbank opbelde om me te zeggen: 'Ze wist ervan. Mama wist ervan.' De vrouw van de bank had net getuigd en Nat had een van zijn gebruikelijke pauzes genomen om te huilen. Ik vind het heerlijk dat hij huilt. Ik heb me het afgelopen jaar gerealiseerd dat ik mijn hele leven heb gewacht op een man die nooit doet alsof hij immuun is voor de pijn van het leven, in tegenstelling tot die bedriegster die zich mijn moeder noemt.

'Wist ervan?' vroeg ik. 'Waar wist ze van?' Door alles wat er in de rechtszaal naar voren is gekomen, ben ik me gaan realiseren dat Barbara de avond voordat ze stierf toneel speelde omwille van Nat, maar op het moment zelf speelde ze het heel overtuigend en er zijn het afgelopen jaar momenten geweest dat ik een vage hoop koesterde dat het versturen van de ontvangstberichten door iets anders was veroorzaakt, bijvoorbeeld door het schoonmaakprogramma dat op Rusty's computer had gedraaid, en dat Barbara onwetend was gestorven. Nu stortte ik in mijn eigen wanhoop. Ik ben zo vaak gestoken door schuldgevoel en angst voor een catastrofe dat het moeilijk te geloven was dat ze me nog scherper of dieper konden steken, maar toen voelde het alsof ik in stukken werd gesneden. In het algemeen ben ik mijn hele leven goed geweest in mooi weer spelen, vooral als ik het te kwaad had. Maar mijn moeite om mezelf te begrijpen verlamt me soms. Wat wilde ik eigenlijk met Rusty? En wat voor mezelf nog het grootste raadsel is: waarom heb ik geen seconde aan Barbara gedacht? De laatste twee maanden is een aaneenschakeling geweest van momenten dat ik bijna door de grond ging van het besef van de monumentale pijn die ik haar in de laatste week van haar leven heb aangedaan. Waarom zag ik niet wat er voor haar op het spel stond toen ik me op haar man stortte? Wie was ik? Het is zoiets als proberen te begrijpen waarom ik in mijn middelbare-schooltijd een keer van een rots van dik twaalf meter hoog in de Kindle ben gesprongen en bijna verdronk omdat ik van de klap even het bewustzijn verloor. Hoe kwam ik erbij dat zoiets leuk is?

Ter verdediging kan ik aanvoeren dat ik niet echt besefte hoe moeilijk Barbara het had. Voordat we iets met elkaar kregen, stelde Rusty haar niet zozeer voor als gestoord, maar eerder als lastig, en kon hij over haar praten zoals Indiërs over Pakistani praten of Grieken over Turken, traditionele vijanden die langs een ongemakkelijke grens de vrede bewaren. In die tijd vatte ik het alleen op als een opening, een mogelijkheid. Ik heb er nooit aan gedacht dat ik haar kwaad deed. Omdat ik, en dat geldt waarschijnlijk voor de meeste mensen die kwaad doen, er zeker van was dat het nooit uit zou komen.

Ik zet de schaal voor hem op tafel en geef hem een vork aan.

'Wil jij niet?' vraagt hij.

'Geen trek.' Ik glimlach zwakjes. 'Wilde je het?'

'Wat?'

'Wilde je me nog terug toen Barbara stierf?'

'Nee. Niet echt. Niet meer.'

Ik kan tientallen excuses bedenken voor wat er tussen mij en Rusty is gebeurd. De rechtbank was zo'n geweldige plek voor me, het punt waarnaar ik zo lang onderweg was geweest. Ik wilde alles opzuigen, alles meemaken. Het was alsof ik voor een tempel stond. En ik wist hoeveel verlangen nog uitdrukkingloos in hem was overgebleven. Je kon het bijna aan hem horen, als een rem die in zijn trommel schuurt. Ik meende stom genoeg dat ik goed voor hem zou zijn. En ik wist dat ik met mannen het Sesam open u! nog niet gevonden had, wat het ook was, en dit was een sleutel die ik ook eens kon proberen. Maar uiteindelijk heb ik hem alleen gebruikt en dat besefte ik ook. Ik wilde zo graag dat iemand zoals hij, een belangrijk iemand, mij zou willen, alsof ik dan alles zou krijgen wat de wereld hem had geschonken, als hij bereid was het allemaal op te geven voor mij. Destijds leek het logisch. Meer kan ik er niet over zeggen. Op die irrationele intieme manier waarop het hart en de geest in elkaar kunnen grijpen. Het leek toen te kloppen en nu klopt het niet meer. Er zijn momenten geweest dat ik wel had willen smeken: neem me terug, zet me daar terug, zodat ik erachter kan komen wie die vrouw van twee jaar geleden was. Het zou toch niet geholpen hebben. Ik zal altijd met de spijt moeten leven.

'Dat dacht ik ook niet,' zeg ik. 'Die avond dat Nat en ik hier waren, de avond voordat ze stierf? Toen leek je het losgelaten te hebben. Dat was ook een reden waarom ik nooit heb gedacht dat je haar hebt vermoord. Alleen snapte ik niet hoe je zo snel op dat punt was uitgekomen.'

'Omdat me duidelijk werd dat mijn zoon me meer waard was dan jij. Klinkt dat erg bot?'

'Nee.'

'Daar werd ik wel nuchterder van. Niet dat het geen vreselijke situatie was. Dat is het nog steeds, denk ik.'

Ik denk niet dat hij het beschuldigend bedoelt, maar ik zit natuurlijk zo vol schuldgevoel dat ik me toch aangevallen voel.

'Je bent verliefd op hem, toch?' vraagt Rusty.

'Knetter. Krankzinnig. Vind je het erg dat ik dat zeg?'

'Nee, het is precies wat ik wil horen.'

Nu ik alleen maar die paar woorden zeg over Nat voel ik mijn hart opzwellen en tranen naar mijn ogen stuwen.

'Hij is de liefste man ter wereld. Briljant en grappig. Maar zo lief. Zo goed.' Waarom heb ik er zo lang over gedaan om in te zien dat ik net dat nodig had, iemand die mijn zorg nodig heeft en die kan beantwoorden?'

'Veel meer dan ik,' zegt Rusty.

We weten allebei dat dat waar is. 'Hij is beter opgevoed,' antwoord ik.

Rusty wendt zijn blik af. 'En hij heeft nog altijd geen idee?'

Ik haal mijn schouders op. Hoe kunnen we ooit weten wat er in iemands hoofd of hart omgaat? Als we niet eens wijs kunnen worden uit onszelf, hoe groot is dan de kans dat we iemand anders helemaal kunnen begrijpen? Nul, eigenlijk.

'Ik denk het niet. Ik ben er al een paar duizend keer bijna over begonnen, maar ik weet mezelf steeds op tijd tegen te houden.'

'Daar doe je goed aan, denk ik,' zegt Rusty. 'Je wint er niks mee.'

'Niks,' beaam ik.

Ik ben verschillende malen naar mijn therapeut terug geweest, maar Dennis heeft geen antwoorden voor de krankzinnige opera waarin ik verwikkeld ben geraakt nadat Barbara stierf, deels omdat hij me bij voorbaat had afgeraden met Nat om te gaan. Maar er is één ding waarover Dennis en ik het steeds eens zijn, en dat is dat Nat nu de waarheid vertellen een destructieve uitwerking zou hebben, niet alleen op ons, maar vooral op hemzelf. Van de weinige zekerheden die hij in het leven op aarde meende te hebben, zijn de meeste het afgelopen jaar aan het schuiven gegaan. Ik kan hem niet vragen nog een prijs te betalen, alleen om mij van mijn schuldgevoel af te helpen. Ik wist bij voorbaat dat deze relatie op de rand van een vulkaan was gebouwd. Ik moet alleen langs de afgrond lopen.

Maar mensen wennen aan dingen. Rusty is aan de gevangenis gewend, geamputeerden leren zonder ledematen te leven. Als ik met Nat samen kan blijven, zal het heden het verleden overgroeien. Ik zie ons voor me in een huis, met kinderen en twee drukke banen, ons vertwijfeld afvragend wie op tijd thuis kan zijn om ze van het voetballen te halen, ik zie ons verankerd in een wereld van geheel eigen makelij en toch tot in de kern opgewekt door wie we voor elkaar zijn. Dat zie ik wel voor me. Maar ik zie niet goed hoe we daar vanaf hier moeten komen. Ik hield me maar vast aan de gedachte dat als we het bij elkaar konden houden tot de rechtszaak voorbij was, we verder zouden kunnen, telkens één dag verder, en dat geloof ik nog steeds.

'Ik zal jullie met rust laten,' zegt hij. 'Ik zou hier toch niet kunnen wonen. Niet meer,' zegt hij. 'Misschien dat ik uiteindelijk nog een keer terugkom.' Hij zwijgt even. 'Mag ik je iets persoonlijks vragen?'

Ik schrik even, tot hij zegt: 'Mag ik enige hoop hebben op kleinkinderen?'

Ik kijk hem alleen maar aan en glimlach.

'Hou me dan maar eens tegen,' zegt hij.

De buitendeur van de garage kraakt en valt dicht. Nat is terug. We kijken beiden in die richting. Ik sta op en Rusty komt ook overeind. Ik omhels hem snel, maar nu serieus, met de oprechtheid en de waardering die mensen iemand van wie ze gehouden hebben verschuldigd zijn.

Dan loop ik naar de garagedeur om mijn lieve, lieve man te begroeten. Maar voor ik er ben, keer ik me om.

'Weet je, er is nog een andere reden waarom ik van hem hou,' zeg ik.

'Te weten?'

'Hij lijkt in sommige dingen erg op jou.'

De Camry start. Tijdens de lange rit naar het noorden wordt de accu vanzelf opgeladen. Voor de zekerheid geeft Nat Rusty toch de kabels mee, dan gaan we op de oprit staan zwaaien. Rusty rijdt achteruit de oprit af, stopt dan en stapt uit en hij en Nat omhelzen elkaar nogmaals. Ik denk dat omgaan met hoe je partner tegenover zijn ouders staat een van de moeilijkste dingen in een relatie is. Daar ben ik in mijn huwelijk met Paul achter gekomen, het feit dat hij niet zag hoe zijn moeder de baas over hem speelde, en sindsdien heb ik zulke dingen vaker meegemaakt. Het is alsof je iemand ziet worstelen met een Chinese vingerval. Jij zit maar te denken: Nee, duwen, niet trekken! Dan gaat-ie alleen maar strakker zitten! En die arme stakker, je geliefde of kandidaat-geliefde, worstelt maar door. Ik ben blij voor Rusty en Nat, blij met deze nacht, maar ik weet ook dat ze samen nog heel wat werk te verzetten hebben.

Dan gaan Nat en ik op weg naar huis. Als je van iemand houdt, is hij je leven. Eerste bestaansprincipe. En om die reden heeft hij de macht jou en alles wat je weet te veranderen. Het is alsof je een landkaart ineens omkeert zodat het zuiden bovenaan komt te liggen. De kaart klopt nog steeds, kan je nog altijd de weg wijzen naar waar je ook maar heen wilt. Maar hij kon er niet verschillender uitzien.

Verstandelijk herinner ik me dat ik als assistent in opleiding voor Nats vader heb gewerkt en ooit gek op hem was. Ik herinner me dat ik Rusty in feite al lang kende voordat ik Nat voor het eerst ontmoette. Maar Nat was toen iemand anders, een stokpoppetje vergeleken met de persoon die nu mijn leven beheerst, terwijl Rusty eigenlijk alleen nog een rol speelt in zijn onvermijdelijke invloed op zijn zoon. Mijn leven is Nat. En nu Rusty is vertrokken, voel ik hoe onomstotelijk dat feit is.

We zwijgen allebei, we trillen nog na in onszelf. Het is nogal een nacht geweest.

'Ik moet je iets vertellen,' zeg ik plotseling als we over de Nearing Bridge rijden. Over de horizon sijpelt roze licht, maar de gebouwen in Center City zijn nog fel verlicht en spiegelen zich sprookjesachtig in het water.

'Wat dan?' vraagt hij.

'Het is akelig, maar ik wil toch dat je het nu hoort. Oké?'

Als ik opzij naar hem kijk, knikt hij, met een donkere bedachtzame blik onder zijn dikke wenkbrauwen.

'Toen ik na mijn scheiding bij Dede Wirklich introk, werkte ik bij Masterson Buff, advertentieteksten schrijven, terwijl ik 's avonds mijn collegeopleiding probeerde af te maken. En ik volgde colleges macro-economie op de universiteit. Ik had een negen gescoord voor Inleiding in de Economie en ik dacht dat ik goed was in wiskunde, dus dat het voor mij een eitje zou zijn. De hoogleraar was Garth Morse. Zegt die naam je nog iets? Hij was een van Clintons economische adviseurs en je ziet hem nog steeds overal op tv omdat hij goed kan praten en glad is, en het leek me helemaal cool om bij zo iemand een cursus te volgen. Maar het ging me mijlenver boven de pet, met al die buitenaardse vergelijkingen die de bètastudenten ogenblikkelijk begrepen. Ik was toch al van slag omdat ik bij Paul weg was en had moeite me te concentreren, en we kregen de cijfers voor het eerste semester terug en ik had een dikke vette vier. Dus ik ging Morse opzoeken. En ik was een minuut of tien op zijn kamer en hij kijkt me heel lang en doordringend aan, alsof hij te veel oude films heeft gezien en hij zegt: "Dit is nogal ingewikkeld, daar moeten we maar eens onder het eten verder over praten." En, oké, daar stond ik niet helemaal verbaasd van. Hij stond erom bekend. Hij dacht dat hij een geschenk van God was. En Dede zei: "Ben je gek, gewoon doen, of wil je over vijf jaar nog op college zitten?" Hij was echt knap en echt een interessante en opwindende man, door en door charismatisch. Maar dan nog. Zijn vrouw was in verwachting. Ik weet niet meer hoe ik dat wist – misschien had hij het er in de les over gehad – maar dat zat me echt dwars. Maar Dede had wel een punt. Ik moest afstuderen en doorgaan met mijn leven en ik kon er net op dat moment, net nadat mijn huwelijk was gestrand, niet nog een nederlaag bij hebben. En dus –'

Nat trapt zo hard op de rem dat ik bijna dubbelklap en aan de airbag denk, tenminste, nadat ik weer kan denken. Ik kijk door de voorruit of we iets hebben geraakt. We staan in de berm helemaal onder aan de brug.

'Is alles wel goed?' vraag ik.

Hij heeft zijn gordel losgemaakt om zijn gezicht dicht bij het mijne te kunnen brengen.

'Waarom vertel je me dit?' vraagt hij. 'Waarom nu? Vannacht?'

Ik haal mijn schouders op. 'Slaapgebrek?'

'Hou je van me?' vraagt hij me dan.

'Natuurlijk. Natuurlijk. Zoals ik nog nooit van iemand heb gehouden.' Ik meen dat meer dan ik kan zeggen. Hij weet het. Ik weet dat hij het weet.

'Denk je dat ik van jou hou?'

'Ja.'

'Ik hou van jou,' zegt hij. 'Ik hou van jou. Ik hoef de ergste dingen die je ooit hebt gedaan niet te weten. Ik weet dat je het voordat je mij ontmoette zwaar hebt gehad. En ik heb het voordat ik jou ontmoette zwaar gehad. Maar nu zijn we samen. En samen zijn we allebei beter dan we ooit zijn geweest. Dat geloof ik echt. Da's alles.' Hij buigt zich naar me toe en kust me zachtjes, kijkt me nog een seconde in mijn ogen, controleert dan de spiegels en stuurt de auto weer de weg op.

Als je twintig bent, treed je je vriendjes nog fris tegemoet. Je bent nog steeds op zoek naar die Ene en tot die tijd is ieder ander eigenlijk maar een tussenhalte en telt niet echt mee. Maar met zesendertig – zesendertig! – ligt dat anders. Je hebt de top bereikt, je hebt geloofd in iemands eeuwige liefde, de meest hemelse seks beleefd die je je ooit kon voorstellen – en toch ben je om de een of andere reden verder getrokken naar iets anders. Je hebt degene bij wie je nu bent bereikt langs een lange lijn van ervaringen. Dat weet je allebei. Je kunt niet net doen alsof wat in het verleden ligt niet is gebeurd. Maar het blijft het verleden, zoals Sodom en Gomorra in de as lagen achter de rug van Lots vrouw, die beter had moeten weten dan om te kijken.

Iedereen begrijpt dat je op deze leeftijd een geschiedenis met je mee-
draagt, een persoon, een tijd met een invloed die je nooit helemaal
kunt vergeten. Nat heeft Kat en ik weet dat ze hem nog steeds nu en
dan e-mailt en hem dan op de kast weet te jagen. En zo zal het ook
gaan met Rusty en wat er met hem gebeurd is. Dat zie ik nu. Hij zal
zijn als het verraderlijke hart van Poeh dat nog steeds zo nu en dan
klopt in de muur. Maar voorbij. Het zal het verleden zijn dat ik heb
beleefd, bizar maar voorbij, het verleden dat me op de een of andere
manier gebracht heeft bij het leven dat ik echt, werkelijk wil en dat
ik elke dag ga leven met Nat.

45

Rusty, 25 augustus 2009

Pas in mijn tienerjaren realiseerde ik me dat mijn ouders fysiek niet compatibel waren. Hun huwelijk was gearrangeerd volgens de gebruiken van het oude land. Hij was een berooide vluchteling, en onrustbarend knap, en zij was een slonzig geklede oude vrijster – drieentwintig – uit een familie met bezit, te weten de portiekflat drie hoog waar mijn moeder heeft gewoond tot de dag dat ze stierf. Ik weet zeker dat zij in het begin dolblij met hem was, terwijl ik me afvraag of hij ooit zelfs maar heeft gedaan alsof hij verliefd was en alsmaar knorriger werd.

Toen ik nog klein was verdween mijn vader elke vrijdagavond na het eten. Ik keek er eerlijk gezegd naar uit, want het betekende dat ik niet op de grond in mijn moeders slaapkamer hoefde te slapen met de deur op slot, want zo verschuilden we ons voor zijn geregelde dronken woede-uitbarstingen. Toen ik op de lagere school zat, nam ik aan dat mijn vader de vrijdagavonden doorbracht in het café of met pinochle spelen, zijn gebruikelijke vermaak, en in plaats van thuis te komen ging hij na die avondjes uit meestal rechtstreeks door naar de bakkerij om het werk voor de zaterdagochtend voor te bereiden. Maar toen ik dertien was veroorzaakte mijn moeder op een vrijdagavond een brandje in de keuken. Ze heeft er zelf het meest onder te lijden gehad, ze was hypergevoelig en nerveus van aard, en de colonne brandweermannen die haar huis binnen kwam stormen bracht haar zo van de wijs dat ze alleen nog om mijn vader kon gillen.

Ik ging eerst naar het café, waar een kennis van mijn vader – vrienden had hij eigenlijk niet – mijn kennelijke ontreddering zag en medelijden met me kreeg, en toen ik naar buiten ging tegen me riep: 'Hé, jongen. Probeer het eens bij Hotel Delaney in Western Street.' Toen ik de receptionist daar zei dat ik Ivan Sabich dringend nodig had, keek hij me met een waterige, ongelukkige blik aan maar gromde uiteindelijk een nummer. Het was niet het soort hotel waar ze in die tijd al een telefoon op de kamers hadden. Zelfs toen ik de smerige trappen op stommelde, met het tot op de draad versleten tapijt en de gangen die roken naar een of ander nafta bevattend ontsmettingsmiddel dat tegen ongedierte werd ingezet, twijfelde ik nog over wat ik zou aantreffen. Maar toen ik aanklopte, herkende ik de vrouw, Ruth Plynk, een weduwe die al gauw tien jaar ouder was dan mijn vader, die de deur op een kier had geopend en in haar slipje door de deur naar buiten gluurde.

Ik weet niet waarom zij naar de deur kwam. Misschien zat mijn vader op de plee. Of misschien was hij bang dat het de receptionist was die meer geld wilde.

'Zeg tegen hem dat het huis in brand staat,' zei ik en vertrok. Ik wist niet precies wat ik voelde – schaamte en kwaadheid. Maar vooral ongeloof. De wereld was veranderd, mijn wereld was veranderd. Daarna zat ik me elke vrijdagavond aan het diner te verbijten terwijl mijn vader voor zich uit neuriede, de enige tijd van de week dat er aan hem een geluid ontsnapte dat ook maar vagelijk aan muziek deed denken.

Ik heb natuurlijk niet één keer hoeven denken aan Ruth Plynk die daar in die kleine deuropening stond als ik in een van de hotelkamers was die ik met Anna heb bezocht. Dat moment kwam pas weer bij me boven toen ik mijn zoon moest vertellen dat ik een affaire had gehad, maar is daarna niet meer weggegaan, maar keert steeds terug als ik zie hoe Nat in mijn aanwezigheid in verwarring raakt.

Diezelfde blik staat op Nats gezicht nu hij in mijn achterdeur staat. Toen ik hem gisteravond belde om te zeggen dat ik eindelijk naar de stad zou terugkeren om de overeenkomsten te tekenen die Sandy heeft uitgewerkt, zei hij al dat hij me wilde komen opzoeken, maar hij is er eerder dan ik verwachtte. Als voorloper op de herfst stormt het vanmiddag met tussenpozen. Hij draagt een sweatshirt met capuchon en zijn donkere haar springt op in de wind.

Ik ben op de meest primaire manier blij om mijn zoon te zien, hoewel zijn aanblik me ook van een zekere ongerustheid vervult. We bedoelen het goed met onze kinderen, maar er is zoveel waar we geen greep op hebben. Nat maakt altijd een gespannen indruk, een manier van om zich heen kijken die naar ik vermoed wel altijd zal blijven, en een ingeslepen frons die ik, zo besef ik, al meer dan zestig jaar in de spiegel zie. Ik doe de deur open, we omarmen elkaar vluchtig en hij stapt langs me heen om de regen van zijn schoenen te stampen.

'Koffie?' vraag ik.

'Tuurlijk.' Hij gaat aan de keukentafel zitten en kijkt rond. Het moet wel moeilijk voor hem zijn, terugkomen in het huis waar het afgelopen jaar zoveel beladen momenten zijn gepasseerd. De stilte blijft hangen tot hij vraagt hoe ik het in Skageon heb gehad.

'Prima.' Ik denk na wat ik verder nog moet zeggen maar besluit om allerlei redenen dat eerlijkheid misschien het beste is. 'Ik heb zelfs nogal wat met Lorna Murphy opgetrokken. De buurvrouw, weet je nog?' Het enorme zomerhuis van de Murphy's strekt zich naast ons huisje uit over meerdere kavels.

'Echt waar?' Ongeacht wat er de afgelopen twee jaar is gebeurd, klinkt hij eerder verbaasd dan verontrust.

'Ze schreef me vorig najaar nadat je moeder stierf en we hebben zo'n beetje contact gehouden.'

'Ah. Rouwverwerking.' Nog altijd even pienter.

Er zit trouwens best wat in. Lorna heeft Matt, een soort bouwmagnaat, vier jaar geleden verloren. Ze is elegant en blond en bijna vijf centimeter langer dan ik en ze heeft blijk gegeven van een koppig vertrouwen in me. Ik dacht dat dat kwam omdat ze er zó lang over had gedaan voor ze aan een andere man kon denken dat ze eenvoudigweg niet van gedachte kon veranderen toen ik was aangeklaagd. Ze schreef me elke week toen ik in de gevangenis zat en ze was de eerste die ik belde toen ik de ochtend na mijn vrijlating naar Skageon reed. Ik had geen idee of ik haar daar een ontmoeting zou durven voorstellen, maar uiteindelijk was dat niet nodig. Zodra ik haar vertelde dat ik onderweg was, zei ze dat ze langs zou komen. We waren allebei toe aan iemand anders.

Ze is een lieve vrouw, rustig, warm maar ingetogen. Ik denk niet dat we samen oud zullen worden; de tijd zal het leren. Maar ik heb met haar wel iets ontdekt: als ik niet verliefd word op Lorna, word ik wel verliefd op iemand anders. Er komt weer iemand. Dat is mijn aard.

'Ik wou je net vragen of je daarginds nog gevist had.'

'O ja, ik heb zeker gevist. Met de kano. Ik heb twee snoekbaarzen gevangen. Twee lekkere maaltijden.'

'Echt waar? Ik zou van het najaar best een weekend met je willen gaan vissen.'

'Afgesproken.'

De koffie is klaar. Ik schenk ons allebei in en ga aan de kersenhouten keukentafel met de waaierende rand zitten. Die staat hier al zolang als Nat leeft, en de geschiedenis van ons gezin staat er in de vlekken en krassen in geschreven. Van veel ervan kan ik me herinneren hoe ze erin kwamen: mislukt schoolwerkstuk, driftbuien, pannen die ik er verstrooid op heb gezet hoewel ze te heet waren.

Nat kijkt in de verte, verloren in een gedachte. Ik roer in mijn koffie en wacht.

'Hoe gaat het met al je werk?' vraag ik uiteindelijk. Dit najaar gaat Nat door als invaller hier in Nearing, maar hij is ook aangenomen op de Easton Law School om tijdens het wintersemester een cursus toegepast recht te geven in plaats van een van zijn voormalige docenten, die met verlof gaat. Hij steekt veel van zijn tijd in het voorbereiden daarvan. En hij is weer aan het werk aan zijn tijdschriftartikel, waarin hij het verklaringsmodel van gedrag dat in het recht wordt gehanteerd vergelijkt met de resultaten van de meest recente neurowetenschappelijke bevindingen. Het zou een baanbrekend stuk kunnen worden.

'Pa,' zegt hij zonder me aan te kijken. 'Ik wil dat je me de waarheid zegt.'

'Oké,' zeg ik. Het is alsof er een kram in mijn hart wordt gezet.

'Over mama,' zegt hij.

'Ze heeft er zelf een eind aan gemaakt, Nat.'

Hij doet zijn ogen dicht. 'Niet het officiële standpunt. Wat er werkelijk is gebeurd.'

'Dat is wat er werkelijk is gebeurd.'

'Pa.' Weer die eeuwige agitatie, dat rondkijken als een vogel. 'Pa, een van de dingen waar ik echt een hekel aan had toen ik in dit huis opgroeide, was dat iedereen geheimen had. Mama had haar geheimen en jij had je geheimen en mama en jij hadden samen geheimen, dus moest ik ook geheimen hebben, maar het enige dat ik wilde is dat er verdomme met elkaar gepraat werd. Snap je?'

Dit is een klacht die ik volledig begrijp en waar ik waarschijnlijk niets aan kan veranderen.

'Ik wil weten wat er echt met mama is gebeurd. Wat jij ervan weet.'

'Nat, je moeder heeft zelfmoord gepleegd. Ik probeer echt niet te verhelen dat mijn gedrag daar een rol in heeft gespeeld, maar ik heb haar niet vermoord.'

'Dat weet ik wel, pa. Denk je dat ik dat niet weet? Maar ik ben je zoon. Ik snap je, oké? En ik heb erover nagedacht. En ik weet twee dingen. Punt één. Je hebt hier nadat ze was gestorven niet vierentwintig uur gezeten omdat je overmand was door verdriet, want om eerlijk te zijn, zo ben jij niet. Je hebt je emoties altijd de kop ingedrukt zoals ze een prop in een kanon stampen. De boel kan later ontploffen, maar je gaat door. Je gaat altijd door. Je had misschien gehuild of gevloekt of je hoofd geschud, maar daarna was je gaan bellen. Toen je hier zat heb je geprobeerd iets uit te puzzelen. Dat is één ding dat ik weet. En er is nog een ding. Ik zat naar je te kijken toen je schuld bekende aan belemmering van de rechtsgang. En je was kalm. Je zei met volle overtuiging dat je schuldig was. Maar ik wéét dat je niet met die computer hebt geknoeid – want dat heb je tegen Anna gezegd – en dat betekent dus dat je schuld bekende aan leugens en bedrog van een veel eerder tijdstip. Volgens mij nadat mama was overleden. Ben ik warm?'

Pientere jongen. Zoon van zijn moeder. Altijd al een pientere jongen geweest. Ik weet een klein glimlachje, van trots, op te brengen als ik knik.

'Dus daarom wil ik alles weten,' zegt hij.

'Jouw moeder was je moeder, Nat. Wat ik voor haar was of zij voor mij verandert daar niets aan. Ik heb geprobeerd je niet als een kind te behandelen. Om je de waarheid te zeggen heb ik me afgevraagd of ik zelf de dingen had willen weten die ik je nooit heb verteld en ik meende werkelijk van niet. En ik hoop dat je een minuutje de tijd wil nemen om het nog eens te overwegen.'

Nat wordt op niemand ooit zo kwaad als op mij. Kwaad worden op zijn moeder was te gevaarlijk. Ik ben een veiliger doelwit en de manier waarop ik hem altijd uit de vingers ben gebleven, of het althans heb geprobeerd, zoals hij het ziet, maakt hem woedend. Maar de woede die zijn voorhoofd samentrekt en zijn blauwe ogen donker maakt is, natuurlijk, die van Barbara.

'Oké,' zeg ik. 'Oké. De waarheid. De waarheid is dat je moeder zelfmoord heeft gepleegd. En dat ik niet wilde dat jij, of iemand anders, dat te weten zou komen. Ik wilde je het verdriet besparen, en de last die kinderen van zelfmoordenaars altijd op hun schouders mee moeten torsen. En ik wilde niet dat je zou vragen waarom. Of dat je te weten zou komen wat ik had gedaan om het uit te lokken.'

'Die affaire?'

'Die affaire.'

'Oké. Maar hoe is ze gestorven?'

Ik steek een hand op. 'Dat zal ik je zeggen. Ik zal je alles vertellen.' Ik haal diep adem. Op mijn tweeënzestigste voel ik me nog steeds als het Servische jochie dat op school nooit populair was. Ik was schrander en iemand die al van kleins af aan niet met zich liet sollen op het schoolplein – ik kon gemeen zijn als iemand me te na kwam. Maar ik was niet populair, niet iemand met wie anderen graag dolden in de gang of optrokken in het weekend of die ze uitnodigden voor feestjes. Ik ben altijd alleen geweest en bang voor de betekenis van mijn isolement. Ik woon weliswaar al mijn hele leven in Kindle County, ben er naar de lagere school, de middelbare school, college en de universiteit geweest, heb er ruim vijfendertig jaar gepraktiseerd en toch mis ik een beste vriend, zeker sinds Dan Lipranzer, de rechercheur met wie ik als aanklager het liefst samenwerkte, vanwege zijn reumatische artritis gedwongen naar Arizona is verhuisd. Ik wil niet zeggen dat ik geen leuke momenten beleef of geniet van het gezelschap van bevriende vakgenoten als George Mason. Maar ik mis een wezenlijke band met iemand. Ik denk dat Anna dat van me wist en het aangreep. Maar mijn grootste hoop heb ik op de een of andere manier op mijn zoon gevestigd. Terwijl het niet eerlijk is een kind daarmee te belasten. Toch ben ik juist daardoor altijd bang geweest om door hem afgewezen te worden. Ik zal me nu moeten vermannen.

'Die dag dat Anna en jij kwamen eten, was ik in de tuin aan het werk geweest.'

'Die struik planten.'

'De rododendron planten voor je moeder, ja. En ik stierf van de pijn in mijn rug. En ze bracht me mijn vier Advils toen we bezig waren het eten klaar te maken.'

'Dat weet ik nog.'

'Ik heb ze niet ingenomen. Ik was afgeleid door de hele situatie, jij en Anna samen en zo, en ik vergat ze. En toen, nadat jullie vertrokken waren en ik me opmaakte om te gaan slapen, bracht je moeder die pillen weer mee naar boven. Ze legde ze op het nachtkastje. Ze zei dat ik ze maar beter kon innemen omdat ik anders de volgende dag mijn bed niet uit zou kunnen komen en ze ging naar de badkamer een glas water voor me halen. En ik weet het niet, Nat. Die fenelzinetabletten, die zien er precies zo uit als die ibuprofens. Even groot. Zelfde kleur. Dat heeft iemand op een bepaald moment zelfs hardop gezegd tijdens de rechtszaak. Maar hoe sterk ze ook op elkaar leken, er was toch een bepaald verschil, iets heel kleins, maar toch een verschil. Ik heb die pillen nooit naast elkaar gelegd om te zien wat me was opgevallen, maar ik raapte ze op en bekeek ze een hele tijd van dichtbij, en toen ik weer opkeek, stond je moeder daar, met het glas water, en, weet je, Nat, dat was nogal een moment.'

'Waarom?'

'Omdat ze een seconde, een paar seconden lang echt vrolijk was. Blij. Triomfantelijk. Ze was blij dat ik het in de gaten had.'

'Wat in de gaten had?' vraagt hij.

Ik staar mijn zoon aan. De waarheid onder ogen zien is vaak de moeilijkste opgave waar mensen voor geplaatst worden.

'Dat ze je probeerde te vermoorden?' vraagt hij uiteindelijk.

'Ja.'

'Ma probeerde jou te vermoorden?'

'Noem het maar wat je wil.'

Nu hij het heeft gehoord, heeft hij moeite met praten. Ik kan zijn polsslag bijna tot in zijn vingertoppen zien kloppen. Het is voor ons beiden een slecht moment.

'Jezus,' zegt mijn zoon. 'Dus volgens jou was mijn moeder een moordenares.' Hij snuift en de lenige logicus in hem zegt op harde toon: 'Nou ja, een van mijn beide ouders moest het zijn, of niet?'

Het duurt even voor ik het snap. Ik lieg omdat ik haar heb vermoord of ik spreek de waarheid.

'Klopt,' zeg ik.

Hij denkt nog even na en staart naar de koelkast. De foto's van de kerst van meer dan anderhalf jaar geleden zijn nog niet opgeruimd. De geboortekaartjes, de blije gezinnetjes.

'Ze wist wie het was geweest. Die ander?'

'Wat ik zei, ze had in mijn e-mails zitten kijken.'

'Ik zal je niet vragen me te zeggen—'

'Goed. Want dat doe ik niet.'

'Maar ze moet er goed van over de zeik zijn geweest.'

'Ze was razend, dat weet ik zeker. En niet alleen vanwege zichzelf. Ze wilde ook andere mensen sparen.'

'Dus dan was het iemands dochter. Een van jullie vrienden? Het moet wel iemand zijn geweest met wie ze close was.'

'Hou op, Nat. Ik kan de privacy van iemand anders niet opofferen.'

'Was het Denise? Daar heb ik altijd rekening mee gehouden – dat je iets met Denise hebt gehad.'

Denise is een nicht van Nat, een paar jaar ouder dan hij, de dochter van Barbara's jongste oom. Een schitterende jonge vrouw, maar ze heeft meer dan haar portie problemen gehad en probeert momenteel alle zeilen bij te zetten om haar huwelijk met een *state trooper* te redden vanwege hun kleintje van twee.

'Het heeft geen zin, Nat. Ik heb me gedragen als een verschrikkelijke klootzak. Dat is alles.'

'Ja, dat wist ik al, pa.'

Raak. Hij zit tegenover me aan tafel maar kijkt weer weg en overdenkt alle teleurstellingen. Ik vermoed dat hij denkt: mama had gelijk. Zonder mij was het allemaal veel gemakkelijker geweest. Als een van ons beiden weg moest, als ik een situatie had gecreëerd waarin er maar één ouder kon overblijven, dan kon dat maar het best Barbara zijn. Dat is precies wat Barbara had geconcludeerd, vooral omdat ik het recht niet had om Nats geluk met Anna in gevaar te brengen.

Intussen slaakt Nat een vermoeide zucht en neemt even de tijd om eindelijk zijn jas uit te trekken.

'Oké, dus je keek ma aan. En er was een krankzinnige glans in haar ogen.'

'Zo zou ik het niet zeggen. Maar ik keek naar die pillen en naar haar, heen en weer, en het was zo'n moment als uit een griezelfilm. En ik denk dat ik iets stoms en voor de hand liggends heb gezegd als: "Is dit Advil?" en dat zij zei: "Iets merkloos." En dat ik toen weer naar de pillen heb gestaard. Nat, ik weet niet wat ik toen van plan was. Er klopte iets niet, maar ik weet niet of ik ze had ingenomen of had gezegd: "Laat me het flesje eens zien," en daar ben ik ook nooit achter gekomen want ze kwam naar me toe en griste ze uit mijn hand en sloeg ze alle vier achterover. In één beweging. "Dan niet," zei ze en liep gepikeerd weg. Ik dacht dat ze weer zo'n typische bui had die je moeder wel vaker had.'

'Ze stierf liever dan dat ze betrapt werd?'

'Dat weet ik niet. Ik zal het nooit weten. Ik denk dat het idee dat ik me van kant zou maken haar toen het erop aankwam toch minder voldoening gaf dan ze gedacht had. Er moet op dat moment van alles door haar heen zijn gegaan, waaronder een flinke portie schaamte.'

'Ze redde je van zichzelf?'

Ik knik. Ik ben er niet zeker van of het klopt, maar voor een zoon die over zijn moeder denkt is het goed genoeg.

'Die fenelzine,' zegt hij, 'was dat alleen omdat die tabletten als twee druppels water leken op medicijnen die je regelmatig slikte?'

'Dat doen ze. En dat is haar waarschijnlijk al jaren geleden opgevallen. En dat gaf haar een gelegenheid. Maar belangrijker was volgens mij dat ze het daarmee kon laten lijken alsof ik aan een natuurlijke oorzaak was overleden. Zodat niemand ooit op ideeën zou komen.'

'Net zoals Harnason probeerde.'

'Net als Harnason. Ik durf te wedden dat ze er een soort gerechtigheid in zag dat ze het middel om me te vermoorden in een van mijn eigen zaken had gevonden.'

Hij glimlacht ietwat spottend, wat ik opvat als een blijk van zijn onuitwisbare waardering voor zijn moeder.

'Maar er was nog een extra veiligheid,' zeg ik. 'Als de overdosis fenelzine op de een of andere manier werd ontdekt, zou ze gezegd hebben dat ik zelfmoord had gepleegd. Daarom zorgde ze ervoor dat ik haar medicijnen ging ophalen – en toen ik thuis was het potje in handen kreeg zodat ik er vingerafdrukken op zou achterlaten. Daarom stuurde ze me ook naar de winkel om worst en kaas en wijn te halen. Ze had op mijn computer al gezocht naar de effecten van fenelzine. Dus ze had een riem én bretels.'

Hij knikt. Hij kan het tot nu toe allemaal volgen.

'Oké, maar wat zou ze dan zeggen over je motief om zo vlak voor de verkiezingen een eind aan je leven te maken? Je stond op het punt de top van je professionele carrière te bereiken, pa.'

'Dat is soms moeilijk voor mensen. En dan was er de scheiding, mijn bezoeken aan Dana. Ik had het een jaar eerder niet doorgezet, dus ze had kunnen zeggen dat ik het niet aandurfde.'

'Zou het geen vreemde indruk maken als ze pas achteraf met zulke dingen kwam?'

'Ze zou vast wel een traantje laten. Wie zou niet geloven dat de aangeslagen weduwe erop gebrand was de reputatie van haar prominente echtgenoot te sparen, om nog maar te zwijgen van de gevoelens van haar gevoelige zoon? Ze zou zeggen dat het potje fenelzine op mijn wastafel stond toen ze me vond, en als ze dan alleen mijn vingerafdrukken op het potje vonden, zou dat haar verhaal bevestigen. En niemand zou vragen stellen. Vooral niet met Tommy Molto als hoofdaanklager, die zou denken eind goed, al goed. En, trouwens, ze hadden het hele huis overhoop kunnen halen, maar wat ze zochten, zouden ze nooit vinden, een vijzel, een stamper, fenelzinepoeder. Ze hadden me kunnen opgraven. Ze zouden nooit iets vinden dat niet strookte met het idee dat ik vrijwillig een overdosis fenelzine had genomen. Want dat zou natuurlijk precies de manier zijn waarop ik om het leven was gekomen.'

Hij laat zijn koffiekopje door zijn vingers gaan terwijl hij het allemaal overweegt. En dan, zoals ik al een tijdje geleden had verwacht, begint hij te huilen.

'Jezus christus, pa. Weet je. Zo'n jurist als jij bent. Je bent soms net Mr. Spock. Ik zei het al: je kon daar niet hebben zitten rouwen. Dat past niet bij je karakter. Jij bent eerder iemand die dan helemaal koud wordt. Alsof je mijlenver weg bent. Je praat over haar alsof ze een of andere seriemoordenaar is of een betaalde sluipschutter, weet je. Iemand die weet hoe je moet moorden, hoe je iemand moet vermoorden. In plaats van een superboos, supergekwetst iemand.'

'Nat,' zeg ik, en niet meer. Zo gaat het al eeuwen, dat ik mijn ongenoegen over hem uit met niet meer dan zijn naam. Het heeft geen zin hem eraan te herinneren dat dit de waarheid is waar hij om vroeg. Hij haalt bij de wastafel een papieren handdoekje om zijn ogen af te vegen en zijn neus te snuiten.

'En hoe heb je dit allemaal bedacht, pa?'

'Langzaam. Daarom heeft het me een dag gekost.'

'Ah.' Hij gaat weer zitten. Hij gebaart met de hand dat ik verder moet gaan.

'Toen ik wakker werd, waren de lakens nat van haar zweet. En je moeder was dood. Mijn eerste gedachte was dat het een hartstilstand was geweest. Ik heb reanimatie geprobeerd en toen ik wilde bellen met de telefoon op haar nachtkastje, zag ik een stapeltje papieren dat ze had achtergelaten onder het glas water dat ze voor me had gehaald om die pillen mee in te nemen.'

'Wat voor papieren?'

'De papieren die ze van de bank had gekregen. Het betalingsbewijs van Dana's kantoor. Kopieën van de cheques waarmee ik mijn advocatenkosten en de soa-kliniek had betaald. Maandafschriften met omcirkelde stortingen. Ze had ze daar kennelijk neergelegd nadat ik was gaan slapen.'

'Waarom?'

'Het was het equivalent van een briefje. Ze wilde me laten weten dat ze het wist.'

'Ah,' zegt mijn zoon.

'Ik was geschokt, natuurlijk. En niet erg trots op mezelf. En ik realiseerde me hoe kwaad ze moest zijn geweest. En dat het vast en zeker geen ongeluk was geweest. Ik hoefde niet te lang na te denken om op de pillen te komen en me af te vragen of ze had ingenomen wat ze eigenlijk aan mij had willen geven. Dus ging ik in haar medicijnkastje kijken. En het potje fenelzine stond direct vooraan. Dat heb ik gepakt en opengemaakt om te kijken of het inderdaad dezelfde tabletten waren. Daar zijn mijn andere vingerafdrukken vandaan gekomen.

Toen ben ik op mijn computer gaan zoeken naar informatie over dat spul. En je weet wel hoe de browser een zoekterm de je al eerder hebt gebruikt afmaakt? "Fenelzine" sprong direct tevoorschijn. Toen besefte ik dat zij op mijn pc had gezeten. Ik was meteen bang dat ze mijn e-mails had bekeken. Dus ik ging kijken en ze had inderdaad mijn mailbox doorzocht en die mails gewist.'

'Van die vrouw? Nogal stom om die erop te laten staan, pa.'

Ik haal mijn schouders op. 'Ik had nooit gedacht dat je moeder op mijn computer zou gaan rondneuzen. Het huis zou te klein zijn geweest als ik ooit naar háár mail had gekeken.'

Het echte antwoord is natuurlijk dat ik wist dat ik risico liep, maar het niet over mijn hart kon verkrijgen om die e-mails te wissen, de enige aandenkens die ik had aan de tijd waar ik nog altijd naar hunkerde. Maar dat kan ik mijn zoon niet zeggen.

'Maar waarom zou ze de moeite nemen om ze te wissen? Of die van Dana?'

'Vanwege jou.'

'Mij?'

'Dat vermoed ik. Als de dingen zo waren gelopen als zij het had gewild, als ik zogenaamd aan natuurlijke oorzaken was overleden, was er nog altijd een goeie kans geweest dat je mijn e-mails zou willen doornemen, niet uit argwaan, maar gewoon om terug te denken aan je vader, zoals mensen in de rouw graag oude brieven doorlezen. Als zij mijn account had opgeschoond, kon jij in alle rust aan me terugdenken.

Maar als het onverhoopt toch tot een onderzoek was gekomen, kwam het haar ook beter uit als die e-mails weg waren.'

'Want?'

'Want dan kon je moeder zeggen wat ze wilde zonder dat iemand haar tegensprak. Dan had ze wel rekenschap moeten afleggen over die papieren van de bank en moeten erkennen dat ze wist dat ik een jaar voor die tijd een affaire had gehad. Maar dan kon ze altijd nog zeggen dat ze niet wist met wie. Dan was uitgekomen dat ik aan scheiden dacht, maar het om onduidelijke redenen niet had willen doorzetten. Misschien had die ander me gedumpt toen ik haar had gezegd dat ik bij mijn vrouw vandaan zou gaan. En had ik daarom zelfmoord gepleegd; niet iets om verder te onderzoeken, dus.'

Hij laat weer een stilte vallen.

'Waar zijn die papieren eigenlijk gebleven? Die van de bank, die op het nachtkastje?'

Ik lach. 'Jij bent slimmer dan Tommy en Brand. Toen we die vrouw van de bank hadden laten getuigen dat ze je moeder die documenten had gegeven, zat ik te wachten op het moment dat de aanklagers zouden vragen waar die papieren in hemelsnaam waren gebleven. Ze hadden het huis verschillende keren doorzocht. Maar er gebeurde te veel te snel, en ze moeten ervan uit zijn gegaan dat ze ze zelf had vernietigd.'

'Maar dat heb jij zeker gedaan?'

'Klopt. In snippers gescheurd en door de wc gespoeld. Die dag. Toen ik het allemaal begreep.'

'Aldus doende belemmering van de rechtsgang plegend.'

'Aldus doende,' antwoord ik. 'Ik kan niet zeggen dat ik tijdens de zitting volkomen open en eerlijk heb getuigd. Ik heb een heleboel dingen niet gezegd die ik had moeten zeggen als ik de hele waarheid had gesproken. Maar ik geloof niet dat ik meineed heb gepleegd. Dat wilde ik in geen geval, want dan had ik de spot gedreven met mijn hele professionele leven. Maar op de dag dat je moeder stierf? Toen heb ik bewijsmateriaal vernietigd. Ik heb de politie misleid. Ik heb de rechtsgang belemmerd.'

'Omdat?'

'Dat heb ik je al gezegd. Ik wilde niet dat jij zou weten hoe je moeder was gestorven of welke rol ik er met mijn stommiteiten in had gespeeld. Toen ik de informatie over fenelzine had gelezen, kon ik me nauwelijks iets anders voorstellen dan dat de lijkschouwer gewoon tot hartfalen zou besluiten. Ik wist dat Molto het grootste obstakel zou zijn, dus had ik de politie en de lijkschouwer maar liever helemaal willen vermijden, maar dat vond jij niet goed. Had de begrafenisondernemer waarschijnlijk ook niet gedaan, maar ik wou het er wel op aan laten komen.'

Nat staart lang in zijn koffiekopje en staat dan zonder een woord op om opnieuw in te schenken. Hij doet er melk in, gaat weer zitten en neemt dezelfde houding aan. Ik weet wat hij afweegt. Of hij me moet geloven.

'Het spijt me, Nat. Het spijt me dat ik je dit allemaal moet vertellen. Ik wou dat er een andere conclusie was die ik kon trekken. Maar het is niet anders. Als dingen eenmaal mis beginnen te gaan, kun je nooit echt voorspellen wat er kan gebeuren.'

'Waarom heb je dit allemaal niet tijdens het proces gezegd, pa?'

'Ik wilde nog altijd niet dat jij dat verhaal over je moeder zou moeten horen. Maar het grootste probleem was dat ik dan had moeten erkennen dat ik de politie had misleid en je moeders documenten had verdonkeremaand. Zoals de wet zegt: "Falsus in uno, falsus in omnis," onbetrouwbaar in één ding, onbetrouwbaar in alles. De jury zou niet veel sympathie hebben gehad voor een rechter die zijn vrouw zo bedroog. Ik heb zoveel van de waarheid verteld als ik kon. En ik heb niet gelogen.'

Hij kijkt me lang aan, dezelfde vraag hangt nog tussen ons in, en ik zeg: 'Ik heb mezelf behoorlijk in de nesten gewerkt, Nat.'

'Dat zou ik zeggen.' Hij doet zijn ogen dicht en masseert even zijn nek. 'Wat ga je doen, pa? Met je leven?'

'Sandy heeft vanmiddag de overeenkomsten klaar om te tekenen.'

'Hoe gaat het met hem?'

Ik klop met mijn knokkels op de houten tafel.

'En wat heeft hij geregeld?' vraagt Nat.

'Ik treed af als rechter vanwege wat ik met Harnason heb gedaan. Maar ik behoud mijn pensioen. Dat is negentig procent van mijn drie beste jaren, dus financieel kom ik niets tekort. Je moeder heeft me ook een fatsoenlijke erfenis nagelaten. Er wordt al over gepraat wie me bij het hof van beroep gaat vervangen, trouwens. Raad eens wiens naam Sandy het meest heeft gehoord?'

'N.J. Koll?'

'Tommy Molto.'

Hij glimlacht maar lacht niet. 'En wat gebeurt er met de commissie van toezicht op de rechtbanken? Wat gebeurt er met je toelating tot de balie?'

'Niets. Die blijft. Die belemmering van de rechtsgang is een bagatel. Overtredingen van het procesrecht passen traditioneel niet in hun takenpakket.

Ik heb laatst toevallig iemand gesproken van het bureau voor rechtshulp in Skageon. Daar komen ze altijd mensen tekort. Lijkt me best interessant als je aanklager en rechter bent geweest. Ik weet niet of ik daar definitief blijf of uiteindelijk toch probeer terug te komen. Ik laat de dingen eerst maar eens een jaar of twee bekoelen, mensen wat tijd gunnen om de details te vergeten.'

Mijn zoon kijkt me aan en laat het allemaal weer in zijn hoofd rondgaan. Tranen wellen op in zijn ogen.

'Ik vind het gewoon zo erg voor mama. Ik bedoel, stel je voor, pa. Ze slikt die pillen en ze weet wat ze zichzelf aandoet. En in plaats van de ambulance te bellen neemt ze een slaaptablet en kruipt naast je in bed om dood te gaan.'

'Ik weet het,' antwoord ik.

Nat snuit zijn neus nog eens, staat dan op en loopt naar de achterdeur. Ik sta drie treden hoger en kijk toe terwijl hij zijn vingers op de klink legt.

'Ik hoop niet dat je het erg vindt dat ik dit zeg, maar ik heb nog steeds niet het idee dat je me alles hebt verteld.'

Ik steek mijn handen op als om te zeggen: wat wil je nog meer horen? Hij staart terug, komt dan het trapje weer op en steekt zijn armen naar me uit. We houden elkaar een moment vast.

'Ik hou van je, Nat,' zeg ik met mijn mond vlak bij zijn oor.

'Ik hou ook van jou,' antwoordt hij.

'De groeten aan Anna,' zeg ik.

Hij knikt en vertrekt. Ik kijk hem vanuit het keukenraam na als hij de oprit af loopt naar Anna's auto. We hebben hem met onze problemen opgezadeld, Barbara en ik, maar hij redt zich wel. Hij is een goede vent. Hij is samen met een goede vrouw. Hij redt zich wel. We hebben ons best voor hem gedaan, allebei, misschien nu en dan zelfs te veel, zoals veel ouders van onze generatie.

Maar onderweg heb ik meer fouten gemaakt dan die ene. De grootste daarvan was waarschijnlijk dat ik meer dan twintig jaar geleden niet heb geaccepteerd dat verandering onvermijdelijk is. In plaats van een nieuw leven te beginnen, heb ik de schijn van het oude opgehouden. En daar heb ik dubbel en dwars voor betaald. In mijn donkerste buien vind ik dat de prijs te hoog is geweest, dat het lot een onredelijke tol heeft geëist. Maar meestal besef ik dat ik geluk heb gehad en dat het allemaal nog veel erger had kunnen aflopen. Maar het maakt niet uit. Ik ga door. Daar heb ik nooit aan getwijfeld.

Mijn eerste dagen buiten de gevangenis waren niet gemakkelijk. Ik was niet meer gewend om andere mensen of drukte om me heen te hebben. Ik was schrikachtig als ik bij Lorna was en kon de eerste week geen nacht doorslapen. Maar ik ben weer tot mezelf gekomen. Het weer was geweldig, dag na fonkelende dag. Ik werd als eerste wakker en om haar niet wakker te maken, ging ik in mijn fleece vest buiten naar het water zitten kijken en voelde ik het volle leven weer door me heen stromen, in de wetenschap dat ik nog altijd de kans heb iets beters voor mezelf op te bouwen.

Nu ga ik de woonkamer weer in, waar de planken schuilgaan in het woud van ingelijste familiefoto's: mijn ouders en die van Barbara, allemaal dood, onze trouwfoto, de foto's van Barbara en mij met Nat op verschillende leeftijden. Een leven. Het langst kijk ik naar een portret van Barbara, genomen in Skageon niet lang nadat Nat was geboren. Ze staat er uitzonderlijk mooi op en kijkt in de camera met een klein glimlachje en een ongrijpbaar kalme blik.

Ik heb vaak nagedacht over Barbara's laatste uren, ongeveer langs dezelfde lijnen als mijn zoon, die altijd de eerste was die haar pijn kon voelen. Ik ben ervan overtuigd dat ze lang genoeg heeft overwogen hoe het allemaal zou aflopen. Toen tijdens de zitting die boodschap op de computer verscheen, heb ik me even afgevraagd of ze was gestorven in de hoop dat het eruit zou zien alsof ik haar had vermoord en dat ze die kaart op de een of andere manier had geplant als een laatste wraak. Maar nu ben ik er zeker van dat Nat gelijk heeft. Barbara heeft haar laatste ogenblikken in totale wanhoop doorgebracht, vooral over wat ze bij mij tekort was gekomen. Slechte huwelijken zijn nog ingewikkelder dan goede, maar altijd getekend door dezelfde klacht: je houdt niet genoeg van me.

In de maanden dat ik op de rechtszaak wachtte, heb ik veel meer aan Barbara gedacht dan aan Anna, die had ik eindelijk achter me gelaten. Dan kwam ik naar deze foto's kijken en rouwde om mijn vrouw, miste haar nu en dan, maar probeerde veel vaker te doorgronden wie ze was toen het zo slecht met haar ging. Ik wou dat ik kon zeggen dat ik mijn best voor haar heb gedaan, maar dat zou niet waar zijn. Bijna vier decennia na ons huwelijk heb ik nog altijd geen helder idee wat ik nu eigenlijk van haar wilde, wat ik zo diep en zo intens verlangde dat het me tegen elk gezond verstand in aan haar bond. Maar wat het ook was, het behoort tot het verleden.

Ik sta rechtop in de woonkamer. Ik beklop de zakken van mijn overhemd en mijn broek om na te gaan of ik alles bij me heb, of ik er in zekere zin nog helemaal ben. Ik ben er. Over een paar minuten vertrek ik naar Sandy's kantoor in Center City om te tekenen voor het eind van mijn carrière, als finale kwijting voor al mijn dwaasheden van de afgelopen jaren. En dat is goed. Ik ben klaar voor het vervolg.

Evanston
20-11-'09

Dankwoord

Ik ben veel mensen dank verschuldigd voor hun hulp bij dit boek. Enkele artsen hebben me onmisbare adviezen over medische kwesties gegeven: dr. Carl Boyar, geneesheer-directeur van het Clearbrook Center in Arlington Heights, Illinois; dr. Michael W. Kaufman, patholoog, van NorthShore University HealthSystem in Evanston, Illinois; dr. Jerrold Leikin, toxicoloog, van NorthShore University HealthSystem in Glenview, Illinois; dr. Nina Paleologos, neuroloog, van NorthShore University HealthSystem in Evanston, Illinois en dr. Sydney Wright, psychofarmacoloog, van het Northwestern University Hospital in Chicago. Marc J. Zwillinger, mijn juridische collega op het kantoor in Washington van Sonnenschein Nath & Rosenthal, en Russ Shumway, onze technisch-directeur van E-Discovery and Forensic Services, hebben me erg veel bijgebracht op het gebied van forensisch computeronderzoek. Ik ben al deze deskundigen immens dankbaar voor hun hulp. De fouten die ik ondanks hun inspanningen heb gemaakt, zijn dan ook geheel de mijne, niet die van hen.

Drie goede vrienden, James McManus, Julian Solotorovsky en Jeffrey Toobin, hebben het manuscript voorafgaand aan publicatie grondig gelezen. Ik ben elk van hen heel erg dankbaar, want ze hebben geholpen er vorm aan te geven. Mijn dochter, Rachel Turow, en haar man Ben Schiffrin hebben als klankbord ook belangrijk bijgedragen en ik ben aan Rachel bijzondere dank verschuldigd omdat ze me heeft behoed voor een aantal pijnlijke vergissingen.

Voor mijn redacteur bij Grand Central, Deb Futter, mijn agent Gail Hochman en in het bijzonder Nina, die aan mijn kant bleven staan, versie na versie, schiet het woordje 'bedankt' eigenlijk tekort.